D0608883

HISTOIRE
DES
ÉTATS-UNIS

sous la direction de
BERNARD VINCENT

HISTOIRE
DES
ÉTATS-UNIS

Nouvelle édition
2001

Flammarion

Dans la même collection

CHASSAIGNE, *Histoire de l'Angleterre.*
GOMEZ, *L'Invention de l'Amérique.*
MAHN-LOT, *La Découverte de l'Amérique.*
ROMANO, *Les Conquistadores.*
VINCENT, *1492 : « l'année admirable ».*
VINCENT (dir.), *Histoire des États-Unis.*

© Flammarion, 1997.

ISBN : 2-08-081376-5

AVANT-PROPOS

L'histoire des États-Unis est d'abord celle d'un *essor* : celui d'une petite colonie lointaine devenue, en l'espace de deux siècles, une immense « nation d'immigrants » (250 millions d'habitants en 1990) et la première puissance (politique, économique, diplomatique, culturelle) de notre époque.

C'est ensuite l'histoire d'une *nation-phare,* première colonie « auto-libérée » et première « république » du monde moderne, laboratoire exceptionnel où furent inaugurés, de façon pratique, les grands principes de la démocratie occidentale.

C'est enfin celle d'un *rêve* – hétéroclite – composé d'égalité et de prospérité, de vertu et de progrès, de liberté individuelle et de culte du droit, de puritanisme et d'aspiration au bonheur, de conformisme et de respect des différences, d'unité nationale et de droits des États.

Mais l'*essor* a parfois été celui d'un « aigle impérial » (trop soucieux d'imposer sa loi – ou ses intérêts – au monde) et la *nation-phare* a été dès l'origine fondée sur une exclusion (celle des Noirs) et sur un génocide (celui des Indiens). Le *rêve,* lui, notamment en matière d'égalité sociale ou d'intégration raciale *(melting pot),* est loin d'avoir été réalisé : les poches de pauvretés restent considérables, la ségrégation urbaine se fige ou se perpétue au lieu de s'atténuer, l'unité traditionnelle de la nation – autour de valeurs « blanches, anglo-saxonnes, protestantes » (WASP) et masculines – n'est plus un creuset adapté : d'où la montée du « multicultularisme » et les tensions qui accompagnent ce phénomène.

Mais les contradictions de ce grand pays font partie de la fascination qu'il a toujours exercée – au même titre que ses célèbres principes fondateurs, que son génie technologique ou que sa culture populaire.

C'est sous ce double éclairage (incluant ombres et lumière) que les auteurs du présent ouvrage – tous spécialistes d'une période particulière – ont cherché à restituer l'histoire complexe de cette colonie pas comme les autres devenue un empire pas comme les autres.

Les auteurs ayant contribué au présent ouvrage sont, dans l'ordre des chapitres qui le composent : « L'Amérique coloniale (1607-1774) », Jean Béranger (université de Bordeaux III) [et Bernard Vincent pour « Naissance d'un rêve [1] »] ; « La Révolution américaine (1775-1783) », Bernard Vincent (université d'Orléans) ; « Naissance de l'État fédéral (1783-1828) », Élise Marienstras (université de Paris VII) ; « L'Union en péril (1829-1865) », Jean Heffer (École des hautes études en sciences sociales) ; « L'âge doré (1865-1896) », Jacques Portes (université de Paris VIII) ; « L'Amérique, puissance mondiale (1897-1929) », Yves-Henri Nouailhat (université de Nantes) ; « De la crise à la victoire (1929-1945) », Claude Fohlen (université de Paris I) ; « L'Amérique triomphante (1945-1960) », Marie-France Toinet (Fondation nationale des sciences politiques) ; « Les années soixante (1961-1974) », Claude-Jean Bertrand (université de Paris II) ; « Une crise d'identité ? (1974-1993) » et « Une "renaissance" américaine (1993-2000) », Pierre Melandri (université de Paris III).

---

1. Texte reprenant une contribution à *L'État des États-Unis,* dir. Annie Lennhk et Marie-France Toinet, Éditions La Découverte, 1990 (Bernard Vincent, « La période coloniale », p. 49-51).

1
L'AMÉRIQUE COLONIALE (1607-1774)

NAISSANCE D'UN RÊVE

Un double rêve, à la fois matériel et spirituel, est à l'origine de la colonisation des Amériques : l'or et l'évangélisation des « sauvages ». L'Espagne fut la première à fonder un empire colonial sur le continent découvert par ses explorateurs et ses conquistadors. La France tenta, elle, de s'établir dans les régions de l'Amérique du Nord négligées par l'Espagne, mais, plus intéressée par les Antilles que par le commerce des Indiens, elle se borna à installer quelques comptoirs et à les protéger par des fortins militaires. Partis les derniers, les Anglais sortirent vainqueurs de cette compétition coloniale née de l'esprit conquérant de la Renaissance : la timidité colonisatrice des Français et la défaite de l'Armada espagnole (en 1588) ouvrirent à la Grande-Bretagne et à sa dynamique classe de négociants et de banquiers les chemins du Nouveau Monde. A un océan de la mère patrie se développa un empire que le temps et les hommes, la géographie et l'histoire allaient peu à peu couper de ses bases et promettre à un rêve nouveau : celui de l'indépendance et de la démocratie.

Outre sa rivalité avec l'Espagne, l'Angleterre avait de multiples raisons de vouloir coloniser l'Amérique du Nord : 1) la perspective d'accroître, grâce aux besoins grandissants du négoce et des pêcheries d'Amérique, la puissance maritime de la Grande-Bretagne ; 2) celle de découvrir le mythique « passage du Nord-Ouest » qui ouvrirait aux navires anglais la route juteuse de l'Extrême-Orient ; 3) celle de résoudre en partie le problème du chômage en transférant outre-Atlantique toute une nuée d'oisifs indésirables ; 4) la perspective enfin d'avoir — au loin — un lieu de refuge pour tous ceux qui refusaient de se conformer au système religieux de l'Église anglicane.

La méthode de colonisation adoptée au XVIIᵉ siècle par les Britanniques fut très différente de la stratégie espagnole ou française. Les colonies anglaises créées sur la façade atlantique du continent nord-américain furent en réalité de trois sortes. Il y eut tout d'abord les *charter colonies* : lancées par des hommes d'affaires et bénéficiant d'une « charte » royale, ces colonies à but lucratif (ou parfois à vocation religieuse) furent la première manifestation de ce goût de la « libre entreprise » si cher aux Américains et si essentiel à leur histoire. Certains de ces établissements firent faillite ou succombèrent aux représailles indiennes. Le roi dut alors se substituer aux compagnies et prendre entièrement en charge des colonies qui relevaient au départ de la seule entreprise privée : elles devinrent « colonies royales » ou « colonies de la Couronne » *(Crown colonies)*. A côté de ces établissements furent également créées des *proprietary colonies,* concessions territoriales accordées par le roi à des « lords » chargés de les mettre en valeur, de les peupler et d'y faire régner les lois et coutumes d'Angleterre : ce mode de colonisation « par le haut » finit par prévaloir sur l'initiative privée le jour où la Couronne s'avisa que, loin d'être de simples comptoirs à la française, les colonies d'Amérique formaient déjà l'embryon d'un empire.

La première colonie permanente fut établie à Jamestown (Virginie) en 1607. La seconde vit le jour en 1620 à Plymouth (Nouvelle-Angleterre) : ses fondateurs sont les « Pères Pèlerins », dissidents puritains ayant rompu avec l'Église anglicane et soucieux de rebâtir dans un pays neuf et sur des bases assainies tout l'édifice de la chrétienté — mais un édifice sans hiérarchie, sans pompe inutile, sans relents papistes, fidèle en tous points au message évangélique. Avant même que leur navire, le *Mayflower,* ne soit en vue des côtes américaines, les Pèlerins signent entre eux un contrat (le *Mayflower Compact*) aux termes duquel ils s'engagent, par-delà leur fidélité au roi, à n'obéir qu'aux lois locales qu'ils se seront données : cette proclamation fondamentale, que bien d'autres colonies imiteront par la suite, porte en elle, cent-cinquante ans avant l'échéance, le triple germe de l'indépendance, de la constitution fédérale et de la république américaine.

Poussées par le goût de l'aventure, l'ambition de faire fortune, la simple perspective d'avoir un emploi ou le désir de vivre leur foi librement, les vagues d'immigrants se succèdent et, dès 1700, douze des treize colonies qui plus tard formeront l'Union fédérale existent déjà. La vie s'y organise selon des principes inconnus en Europe. On trouve certes dans chaque colonie une classe supérieure (négociants, armateurs, ecclésiastiques dans le Nord, aristocratie terrienne dans le Sud) qui joue les premiers rôles, et l'on peut dire à cet égard que la société coloniale américaine n'est pas « démocratique ». Mais elle est en même temps marquée par une grande mobilité sociale et la reconnaissance du mérite personnel — à quoi s'ajoute, notamment sur la Frontière, un sens aigu de l'égalité dû à des conditions de vie très rudes qui tendent à placer tout le monde (y compris les femmes) sur le même pied. Au bas de l'échelle sociale se trouvent les serviteurs sous contrat *(indentured servants)* : pour payer leur traversée, ils se sont engagés à servir gratuitement un maître pendant plusieurs années, mais l'expiration du contrat signifie pour eux qu'ils sont désormais libres de vendre leur force de travail ou de s'installer à leur compte. Au XVIIᵉ siècle, l'immense majorité des colons étaient par conséquent des serviteurs sous contrat ou d'anciens serviteurs ou des enfants de serviteurs, bref des hommes qui devaient le plus clair de leur liberté à leur propre travail ou à celui de leurs parents. La main-d'œuvre était rare, les besoins en personnel qualifié élevés, le chômage à peu près inexistant : une prospérité relative mais réelle régnait dans l'ensemble de ces colonies qui, elles, n'offraient en spectacle ni le désœuvrement des déshérités, ni l'oisiveté des nantis. Ces colonies étaient anglaises, mais elles n'étaient déjà plus l'Angleterre et, dans ses *Lettres d'un fermier américain,* Crèvecœur, installé dans la province de New York depuis 1759, pouvait à juste titre évoquer (en passant un peu vite sur le sort des Indiens et des Noirs) « l'Américain, cet homme nouveau ».

Les vertus (souvent puritaines) prônées par le christianisme local ne concernaient que l'univers des Blancs, et encore la tolérance mutuelle n'était-elle pas le point fort des multiples sectes venues d'Europe, où on les persécutait, pour se disputer l'âme austère des colons. Il fallut passablement d'exclusions, de procès en sorcellerie (comme à Salem en 1692) et quelques pendaisons de quakers pour que la sagesse finisse par l'emporter et pour que l'Amérique devienne, après la Suisse et la Hollande, un havre relatif de liberté religieuse.

Au milieu du XVIIIᵉ siècle, une longue guerre opposa, sur le territoire américain, l'Angleterre à la France. Vaincue, la France renonça, en 1763, à toutes ses possessions d'Amérique du Nord. L'attitude des colons vis-à-vis de la mère patrie se mit alors à changer : n'ayant plus rien à craindre de la présence française, ils commencèrent à se dire que la protection britannique n'était plus une nécessité absolue. Les autorités britanniques changèrent, elles aussi, d'attitude, mais dans un sens diamétralement opposé : le laisser-aller et les mauvaises habitudes d'autonomie devaient céder le pas, dans les colonies, à une discipline renforcée qui soit digne d'un « empire » et à un effort fiscal que la métropole ne voulait plus être seule à supporter.

Le parlement britannique entreprit alors de mettre les colonies au pas 1) en renforçant l'application des lois existantes ; 2) en imposant aux colons un nouveau train de lois fiscales (dont le *Stamp Act*, 1765) d'autant plus iniques que les colonies n'étaient pas représentées au parlement ; 3) en suspendant la colonisation des terres de l'Ouest et 4) en réduisant ou supprimant les pouvoirs des assemblées coloniales. La résistance des colons s'organisa aussitôt au moyen de pétitions, de boycottages et de manifestations plus radicales comme l'Émeute du Thé à Boston *(Boston Tea Party)* en 1773. En recourant à la répression armée au lieu de reconnaître aux sujets lointains de Sa Majesté le droit de jouir des « libertés anglaises », Londres commit alors l'irréparable : les premiers coups de feu échangés à Lexington et à Concord (Massachusetts) marquèrent le début d'un dur et long conflit qui allait se solder, en 1783, par la défaite des Anglais, l'indépendance des colonies et l'instauration de la République des États-Unis d'Amérique.

AMÉRIQUE COLONISATRICE OU AMÉRIQUE COLONISÉE ?

L'Amérique coloniale des origines à l'éruption révolutionnaire, cette « première moitié de l'histoire américaine », est devenue plus problématique que jamais depuis qu'après 1955 des historiens de plus en plus nombreux ont remis en question les certitudes et les hypothèses de leurs prédécesseurs. Les tenants de l'école « impériale » avaient sans doute eu tort de ne pas vouloir étudier en soi le bloc des treize colonies qui se révoltèrent en 1775. Les spécialistes de l'école « progressiste » ne voulurent pas non plus étudier la période coloniale en soi. Tout en elle était signe avant-coureur. Vinrent ceux qui dans une perspective interdisciplinaire d'études américaines cherchèrent, voire pourchassèrent, l'américanisation unificatrice. Ce n'est que depuis une trentaine d'années, sous l'influence de Perry Miller, qu'on s'est attaché aux différences locales dans l'analyse des idées, de l'économie, de la démographie, de la culture, de la société. Le résultat est qu'aujourd'hui les grandes perspectives sont brouillées et que tout panorama a perdu en cohérence globale.

Les intentions colonisatrices originelles de l'Angleterre sont claires (dès 1584, Richard Hakluyt publie, à l'intention « de Sa Majesté et de l'État », un argumentaire en 22 points en faveur de la colonisation : *Discourse concerning Western Planting*). Les Anglais ont la volonté de s'implanter pour faire pièce aux grandes puissances du temps ; mais, si la soif de l'or motive les expéditions, elle ne suscite pas de plan vraiment délibéré et constamment entretenu. La volonté de puissance ne fera l'Empire que plus tard. La rivalité avec le Portugal et l'Espagne est à peine achevée que se dessine celle qui oppose l'Angleterre à la Hollande dans trois guerres, entre 1652 et 1665 : trois guerres qui assurent avant tout la suprématie maritime et marchande d'Albion, suprématie confortée par les Actes de Navigation (1663). Suit la rivalité avec la France — de la « Glorieuse Révolution » à 1713 — et à nouveau avec la France et l'Espagne — de 1739 à 1763 —, rivalité qui s'achève par le triomphe de la Grande-Bretagne. Le nombre des colonies, et leur territoire, se sont considérablement agrandis. Londres n'a gagné qu'en menant une action militaire, voire en établissant des garnisons. Entre 1660 et 1730, cent dix des cent quatre-vingts gouverneurs sont des militaires, reflet du rôle joué par cette caste dans les classes dirigeantes anglaises. Le coût des guerres conduit la métropole à s'assurer du bon rendement des colonies et de leur loyauté. D'où les efforts pour affirmer un contrôle plus étroit de l'économie, des échanges et de la subordination politique à la mère patrie, au Parlement, à la Couronne. Ces efforts semblent parfois plus sensibles avec les rois de la dynastie des Stuart. Cependant Jacques II peut entretenir des illusions. C'est sous Guillaume d'Orange, le bon roi protestant, que fut installé le *Board of Trade and Plantations*. Il faut néanmoins se garder de voir l'Angleterre obsédée par la mise en place de contraintes toujours plus pesantes ou bureaucratiques. Le déclin du *Board*, la « salutaire négligence » de la métropole, les rivalités entre factions politiques — ou familles — en Grande-Bretagne expliquent bien des à-coups et bien des inconséquences dans la politique suivie par l'Angleterre à l'égard de ses colonies d'Amérique.

Loin de la mère patrie les colons vivent des expériences nouvelles, parfois utopiques, dans les premiers temps surtout. La grande découverte fut que la terre était habitée par de puissantes tribus amérindiennes. La terre vide ne fut qu'une vérité très locale et très temporaire comme le constatèrent ceux qui débarquèrent à Cape Cod. Les Virginiens en étaient déjà amplement convaincus. Des relations d'échange s'établirent : nourriture, fourrures et peaux contre des produits européens. Mais ce rapport devint vite conflictuel. On sait la suite : dépossession, génocide, violence réciproque. Les Blancs, venus en groupes organisés, s'appropriaient des terres aux dépens des premiers occupants estimés aujourd'hui à dix millions sur l'ensemble du territoire. L'immense majorité des colons — entre 80 et 90 % — travaillait dans l'agriculture, tandis que villes et ports voyaient se développer le commerce. Ces Blancs étaient, dans une faible proportion, des hommes riches, mais la plupart étaient pauvres et avaient souvent le statut de serviteurs sous contrat. L'immigration, inégale, fut forte dès le XVIIe siècle. La population augmenta malgré les épidémies et le climat éprouvant. Composée d'Anglais au départ, elle se diversifia avec des éléments originaires d'autres parties des Iles britanniques et du Continent européen. L'ethnicité devint vite une caractéristique majeure en particulier dans le New York et en Pennsylvanie. Elle s'ajouta au problème racial posé dès les origines par la présence des Amérindiens. Commodité ou nécessité du développement économique, l'importation des Noirs issus d'Afrique accentua les complexités et les contradictions qui apparurent timidement avec l'intensification de la traite et qui furent vécues très différemment selon qu'il s'agissait de la Géorgie, de la Virginie ou de la Pennsylvanie. Car il faut, pour le peuplement comme pour tous les autres problèmes, diviser chronologiquement les colonies en quatre ensembles : la région du Chesapeake, la Nouvelle-Angleterre, le Centre, le Bas-Sud. Les rapports ethniques et raciaux, les relations de travail, le développement, l'occupation du sol, les productions, les échanges commerciaux tendaient — les difficultés de communication intercoloniales aidant — à créer des économies et des cultures différentes. Et si le facteur religieux fut fondamental et commun à toutes les colonies, il révéla des sensibilités et prit des formes très différentes, selon qu'il s'agissait du Massachusetts, de la Pennsylvanie ou des Carolines. La multiplicité des religions fut présente dès le début. Elle retentit sur le politique. La contestation de la toute-puissance temporelle d'une confession, le déclin de la hiérarchie, la pratique du renouveau par des « enthousiastes » dès le XVIIe siècle, puis par les évangéliques, avaient déjà marqué l'Amérique à jamais. Ainsi s'établirent des sociétés qui s'inventèrent des traditions non sans emprunter à l'Europe. L'emprunt ira en grandissant en politique, les colonies étant de plus en plus portées à s'angliciser. Si les gouvernements locaux issus des chartes et des volontés coloniales jouaient un rôle moteur dans l'attribution des terres, dans la vie économique, ils cherchaient de plus en plus à agir seuls, luttant souvent avec succès contre les directives parfois incohérentes ou intermittentes de Londres. Les assemblées imitaient le Parlement impérial. Jamais les droits anglais ne seront davantage revendiqués qu'avant la flambée révolutionnaire. Culturellement et intellectuellement il était difficile d'aller jusqu'au bout et de commettre l'irréparable. Les sentiments, le poids des habitudes, des intérêts divergents brisaient les efforts visant à rassembler les treize colonies. Malgré l'aveuglement et les bévues de l'Angleterre officielle, on peut se demander si la rupture était vraiment inscrite dans l'évolution au moment où elle se produisit.

LES ORIGINES DE LA COLONISATION

Le débarquement de Leif Ericson à Vinland en l'an 1000 et l'installation, par Therfinn Karlsefni, de têtes de pont entre le Labrador et la Nouvelle-Angleterre en 1010 furent sans lendemain. La véritable découverte du Nouveau Monde est le résultat imprévu de la quête d'une voie maritime vers l'Inde et l'Extrême-Orient, Cathay et Cipangai, pour se procurer métaux précieux et épices. L'avantage initial des Portugais, acquis sous l'impulsion de Henri le Navigateur et grâce au voyage de Barthélémy Diaz le long des côtes d'Afrique, fut remis en question par les conséquences de l'expédition de Christophe Colomb en 1492 avec le soutien d'Isabelle la Catholique, Reine de Castille. En 1494 le

Portugal et l'Espagne aboutirent, par le traité de Tordesillas, à un partage des terres découvertes (ou à découvrir) à l'ouest des Açores. Les marchands et les princes s'enrichirent. L'Espagne devint un empire de première grandeur. Fascinées par le rêve d'or et d'argent, les autres puissances maritimes d'Europe occidentale se lancèrent dans la course. Anglais et Français rivalisèrent bientôt. Dès 1496, John Cabot — gênois, citoyen de Venise, établi à Bristol — obtint de Henri VII un droit sur les terres qu'il découvrirait, et le monopole du commerce en tant que vassal et lieutenant du Roi.

UNE RIVALITÉ RELIGIEUSE

L'idée de promouvoir la cause protestante dans sa version anglicane était l'une des raisons avancées pour justifier la colonisation. Ce mobile relevait de la lutte entre les diverses formes du christianisme, les monarques espagnols et portugais s'étant de leur côté mis au service du Pape pour établir l'universalité de la confession catholique et romaine. Les terres de souveraineté anglaise devaient, elles, reconnaître la suprématie de l'Église d'Angleterre dont le Roi était à la fois le chef temporel et le protecteur. C'est pourquoi, avant leur départ vers le Nouveau Monde, les puritains séparatistes devaient promettre allégeance à la Couronne et à la religion officielle.

Mais la Réforme, les affaires d'Europe, la rivalité avec l'Espagne contrarièrent beaucoup la volonté colonisatrice en Angleterre. Pourtant sir Francis Walsingham (Secrétaire d'État d'Elisabeth Ire) et ses amis poussaient à l'établissement de colonies. Après avoir reçu une patente royale, le navigateur Humphrey Gilbert réunit des capitaux privés. Il échoua en 1578, réussit en 1583, annexant Terre-Neuve au nom de la Reine avant de disparaître en mer au retour. Son demi-frère, sir Walter Raleigh, héritier de ses droits, se mit à explorer la côte qu'il baptisa Virginie en honneur d'Elizabeth. D'autres incursions suivirent, marquées par la tentative infructueuse de John White d'établir une colonie en Virginie en 1597, par l'occupation provisoire de l'île de Roanoke au large de la Caroline du Nord, là où du fer avait été découvert en 1585. En 1589, Raleigh abandonna ses droits à ses créanciers, à John White, à Richard Hakluyt, et surtout à sir Thomas Smythe, personnage-clé des compagnies de commerce, qui fut l'un des organisateurs de la Compagnie de Virginie. Cette date symbolise le transfert de l'initiative du monde des serviteurs de la Couronne et des courtisans à celui des grands marchands manipulant d'importants capitaux qu'ils investissent dans des sociétés à risque. La puissance économique privée gagnait un point, encore théorique, sur la puissance politique des princes. Elle eut plus d'efficacité que la revendication par Francis Drake des terres de Californie pour la Couronne en 1578. L'Espagne continuait de prétendre à toutes les terres américaines du nord. Mais son implantation s'arrêtait en fait à la hauteur de Saint-Augustin, le fort construit en 1565 sur la côte de Floride pour faire barrage aux ambitions des protestants français à la recherche de l'or. Elizabeth Ire temporisa longtemps. La guerre avec l'Espagne leva les derniers scrupules, et la paix signée en 1604 les derniers obstacles. L'essor, commandé par la recherche du profit, par le désir de puissance, fut aussi provoqué par d'autres motivations, dont la fondation de Plymouth en 1620 et de la Colonie de la Baie du Massachusetts en 1630 fournissent les exemples les plus connus.

POPULATION ET PEUPLEMENT

Si les États-Unis sont une nation d'immigrants, il ne faut pas oublier les premiers de ceux-ci. Venus d'Asie Centrale par le Grand Nord, les Amérindiens s'étaient répandus dans tout le Continent. Leur nombre demeure un sujet de spéculation et oscille entre 1 et 12 millions. Appelés Indiens par les Européens qui croyaient avoir atteint les Indes orientales, il sont les premiers occupants connus, organisés en tribus jusque sur les côtes de l'Atlantique où les colons anglais firent connaissance avec les Powathan ou les Wampanoag, tribus de famille algonquine. Rejetés par la quasi-totalité des conquérants anglo-saxons, les Amérindiens ont été identifiés, puis repoussés, mais presque jamais décomptés, peut-être parce qu'ils étaient considérés comme hors de la juridiction anglaise. Il y a cependant deux exceptions : le recensement de 1708 en Caroline du Sud révèle une population indienne atteignant le taux de 14,6 % et celui du Massachusetts en 1764 où les Indiens ne représentent que 0,7 % de la colonie (laquelle est alors la plus peuplée).

Les premiers colons blancs étaient des sujets anglais venus en nombre limité en Virginie comme à Plymouth : il n'y avait que 102 passagers à bord du Mayflower lorsque celui-ci jeta l'ancre près de Cape Cod (62 moururent dès le premier hiver).

La colonie de Virginie eut, elle aussi, des débuts difficiles suite à la disette, aux maladies, au massacre perpétré par les Algonquins en 1622. Après avoir diminué jusqu'en 1625, la population s'accrut. En 1699 la colonie comptait 58 000 habitants, dont 13 % de Noirs — donc beaucoup plus que lors des deux premiers recensements de 1624 et 1625 qui relèvent 1,7 à 1,9 % d'esclaves, proportion relativement élevée compte tenu de la date d'importation des premiers Africains en 1619 (douze ans seulement après la fondation de Jamestown !). Le peuplement est assez tôt multiracial, mais de manière fort inégale. Les Noirs sont introduits surtout au Sud pour servir dans les plantations. Mais il y en a en Pennsylvanie et au Massachusetts. La main-d'œuvre blanche est constituée pour une large part de serviteurs sous contrat *(indentured servants)*. Chiffrer ces derniers est difficile, parce qu'une fois libérés de leur servitude volontaire ils s'efforçaient de dissimuler leur origine. Cela est encore plus vrai des condamnés et repris de justice que l'Angleterre était prête à expédier outre-Atlantique comme serviteurs. La statistique, là aussi, est déficiente. Au début, l'Angleterre avait vu dans la colonisation un moyen d'exporter son surplus de population à une époque où les crises économiques étaient fréquentes et où la richesse d'un pays se comptait en métaux précieux, en valeur monétaire. Puis, avec le développement du mercantilisme, l'idée se répandit que les hommes constituaient une richesse ; d'où un changement d'état d'esprit et la tendance à ne plus faciliter le départ des sujets de Sa Majesté, hormis les plus indésirables. Aussi l'émigration anglaise fut-elle, au XVIIIe siècle, peu à peu relayée par l'émigration étrangère. Celle-ci vit les Allemands et les Irlandais du Nord de souche écossaise former les gros bataillons. Il y eut tant d'Allemands en Pennsylvanie que Benjamin Franklin cria au danger de germanisation. Mais il y avait toujours eu des étrangers : des Hollandais, des Suédois, des Huguenots français et des Suisses. La diversité ethnique, présente en germe au XVIIe siècle, commença à frapper les Américains et leurs visiteurs au siècle suivant, ainsi qu'en témoignera St.John de Crève-cœur dans ses *Lettres d'un fermier américain* (1782).

Après les années où la survie était en question vint le temps de l'orgueil : les Américains constataient leur croissance et y voyaient volontiers une preuve de protection de la part d'un Dieu satisfait de leur vertu. Face à cette évolution, l'Angleterre fut longtemps indifférente. Si l'on met à part le cas très particulier de la Virginie, surveillée de près dans ses débuts, objet de recensements de population pour s'assurer de la rentabilité de l'entreprise et de sa gestion par la Compagnie de Londres, il faut attendre l'institution du *Board of Trade and Plantations* en 1696 pour que des informations soient régulièrement demandées aux Gouverneurs. Il n'y eut cependant pas de recensements systématiques. L'Angleterre s'intéressa aux chiffres en 1689 et en 1754 à cause des guerres qui l'opposaient à la France. Ce n'est pas avant le milieu du XVIIIe siècle que la métropole s'inquiéta du nombre des habitants et de la croissance de la population des colonies américaines. En fait l'intérêt retombe après 1763. En tout, 36 recensements furent pratiqués entre 1761 et 1775 sans qu'il apparaisse que le gouvernement britannique se soit beaucoup soucié de la documentation transmise. A la veille de l'Indépendance, la population globale est estimée à environ 2 300 000 habitants, dont 20 % de Noirs. Les plus peuplées des treize colonies étaient la Virginie, le Massachusetts, la Pennsylvanie, les Carolines.

CHARTES ET LOIS

Pour établir l'assise légale des colonies et préserver sa souveraineté, la Couronne pratiqua le système des chartes. Empruntant des dispositions aux chartes accordées à des compagnies marchandes, Jacques Ier (1566-1625) abandonna une parcelle de son pouvoir à la Compagnie de Virginie dans trois chartes successives dont la première date de 1606. Ce modèle fut appliqué à d'autres projets de colonisation. Le cas des Pères pèlerins, débarquant au nord de la concession de la Compagnie de Virginie, dans une zone relevant des promoteurs de la Nouvelle-Angleterre avec qui, en 1620, ils n'avaient pas de contrat, est un cas à part ; et la signature, par les « Pélerins » eux-mêmes (une quarantaine de puritains séparatistes sur un total de 102 passagers), du célèbre « contrat du Mayflower » revêt une importance historique particulière :

LE *MAYFLOWER COMPACT*

Le 11 novembre 1620, alors que les courants (ou d'autres raisons obscures) les ont poussés non vers la Virginie mais vers les côtes du Massachusetts, les « Pères pèlerins » se sentent dégagés du contrat qui, au départ, les liaient à la *Virginia Company* et, avant même de débarquer, ils adoptent un texte qui, dans son esprit, préfigure la future Déclaration d'Indépendance, voire les futures Constitutions américaines : ils décident en effet de se constituer « en un corps politique civil » et se confèrent le droit de faire des lois « justes et égales » afin d'assurer, dans le respect du roi et de la foi chrétienne, « le bien général de la colonie ».

Le *Mayflower Compact* continua de prévaloir jusqu'en 1691, date à laquelle la colonie de Plymouth fut placée par Guillaume III sous l'autorité de la nouvelle colonie royale du Massachusetts.

Un autre type de charte fut accordé à des nobles ou à des groupes. Ce furent les chartes de propriétaires dont le prototype servit pour le Conseil de Nouvelle-Angleterre en 1620 et qui ne dura que quatorze ans. En 1623 George Calvert (lord Baltimore) reçut une charte pour Terre-Neuve ; puis, après l'échec de sa tentative, il en obtint une autre pour le Maryland en 1632. Sous la Restauration, les Stuarts se montrèrent très généreux dans la distribution de droits féodaux et de privilèges exclusifs. En 1663 Charles II (1630-1685) offre les Carolines à huit de ses courtisans. L'année suivante le duc d'York, son frère, reçoit le New York, bientôt repris aux Hollandais (il avait envoyé une flottille pour prendre possession). En 1681 William Penn (1644-1718) se laisse octroyer la Pennsylvanie. Il existe un autre type de situation, celle ou la charte du premier type est accordée a posteriori : fondée en 1636 par Roger Willïams (1603-1683), la colonie de Providence obtient une charte en 1644 ; le Connecticut recevra la sienne vingt sept ans après l'établissement de son gouvernement. Le système fut remis en question à la fin du XVIIᵉ siècle quand il apparut qu'il faisait obstacle au contrôle par la métropole. Des raisons particulières, liées notamment à l'insécurité de Jamestown, avaient conduit à l'abolition de la charte de Virginie dès 1624. Mais c'est le Massachusetts qui perd la sienne en 1684. Peu à peu neuf des treize colonies devinrent colonies royales sous le contrôle direct de la Couronne. A la veille de la

Révolution, il ne restait plus que le Rhode Island et le Connecticut à être du premier type et le Maryland ainsi que la Pennsylvanie à être du deuxième. Les Carolines avaient abandonné leur charte en 1729. Après une tentative d'établissement d'un grand ensemble — le Dominion de Nouvelle-Angleterre, en 1686, sous le règne du gouverneur Andros (1637-1714)—, une charte fut rendue au Massachusetts en 1691. Mais elle était fort restrictive, supprimant la base du pouvoir de l'Église congrégationaliste et instituant la nomination d'un gouverneur royal.

WILLIAM PENN ET LA CHARTE DES PRIVILÈGES

En 1681, William Penn (1644-1718) reçut de Charles II une charte de propriétaire en remerciement des services rendus et de l'argent donné par son père à la monarchie. Le fils du grand amiral avait eu un passé agité, marqué par le radicalisme religieux et ponctué par la prison. Homme de fortes convictions religieuses et politiques, converti au quakerisme, il fut associé aux projets de colonisation de George Fox (1624-1691) et profita d'un héritage exceptionnel pour mettre en œuvre sa pensée. Consacrant son immense domaine à ce qu'il baptisa lui-même une « Sainte Expérience », il s'attacha à mettre en place un gouvernement avancé. Après divers essais, il accorda en 1701 une *Charte des Privilèges et Libertés* qui fit office de Constitution de la colonie jusqu'à la Révolution américaine. Penn tenait à garantir la liberté de conscience (et l'accès aux emplois publics) à tous ceux qui croyaient en Jésus-Christ, quelle que fût la théologie entourant leur foi. Mais cette généreuse ouverture d'esprit fit souvent place chez ses successeurs à un conservatisme étroit.

Les chartes du premier type avaient instauré la notion (théoriquement démocratique) d'un gouvernement par les actionnaires, puis par les franc-tenanciers, à quoi s'ajouta la notion de contrat — *compact* — entre membres égaux d'une même société (le prototype étant le *Mayflower Compact*). Cependant la pratique fut rarement démocratique, à cause de la pression des gens en place ou des idéologies religieuses, notamment à Boston, et à l'exception de Providence. Certains propriétaires étaient tentés par l'expérimentation qui tendait à créer des espaces de liberté. Mais la liberté des uns ne coïncidait pas nécessairement — exemple le Maryland — avec celle des autres. Les chartes permettaient de voter des textes qui, sans contredire les lois et

« libertés » anglaises, s'ajoutaient à celles-ci ou les enrichissaient. Une tentative vit le jour — notamment au Massachusetts — visant à garantir certaines libertés. Un long cheminement, souvent marqué par des retours en arrière, devait conduire, à la fin du XVIIIe siècle, à l'affirmation historique des droits « inaliénables » de l'homme. Toutefois les assemblées locales étaient inégalement disposées à revendiquer droits et libertés. Et leur pouvoir était de plus contesté par la métropole. Finalement les colonies royales furent plus dirigées par des gouverneurs munis d'instructions détaillées que dans le respect de véritables constitutions écrites. La distance était grande et le chemin incertain entre les chartes et lois coloniales d'une part et d'autre part les grands textes fondateurs de la future République américaine — la Déclaration d'Indépendance, la Constitution fédérale et la Déclaration des Droits.

RELIGION ET SOCIÉTÉ

La charte accordée à la Compagnie de Virginie par Jacques Ier, « Défenseur de la Foi », introduisit officiellement la dimension religieuse de la colonisation. Mais, si quelques pasteurs songèrent à évangéliser les Indiens dans le Sud comme en Nouvelle-Angleterre, l'Amérique devint surtout le refuge d'innombrables confessions souvent animées d'un grand zèle missionnaire envers leurs frères blancs ou noirs. En principe toutes les colonies relevaient de la juridiction de l'évêque de Londres, mais son influence était réduite ou ignorée. Établie au sens strict en Virginie depuis 1619, l'Église d'Angleterre bénéficiait des taxes prélevées pour entretenir son activité et son clergé. Elle n'obtint ce statut dans la colonie de New York qu'en 1693, puis en Caroline du Sud en 1706 et en Géorgie en 1758. Établie au Maryland en 1693, sa primauté fut à éclipses en Caroline du Nord (1701, 1705, 1711, 1715 et de 1720 à 1765). L'amélioration des positions anglicanes dut beaucoup à Thomas Bray (1658-1751), fondateur de la « Société pour la promotion de la connaissance chrétienne » en 1698 et de la « Société pour la propagation de l'Évangile à l'étranger » en 1701. En Nouvelle-Angleterre, Jonathan Mayhew (1720-1766) prit ombrage de ces efforts dans lesquels il voyait une tentative de subversion de la liberté civile et ecclésiastique. Cependant le premier fait majeur avait été l'émigration puritaine, séparatiste ou non, fondatrice du congrégationalisme, qui introduisit une conception particulière de la constitution des Églises, des relations entre Église et gouvernement, et qui déclencha la controverse sur la liberté, notamment la liberté de conscience, à travers une suite d'épisodes marqués par une intolérance allant jusqu'au bannissement, à la déportation, aux exécutions. L'organisation interne apparemment démocratique des églises — les fidèles élisent leurs chefs religieux — ne doit pas faire illusion. Le contrat individuel ou collectif qui lie l'homme à Dieu est contraignant et le rôle du clergé est de le faire respecter. Il en va de façon similaire dans la société civile dont les élus sont eux-mêmes membres de l'Église congrégationaliste établie au Massachusetts et au Connecticut. Malgré la séparation, elle aussi établie, entre un gouvernement civil dominé par des magistrats civils et une Église administrée par des pasteurs, la confusion s'installe parfois dans les esprits, et les relations entre les deux autorités font l'objet d'exposés et de débats auxquels contribuèrent John Winthrop dès son *Modell of Christian Charitie* (1630), John Cotton dans son échange avec lord Saye and Sele (1636) ou plus tard John Wise (1652-1725) dans *A Vindication of the Government of New England Churches* (1717). Seul Roger Williams avait prôné une séparation totale qu'eût concrétisée l'abolition de la loi votée en 1631 obligeant à être membre de l'Église congrégationaliste pour être franc-tenancier, électeur et éligible. La primauté du congrégationalisme, affectée par les dispositions de la nouvelle charte de 1691 qui avait tant ému le clergé, souffrit également de la chasse aux sorcières à Salem en 1692, celle-ci venant rappeler une longue tradition d'intolérance qui avait commencé avec la liquidation de la plantation de Thomas Morton, accusé d'avoir fondé une « école d'athéisme » au mont Wollaston. L'ordre puritain et l'orthodoxie avaient été défendus à Boston en 1639 avec le bannissement d'Ann Hutchinson (1591-1643), puis en 1659 et 1661 par la pendaison de plusieurs quakers. Le cas de la majeure partie de la Nouvelle-Angleterre ne doit cependant pas nous cacher l'existence d'aires de liberté ailleurs qu'au Rhode Island où Roger Williams défendait seul l'idée de liberté absolue. Le Maryland et la Pennsylvanie offrent l'exemple de larges libertés accordées par des confessions différentes et elles-mêmes persécutées. Dans les Carolines la diversité religieuse admise pour favoriser la venue de colons n'allait pas sans affrontements et ressentiments entre chrétiens. En Caroline du Sud, les nombreux huguenots (réfugiés après la Révocation de l'Edit de Nantes en 1685), les baptistes et les anglicans ne firent pas bon ménage tandis que se déversaient en Géorgie — colonie dépourvue d'unité religieuse dès sa fondation — des Salzbourgeois luthériens protégés par la Société de Thomas Bray, des frères moraves, des calvinistes écossais, des puritains de Caroline du Sud, des quakers de Caroline du Nord, des baptistes, et des Acadiens fuyant le Canada avant de sombrer sous la marée des enthousiastes méthodistes. L'autre grand événement colonial est le surgissement des mouvements de réveil religieux sous l'inspiration de la prédication évangélique venue d'Angleterre. Ces mouvements devinrent un trait permanent de la société américaine jusqu'à nos jours. Tandis que dans son ministère sacré Jonathan Edwards secouait le calvinisme dégénérescent, le méthodisme anglais fit son entrée, devenant religion organisée au Maryland en 1766, puis à New York, avant d'entamer une ascension foudroyante.

Intolérance première, diversité religieuse, éclosion de nouvelles religions caractérisent l'Amérique naissante. La tolérance — l'acceptation de l'Autre dans sa différence — sera revendiquée avec constance, confortée même par des événements extérieurs comme l'Acte de Tolérance de 1689 qui ne s'appliquait cependant qu'à l'Angleterre. Mais la liberté religieuse trouva un appui décisif dans la poussée révolutionnaire : celle-ci aboutit à la « privatisation » progressive dès 1776, et cette dernière fut reconnue dans le premier amendement de la Constitution de 1787. Du même coup était interdit dans l'État fédéral comme dans les États ratificateurs tout établissement officiel d'une religion. Ainsi s'acheva le débat entamé au début du XVIIe siècle.

LA RELATION CONFLICTUELLE
AVEC LES AMÉRINDIENS

Dès l'origine de la découverte réciproque la violence est potentielle. Les entreprises de commerce — fourrures et peaux particulièrement — et la colonisation des terres bouleversent l'équilibre des Amérindiens qui réagissent vite aux empiétements culturels et territoriaux. Du côté anglais, l'incompréhension (souvent volontairement entretenue) des modes de vie des autochtones s'ajoute au désir de s'implanter. Au Nord surtout, il faut tenir compte du facteur religieux : un refus particulier de l'Autre au nom même de Dieu. Il ne faut toutefois pas oublier les gestes d'amitié, l'aide réciproque, les sages calculs pratiqués de part et d'autre par Powathan et Massasoit, par le capitaine Christopher Newport ou par Thomas Morton (1579-c.1647). On ne saurait passer sous silence les efforts pastoraux de John Eliot, de Thomas et Experience Mayhew, de Roger Williams, pleins de sollicitude pour les indigènes convertis, ceux d'un Daniel Gookin (1612-1687), magistrat impopulaire au Massachusetts parce qu'il protégeait les Amérindiens pendant la « guerre du roi Philip » (1675-1676).

JOHN SMITH ET POWATHAN

En s'établissant à Jamestown, les Anglais découvrirent les Amérindiens une trentaine de tribus de famille algonquine. Celles-ci venaient d'être organisées en une puissante confédération par Powathan, le chef incontesté, l'« empereur », un sage très respecté, y compris par les Blancs et leur chef militaire, le capitaine John Smith (1580-1631). Bien reçus par ces natifs sûrs d'eux-mêmes, ravitaillés par eux en céréales et en viande, les colons devinrent vite, sous la houlette de John Smith, audacieux et agressifs. A l'attitude amicale entretenue par les dons précédant le troc succédèrent les exigences et la violence. Pour forcer les transactions, les Blancs, à court de vivres, n'hésitèrent pas à occuper les habitations et terres des autochtones. Au cours d'une expédition, deux soldats de John Smith furent tués, lui-même fait prisonnier. Conduit devant Powathan, il fut relâché, grâce à l'intercession (réelle ou mythique ?) de la princesse Pocahontas, et renvoyé à Jamestown. La paix et l'entente s'installèrent jusqu'au terrible massacre de 1622 qui décima la colonie.

Mais l'immense majorité des colons, pasteurs en tête bien souvent, adopta d'autres attitudes. La peur des Sauvages, sensible dès les premiers récits de débarquement et d'explorations, se mua en hantise d'une « conspiration » des Peaux-Rouges : cette notion, que l'on trouve notamment dans la narration par William Bradford des événements de l'année 1623, fit fortune et servit encore à Francis Parkman pour qualifier la révolte de Pontiac en 1763. Les Puritains éprouvèrent le besoin de justifier leur occupation du sol. Dans son sermon d'adieu, *God's Promise to His Plantation* (1630), John Cotton exposa la thèse des terres vidées d'habitants. John Winthrop renchérit en déclarant que Dieu était seul propriétaire des territoires : il les enlevait à ceux qui en avaient usurpé la possession et avaient mal utilisé ce bien. Beaucoup de colonisateurs ne s'embarrassaient pas de ces raisonnements d'hommes à principes qui avaient besoin de couvrir leurs agissements d'une sanction divine. Ils cherchaient simplement à s'emparer des terres à bon compte, alors que les chefs de tribus croyaient souvent ne vendre que des droits de chasse ou de pêche. A la fin du siècle, William Penn souhaita une honnête transaction qui fut scellée par le traité de 1701. Malgré les agissements indignes de celui qui lui succéda — son fils Thomas —, la trace de cet esprit de compromis raisonnable se retrouve dans les délibérations du *Philadelphia Yearly Meeting* — cette assemblée annuelle des quakers — qui, en 1759, recommandait pour l'installation des colons une politique très voisine de celle qui inspira quatre ans plus tard la Proclamation royale de George III.

Au XVIIIᵉ siècle se rencontrent des observateurs attentifs et influents comme Cadwallader Colden (1688-1776), lieutenant gouverneur de New York de 1761 à sa mort et auteur de la *History of the Five Indian Nations* (1727), des pasteurs missionnaires auprès des Indiens comme John Sargeant ou David Brainard, des militaires avisés. Mais la violence est toujours sous-jacente et éclate. En 1756-1757 c'est la guerre déclarée aux Delawares par le gouverneur de Pennsylvanie. L'année 1763 est celle du massacre de paisibles Indiens par les *Paxton Boys* en Pennsylvanie encore.

Amorçant la fin de la présence française dans le Nord-Est, la chute de Québec en 1759 laissa bientôt les familles amérindiennes à la merci des Britanniques : militaires arrogants, spéculateurs peu scrupuleux et avides de terre, ces nouveaux administrateurs étaient moins empressés que les Français à combler les Peaux-Rouges de présents pour s'en faire des alliés. C'est aussi l'époque où les prophètes font leur apparition dans les tribus : en 1762 le prophète onondaga qui prêche le message du « Grand Esprit », en 1762-63 le prophète delaware Neolin qui colporte le message du « Maître de la Vie ». Leurs propos tendent à galvaniser les autochtones. Un enthousiasme purificateur doit préparer le retour à l'indianité, la renaissance des valeurs et des tribus. Neolin eut des disciples que son ministère itinérant multiplia. Son action précède celle du jeune chef ottawa, Pontiac (1720 ?-1769), selon qui le « Maître de la Vie » ne recommandait rien de moins que de jeter les Blancs à la mer.

Cette violence avait pris une dimension internationale dans les affrontements entre Anglais et Français pour le contrôle de l'intérieur. Pendant cette période connue sous le nom de guerre de Sept ans (en anglais *French and Indian War*), les Iroquois combattent avec les tuniques rouges tandis que Pontiac (?-1769), le jeune chef ottawa, est le fidèle allié des soldats de Louis XV. Le refoulement vers l'Ouest des tribus non décimées s'arrête un instant en 1763, et reprend presque aussitôt à cause de la colère des hommes de la Frontière, au Sud comme au Nord.

PROCLAMATION ROYALE DE 1763

Consacré par le Traité de Paris du 10 février 1763, l'effondrement de l'empire français donna à Londres l'occasion de mettre un peu d'ordre dans ses affaires d'Amérique. La Proclamation royale du 7 octobre avait pour double objectif de prévoir l'établissement de gouvernements dans les territoires nouvellement acquis grâce à l'heureuse issue de la guerre de Sept ans et de mieux assurer le contrôle des affaires indiennes par la Couronne. Les difficultés de sir William Johnson et de sir Edmund Atkins, hauts fonctionnaires nommés dès 1755 pour harmoniser les politiques indiennes des colonies et du gouvernement impérial, avaient conduit le *Board of Trade* à souligner dès 1761 la nécessité de conforter les droits des autochtones. La colonisation sur la frontière des Appalaches avait été interdite. C'est à la même époque que les Senecas préparèrent une attaque généralisée contre les Britanniques. De nombreuses tribus se joignirent à eux dans un combat qui vit Detroit et Fort Pitt assiégés. Le soulèvement de mai-juin 1763, improprement appelé « conspiration » de Pontiac, s'acheva par la capitulation du jeune chef ottawa. L'alerte précipita les décisions. Elles furent radicales sur le papier. Réglementant la propriété et la jouissance des terres, elles auraient dû apaiser les Amérindiens, mais, faute de moyens et de volonté politique réelle pour être appliquée, la Proclamation, qui suspendait toute nouvelle implantation au-delà des Monts Alleghany, ne résista pas longtemps aux appétits des spéculateurs et des colonisateurs.

En 1768 une ligne de stabilisation est recherchée dans les conférences de Fort Stanwick en territoire iroquois, et au sud à Hard Labor Village en Caroline du Sud. Mais le cordon sanitaire ne tiendra pas.

LES CONFLITS INTERNES DE L'EXPANSION

Le développement agricole et commercial des colonies trouva un support apparemment indispensable dans l'esclavage des Noirs, générateur de conflits idéologiques et de violences physiques. Pratiquée, semble-t-il, depuis 1619 en Virginie, l'importation de serviteurs noirs sous contrainte *(bound servants)* plus que sous contrat ne prit son essor qu'après 1660, lorsque les Anglais supplantèrent les Hollandais, fondant la « Compagnie royale africaine » en 1672. Étroitement encadrée pour des raisons de sécurité, leur « servitude à vie » ne fut légalisée qu'en 1661, date à laquelle la Virginie commence à adopter son code de l'esclavage *(Black Code)* qui allait servir de modèle ailleurs. Moins sévères en Nouvelle-Angleterre et en Caroline du Nord, les lois en question furent particulièrement dures en Caroline du Sud où la crainte de soulèvements était la plus forte. Les conjurés noirs y cherchèrent d'abord à fuir leur condition, et se livrèrent à des vols, des incendies, des assassinats de maîtres blancs. La répression, rapide, s'accompagna de châtiments cruels et d'exécutions par le feu ou la pendaison. La première rébellion enregistrée eut lieu en Virginie en 1663. Rumeurs et projets déjoués ne manquèrent pas avant le début du XVIIIᵉ siècle, période qui marque le début d'insurrections importantes et répétées : la plus célèbre fut celle de Stono, en Caroline du Sud (1739), qui visait à l'abolition de l'esclavage (institution localement reconnue dès 1667 dans les *Fundamental Constitutions* de la colonie rédigées par John Locke. Les lois reflétèrent partout l'opinion qui prédominait dans les Églises, selon quoi les Noirs pouvaient être à la fois esclaves et chrétiens. Le changement commença à poindre dans les efforts de la « Société pour la propagation de l'Évangile à l'étranger » (en vue d'éduquer les Noirs), dans les recommandations d'un Cotton Mather, fondateur d'écoles pour esclaves, qui pressait les propriétaires d'être les agents de Dieu auprès de leurs serviteurs à vie. Mais ce furent ces quakers de Pennsylvanie qui, bien que très minoritaires, déclenchèrent la prise de consience, heurtant les habitudes héritées, les intérêts des possédants, les profits des marchands d'esclaves de Philadelphie.

La conversion massive de Noirs aux Églises évangéliques à partir de 1750 accéléra l'évolution du clergé. La controverse publique devint vive, contrastant avec l'indifférence première. Fer de lance du mouvement anti-esclavagiste,

LES QUAKERS ET LES DÉBUTS
DE L'ABOLITIONNISME

L'Acte adopté par les Commissaires de Providence le 12 mai 1652 interdisant la servitude à vie au Rhode Island ne fut jamais appliqué. Un timide mouvement de protestation apparut d'abord chez les quakers. En 1688, les quatre Amis qui présentèrent un texte à l'Assemblée mensuelle de Germantown, près de Philadelphie, ne furent pas suivis dans cette ville peuplée de Hollandais, de Suisses, d'Allemands de Rhénanie. La première protestation imprimée fut celle de George Keith (1638-1716) en 1693, un an après qu'il eut été désavoué par les quakers de Philadelphie et approuvé par le groupe dissident des Amis keithiens lors de leur propre Assemblée mensuelle. Les publications antiesclavagistes étaient généralement mises à l'Index et entraînaient l'exclusion de leur auteur par la Société des Amis. En 1737, Benjamin Franklin s'abstint prudemment de faire figurer son nom d'imprimeur sur le livre de Benjamin Lay *(All Slaveholders that keep the Innocent in Bondage, Apostates)*, publication qui fut dénoncée par les Amis de Philadelphie. Dans ses notes de voyage (1748), le Suédois Peter Kalm soulignait l'importance de l'esclavage en Pennsylvanie : « Seuls les quakers ont des scrupules à posséder des esclaves ; mais ils ne sont pas aussi gentils qu'avant, et ils ont autant de Noirs que les autres ». Ce n'est pas avant 1758 que le courant se renverse dans les instances quakers. Cette année-là, l'Assemblée annuelle décide de désavouer ceux qui conserveraient ou importeraient des esclaves.

Anthony Benezet (1713-1784), huguenot et français de naissance et son ami John Woolman (1720-1772), furent rejoints par Benjamin Rush (1745-1813). La polémique avec les pamphlétaires et orateurs pro-esclavagistes fut particulièrement forte en 1773. Problème de conscience religieuse, la question de l'émancipation des Noirs se rattachait à la lutte plus générale pour la liberté, cause pour laquelle Crispus Attuck, esclave évadé, était tombé, en 1770, lors du « Massacre de Boston ». L'évolution des esprits, et ses limites, se mesurent à la décision du Congrès continental (automne 1774) d'arrêter l'importation d'esclaves et, peu après, à l'échec des efforts de Jefferson pour faire condamner l'institution dans la Déclaration d'Indépendance (le fameux passage — supprimé — que John Adams qualifia de « philippique » contre l'esclavage des Noirs).

D'autre part les conflits nés du mécontentement social des Blancs agitèrent le monde colonial dès le XVIIe siècle, à chaque progression de la colonisation vers l'intérieur. Dans la zone côtière, fermiers et planteurs, marchands et financiers, avaient partie liée avec le pouvoir local qu'ils contrôlaient bien ou avec qui ils entretenaient les meilleures relations. Mais les immigrants qui s'installaient dans l'arrière-pays se trouvaient en contact avec les Amérindiens, manquaient de moyens de paiement, de modes de communication, subissaient la spéculation foncière, étaient victimes de la corruption des juges ou d'une fiscalité jugée d'autant plus inadmissible qu'ils n'étaient que peu ou pas représentés dans les instances gouvernementales locales. A ces causes générales de mécontentement s'ajoutaient souvent les tensions entre confessions religieuses, les dissidents refusant de payer le denier du culte à l'Église établie, qu'elle fût congrégationaliste ou anglicane. Apparemment inaugurés en Virginie, ces types de « conflits de la frontière » se multiplièrent au cours du XVIIIe siècle dans les colonies du Sud mais aussi plus au nord. La rapide croissance de la Pennsylvanie provoqua l'opposition entre la côte dominée par les quakers et les hommes de la Frontière, Allemands ou Écossais de l'Ulster, les Scotch-Irish, qui peuplaient la montagne. Craignant un raid de Pontiac, le jeune chef ottawa, les colons décidèrent de s'organiser devant l'incurie du pouvoir quaker, peu pressé d'envoyer une troupe pour leur protection. Les *Paxton Boys,* massacreurs d'Indiens par ailleurs, décidèrent de marcher sur Philadelphie pour faire aboutir leurs revendications. Arrêtés à Germantown, ils rentrèrent chez eux après avoir remis une pétition que l'Assemblée de Pennsylvanie ignora superbement. Le problème politique illustré par cette crise de 1763-1764 fut résolu par une sorte de révolution interne. En Caroline du Nord et du Sud, Londres sut faire les concessions que le gouverneur avait dans un premier temps refusées. Des tensions allant jusqu'à la violence physique, voilà ce qui caractérise une grande partie des conflits entre colons pour la conquête du pouvoir local.

L'ÉVOLUTION POLITIQUE

Les colonies anglaises demeurèrent des éléments ombrageusement indépendants, déjouant les tentatives d'union. Cependant, en 1643, les Colonies Unies de Nouvelle-Angleterre, confédération fondée par le Massachusetts et Plymouth, le Connecticut et New Haven, naquirent pour lutter contre les Amérindiens et la République des Provinces-Unies. Le Conseil de huit membres, réuni une fois l'an au moins, fonctionna jusqu'en 1664, ressurgit pendant la guerre de 1675 et disparut avec l'abrogation de la Charte du Massachusetts en 1684. Cent ans plus tard la même idée inspira les signataires du Plan d'Albany *(Albany Plan of Union)* qui échoua faute de volonté commune et parce que Londres n'y tenait pas.

LE PLAN D'ALBANY (10 juillet 1754)

Le Congrès d'Albany fut la première grande conférence intercoloniale de l'histoire américaine. Convoqués sur l'ordre du Roi et du *Board of Trade and Plantations* pour obtenir le soutien des Iroquois dans le combat contre la France, les délégués des colonies de Nouvelle-Angleterre, de New York, de Pennsylvanie et du Maryland s'intéressèrent aussi à l'idée, proposée par la métropole, d'une union et d'une coopération étroite pour la défense commune. Élaboré par Benjamin Franklin (1706-1790), délégué de Pennsylvanie, modifié par la délégation du Massachusetts, le projet fut adopté. Mais, ombrageuses, les Assemblées coloniales refusèrent de déléguer leurs pouvoirs. Le Parlement de Londres trouva, quant à lui, que les colons « unis » en auraient trop et que le plan semblait empiéter sur la prérogative royale. Tentative prématurée, la fédération envisagée ne vit pas le jour.

La Restauration de 1660 et les changements monarchiques de 1685 et de 1688 donnent des prétextes à ceux qui entendent resserrer l'étau sur des colonies déjà considérées comme trop promptes à se gouverner elles-mêmes. Ces tentatives provoquent des réactions. Répondant à la demande d'allégeance envers Charles II, la Cour Générale du Massachusetts en profita pour réaffirmer son droit de gouverner. La « Glorieuse Révolution » de 1688 en Angleterre fait souffler, contre la mise au pas de la Nouvelle-Angleterre ou du New York, un vent de liberté et de rébellion dans le Nouveau Monde. A Boston, sir Edmund Andros (1637-1714), symbole de la tyrannie instituée par Jacques II le Catholique, est emprisonné. A New York son adjoint, le Lieutenant-Gouverneur Francis Nicholson, s'enfuit, laissant la place à Jacob Leisler. Les nouveaux monarques cherchent à leur tour à assurer la reconnaissance et la matérialité de leur suzeraineté. A New York, en 1691, Henry Sloughter, nommé gouverneur, rétablit l'autorité royale. Leisler sera arrêté et exécuté après sa capitulation. Le Massachusetts et le Maryland deviennent des colonies royales en 1691. L'attaque contre les chartes accordées à des corporations ou à des propriétaires s'accentue avec l'institution, en 1696, du *Board of Trade and Plantations* chargé de toutes les affaires coloniales et qui rédige des rapports destinés au Conseil Privé et au Parlement. Les efforts tendent à uniformiser les gouvernements locaux sous le contrôle direct de la Couronne qui nomme le gouverneur, le Conseil (sauf au Massachusetts) et tolère l'élection d'une chambre basse. La Pennsylvanie échappe à cette grande tentative de normalisation et demeurera un cas singulier jusqu'à la Révolution.

Mais la paradoxale extension de la prérogative royale dans l'empire britannique après 1688 est mal tolérée. D'ailleurs dès 1687 le Massachusetts s'opposait à la taxation décrétée par Andros en arguant de la perte du droit de voter l'impôt depuis la suspension de la charte. A bien des égards, les événements de 1689 dans le Nouveau Monde font penser à 1775. Dans l'intervalle les esprits évoluent comme en témoignent les essais de John Wise (1652-1725). Les gouverneurs royaux, nommés par le Roi, sont de plus en plus en butte aux harcèlements locaux. La Cour Générale du Massachusetts fait la guerre en 1728 au nouveau gouverneur William Burnet (1688-1729) à propos de ses appointements. Le conflit au sein des institutions se double d'une prise de conscience idéologique de plus en plus vive. Le siècle des révolutions — le XVIIe siècle anglais — déteint sur l'Amérique dont les classes dirigeantes envient le chemin accompli dans la Mère Patrie. Si John Wise évoque le gouvernement mixte, d'autres s'emparent du refus de la doctrine de l'obéissance passive et de la non-résistance, autre vieux cheval de bataille des *whigs* anglais. En 1746 John Barnard (1681-1770), pasteur, en parle dans *The Presence of the Great God in the Assembly of Political Rulers*. Quatre ans plus tard Jonathan Mayhew emboîta le pas. A la moindre erreur de Londres la querelle entre l'Angleterre et ses colonies pouvait dégénérer.

LES PROBLÈMES ÉCONOMIQUES ET FINANCIERS

Les colonies durent trouver des ressources pour leur subsistance, le règlement des dettes, l'expansion économique rendue indispensable par l'accroissement de la population. Plymouth paya ses créditeurs en peaux de castor. Mais le commerce de la fourrure échappa au Massachusetts en 1675. La pêche se développa vite. L'agriculture fournit les produits de base, avec les céréales au nord, le tabac puis le riz au sud, tandis que progressaient l'élevage et l'exploitation du bois.

Cette évolution se trouva favorisée par l'attribution généreuse de terres selon des systèmes variables ou par des acquisitions peu onéreuses. Le contrôle de la vie économique par les autorités locales fut particulièrement efficace au Massachusetts, là où l'éthique puritaine était.dominante. Prix, salaires, taux d'intérêt furent soumis à la règle calviniste. Cependant Boston succomba aux tentations du commerce triangulaire. En 1645, le premier bateau transporta une cargaison humaine à la Barbade. La famille Hutchinson prospéra grâce au trafic avec la Caraïbe. Les échanges s'intensifièrent avec les Antilles françaises.

La métropole en prit ombrage. Pour elle les colonies étaient là pour assurer sa propre prospérité : lui fournir les produits qui lui manquaient, participer à la conquête de la suprématie maritime sur les Hollandais, enfin asseoir sa puissance manufacturière.

L'ACTE DE NAVIGATION, 1663

L'idée mercantiliste de réserver aux bateaux nationaux l'importation de produits en Angleterre remonte au XIVᵉ siècle. Reprises par Richard Hakluyt dans son *Discourse on Western Planting* (1584), les propositions restrictives apparurent en Virginie dès 1621. Pour se protéger des Hollandais, le Parlement Croupion vota en 1650 et 1651 les premières lois interdisant aux étrangers de commercer directement avec les colonies : tout le trafic devait passer par la métropole, sur des navires possédés par des Anglais, commandés par des capitaines anglais et dotés d'un équipage en majorité anglais. Ces Actes furent repris avec plus de précision en 1660 et 1663. L'innovation vint d'une liste de produits coloniaux, les « articles énumérés » (dont le sucre, le tabac et l'indigo), exportables vers la seule Grande-Bretagne, et en 1663 de l'obligation de charger dans des ports anglais les produits non britanniques. Ces dispositions furent, comme les autres, très largement contournées par les exportateurs imaginatifs.

Mais en 1752 la flotte coloniale comportait 3 000 bateaux presque tous de construction locale. Elle commerçait avec la

Caraïbe et l'Europe du Sud au mépris des lois de l'Empire, et à la barbe de l'Amirauté dont les tribunaux étaient chargés de condamner pirates et contrebandiers. Malgré leur remarquable activité, les planteurs étaient endettés, et le commerce avec la mère patrie déficitaire dans presque toutes les colonies. A l'exception de la construction navale, l'industrie demeura sous-développée, freinée par une Angleterre qui, ne tolérant aucune concurrence, interdisait les exportations, voire la production.

Un très grave problème était posé par la crise permanente des moyens de paiement, crise que Londres ne contribuait guère à enrayer. L'Angleterre voulait s'approprier toutes les espèces métalliques, interdisant l'exportation de pièces depuis la métropole. Pour mieux contrôler la masse monétaire et le cours du sterling, la frappe et la refonte de monnaie furent prohibées, et l'atelier du Massachusetts fermé en 1684. En 1704 et 1708 Londres tenta d'arrêter la flambée des changes en stabilisant la surévaluation de la livre à 33,33 % et en fixant des parités fixes identiques dans toutes les colonies. La contraction provoqua la recherche et la création de monnaie de substitution. Les paiements en marchandises, les accords de compensation ne suffisaient plus. Les inventions bancaires et financières se multiplièrent à la fin du XVIIe siècle. Le Massachusetts du gouverneur William Phips fut le premier à utiliser le papier-monnaie. La Virginie y sacrifia en 1757 pour payer sa croissance après la chute du tabac en 1752. Le *Board of Trade* se résigna à limiter le volume des émissions qui se développaient dangereusement. Londres tenta de les empêcher par un Acte en 1751. Rendu impraticable par la guerre de Sept ans, celui-ci préfigura seulement l'Acte sur la monnaie de 1764 qui fut généralement moins radical.

Les inconvénients du mercantilisme anglais donnèrent des arguments aux adversaires d'une économie impériale que Benjamin Franklin chercha longtemps à aménager dans un sens libéral pour le plus grand bénéfice de toutes les parties.

L'ÉVOLUTION DU CONFLIT
AVEC LA MÈRE PATRIE

Marquant la fin de la guerre de Sept ans et la défaite de la France, le Traité de Paris de 1763 provoqua, sur les deux rives de l'Atlantique, une prise de conscience plus aiguë des problèmes. Côté anglais, des ministres obnubilés par les dettes, dont le service allait coûter 4 millions de livres par an, entendaient faire participer les colonies au rétablissement des finances. La Loi du Timbre (*Stamp Act*, 1765), invention de lord Grenville (1712-1770), était censée rapporter au début entre 60000 et 100 000 livres par an, mais elle posa le problème nouveau de la constitutionnalité d'une taxation directe par le parlement.

L'Acte sur la Monnaie, la Loi de Finances, l'Acte du Timbre — voté le 22 mars 1765 — faisaient partie, avec l'Acte sur le Stationnement des Troupes, d'une stratégie du gouvernement Grenville visant à résoudre les problèmes posés par l'énorme dette accumulée pendant la guerre de Sept ans et à raffermir le contrôle impérial. L'Acte sur le Sucre — nom familier de la Loi de Finances — visait à faciliter le recouvrement de la taxe sur les mélasses qu'elle entérinait, tout en réduisant le droit à trois pence par gallon. Mais la loi avait aussi pour but de réformer complètement les douanes coloniales et le système des poursuites. Quant au droit de timbre, il était perçu en métropole depuis longtemps. L'idée d'étendre aux colonies cet impôt simple était séduisante, d'autant que les deux seuls prélèvements directement ordonnés par le Parlement, ceux de l'Acte de Navigation de 1673 et de l'Acte sur les Mélasses de 1733, avaient un très faible rendement, tant la fraude était facile. Touchant tout le monde cet impôt eut un effet mobilisateur. L'opposition populaire, soutenue par les plus riches, força les percepteurs à démissionner. A Boston, des émeutiers brûlèrent la maison de Thomas Hutchinson (1711-1780). En Virginie, la Chambre des Bourgeois *(House of Burgesses)* adopta dès le 30 mai les violentes résolutions de Patrick Henry (1736-1799). A l'initiative de James Otis (1725-1783), le Massachusetts avait le 6 juin suggéré une réunion des colonies. Le Congrès sur le Timbre *(Stamp Act Congress)* se réunit à New York du 7 au 24 octobre 1765. Les 27 délégués représentaient 9 des colonies — la Virginie, le New Hampshire, la Caroline du Nord et la Géorgie n'ayant pas désigné les leurs. Rédigées en termes mesurés mais fermes, et rappelant qu'en vertu des lois anglaises aucune taxe ne pouvait être imposée au peuple « sans son consentement direct ou celui de ses représentants », les *Declarations* du 19 octobre ne furent cependant pas signées par tous les délégués, mais le New Hampshire approuva après coup.

James Otis (1725-1783) accrocha le grelot avec *The Rights of the British Colonies Asserted and Proved* (1764) et son fameux slogan « Pas d'imposition sans représentation » *(No taxation without representation)*. La controverse se développa et le mouvement populaire s'enfla. Désavouée, cette politique retrouva un zélateur en Charles Townshend, qui crut tenir la parade en 1767 avec sa nouvelle batterie de « droits » fiscaux. Dans le libelle le plus connu avant le *Common Sense* de Thomas Paine, John Dickinson déclara ces « droits » inconstitutionnels. Leur abandon apporta un répit.

LE « DECLARATORY ACT » (18 mars 1766)

Le texte le plus important adopté par le Parlement britannique durant cette période (paradoxalement, le même jour que l'abrogation du *Stamp Act)* n'est pas une loi fiscale particulière, mais la « Loi déclaratoire » *(Declaratory Act)*, de portée plus générale, et dont Thomas Paine dénoncera le caractère « despotique » dans *le Sens commun*. Par cet acte, le Parlement se donnait en effet tout pouvoir de légiférer sur les possessions anglaises d'outre-Atlantique et « d'astreindre les colonies et le peuple d'Amérique [...] dans toutes les circonstances, quelles qu'elles soient ». Toute la législation fiscale ultérieure devait prendre appui sur ce texte.

Divers incidents ponctuèrent une décennie tumultueuse qui va de l'Acte sur le Sucre aux « Lois intolérables » *(Intolerable* ou *Coercive Acts)* de 1774 : tentatives de non-importation, bagarre qui se solde par une expédition punitive sanglante rhétoriquement transformée en « Massacre de Boston » (5 mars 1770) : en 1772, saisie du *Liberty*, navire de John Hancock (1737-1793), riche marchand de Boston et futur chef de file des mécontents. Le 10 juin de la même année John Brown et ses amis du Rhode Island mirent le feu au *Gaspee*, la goélette de la douane qui pourchassait un bateau. Enfin l'Acte sur le Thé (1773), inopportune concession à la Compagnie des Indes déficitaire, relança la contestation violente et conduisit à l'ultime escalade.

Mais rien n'était encore joué. Si Thomas Hutchinson avait accepté l'arrangement du consignataire, fût-ce en renonçant à la saisie légale de la marchandise, rien ne se serait passé. Malheureusement le gouverneur était aussi buté qu'intéressé : deux des fils et un neveu de cet adepte du népotisme étaient agents de la Compagnie. Samuel Adams, l'autre chef de file des contestataires, n'attendait que ce faux pas pour attiser la colère de la foule. Agacée depuis longtemps par la résistance de ces coloniaux, Londres réagit très brutalement. Cependant la contestation de la suprématie du Parlement laissait la Couronne arbitre du jeu. George III aurait pu freiner la remise en question des liens impériaux cette fois encore, comme lors de l'abolition de la Loi du Timbre qui avait temporairement rehaussé son prestige personnel. Mais, oubliant d'écouter lord Chatham ou Edmund Burke, il précipita le mouvement. Les coloniaux ne manquaient pas d'alliés parmi les marchands britanniques, dans le clan de Pitt et du duc de Grafton. Ils étaient soutenus par les radicaux des Communes. Certains gouverneurs comme Francis Barnard (1712-1779) avaient compris la nécessité de réaménager les rapports. Mais les maladresses l'emportèrent, entraînant une évolution plus rapide des esprits. Aux tribuns que furent Patrick Henry ou Sam Adams se joignirent peu à peu les John Adams, les Jefferson, les Hamilton et autres radicaux, tandis que se dévoilaient les plus conservateurs — Dickinson, Dulany, ou Galloway —, candidats à un loyalisme plus ou moins affiché,

L'ASSOCIATION

Le 20 octobre 1774, le Congrès continental, réuni à Philadelphie, décide de se doter d'une structure commune : l'Association. Cette décision marque un point d'aboutissement dans la lutte contre un Parlement dont ils jugeaient l'action coloniale inique. L'Association était en fait l'instrument d'un plan de représailles économiques et commerciales qui devait être mis en œuvre par les « comités de correspondance » créés dans les diverses colonies. Elle couronnait la décision de non-importation prise en septembre et confirmée le 1er octobre, décision qui faisait suite à des accords signés localement à Boston en 1768 et dans presque toutes les colonies en 1769. L'application du plan provoqua une chute brutale des achats de produits d'origine anglaise, mais resta sans effet sur la politique impériale. La formation de l'Association eut plus de conséquences en Amérique dans le domaine politique : elle assura le triomphe des méthodes déployées par les chefs de file les plus populaires — qu'on retrouvait souvent à la tête des comités de correspondance. Ceux-ci disputèrent le pouvoir aux gouvernements locaux, tandis que les Américains se trouvaient acculés à choisir entre le respect du Parlement britannique et le soutien des mesures adoptées par le Congrès américain.

et que Franklin poursuivait sa lente conversion à l'indépendance. Le problème de la taxation servit de révélateur. Les événements amenèrent les Anglo-Américains à se concerter. Et les Comités de Correspondance de 1773 aboutirent au Congrès de 1774. Il ne manquait plus qu'une étincelle.

2

LA RÉVOLUTION (1775-1783)

La Révolution américaine a été l'un des temps forts de l'histoire humaine. Si elle paraît, hors des États-Unis, occuper moins de place que la Révolution française ou la Révolution d'octobre, c'est sans doute, malgré une violence que trop d'historiens ont sous-estimée, parce qu'elle fit couler moins de sang, charria moins d'horreurs et instaura plus de libertés qu'elle n'en supprima, si tant est qu'elle en supprima aucune.

C'est aussi, semble-t-il, en raison de sa nature composite. Révolution ? Guerre d'Indépendance ? Guerre américaine ? Depuis toujours on hésite entre plusieurs expressions pour désigner un événement dont le langage a du mal à cerner le caractère multiforme. Ce fut un conflit armé qui dura huit longues années, de 1775 à 1783 ; ce fut une guerre civile entre sujets britanniques et une guerre intestine entre Américains ; ce fut une rébellion contre les autorités coloniales et le Parlement, une révolte contre le roi d'Angleterre et ses ministres et une insurrection contre le régime monarchique ; ce fut une guerre d'indépendance et de « libération nationale » — la première de l'histoire moderne ; ce fut une révolution politique qui se solda par l'avènement de la république dans un monde peuplé de royaumes et un mouvement social plus riche et novateur qu'on l'imagine souvent ; ce fut, sinon une « guerre mondiale », du moins une confrontation à l'échelle du globe entre les grands de l'Europe ; ce fut enfin l'acte de baptême d'une nation destinée à devenir la première puissance de la terre et l'acte de naissance d'un monde nouveau, celui de nos démocraties occidentales.

Si la nature de la Révolution américaine a été sujette à controverse, on s'est disputé aussi et on se dispute encore sur ses causes, les uns mettant l'accent principal sur les contradictions du système marchand de l'époque, d'autres invoquant la lutte des classes ou la force subversive du protestantisme ou l'incapacité politique des gouvernants anglais, d'autres encore retenant l'aspect constitutionnel du conflit, le poids des données géographiques ou l'influence exercée, à la faveur des Lumières, par l'idéologie des droits naturels, et ainsi de suite. L'historiographie de la Révolution abonde en interprétations contradictoires, mais, à y regarder de près, celles-ci sont rarement incompatibles entre elles, car elles résultent de lectures différentes d'un *même* corpus ou, si l'on veut, de coupes différentes pratiquées dans un *même* tissu. Et ce tissu n'est autre que celui de l'Amérique coloniale dont la Révolution, sans pour autant être inéluctable, fut néanmoins l'aboutissement historique. Ce lien général de causalité était si évident à John Adams qu'il n'hésita pas à affirmer, après coup, que la Révolution était déjà survenue « dans l'esprit des gens » entre 1760 et 1775, avant même que les premières salves aient été échangées à Lexington. Et il est vrai qu'à l'insu ou presque des intéressés l'évolution naturelle des colonies avait, intellectuellement et culturellement, creusé un océan de plus entre le continent américain et la lointaine Angleterre, entraînant des disparités croissantes dans les modes de vie, les idéaux politiques, la conception de l'homme et celle de la société.

Est-ce à dire que la Révolution fut dès lors une démarche de pure forme, la simple officialisation d'une rupture et d'un bouleversement déjà inscrits dans les mentalités ? En aucune façon, car le chemin est souvent long et tortueux qui mène d'une vérité pressentie à la volonté consciente de passer aux actes. Ce que Thomas Paine appelait le « franchissement du Rubicon », c'est-à-dire la révolte concertée des colonies en faveur de l'indépendance et de la république, présupposait un minimum d'unité de vues, une sensibilité partagée, l'attachement à des intérêts supérieurs communs, bref l'apparition d'un début de sentiment « national ». Lente à se dessiner, cette maturation politique fut l'œuvre des événements eux-mêmes et elle s'accéléra avec eux : en 1773-1774 avec la *Boston Tea Party* et le choc des Lois intolérables ; en 1775 avec la militarisation du Massachusetts, l'ouverture des hostilités et la Proclamation répressive du roi ; début 1776 avec l'annonce du blocus commercial décrété par le Parlement et la publication décisive du *Sens Commun* de Thomas Paine. L'aveuglement politique et les maladresses du gouvernement britannique firent merveille pour souder entre elles des populations jusque-là disparates, les épreuves de la guerre et la fraternité des combats se chargeant de consolider l'union naissante des provinces américaines. « Avant la Révolution », note en 1789 l'historien sudiste David Ramsay, « les Américains ne se connaissaient guère entre eux. Le commerce et les affaires avaient mis en relation les habitants des villes portuaires, mais à l'intérieur du pays la plupart des gens ignoraient tout de leurs compatriotes. Originaires des différents États, les membres de l'armée continentale et du Congrès ne firent bientôt plus qu'un à force de se côtoyer en toute liberté et, se mêlant aux citoyens, ils disséminèrent les principes de l'union parmi le peuple. Les préjugés locaux perdirent de leur force. La fréquence des contacts atténua les aspérités, et c'est sur ces bases que put être édifiée une nation aussi diverse dans ses composantes ». Le premier pas franchi, la Révolution s'alimenta donc elle-même, ou « s'autoproduisit » comme on dirait de nos jours, la cause américaine devenant à elle-même sa propre cause.

La guerre d'Indépendance fut un événement qui, dans ses effets, dépassa très largement le cadre géographique où pour l'essentiel elle se déroula. Les leçons et les valeurs que la Révolution sut transmettre aux autres peuples lui assurèrent une place éminente dans l'histoire du monde. Car non seulement les insurgés américains furent les premiers à rompre le pacte colonial et à rejeter la tutelle d'un grand empire, mais ils furent aussi les premiers à subordonner le pouvoir politique au consentement des gouvernés, à asseoir les libertés publiques sur une constitution écrite, à élaborer un système confédéral, puis fédéral, capable de fonctionner, à instituer la liberté religieuse en même temps que la dissociation des Églises et de l'État et, ne fut-ce que dans le domaine de l'éducation ou de la propriété foncière, à jeter les bases d'une démocratie concrète fondée sur plus d'égalité.

Contrairement à John Adams, Benjamin Rush ne pensait pas que la Révolution fut jouée ou accomplie d'avance. « Si la Guerre américaine est terminée », souligne-t-il en 1787, « c'est loin d'être le cas de la Révolution américaine ». Ce médecin patriote, fondateur du premier dispensaire médical américain et président de la première société anti-esclavagiste du Continent, savait d'expérience que beaucoup restait à faire pour que les principes solennels et généreux de la Révolution s'inscrivent dans la réalité de tous les jours. Certes le « rêve américain » était né, ouvrant à l'innovation sociale un champ très vaste, mais il laissait en suspens nombre de questions graves et parfois douloureuses : ainsi le devenir des Indiens dans la nouvelle communauté, le problème de l'esclavage, ses répercussions sur la conquête de l'Ouest et l'avenir démocratique du pays, les rivalités régionales, l'institution d'un véritable pouvoir central, l'extension du droit de vote à tous les gouvernés, le développement d'une production industrielle autonome, la protection armée de la jeune république et de son message universel. Au moins autant qu'une fin, la Révolution américaine fut un commencement. Pour les Américains et par contrecoup pour nous-mêmes, elle inaugura une histoire qu'allaient tour à tour se partager les dieux du progrès et ceux de la tragédie.

L'OUVERTURE DES HOSTILITÉS

L'ouverture des hostilités à Lexington et Concord, en avril 1775, marqua un tournant de l'histoire coloniale britannique, une rupture que certains perçurent d'emblée comme irréversible. L'année 1774 avait préparé le terrain pour la rupture militaire de 1775 ; de la même façon, 1775 venait d'ouvrir la voie à la rupture politique de 1776.

L'année 1774 est celle où, à la suite de la *Boston Tea Party,* les Lois intolérables entrent en application (port de Boston fermé, charte du Massachusetts annulée). Loin d'intimider les Américains, elles ont au contraire pour effet de cimenter entre elles les colonies. Bien que Boston et sa région soient la cible principale de ces Lois, nombreuses sont alors les autres colonies qui redoutent une extension de l'action répressive britannique. De fait, le gouvernement anglais et le commandant en chef des forces royales, le général Gage, commettent l'erreur de ne pas circonscrire la répression à Boston ou au comté de Suffolk qui entoure la ville, si bien que le 18 septembre le premier congrès continental, réuni à Philadelphie, adopte les célèbres « Résolutions du Suffolk » *(Suffolk Resolves)* — et se solidarise officiellement avec les Bostoniens et le Massachusetts. Cette unité naissante se concrétisera le 20 octobre par un vote du Congrès instituant l'« Association » des colonies, préfiguration de l'Union américaine. Le premier acte de cette « Association » consistera à interdire tout échange commercial avec la Grande-Bretagne : une sorte de déclaration économique d'indépendance.

Tous ces événements créent, début 1775, les conditions d'une guerre des nerfs qu'un rien peut faire dégénérer en violence véritable. Consciemment, chacun se refuse à recourir aux armes, mais au fond tout le monde rêve d'en découdre, et les appels pacifistes des quakers n'y changeront rien. L'étonnant n'est pas que la guerre d'Indépendance ait éclaté en 1775 ; l'étonnant eût été qu'elle n'éclatât point à ce moment-là et dans ces circonstances-là.

LA BATAILLE DE LEXINGTON (19 avril 1775)

La militarisation du Massachusetts imposée par les Lois intolérables se heurta vite à l'opposition des patriotes. Au cours de l'hiver 1774-1775, ceux-ci, coordonnant leur action avec celle des autres colonies grâce aux « Comités de correspondance », créent les milices populaires et mettent en place des arsenaux clandestins, notamment à Concord. Le 14 avril, le général Gage reçoit de Londres l'ordre de réagir avec fermeté. Il décide d'une part d'envoyer le colonel Francis Smith à Lexington pour y arrêter John Hancock et Samuel Adams et par ailleurs d'investir Concord, à dix kilomètres de là. Alertés au milieu de la nuit par le célèbre Paul Revere, Hancock et Adams s'enfuient de Lexington à travers champs. Une soixantaine de miliciens barrent alors la route à six compagnies de tuniques rouges. Un coup de feu éclate, puis deux, puis trois, la fusillade devenant bientôt générale. L'escarmouche n'avait duré que quelques minutes et fait huit morts et onze blessés, dont un seul Anglais.

Tandis que la colonne britannique poursuivait sa route au-delà de Lexington, tous les miliciens et « minutemen » de la région se rassemblèrent à Concord. Leur nombre (4 000) et leur détermination entraînèrent la déroute des troupes royales. Mitraillés par des francs-tireurs jusqu'aux portes de Boston, les Britanniques essuyèrent là une défaite légendaire qui leur coûta 260 soldats et marqua le passage de la révolte intellectuelle à la rébellion armée des colonies.

Le récit officiel américain arriva à Londres dix jours avant le rapport britannique, bien que ce dernier eût quitté Boston quatre jours plus tôt. Grâce au zèle d'un navire américain, les Patriotes remportèrent ainsi la première bataille de propagande de la Révolution.

A peine les premiers coups de feu sont-ils échangés que le conflit armé — d'abord local, avec notamment la célèbre bataille de Bunker Hill à Boston (17 juin) — change subitement de nature et prend, dans les faits comme dans les esprits, les dimensions d'une guerre authentique. Dès le 15 juin, George Washington est élu par un Congrès unanime commandant en chef des forces continentales. Les Anglais élargissent dès que possible le théâtre des hostilités : en octobre, l'amiral Graves fait bombarder Bristol (Rhode Island) et incendier Falmouth (Maine), tandis qu'en Virginie le gouverneur royal, lord Dunmore, ordonne la destruction des villes de Hampton et de Norfolk — tout en promettant la liberté aux esclaves qui se rallieraient à la cause du Roi ! Les Américains de leur côté, ne fût-ce que pour éparpiller l'armée anglaise, s'efforcent d'agrandir l'aire géographique du conflit : d'où en mai la prise de Ticonderoga tout au nord de la province de New York et à l'automne la tentative d'invasion du Canada. A cet égard, on ne saurait exagérer l'importance de la question canadienne dans les premières phases de la Révolution, ni la place du Canada dans l'imaginaire des Américains de l'époque.

La nouvelle de la prise de Ticonderoga, au sud du lac Champlain, parvint à Philadelphie le 18 mai, huit jours après l'assaut. Fort de ce succès, le Congrès lança un appel solennel (rédigé par John Jay) aux habitants du Canada. De fait, les Américains s'obstinèrent, d'un bout à l'autre du conflit, à croire que le Canada finirait par épouser leur cause et même par adhérer à l'Union américaine. L'appel en question fut suivi, dès l'automne 1775, par une expédition militaire désastreuse conduite par Richard Montgomery et Benedict Arnold. Ce grave revers n'empêcha pas le Congrès, en mars 1776, de dépêcher au Canada une commission chargée de rallier les Canadiens à la cause américaine (Benjamin Franklin lui-même la dirigeait). Malgré l'échec de cette démarche, le Congrès persévéra — et réserva dans les Articles de Confédération une clause prévoyant l'admission d'office du Canada dans l'Union.

La loyauté (ou le neutralisme) du Canada français envers George III avaient été confortés par certaines clauses « procatholiques » du *Quebec Act* (20 mai 1774). L'arrivée massive de Loyalistes dans la province du Québec dès le début de la Révolution ne fit que renforcer cet état de choses. Aussi les insurgés américains ne réussirent-ils à convaincre qu'une petite minorité de Canadiens anglo-saxons : au total, seuls deux régiments canadiens purent être mis sur pied et enrôlés sous la bannière américaine.

LA GRANDE-BRETAGNE DEVANT L'ÉPREUVE

Le sort de la Révolution américaine se joua en Angleterre aussi bien que dans les colonies : l'aveuglement d'un roi plus sot que méchant, les erreurs politiques et stratégiques de son gouvernement, l'absence de vision et de réalisme du Premier Ministre, lord North, ainsi que le conservatisme au petit pied de la majorité parlementaire du moment, servirent la cause américaine au moins autant que la propre vaillance ou la propre foi des insurgés. Au total, la guerre d'Indépendance fut perdue par les Anglais plus qu'elle ne fut gagnée par les Américains.

A la veille du conflit et au moment de son déclenchement, le pays manifesta plus d'états d'âme que le Parlement ou du moins que la majorité, vénale et tout acquise au roi, qui y régnait. L'opposition populaire à la politique répressive de George III et de North se révéla alors particulièrement vigoureuse, même si le sentiment public fluctua par la suite en fonction de l'évolution du conflit.

Reste qu'en 1775 c'est l'ensemble du pays qui est secoué par la question des colonies d'Amérique. De nombreuses corporations, dont celle des merchants, inondent le Parlement de pétitions enflammées mais contradictoires ; les Églises prennent, selon leur confession, des positions différentes, l'Église anglicane soutenant le roi, les sectes dissidentes épousant avec ferveur la cause américaine ; l'armée perd son visage uniforme et voit plusieurs de ses généraux ou amiraux refuser de servir dans une guerre qu'ils estiment fratricide ; le maire de Londres et son Conseil supplient George III de mettre un terme au pouvoir « despotique » qu'il exerce sur les colonies, tandis que de leur côté les universités d'Oxford et de Cambridge condamnent la sédition américaine et encouragent la stratégie punitive du roi ; les intellectuels entrent dans la mêlée et une floraison de pamphlets, dont ceux de Samuel Johnson et de Richard Price, vient alimenter le débat national ; les séances du Parlement sont alors particulièrement agitées et les orateurs de l'opposition font merveille : Chatham, Burke, Shelburne, Fox, Wilkes ou Camden rivalisent de talent pour amener à résipiscence une majorité et un gouvernement obnubilés par le maintien de l'ordre et du statu quo.

Particulièrement important, dans ce contexte, fut le désarroi des négociants londoniens. Éviter la guerre pour sauver le commerce : tel était le souhait de nombreux hommes d'affaires et négociants britanniques à quelques mois de l'ouverture des hostilités, et tel était le sens de la pétition qu'un groupe important de marchands londoniens adressa au Parlement au début de l'année 1775. En septembre 1774, le premier Congrès continental avait réagi aux

« Lois intolérables » en adoptant une politique de « non-importation, non-exportation et non-consommation », aux termes de laquelle toute importation britannique devait cesser à compter du 1ᵉʳ décembre 1774, les exportations vers la Grande-Bretagne devant, elles, s'interrompre le 10 septembre 1775 — si du moins à cette date les lois en question n'avaient pas été abrogées. Ces mesures firent subir un grave préjudice au commerce traditionnel entre la mère patrie et ses colonies : alors qu'elles totalisaient 2,5 millions de livres en 1774, les exportations britanniques chutèrent de 90 % en 1775. De surcroît, les planteurs américains avaient contracté de très lourdes dettes auprès des négociants britanniques et ceux-ci avaient toutes les raisons de craindre qu'un conflit armé ne les place, à cet égard, dans une situation de faillite.

GEORGE III : LE CHOIX DES ARMES

Le 23 août 1775, le Roi avait stigmatisé la rébellion américaine dans une solennelle « Proclamation au Parlement ». Mais il ne visait alors qu'à étouffer dans l'œuf, et par des dispositions prises sur le terrain, une révolte dont il attribuait l'origine aux menées ambitieuses de quelques trublions mal intentionnés *(ill-designing men)*. En octobre, les choses ont changé de dimension et le Roi a pris toute la mesure du conflit : « La guerre de rébellion aujourd'hui entamée est devenue plus générale et a manifestement pour objet d'établir un empire indépendant ». A situation aggravée, répression aggravée : l'Angleterre, dont l'empire est menacé d'éclatement, aura donc recours aux grands moyens, c'est-à-dire à la force. En réponse à ce Discours du Trône sans concession, Thomas Paine aura beau jeu d'écrire en janvier 1776 : « Le temps des débats est clos. Ce sont les armes qui en dernier recours trancheront la querelle : le roi a choisi d'y faire appel et le continent a relevé le gant » *(Le Sens commun)*. Il convient néanmoins de rappeler qu'en février 1775 le Premier Ministre, lord North, avait effectivement fait adopter par les deux Chambres un plan de conciliation *(Conciliatory Plan)*. Aux termes de celui-ci, le Parlement devait « s'abstenir » de lever directement des impôts dans les colonies, dès lors que celles-ci, s'imposant elles-mêmes par le biais de leurs assemblées, réuniraient les fonds nécessaires à la défense et au gouvernement civil de leur territoire (ces deux secteurs restant naturellement sous la responsabilité britannique). Ce plan avait été rejeté par les colonies, notamment par l'Assemblée de Virginie, au motif que le Parlement ne disposait d'aucun droit légitime à se mêler de la défense et du gouvernement civil des colonies américaines.

Le temps n'allait pas travailler en leur faveur, puisque la guerre devait bientôt éclater (le 19 avril) et le Parlement voter (le 22 décembre) une loi d'embargo total à l'encontre des treize colonies.

Si elle n'influa guère, du moins directement, sur la politique arrêtée par George III, cette division des esprits, du reste reflétée par une presse nombreuse, libre et objective, entraîna pour la Grande-Bretagne une conséquence indirecte de première importance : car le roi dut engager dans la lutte contre les colonies un peuple partagé, mal assuré de lui-même, insuffisamment motivé, et des sujets si peu disposés à sacrifier leur vie que le recrutement massif de mercenaires devint vite une nécessité. Le recours à un tel expédient en dit long sur la fragilité psychologique et morale de l'Empire en cet instant crucial de son histoire.

L'INDÉPENDANCE DÉCLARÉE

L'histoire de l'Indépendance américaine est remarquable par au moins deux de ses aspects : 1) la lenteur avec laquelle l'idée même d'indépendance parvint à maturité ; 2) la rapidité avec laquelle, entre janvier et juillet 1776, cette idée réussit à investir les esprits et à entrer dans les faits.

Dès 1701 le ministère du Commerce britannique faisait état d'une certaine aspiration à l'indépendance dans les colonies. Un voyageur français, visitant l'Amérique anglaise au moment de la crise du *Stamp Act* (1765), écrit : « Aucun pays n'était mieux fait pour l'indépendance, le peuple y était disposé et il n'y avait rien dont on ne parlât davantage. » En 1768, le baron de Kalb, voyageant en Amérique en qualité d'agent secret de Choiseul, note : « L'esprit d'indépendance [est] partout. » Cependant la plupart des historiens s'accordent à penser que l'aspiration à l'indépendance était inexistante avant 1763 et qu'elle ne commença à prendre corps que dans les cinq années précédant la Révolution. L'étonnant est que même en 1775 l'idée restait audacieuse : au sein du Congrès seule une poignée de délégués osaient s'y référer ouvertement et la plupart de ceux qu'on nommait « radicaux » n'envisageaient qu'un statut d'autonomie par rapport au Parlement britannique et non un rejet de la tutelle royale et de l'Empire.

C'est à ce lien historique et *sacré* avec la Couronne qu'il était le plus difficile — psychologiquement, politiquement, culturellement — de renoncer. Et c'est à la lumière de cette difficulté qu'il convient de lire *le Sens commun (Common Sense)* de Thomas Paine et la Déclaration d'Indépendance rédigée par Jefferson. Autant la « Déclaration sur les causes et la nécessité du recours aux armes » (6 juillet 1775) et la « pétition du rameau d'olivier » (*Olive Branch Petition*, 8 juillet 1775) sont encore, à un an de la rupture, des protestations d'attachement filial (« Attachés à la personne,

---

THOMAS PAINE :
« IL EST TEMPS DE SE QUITTER »

Dans l'histoire des lettres modernes, aucun livre n'a exercé une influence aussi immédiate et aussi décisive que *le Sens commun*. Le pamphlet de Paine sort des presses le 10 janvier 1776, sa parution coïncidant jour pour jour avec la publication du Discours du Trône et, à quelques jours près, avec l'annonce de l'embargo commercial décrété par le Parlement. L'Amérique est en émoi. En moins d'un an, quelque 120 000 exemplaires du *Sens commun* seront vendus. Des éditions pirates fleurissent partout. La presse coloniale commente le pamphlet sans discontinuer, publiant toute une série de répliques et contrerépliques. La classe politique est ébranlée et, parmi le grand public, nombreux sont les hésitants qui se convertissent à la cause de l'indépendance et, chose plus importante encore, à celle de la république. George Washington peut écrire : « *Le Sens commun* est en train d'opérer une puissante transformation dans l'esprit des hommes ». Pourtant le texte de Paine ne contient guère d'idées nouvelles. Son mérite est d'ailleurs : dans la passion de convaincre, dans l'art d'exposer avec simplicité les questions les plus complexes, dans l'emploi d'une écriture accessible à tous, dans la capacité de dire tout haut, à point nommé et avec un sens aigu de la psychologie, ce que beaucoup pensaient tout bas, sans se l'avouer et parfois même sans le savoir. *Le Sens commun* n'a pas créé le mouvement en faveur de l'indépendance et de la république. Il en a été le révélateur et le catalyseur. Il a ouvert la voie, avec six mois d'avance, à la Déclaration historique du 4 juillet.

« Il est temps de se quitter » s'écrie Paine, avant de lancer au peuple des colonies cet appel resté célèbre : « O vous, amis de l'humanité ! Vous qui osez vous opposer non seulement à la tyrannie mais au tyran, avancez-vous ! L'oppression ravage chaque recoin du Vieux Monde. La liberté a été pourchassée sur toute la surface du globe. L'Asie et l'Afrique l'ont bannie depuis longtemps. L'Europe la regarde comme une étrangère, et l'Angleterre lui a signifié son congé. Oh ! recueillez la fugitive et préparez à temps un asile pour le genre humain. »

LA DÉCLARATION D'INDÉPENDANCE
(4 juillet 1776)

La véritable déclaration d'indépendance n'est pas celle du 4 juillet 1776, mais bien le texte de la « résolution » du 7 juin proposée au vote du Congrès par Richard Henry Lee. Adoptée seulement le 2 juillet en raison des atermoiements de certaines colonies (Maryland, Delaware, Pennsylvania, New Jersey et New York), cette résolution — qui ne comporte que quelques lignes — fut un acte politique majeur et décisif : un appel de portée historique à déclarer l'indépendance en bonne et due forme, à conclure des alliances au-dehors et à instituer une confédération des États américains.

La Déclaration du 4 juillet — rédigée pour l'essentiel par Thomas Jefferson et intitulée « *The unanimous declaration of the thirteen united states of America* » — ne fit qu'entériner les décisions contenues dans la résolution de Lee. Ce texte est tout à la fois l'officialisation d'un fait accompli, un acte de justification « soumis au jugement d'un monde impartial », un appel à la reconnaissance diplomatique et la notification qu'il est désormais possible à toute nation de s'allier à l'Union américaine.

Le texte de Jefferson arriva devant le Congrès le 28 juin. Amendée dans certaines parties et surtout amputée d'une clause condamnant la traite des Noirs, la célèbre déclaration fut adoptée le 4 juillet à l'unanimité des douze États ayant participé au vote (en l'absence de consignes claires, les délégués du New York s'étaient abstenus). Le 5 juillet, des exemplaires imprimés furent envoyés aux treize assemblées locales et à l'armée, sous le titre cette fois de : « Déclaration des représentants des États Unis d'Amérique, réunis en Congrès général ». Lue à la foule le 8 juillet depuis le balcon de *Independence Hall* (Philadelphie), la déclaration fut signée le 2 août par l'ensemble des délégués présents, y compris ceux du New York. Elle commence par ces mots célèbres : « Nous tenons ces vérités pour évidentes en elles-mêmes : que tous les hommes sont créés égaux ; que leur Créateur les a dotés de certains droits inaliénables, parmi lesquels la vie, la liberté et la recherche du bonheur ; que, pour garantir ces droits, les hommes instituent entre eux des gouvernements, qui tirent leurs justes pouvoirs du consentement des gouvernés ; que, chaque fois qu'un gouvernement, quelle qu'en soit la forme, menace ces fins dans leur existence même, c'est le droit du peuple que de le modifier ou de l'abolir, et d'en instituer un nouveau... ».

à la famille et au gouvernement de votre Majesté [...] nous affirmons solennellement notre très ardent désir de voir rétablie l'ancienne harmonie entre vous-même et ces colonies... »), autant le texte de Paine et celui de Jefferson se caractérisent par des attaques « parricides » contre la personne du roi accusée à tort comme à raison de tous les maux. Freudiens avant la lettre, Jefferson et Paine avaient compris qu'il n'y aurait pas d'indépendance s'il n'y avait pas « mort du père » — et également rejet de la « mère patrie ».

Ce n'est donc pas un hasard si le grand et brusque glissement de l'opinion américaine coïncida avec la publication, début 1776, de ce très virulent pamphlet. Faisant sauter les ultimes blocages qui interdisaient aux colons de rompre avec leur monarque et leur terre d'origine, le *Sens commun* ouvrit des vannes que personne ne pourrait plus refermer : « Des milliers d'hommes furent convertis par [ce livre] et conduits à désirer une séparation d'avec la mère patrie » note alors l'historien Ramsay. Le Discours du Trône et le refus du roi de saisir la main qui lui était tendue avaient, il faut le dire, bien préparé le terrain. En 1775, un simple geste du souverain, quelques concessions intelligentes eussent tout fait rentrer dans l'ordre, et pour longtemps.

Reste qu'en 1776 il y avait, pour des raisons à la fois sociales et intellectuelles, moins d'hésitations dans le peuple et les assemblées locales qu'au Congrès lui-même. D'où les initiatives indépendantistes de certaines colonies, comme les deux Carolines, le Massachusetts et surtout la Virginie ; d'où, dès le mois de mai, la nécessité où se trouva le Congrès de prendre soudain les devants en recommandant à *tous* les « États » de se doter d'institutions politiques propres, l'indépendance de l'Union devant couronner celle des États. Dans le mouvement final qui poussa l'Amérique à la rupture, la part de la volonté et de la pression populaires fut loin d'être négligeable.

LES LOYALISTES

On oublie trop que la Révolution américaine fut une guerre civile. Aux yeux des Patriotes, les Loyalistes étaient des traîtres et des renégats, plus haïssables encore que des ennemis déclarés. Il n'est donc pas étonnant qu'ils aient fait l'objet, tout au long du conflit, de violences physiques (quoique assez rarement), de discrimination politique et sociale et de mesures de confiscation ou de bannissement. Ils furent également maltraités par les historiens pendant plus d'un siècle et il fallut attendre 1902 pour voir apparaître, avec *The Loyalists in the American Révolution* de C.H. Van Tyne, un effort de compréhension à l'égard des Tories et une tendance à réhabiliter sinon leur comportement, du moins leur conception des choses, bref à lire l'histoire sous un double éclairage.

LA SPOLIATION DES LOYALISTES

Si la violence physique fut, au total, assez peu utilisée à l'encontre des Loyalistes, la confiscation de leurs biens — terres, maisons, troupeaux, boutiques et marchandises — ne tarda pas, à l'inverse, à devenir une politique adoptée par tous les États et du reste encouragée (dès novembre 1777) par le Congrès. Huit États se dotèrent d'une législation particulière sur la base de principes à peu près communs, les autres préférant utiliser des procédures légales plus indirectes. Appliquée de façon souvent impitoyable — et dictée dans de nombreux cas par la seule convoitise —, cette politique rapporta beaucoup aux trésoreries des États : 3,5 millions de dollars au seul État de New York ; plus de deux millions à celui du Maryland. Finançant la Révolution à leur corps défendant, les Loyalistes contribuèrent ainsi à leur propre perte et de surcroît ils évitèrent à la Confédération de s'endetter trop lourdement.

Dans la plupart des États, les propriétés confisquées étaient de très vastes domaines. Aussi les « Lois de confiscation » prévoyaient-elles de les subdiviser et de les vendre par lots plus réduits. La politique de confiscation se traduisit en conséquence par une redistribution de terres à des cultivateurs plus modestes et contribua ainsi — ironie du sort pour les anciens propriétaires — à une certaine démocratisation de l'agriculture américaine. Ce fut là un des acquis sociaux de la Révolution.

La force des Loyalistes résidait, semble-t-il, dans leur nombre. Si l'on peut estimer, à la suite de John Adams, qu'un tiers des colons étaient favorables à l'indépendance, un tiers hostiles, un tiers hésitants, encore faut-il garder à l'esprit que ces derniers vinrent grossir tantôt les rangs des *Whigs,* tantôt ceux des *Tories,* selon l'évolution du conflit et ses rebondissements. Des recherches plus récentes s'arrêtent à un taux plus modeste (20 %) concernant les Loyalistes. Mais ces estimations n'ont qu'une valeur relative, tout dépendant du sens qu'on attribue aux termes de « Loyaliste » et de « Patriote » et de la dose d'activisme ou d'engagement qu'on fait entrer dans la définition.

Tout aussi délicates sont les distinctions sociales qu'on est tenté d'établir entre les deux camps. On peut, avec Van Tyne, décrire les Loyalistes comme appartenant à certains groupes bien définis : les officiels de l'administration coloniale et leur clientèle, les pasteurs de l'Église anglicane, les légalistes attachés aux prérogatives du Parlement britannique, les adulateurs de la famille royale, les conservateurs en tout genre... On peut aussi affirmer que la Révolution fut dans une large mesure un conflit de classes, avec d'un côté le petit peuple aux idées républicaines et indépendantistes et de l'autre les négociants, les riches planteurs, l'Église établie, les professions libérales ainsi que les hauts fonctionnaires fidèles à l'Angleterre par intérêt. Mais ces distinctions sont en grande partie artificielles, car, si certaines configurations sociales peuvent en effet se retrouver dans tel ou tel État singulier, il est impossible de les appliquer à l'ensemble de l'Amérique révolutionnaire. Les exceptions sont trop nombreuses pour qu'une norme ait un sens : la bourgeoisie terrienne de l'État de New York était dans l'ensemble loyaliste, celle de Virginie patriote ; en Caroline du Nord, les petits fermiers de l'arrière-pays étaient *tory,* alors que ceux du Massachusetts tenaient avec les *Whigs.* George Washington était à la fois riche propriétaire et patriote ; patriotes aussi les avocats comme Jefferson et John Adams ou le médecin Benjamin Rush. Ici les Loyalistes étaient anglicans, là ils étaient quakers, comme en Pennsylvanie. D'un point de vue géographique, l'influence des Loyalistes se faisait moins sentir dans les provinces les plus anciennes (Virginie, Massachusetts, Connecticut) disposant d'une longue tradition de *self-government ;* elle était plus forte dans le Sud profond, les États du centre ou celui de New York.

Si la ligne de partage entre Patriotes et Loyalistes passe ainsi à travers toutes les régions, toutes les classes, toutes les confessions et professions, divisant les familles et parfois les individus eux-mêmes, c'est que l'idée d'indépendance et, derrière elle, celle de république touchaient à quelque chose de plus profond qu'aux simples intérêts immédiats. Ce qui était en jeu dans la Révolution, c'était une autre conception de l'homme et de la société, un basculement de l'histoire, la naissance d'un monde nouveau.

SUR LE THÉÂTRE DE LA GUERRE

La guerre d'Indépendance fut une guerre au plein sens du mot. Elle dura huit ans jour pour jour, du 19 avril 1775 (bataille de Lexington) au 19 avril 1783 (annonce de la fin des hostilités).

Livrée au total par quelque 370 000 combattants américains (230 000 soldats et 140 000 miliciens), elle fut le théâtre de 1331 engagements terrestres et de 218 combats navals, ceux-ci jouant un rôle décisif dans la seconde partie du conflit.

Ce fut 1) une guerre fratricide et meurtrière entre sujets d'un même Empire ; 2) une guerre civile sans concessions entre citoyens d'un même pays (à laquelle Noirs et Indiens ne furent qu'accessoirement mêlés) ; et 3) une confrontation internationale.

UNE GUERRE MEURTRIÈRE

La Révolution fit, dans le seul camp américain, quelque 25 700 morts [1] (en raison de l'insuffisance de certaines sources, il conviendrait d'ajouter en fait un millier de victimes à ce total). Cela représente 0,9 % par rapport à une population estimée en 1780 à 2,7 millions d'habitants. Le pourcentage s'établit à 0,06 % pour la guerre du Mexique ; 1,6 % pour la guerre de Sécession ; 0,12 % pour la Première Guerre mondiale et 0,28 % pour la seconde. La guerre d'Indépendance a donc été très meurtrière : elle se place à cet égard au deuxième rang des guerres menées par les États-Unis, juste après la Guerre civile. Encore faudrait-il souligner que cette dernière n'opposa que des Américains entre eux et que le chiffre de 1,6 % englobe, à la différence du 0,9 % de la Révolution, les pertes de l'un et l'autre camps.

Ces chiffres viennent contredire en partie une idée pourtant répandue, selon laquelle la Révolution américaine, contrairement à la française ou à la russe, aurait fait couler peu de sang. Cette modération dans la cruauté serait à l'origine de son succès devant l'histoire et aurait permis à l'Amérique comme à l'Angleterre de sortir de l'épreuve sans traumatisme irréparable. Les recherches récentes et ce qui a été dit précédemment de la rivalité entre Loyalistes et Patriotes invitent sinon à mettre en cause, du moins à nuancer cette façon de voir.

Deux paradoxes, d'ailleurs liés entre eux, marquent la guerre d'Indépendance : 1) dans un premier temps du moins, celle-ci opposa deux adversaires on ne peut plus

---

1. Les chiffres et données mentionnés ici sont tirés de : Howard H. Peckham, *The Toll of Independence. Engagements and Battle Casualties of the American Revolution*, Chicago, 1974.

dissemblables et disproportionnés, avec d'un côté une armée disciplinée et expérimentée, une flotte nombreuse et maîtresse de la mer, un corps de mercenaires aguerris et d'importantes ressources financières, et de l'autre un assemblage de miliciens et de citoyens-soldats mal équipés, mal habillés, mal entraînés, trahis par une partie de la population, mais combattant sur leur sol natal et animés d'une telle ardeur patriotique qu'ils finirent contre toute attente par inverser le rapport des forces ; 2) le second paradoxe tient au fait que les Américains sortirent vainqueurs de l'épreuve tout en ayant remporté un nombre infime de grandes batailles : commandés par des généraux stratégiquement plus subtils que ceux du roi, ils compensèrent leur infériorité proprement militaire par le choix d'une tactique de harcèlement et d'usure *(Fabian tactics)* qui eut pour effet de diluer l'adversaire dans l'espace et d'éterniser le conflit dans le temps. L'Angleterre perdit la guerre pour s'y être enlisée.

A aucun moment les Britanniques ne se montrèrent capables d'élaborer une stratégie d'ensemble propre à anéantir la rébellion. Ils s'attaquèrent d'abord à la Nouvelle-

LA BATAILLE DE SARATOGA (7 octobre 1777)

Tandis que George Washington et William Howe sont aux prises dans la région de Philadelphie, l'état-major britannique décide, début 1777, d'isoler la Nouvelle-Angleterre en organisant une invasion à partir du Canada via le lac Champlain et le fleuve Hudson. Le général Burgoyne est chargé de cette offensive. Elle ne peut réussir que si Howe termine assez tôt sa campagne de Philadelphie pour remonter vers le nord et se joindre aux forces de Burgoyne à Albany.

L'opération commence bien grâce à la reconquête de Fort Ticonderoga (le 5 juillet), mais se termine de façon désastreuse par la défaite de Saratoga, N. Y., et la reddition de toute une armée : le système d'approvisionnement des troupes de Burgoyne à partir de Montréal s'est révélé inopérant et le général Howe, retardé par la prise de Philadelphie (26 septembre), n'est pas au rendez-vous d'Albany.

Bien qu'intervenant six ans avant la conclusion de la paix, la bataille de Saratoga a été considérée à juste titre comme un tournant de la Révolution. Laissant prévoir à l'opinion mondiale et notamment française que l'Angleterre ne viendrait jamais à bout des rebelles, l'échec de Burgoyne prépara le terrain à l'alliance de mai 1778 et précipita l'entrée décisive de la France dans le conflit.

Angleterre, berceau de la sédition ; puis ils dirigèrent l'essentiel de leurs efforts contre les États du centre ; mais, se heurtant en Pennsylvanie comme dans le New Jersey ou l'État de New York à des difficultés insurmontables, ils déplacèrent alors le conflit vers le Sud où, à nouveau victimes de l'espace et du temps (et des ruses de Washington), ils furent acculés à la capitulation.

On peut distinguer trois phases dans la guerre menée par les Américains : 1) une première phase défensive (avril 1775-octobre 1777) surtout marquée par l'action des milices et une tactique proche de la guérilla — en gros depuis l'escarmouche de Lexington jusqu'à la bataille de Saratoga ; 2) une deuxième phase nettement plus offensive, allant de Saratoga (7 octobre 1777) à la reddition de Yorktown (19 octobre 1781), où les raids sporadiques font plus souvent place à des engagements de grande envergure et qui correspond à l'entrée de la France dans le conflit ainsi qu'à une intensification de la guerre maritime ; 3) une troisième phase (1782-1783) seulement troublée par quelques combats résiduels et consacrée pour l'essentiel à la recherche diplomatique d'un accord de paix.

L'ACTION DIPLOMATIQUE

La guerre de Sept ans (1756-1763) s'était achevée pour la France par une défaite cuisante et l'abandon au profit de l'Angleterre de la plupart de ses possessions d'Amérique du Nord. Le roi de France et ses ministres (Choiseul, puis Vergennes) virent dans l'agitation coloniale et *a fortiori* dans la guerre d'Indépendance une occasion inespérée de prendre leur revanche, de renouer des liens avec le Nouveau Monde et d'affaiblir durablement la Grande-Bretagne. Les Français, cependant, avancèrent leurs pions avec prudence, se bornant tout d'abord à fournir une aide clandestine aux rebelles avant de signer avec eux, lorsque la guerre prit un tour favorable, une alliance militaire en bonne et due forme. En acceptant l'aide de divers princes allemands et en recrutant quelque 30 000 « Hessois », l'Angleterre avait elle-même et fort imprudemment ouvert la voie à l'intervention d'autres puissances.

Dès 1767, Choiseul envoie discrètement le baron de Kalb prendre le pouls des colonies. En septembre 1775, c'est Achard de Bonvouloir qui, sur les ordres de Vergennes, prend le chemin de l'Amérique : cet agent secret a pour mission d'étudier sur place les possibilités de fournir aux insurgés une assistance discrète. Cependant le Congrès crée deux commissions spécialement chargées des relations extérieures : le *Secret Committee of Congress* (18 septembre 1775), responsable des approvisionnements militaires, et le *Committee of Secret Correspondence* (20 novembre 1775) à finalité strictement diplomatique, qui deviendra en avril 1777 la très officielle « Commission des affaires étrangères » *(Committee of Foreign Affairs)*. Ces diverses mesures et tractations aboutissent peu après la Déclaration d'Indépendance à la mise en place d'un système clandestin d'approvisionnement imaginé par Beaumarchais et à l'envoi en France

---

BEAUMARCHAIS ET L'AIDE AUX INSURGÉS

Entre 1775 et 1778 Beaumarchais ne se contenta pas d'écrire *Le Barbier de Séville* et *Le Mariage de Figaro*. L'essentiel de son activité fut d'ordre politique et commercial : dès septembre 1775, il entreprit de convaincre Louis XVI et Vergennes de la nécessité de soutenir matériellement les insurgés américains ; à la demande de Vergennes, il prépara en mai-juin 1776 un plan d'action qui consistait à créer une société commerciale de façade — Hortalez & Cie — dont lui-même serait le gérant et sous le couvert de laquelle seraient clandestinement acheminés vers l'Amérique, en échange de tabac de Virginie, la poudre, les armes, les munitions et tout l'approvisionnement nécessaire à la conduite de la guerre. Le plan fut accepté et, pour lancer l'affaire, la France et l'Espagne consentirent chacune un prêt d'un million de livres, un troisième million provenant des milieux du commerce où Beaumarchais comptait de nombreux amis.

Dès 1777, Hortalez & Cie disposa ainsi de 12 vaisseaux de transport opérant à partir du Havre, de Nantes, de Bordeaux ou de Marseille. La compagnie finira par en posséder 40. Le premier convoi atteignit Portsmouth, N.H., début 1777, avec de quoi armer et équiper 25 000 hommes. Cette aide secrète joua un rôle déterminant dans plusieurs victoires américaines, dont celle de Saratoga.

Fin 1777 Beaumarchais avait transporté, sans recevoir un sou du Congrès ni le moindre gramme de tabac, pour cinq millions de livres de matériels. L'aide française, via Hortalez & Cie, était-elle un don, une opération de vente ou un prêt remboursable ? Ce malentendu qui allait longuement agiter la classe politique américaine tourna au scandale : il mit fin à la carrière de Silas Deane et plongea Beaumarchais dans les dettes. L'alliance franco-américaine allait bientôt clarifier la situation.

---

de Silas Deane, émissaire chargé de négocier une intensification de l'aide française.

En septembre 1776, Benjamin Franklin et Arthur Lee rejoignent Silas Deane à Paris et multiplient les contacts. Leurs efforts aboutiront, peu après Saratoga, au Traité d'alliance avec la France du printemps 1778.

Conclu le 6 février 1778 et ratifié par le Congrès le 4 mai, ce traité est le premier et unique texte d'alliance jamais signé par les États-Unis jusqu'au Traité de l'Atlantique Nord de 1949. Facilitée par l'habileté de Franklin et hâtée par la victoire de Saratoga, la conclusion du traité fut l'enjeu d'une course de vitesse entre Paris et Londres, la France souhaitant être la première nation à reconnaître l'indépendance américaine et à recueillir les fruits politiques de la guerre, les Anglais s'efforçant de trouver au plus vite un terrain d'entente avec les insurgés afin d'éviter l'entrée des Français dans le conflit. Il faut dire que la France était alors le pays le plus important d'Europe, avec 25 millions d'habitants contre 8 à la Grande-Bretagne, et disposait d'un potentiel militaire et naval redoutable, sans parler de ses liens étroits avec l'Espagne. Les appréhensions de l'Angleterre n'étaient donc pas infondées et ses velléités de conciliation sont aisées à comprendre. L'alliance se traduisit en fait par deux accords distincts : d'une part un « traité d'amitié et de commerce », en date du 7 janvier, reconnaissant l'indépendance américaine et organisant la protection mutuelle des échanges maritimes ; d'autre part un « traité d'alliance » prévu pour entrer en application au terme de la guerre.

Londres essaya aussitôt de contrer cet accord en créant une commission de conciliation (*Carlisle Commission*) et en proposant aux colonies un compromis hélas trop tardif. La victoire alliée de Yorktown — où, aux côtés de Washington, s'illustrèrent Rochambeau, Lafayette et l'amiral de Grasse — allait bientôt mettre un terme aux hostilités, mais deux ans de négociations furent cependant nécessaires avant qu'un traité de paix puisse enfin être signé (le 3 septembre 1783).

Au-delà de l'alliance avec la France, la diplomatie américaine s'efforça, sans grand succès, d'élargir le cercle de ses amis et soutiens européens. Refusant d'aider ouvertement l'Amérique, la plupart des monarchies européennes se cantonnèrent dans une attitude concertée de « neutralité armée » qui eut néanmoins pour résultat d'isoler la Grande-Bretagne. Quant à l'Espagne, si elle participa finalement au conflit et déclara la guerre à l'Angleterre en juin 1779, ce fut moins pour défendre la cause américaine, dont elle redoutait le caractère contagieux pour ses propres colonies, que pour suivre la France dans ses entreprises anti-britanniques et profiter de l'occasion pour consolider son Empire.

LES DÉFIS INTÉRIEURS

La Révolution dut faire face à d'importants problèmes intérieurs, notamment d'ordre monétaire et financier ou relatifs à l'expansion territoriale.

La Révolution étant à l'origine une révolte contre le fisc, le Congrès pouvait difficilement envisager de financer la guerre en imposant à tout-va les États constitutifs de l'Union. Sans le secours d'une administration centrale des contributions, il dut néanmoins lever des armées, équiper les troupes, les nourrir, les vêtir, les soigner — et payer lui-même les deux tiers du coût total de la Révolution (estimé à 170 millions de dollars), le reste étant couvert par les prêts et subsides venus de l'étranger. Au lendemain de Bunker Hill, il décida donc d'émettre une devise continentale qui, victime de la planche à billets et des contrefaçons, se déprécia rapidement jusqu'à perdre toute valeur. En 1781, au milieu d'une inflation galopante et des agissements d'une nuée de profiteurs, les finances américaines s'effondrèrent.

La guerre, la pénurie, l'inflation et l'évanescence de la monnaie ne firent pas que des malheureux parmi les Américains. Tandis que les ouvriers des villes, les artisans, les fonctionnaires, les militaires et les gens d'Église étaient frappés de plein fouet, d'autres catégories firent leurs choux gras de la crise : les marchandises, et notamment les produits importés d'Europe ou des Antilles, étaient si rares et par conséquent si chers que nombreux furent ceux, parmi les commerçants, les négociants, les adjudicataires, les intermédiaires de toute espèce et leurs alliés naturels les hommes de loi, qui s'activèrent à exploiter au mieux la situation. Pour ces profiteurs, tous les moyens étaient bons pour s'enrichir, du marché noir à l'établissement de monopoles en passant par la technique du stockage artificiel ou « accaparement ». Pendant toute la durée de la Révolution, les plus hautes figures politiques américaines (notamment Alexander Hamilton) s'élevèrent tour à tour contre ces agissements antipatriotiques et plaidèrent en faveur d'une plus grande moralité économique. Mais rien n'y fit et la nervosité populaire alla grandissant. Les travailleurs organisèrent des rassemblements dans les villes pour contraindre les commerçants à baisser leurs prix. Il y eut même des émeutes, dont la célèbre « attaque contre « Fort Wilson » : le 4 octobre 1779 une foule en colère et armée assiégea à Philadelphie la résidence de James Wilson, spéculateur notoire et avocat attitré des affairistes : il y eut deux morts et plusieurs blessés.

Le Congrès prit alors davantage appui sur les classes possédantes et se tourna vers un sauveur, l'homme d'affaires

---

ALEXANDER HAMILTON ET ROBERT MORRIS : LE RÔLE DE LA FINANCE

En 1780, pour résoudre la crise monétaire et financière où s'enfonce la Révolution, Alexander Hamilton suggère de recourir à un emprunt étranger qui se traduirait non par un transfert de fonds, mais par la fourniture directe des marchandises nécessaires à l'armée et au pays. Ce type d'emprunt, explique-t-il, permettrait de freiner l'inflation et la spéculation, mais aurait à l'évidence l'inconvénient de ne pas fournir au Congrès « les vastes sommes nécessaires aux dépenses du moment ». D'où l'idée de fonder une Banque nationale reposant pour moitié sur fonds publics, pour moitié sur fonds privés, autorisée à frapper monnaie, à émettre des devises et à passer des marchés, et capable de rallier financièrement à la bonne cause une classe possédante jusque-là sur la réserve. Ce projet, d'ailleurs amendé, ne devait voir le jour que bien plus tard, une fois Hamilton devenu Secrétaire au Trésor (1789-1795).

Avant la Révolution il n'y avait aucune banque dans les colonies et l'on ne pouvait emprunter ou prêter qu'à des individus. Nommé Surintendant des Finances le 20 février 1781 (il n'acceptera le poste que le 14 mai), Robert Morris jugea pourtant le projet de Hamilton trop ambitieux. A la place, il fit accepter par le Congrès la création plus modeste d'un établissement d'escompte et de dépôt, la *Bank of North America* qui ouvrit ses portes à Philadelphie en 1782 et rendit d'immenses services au gouvernement, restaurant la monnaie métallique, s'assurant le concours des patriotes argentés, soutenant la reprise des affaires et prêtant à la Confédération un total de 1,2 millions de dollars. Ayant de surcroît obtenu de la France un prêt en espèces de l'ordre du demi-million de dollars, Morris réussit en un tournemain à rétablir la confiance, à vaincre l'inflation et à financer la campagne décisive de Yorktown.

Mais les malheurs qui avaient accompagné la chute de la devise américaine allaient faire du papier-monnaie une interminable pomme de discorde entre Américains et retarder d'autant, au XIXe siècle, l'avènement indiscuté du billet vert.

Robert Morris, financier génial d'une révolution qui, à en croire Herbert Osgood, « ne fut jamais financée ». La *Bank of North America* fut créée qui devint le rempart monétaire de la cause américaine et, grâce au concours de la France, sauva la Révolution d'une faillite intégrale.

Tout aussi épineuse fut la question des terres de l'Ouest, de leur devenir et de leur attribution. Le problème se posa tout au long de la Révolution, comme il s'était posé avant et comme il devait se poser après. Dans son projet d'union intercoloniale de 1754 *(The Albany Plan of Union),* Benjamin Franklin envisageait déjà que les terres revendiquées par la Virginie et autres provinces devinssent (sous couvert de la Couronne) la propriété exclusive de l'Union. Pendant la Révolution, les rivalités territoriales entre États furent, pour le Congrès, un sujet de préoccupation permanent et, pour les provinces concernées, une occasion de chantage politique et un prétexte à retarder l'établissement de la Confédération.

Avant 1776 plusieurs colonies disposaient, conformément à leur Charte, du droit de s'étendre à l'ouest des Appalaches, droit rendu théoriquement caduc par l'impopulaire Proclamation royale de 1763. A la faveur de la guerre d'Indépendance, les revendications territoriales refleurirent, engendrant une vive et longue querelle entre provinces aux intérêts souvent divergents. Quant aux États qui n'avaient aucun titre à s'agrandir et qui redoutaient d'être lésés par l'expansion des autres, ils réclamèrent à grands cris la cession de tous les territoires convoités à la Communauté américaine. C'est ainsi que le Maryland bloqua le processus de ratification des Articles de Confédération jusqu'à ce que la Virginie accepte de renoncer à ses droits. Soucieux d'en finir avec ces conflits internes et désireux de garnir les caisses vides de l'Union en revendant les terres « nationalisées », le Congrès adopta le 10 octobre 1780 une importante « Résolution sur les terres publiques » qui servit de cadre aux cessions ultérieures. A elle seule, la Virginie revendiquait toute la partie occidentale du territoire américain situé au nord de sa frontière sud et à l'ouest du Maryland et de la Pennsylvanie. Ses prétentions étaient fondées sur sa charte coloniale, mais également sur la « conquête du Nord-Ouest » accomplie en 1778-1779 par l'héroïque colonel George Rogers Clark. Le 2 janvier 1781, la Virginie répondit favorablement à la demande exprimée par le Congrès, mais en posant des conditions inacceptables. Il fallut attendre décembre 1783 pour voir cet État accepter enfin le transfert à la Confédération de toutes les terres situées au nord de l'Ohio. Précédée en 1782 par l'État de New York, la Virginie fut imitée deux ans plus tard par le Massachusetts et le Connecticut. L'organisation administrative des nouveaux territoires fut précisée par la *Territorial Ordinance* de 1784, la *Land Ordinance* de 1786 et la *Northwest Ordinance* de 1787.

Sans la Révolution, la grande migration vers l'Ouest aurait sans doute eu lieu, mais elle n'aurait eu ni la même ampleur, ni le même élan, ni le même style, et les terres ne seraient sans doute pas tombées entre les mêmes mains.

LES CONQUÊTES POLITIQUES ET SOCIALES

On ne peut pas parler de « révolution sociale » pour décrire les changements intervenus à la faveur de la guerre d'Indépendance : celle-ci ne bouleversa ni les structures économiques, ni les rapports de production qui prévalaient avant 1776. Dans l'élan de la Révolution, un mouvement politique et social se dessina pourtant qui contribua à modifier le paysage de la société américaine : une justice moins draconienne fut instituée, on améliora les conditions carcérales, on traita les débiteurs avec plus d'humanité et à partir de 1782 les femmes adultères ne se virent plus appliquer, du moins en Nouvelle-Angleterre, le châtiment primitif de la « lettre écarlate ». L'élaboration des diverses constitutions locales, assorties de leurs *Bills of Rights,* donna souvent lieu par ailleurs à un débat démocratique animé auquel, dans plusieurs provinces, les citoyens participèrent directement.

Le jour où les différents États entreprirent, à la demande du Congrès (15 mai 1776), de se doter de textes constitutionnels, la plupart y annexèrent une « Déclaration des droits ». Les deux plus célèbres sont celles de Virginie et du Massachusetts. Mais la première, rédigée par George Mason, servit de modèle à toutes les autres et exerça une influence reconnue à l'étranger, ouvrant la voie à la « Déclaration française des droits de l'homme et du citoyen » de 1789 et à la « Déclaration universelle des droits de l'homme » adoptée par l'ONU en 1948.

Le *Virginia Bill of Rights* (12 juin 1776) reprend à son compte ce que la tradition anglaise avait de meilleur, s'inspirant de la *Magna Charta* de 1215, de la *Petition of Right* de 1628 et de la *Declaration of Rights* de 1689. Mais les

Américains avaient eux-mêmes une longue et riche tradition en la matière, que ce fût le *Body of Liberties* du Massachusetts (1641), les *General Fundamentals* de la colonie de Plymouth (1636), les *Fundamental Laws* du New Jersey (1676) ou encore le *Pennsylvania Charter of Privileges* (1701). Reste que les nobles principes affirmés par les *Bills of Right* de la Révolution américaine, et notamment celui de l'égalité naturelle entre les hommes, ne firent pas l'objet d'interprétations identiques dans tous les États, notamment en ce qui concerne le droit de vote et l'esclavage [2]. C'est ainsi que l'assemblée de Pennsylvanie étendit, elle, le droit de vote à l'ensemble des contribuables, élargissant d'autant la base démocratique sur laquelle elle-même et la Constitution de l'État allaient désormais reposer.

LES ARTICLES DE CONFÉDÉRATION

S'ils s'étaient les uns après les autres dotés d'institutions indépendantes, les différents États, échaudés par le centralisme britannique, ne mirent aucune hâte à instituer un gouvernement constitutionnel qui leur fût commun. La guerre ne tarda pas cependant à souder les Américains entre eux, renforçant leur sensibilité nationale au détriment du patriotisme de clocher et leur faisant percevoir la nécessité d'une autorité collective capable d'orchestrer la Révolution et d'être reconnue à l'extérieur. Rédigés pour l'essentiel par John Dickinson et adoptés le 15 novembre 1777, les Articles de Confédération n'entrèrent en vigueur que le 1er mars 1781, leur ratification ayant été retardée par la querelle territoriale opposant le Maryland à la Virginie.

Entre 1775 et 1781, c'est donc le second Congrès continental qui fit office de gouvernement. Il constitua l'armée continentale et nomma ses chefs ; il déclara l'indépendance des États-Unis ; il créa la marine américaine, organisa un service diplomatique et négocia l'alliance avec la France ; il institua un réseau postal, émit de la monnaie et des emprunts ; il encouragea la mise en place des gouvernements locaux et, pour finir, adopta les Articles de Confédération, ceux-ci ne faisant dans une large mesure que légaliser un état de fait et rendre « perpétuelle » une union née des circonstances. On a trop souvent sous-estimé le rôle capital joué par le Congrès avant 1781.

---

2 C'est ainsi que le New Jersey fut le seul État à accorder le droit de vote aux femmes, par une loi du 2 juillet 1776 (hélas abrogée en 1807 !).

Restait au Congrès à couronner l'édifice, ce qu'il fit en rédigeant et faisant ratifier les Articles de Confédération.

Au-delà des acquis proprement politiques, la Révolution se traduisit, socialement, par une certaine redistribution des terres. A l'initiative de Thomas Jefferson, la Virginie et plusieurs autres États abolirent le droit d'aînesse *(primogeniture)* et le droit de substitution *(entail)* : le premier permettait de léguer tous ses biens à l'aîné des fils, le second interdisait à tout héritier de vendre ses terres, l'un et l'autre droits concourant au non-morcellement des propriétés. L'abandon de cette relique du droit anglais, s'il n'eut pas d'effets spectaculaires, vint s'ajouter aux deux autres causes qui contribuèrent à la nouvelle donne foncière : la vente des biens confisqués aux Tories et celle des terres de l'Ouest « nationalisées ».

L'esprit de réforme et d'égalité toucha aussi l'éducation qui connut un essor important surtout au lendemain de la guerre, et il n'épargna pas la religion établie qui, contrainte d'aligner ses privilèges sur ceux des autres confessions, dut en outre composer avec une laïcité naissante.

La Déclaration d'Indépendance, la « loi sur la liberté religieuse » et la fondation de l'université de Virginie : telles étaient les trois réussites de sa carrière politique auxquelles Thomas Jefferson, comme on peut le lire sur sa tombe, attachait le plus de prix. Présenté à l'assemblée virginienne dès 1779, son projet de loi sur la religion ne fut adopté que le 16 janvier 1786, au terme de ce que Jefferson appela « le plus dur combat que j'ai jamais livré ». Il lui avait fallu sept ans pour obtenir qu'en Virginie la religion fût séparée de l'État et les Églises placées sur un même pied. Avant 1776, l'Église officielle *(established)* était, dans de nombreuses colonies comme dans la mère patrie, l'Église anglicane. Cela était surtout vrai — et sensible — dans les provinces du Sud où les confessions dissidentes, pour être majoritaires, n'en subissaient pas moins une discrimination difficile à tolérer : l'Église anglicane, par exemple, était seule à pouvoir y célébrer les mariages comme elle était seule à y être financée par l'impôt. Au cours de la Révolution, et à la faveur du loyalisme de la plupart des anglicans, l'Église établie fut « désofficialisée » dans les deux Carolines, la Géorgie, le Maryland et l'État de New York. Mais c'est en Virginie, où l'anglicanisme était le mieux incrusté, que le débat sur la liberté — et l'égalité — des religions fut le plus ardent et le plus long à trancher. Le projet de loi jeffersonien devint un texte de référence pour le reste de l'Union.

Sur le terrain brûlant de l'esclavage, des progrès substantiels furent également accomplis et, dans tous les États où les Noirs ne représentaient pas un enjeu économique majeur, l'abolition entra dans la loi, puis dans les faits. Mais, en tant qu'interrogation collective, la question du devenir de l'Union et du Continent au regard de l'esclavage resta tragiquement sans réponse.

Au cours de la guerre ou dans les années qui suivirent, le trafic d'esclaves fut prohibé par tous les États de l'Union, exception faite de la Géorgie et de la Caroline du Nord où l'on se borna à le freiner par de lourds impôts. Mais le problème véritable était celui de l'émancipation. Fidèles aux idéaux de la Révolution, de nombreuses personnalités sudistes, dont Jefferson, Madison, Patrick Henry ou Washington lui-même, militèrent localement et au Congrès en faveur d'une suppression de l'esclavage, mais ils se heurtèrent à la puissance des intérêts économiques et à l'impossibilité pour le Sud d'envisager une telle révolution sociale. Au sud de la Mason-Dixon line, pas un seul État ne renonça donc à la *peculiar institution*. N'ayant pas réussi à maintenir dans la Déclaration d'Indépendance une clause dénonçant la traite des Noirs et (indirectement) la pratique de l'esclavage, Jefferson parvint néanmoins, en 1782, à faire adopter par l'assemblée de Virginie une loi permettant d'affranchir individuellement les esclaves par voie testamentaire.

Dans le Nord, les choses présentèrent moins de difficultés. Au sein des assemblées locales deux attitudes se firent jour entre 1776 et 1784 : on vit d'un côté le Vermont, le Massachusetts et le New Hampshire opter pour l'abolition immédiate, tandis que la Pennsylvanie, le Rhode Island et le Connecticut se prononçaient en faveur d'une émancipation progressive applicable à compter de la génération suivante. Les États de New York et du New Jersey attendirent 1799 et 1804 avant de faire leur cette politique de *gradual abolition*.

LA FIN DU CONFLIT

Après Yorktown chacun des belligérants resta sur ses positions dans l'attente d'un accord de paix qui mit deux longues années à venir. Cette phase ultime du conflit donna lieu à des remous dans les trois principaux États concernés : en Angleterre un vent de fronde souffla sur le pays et faillit conduire le roi à abdiquer ; à Paris, la signature du traité préliminaire provoqua l'indignation des médiateurs français et de la Cour, l'accord s'étant fait à leur insu et au mépris des engagements du Congrès ; en Amérique, un complot militaire (la *Newburgh Conspiracy*), rapidement déjoué par Washington, fit un instant planer la menace d'une dictature.

Cette suite de difficultés n'empêcha pas le traité définitif d'être signé le 3 septembre 1783. Le même jour, un traité parallèle était conclu avec la Grande-Bretagne, la France, l'Espagne et les Pays-Bas. L'accord d'ensemble, de portée mondiale, fut baptisé « la Paix de Paris ». Chacun y trouva, du moins provisoirement, son compte : les États-Unis se voyaient non seulement reconnus mais dotés d'un territoire plus vaste que celui dont ils disposaient avant la fin des hostilités ; l'Angleterre conservait Gibraltar et le Canada ; l'Espagne recevait en partage Minorque et les deux Florides, la France héritant, elle, du Sénégal et de l'île antillaise de Tobago.

LA PAIX DE PARIS (3 septembre 1783)

Restait, après Yorktown, à négocier la paix. Le 27 février 1782, la Chambre des Communes demanda au roi de renoncer à une solution militaire du conflit. Un mois plus tard, lord North démissionnait et son successeur, lord Rockingham, pouvait engager des discussions en vue d'une paix définitive. Côté américain, le Congrès avait désigné John Adams, Benjamin Franklin, John Jay, Thomas Jefferson et Henry Laurens pour conduire les pourparlers ; mais Jefferson resta en Amérique et Laurens ne rejoignit Paris qu'en novembre 1782. Face aux deux principaux représentants anglais, Richard Oswald et Henry Strachey, c'est principalement sur Franklin que reposa la charge — et l'honneur — de mener à bien les négociations.

Le 30 novembre 1782, un traité préliminaire était conclu. En conséquence, l'Angleterre proclama la cessation des hostilités le 4 février 1783, le Congrès en fit autant le 11 avril et, le 19, Washington ordonna la démobilisation. Signé à Paris le 3 septembre de la même année, le traité définitif devait être ratifié par le Congrès le 14 janvier 1784.

Grâce à cet accord, l'Amérique triomphait à peu près sur toute la ligne : son indépendance était reconnue, son accès aux eaux internationales et aux zones de pêche assuré, son territoire substantiellement agrandi (au nord jusqu'aux marches du Canada, à l'ouest jusqu'au Mississipi, au sud jusqu'à la limite des deux Florides). L'histoire des États-Unis pouvait officiellement commencer.

Si elle mécontenta les nostalgiques, la Paix de Paris consacra l'entrée de l'Amérique républicaine dans le concert des nations et fut saluée avec enthousiasme par tout ce que l'Angleterre et l'Europe comptaient d'esprits libéraux.

3

NAISSANCE DE LA RÉPUBLIQUE FÉDÉRALE (1783-1828)

« Mon plus grand désir, écrit John Jay en 1785, est de voir les États-Unis assumer le caractère d'une grande nation et en mériter le nom. » Ce sentiment est partagé par la plupart des collègues du député de New York au Congrès continental. Ils ont vu, dans les événements écoulés, une révolution nationale et politique plus que l'amorce d'un bouleversement social. Depuis la proclamation de l'indépendance, leurs efforts ont tendu en priorité à assurer à la jeune République des fondations politiques propres à en faire une puissance internationale, tout en suscitant, entre les anciennes colonies, la cohésion qui leur manquait.

En effet, l'indépendance gagnée par les armes et reconnue par la Paix de Paris, la nation reste à construire. Le caractère disparate des sociétés coloniales s'est accentué depuis que les conflits impériaux ont distendu les relations politiques et le « lien de parenté » qui unissaient jusqu'alors les Anglais des deux côtés de l'Océan. Entre les anciens colons, la solidarité née de la guerre contre l'Angleterre se révèle fragile après la victoire. L'absence d'unité éclate au grand jour lorsqu'il faut affronter les premières difficultés économiques, s'affirmer sur la scène internationale, créer un ordre social et politique qui satisfasse à la fois les conservateurs et les démocrates, les partisans d'un pouvoir centralisé et ceux qui prônent le libre exercice de la démocratie locale, les défenseurs de la propriété qui craignent la tyrannie de la « populace » et ceux qui voient dans la République l'occasion d'une plus grande justice sociale.

Les premières années de la République, tumultueuses, sont marquées par de multiples conflits d'ordre politique et social. Mais elles sont aussi parmi les plus fructueuses de l'histoire des États-Unis, car les passions suscitées par les problèmes quotidiens n'entament pas la détermination des dirigeants qui souhaitent tous donner des bases solides à la nation.

C'est par la construction de l'État que les Fédéralistes, qui se sont d'abord donné le nom de « nationalistes », entreprennent la création nationale. Premier État-nation né de la rédaction d'une Constitution, les États-Unis ouvrent la voie aux grands mouvements nationaux qui vont bouleverser la carte du monde au XIXe et au XXe siècle.

C'est dans cette antériorité, plutôt que dans son « caractère exceptionnel » comme l'ont longtemps écrit les historiens américains, qu'il faut voir la singularité des États-Unis. Antériorité d'une nation née de la décolonisation, antériorité de la création d'un État républicain fédératif et de la notion d'une citoyenneté volontaire : ces facteurs font des premières décennies de l'histoire nationale américaine une période d'une incomparable inventivité.

Le caractère novateur de la création nationale américaine se retrouve dans la manière dont est abordée la question territoriale. En même temps qu'elle se donne un État, la nation s'ancre dans un espace étendu : ce territoire, que convoitent les colons et qui leur est reconnu par le traité qui consacre leur indépendance, reste cependant à conquérir sur ses propriétaires véritables — les Amérindiens — et sur la nature qui n'y a encore été que fort peu domestiquée. Les constituants, puis les premiers dirigeants de la République, se chargeront de définir le statut du territoire national et d'en prévoir l'extension. A la différence des vieilles nations européennes, la nation américaine fait reposer sa légitimité sur un sol dont les contours restent volontairement imprécis et dont les frontières sont constamment franchies et repoussées, et non pas solidifiées. Les *Land Acts,* qui culminent avec l'Ordonnance du Nord-Ouest de 1787, ont établi les règles de la conquête territoriale, de l'appropriation des terres par les citoyens et de l'organisation future du continent dans le cadre du système fédératif américain. Dans une mesure peut-être aussi hardie et d'une portée aussi grande que la Constitution, l'Ordonnance du Nord-Ouest, qui servira de modèle pour l'intégration des régions ultérieurement acquises, permettra aux États-Unis de s'étendre « d'une mer à l'autre » sans jamais avoir à remettre en cause les principes de leur système politique.

Malgré l'âpreté des débats qui accompagnent la mise en place des premières institutions et qui opposeront entre elles les factions, premières moutures des partis politiques, on peut s'étonner de la fermeté des dirigeants lorsqu'il s'agit de mettre en œuvre le programme qu'ils se sont fixé. Dans la période couverte par le présent chapitre, le conflit entre Républicains et Fédéralistes (plus tard entre Démocrates et whigs), est toujours subordonné à l'accord préalable sur la finalité de l'action : dans une première étape, que prennent en charge les Fédéralistes, l'État est constitué et ses relations avec les provinces et avec les citoyens sont peu à peu définies. Un projet d'économie nationale voit le jour, combattu par les partisans de Thomas Jefferson, mais partiellement repris par ses successeurs.

La deuxième étape, dominée par la personnalité de Jefferson, voit l'État-nation se donner les moyens de son indépendance. Avec l'acquisition de la Louisiane, puis la « guerre de M. Madison » (comme ses détracteurs appelleront la guerre de 1812), les États-Unis affirment le caractère irréversible de leur souveraineté et de leur croissance. L'économie, à prépondérance encore agraire en 1820, commence à bénéficier des premiers éléments d'une infrastructure de communications qui unifiera le territoire et qui en valorisera les différentes régions.

L'idéologie nationale, qui a pris corps pendant la lutte contre la métropole, triomphe après la victoire dans la deuxième guerre contre l'Angleterre et s'exprime clairement dans la « doctrine de Monroe » : l'Amérique est indépendante de l'Europe ; les États-Unis font bloc avec les jeunes républiques d'Amérique latine dont ils se disent le protecteur naturel.

Dans cet élan nationaliste, la communauté se soude peu à peu et, grâce à sa croissance démographique, grâce aux efforts des éducateurs, grâce à l'élargissement du suffrage, elle englobe dans le corps des citoyens une part de plus en plus grande de la société. Dans le même mouvement, la République se referme sur elle-même : dans les zones de plantation, l'institution esclavagiste se durcit et se renforce ; avec les codes de l'esclavage adoptés pendant le premier quart du XIXe siècle, la population blanche du Sud se conforte contre la menace de révolte que font peser des hommes rejetés hors de la société civile. A l'intérieur de celle-ci, le fossé se creuse peu à peu entre une élite qui s'enrichit et se modernise et un peuple de fermiers appauvris et d'artisans qui perdent leur indépendance pour tomber, dans les années 1820-1830, sous la coupe des marchands-capitalistes. Le clivage est encore loin d'être net dans la période proto-industrielle. Andrew Jackson, qui sera élu président en 1828, représente parfaitement l'ambiguïté qui règne encore dans la société américaine. Héros de la bataille de la Nouvelle-Orléans, il symbolise les valeurs nationalistes qui rassemblent ses électeurs dans les diverses régions de l'Est et de l'Ouest, parmi les fermiers et les artisans, parmi les esclavagistes et les tenanciers. Vainqueur des Indiens creek et séminole, il est le symbole de la conquête de la civilisation sur la sauvagerie.

Pendant la période qui s'étend de 1783 à 1828, on a beaucoup parlé de révolution. La rédaction de la Constitution fut-elle une création révolutionnaire ? Sans doute, les Articles de Confédération étaient une première Constitution, et les Fédéralistes qui les abandonnèrent pour un nouveau document modifièrent dans une large mesure les structures politiques de la nation. L'État n'était jusqu'alors qu'embryonnaire et surtout il ne disposait pas des moyens de sa souveraineté. Par ailleurs, la création de l'État fédéral s'est faite sous l'égide d'une élite qui craignait avant tout les méfaits de la démocratie. De nombreux historiens soutiennent aujourd'hui que la rédaction de la Constitution fut un acte conservateur et, dans une certaine mesure, contre-révolutionnaire. C'est contre la volonté des plus conservateurs que la Constitution fut rédigée de telle manière que la démocratie politique put néanmoins gagner du terrain, et que les principes fondamentaux des libertés individuelles y furent inscrits sous forme d'amendements. Mais c'est dans le prolongement de la pensée de ces mêmes conservateurs (les Fédéralistes), que la Constitution posa les fondements juridiques de l'avenir du capitalisme, l'un des facteurs-clés de la nation. Thomas Jefferson a-t-il, à son tour, accompli une révolution comme il le pensait ? Il a abrogé certaines mesures économiques et autoritaires des Fédéralistes, mais il n'a pas bouleversé la marche du gouvernement, ni créé la société agrarienne dont il rêvait. Son œuvre majeure fut l'agrandissement du territoire au-delà du Mississippi, premier pas vers la conquête d'un continent.

De la période de la Confédération à la présidence de John Quincy Adams, la nation américaine a considérablement changé. Mais son évolution s'est faite sans heurts importants, dans une continuité essentielle qui se mesure en termes de croissance : croissance de l'État, croissance de l'indépendance, croissance économique, croissance du nationalisme, qui connaîtra son apogée avec l'élection d'Andrew Jackson.

LA PAIX DIFFICILE (1783-1787)

Les patriotes n'ont pas attendu que les puissances les reconnaissent indépendants pour se donner un gouvernement : le Congrès continental. De convention provisoire des colonies, le Congrès devient gouvernement légitime lorsque les Articles de Confédération sont ratifiés en 1781 et c'est à lui que sont confiées les affaires du pays en temps de paix.

De nos jours encore, les historiens poursuivent entre eux les débats qui, dans les années 1780, avaient opposé les partisans et les adversaires des Articles de Confédération. Merrill Jensen tient que l'ère de la Confédération fut fructueuse, qu'elle refléta au mieux les aspirations révolutionnaires de la majorité et que la Constitution résulta d'une sorte de coup d'État, de contre-révolution perpétrée par une clique de conservateurs, élite économique du pays. Forrest McDonald au contraire penche pour la thèse des Fédéralistes qui avaient soutenu que, les Articles ayant privé le Congrès de tout moyen d'action, l'économie nationale allait à vau-l'eau et les États-Unis étaient en passe de perdre l'unité et même l'indépendance qu'ils venaient chèrement d'acquérir.

La question reste ouverte, car il est vrai que la conversion des anciennes colonies, qui s'étaient gravement endettées pendant la guerre, qui venaient de perdre la sécurité que leur avait procurée le système mercantiliste britannique et qui devaient désormais compter les unes avec les autres, ne pouvait se faire aisément. A la suite de la guerre, l'expression « cela ne vaut pas un [dollar] continental » traduit bien la perte de confiance de la population — et notamment des marchands — dans la monnaie dévaluée. Les prix ont augmenté de manière alarmante, et seuls les *mechanics* de Philadelphie, un moment au pouvoir, ont réussi à les faire réglementer. Ailleurs, comme au Massachusetts, la classe dirigeante impose une déflation qui lèse gravement les fermiers pauvres et endettés ; ceux-ci manifestent leur colère lors de la révolte de Shays — menace d'anarchie et de bouleversement social selon les conservateurs.

Les conservateurs profiteront de l'occasion pour faire valoir une fois de plus que le Congrès continental est impuissant à juguler de telles révoltes et que la paix sociale comme la prospérité réclament que, par la révision des Articles, le gouvernement fédéral soit doté des moyens propres à promouvoir la puissance de l'État-nation.

LA RÉVOLTE DE SHAYS (août-décembre 1786)

La politique déflationniste du Massachusetts provoqua de sérieux troubles sociaux. Dans l'été de 1786, les marchands qui dominaient l'Assemblée de l'État refusèrent de voter un projet de loi sur l'émission de billets. Les citoyens protestèrent au cours de réunions dans de nombreuses villes et, en automne, des bandes de fermiers s'organisèrent et attaquèrent les tribunaux, armes des créditeurs, dans quatre des villes de l'État. En septembre, le gouverneur réunit 600 hommes de la milice pour protéger la Cour suprême en réunion à Springfield. Daniel Shays, ancien capitaine et fermier ruiné, se mit à la tête d'un groupe de fermiers et réussit à disperser la milice et à obliger la Cour à interrompre ses travaux.

Le gouverneur ayant mis Daniel Shays et ses partisans hors la loi, un grand nombre de fermiers se joignirent à eux et attaquèrent l'arsenal de Springfield, puis marchèrent sur Boston pour y occuper l'Assemblée. Les rebelles furent finalement vaincus par le général Benjamin Lincoln et ses 4 000 miliciens.

La révolte de Shays avait répandu un vent de terreur parmi les nantis et les défenseurs de l'ordre public. Elle fut l'occasion pour les nationalistes de plaider en faveur d'un élargissement des pouvoirs du Congrès et de sa capacité de répression. Thomas Jefferson fut le seul à défendre les *Shaysites* et à affirmer qu'« un peu de révolte de temps à autre est une bonne chose » pour la République.

Le débat entre les partisans d'une révision des Articles de Confédération et ceux qui craignaient l'établissement d'un État centralisateur se situait essentiellement dans le domaine économique. Monnaie inflationniste ou monnaie saine, tarifs douaniers protectionnistes ou libre-échange, développement de manufactures nationales ou économie agrarienne : les arguments des uns et des autres reflétaient des intérêts contradictoires. Tous, néanmoins, partageaient la même rhétorique, ou plutôt les mêmes convictions profondes : les choix économiques ne sont pas neutres ; ils expriment une philosophie, une morale même qui, si elle prévaut, donnera à la nation un caractère qui la marquera pour longtemps et qui influera sur la vie et la culture des citoyens.

Les partisans du maintien d'une monnaie fiduciaire et de l'inflation soutenaient qu'ainsi seulement les États-Unis seraient fidèles à leur promesse d'établir la liberté individuelle et la démocratie. Ceux dont les convictions les portaient à vouloir une politique déflationniste, un contrôle des finances par l'État fédéral et un protectionnisme commercial favorable au développement des industries s'exprimaient dans des revues comme l'*American Museum*, de bonne tenue intellectuelle et politiquement influents. Leur morale était celle du « républicanisme », mot d'ordre né dans la guerre d'indépendance et dont les implications économiques furent largement développées pendant les débuts de la période nationale. Forger une nation républicaine impliquait d'inculquer aux citoyens la « frugalité », c'est-à-dire la contraction du crédit et de la monnaie, et leur apprendre « l'indépendance », autrement dit la réduction des importations et le développement de la production nationale. Il est clair qu'une telle politique « républicaine » exigeait l'accroissement des pouvoirs du gouvernement central, seul propre à mener et à contrôler une telle politique.

Malgré les difficultés financières, on ne peut minimiser les résultats de l'ère de la Confédération tant dans l'écono-

---

VERS UNE CONVENTION CONSTITUANTE

Depuis 1785, le groupe des « nationalistes » s'est élargi et renforcé de tous ceux qui considèrent que la Confédération a échoué et qu'à moins d'une action immédiate, de graves dangers menacent la République. Le complot de Newburgh, fomenté en 1783 par un groupe d'officiers, a tourné court parce que George Washington a refusé de le cautionner ; mais un coup d'état monarchiste est toujours à craindre puisque le pouvoir est pour ainsi dire vacant. Au Congrès, les députés ne viennent plus que rarement siéger. Chaque proposition faite par les nationalistes pour lui trouver des revenus, notamment par l'impôt indirect *(impost)* sur les produits importés, a été rejetée, et le Congrès ne dispose même pas des moyens de payer les fonctionnaires.

Entre les États, surgissent de graves différends commerciaux, comme celui qui oppose la Virginie et le Maryland au sujet de la navigation sur le Potomac. Cet incident est le prétexte que choisirent George Washington, James Madison et Alexander Hamilton pour convoquer une réunion à Annapolis en septembre 1786. Les douze délégués qui s'y rendirent convinrent de convoquer une convention de tous les États pour le mois de mai 1787 à Philadelphie afin de discuter « du commerce et de toutes les questions » qui pourraient se poser. James Madison y mettait tout son espoir car il comptait y proposer la révision des Articles, et même une toute nouvelle Constitution.

mie, où la production et l'activité commerciale finissent en 1790 par retrouver leur niveau d'avant-guerre, que dans la création d'un « domaine national », constitué avec les terres de l'Ouest cédées au Congrès par les différents États.

Mais, si la période reste si controversée, c'est surtout parce qu'elle fut remplie du fracas des disputes entre Conservateurs et Démocrates, et par le chuchotement des intrigues chez tous ceux qui souhaitaient remplacer les Articles par une Constitution plus centralisatrice.

LA CONSTITUTION DE 1787,
OU LE « MIRACLE » DE PHILADELPHIE

Le 27 mai 1787, cinquante cinq émissaires des États (le Rhode Island excepté) commencèrent à Philadelphie des travaux destinés, comme l'avait recommandé le Congrès, à réviser les Articles de Confédération, mais qui aboutirent à l'adoption d'une Constitution entièrement nouvelle.

Thomas Jefferson, alors en poste à Paris, a qualifié les constituants de « demi-dieux », capables de surmonter leurs divergences et de sacrifier leurs intérêts pour le bien supérieur de la nation. Élus par les assemblées des États, elles-mêmes composées sur la base de la propriété, les délégués étaient fortunés, instruits, jeunes pour un grand nombre. Beaucoup avaient des connaissances juridiques. Certains avaient combattu pour l'indépendance ; d'autres avaient participé à la rédaction de la Constitution dans leur État. James Madison apporta la contribution la plus active aux travaux. Il prit aussi des notes, précieuses pour la postérité, car les débats furent tenus secrets pour laisser aux délégués la plus grande liberté.

Les travaux durèrent quatre mois. Treize délégués retournèrent chez eux pour des raisons personnelles ou, comme Patrick Henry, par mécontentement politique (il disait « flairer un piège »). Trois des délégués restants, Elbridge Gerry, James Mason et Edmund Randolph, refusèrent de signer le document final, surtout parce qu'il ne comportait pas de déclaration des droits *(Bill of Rights)*. Les trente neuf signatures que l'on trouve au bas de la Constitution sont celles d'hommes qui, après d'âpres débats, avaient trouvé le moyen, grâce au compromis, de réaliser un accord fondamental.

Les compromis portèrent :

1) sur le poids respectif des grands et des petits États dans le gouvernement fédéral : alors que la Chambre des Représentants favoriserait les États plus peuplés, le Sénat serait l'organe où tous les États seraient représentés à égalité.

LE COMPROMIS SUR LA REPRÉSENTATION

Les différents États représentés à la convention étaient de taille et de population très inégales. Le plan de Virginie *(Virginia Plan)*, qui prévoyait une représentation et un vote au Congrès proportionnels à la population, menaçait l'intérêt des petits États. Au nom de ceux-ci, William Paterson du New Jersey proposa de garder les dispositions des Articles de Confédération qui donnaient l'égalité de représentation et de vote. Les arguments de Paterson sont ceux qu'emploieront les antifédéralistes lors de la ratification de la Constitution : la nation est une confédération d'États souverains ; toute atteinte à la souveraineté d'un État porterait atteinte aux libertés fondamentales. Dans ces conditions, l'Union était impossible, menaça Edmund Wilson de Pennsylvanie, au cours d'un débat qui faillit faire avorter la convention. Finalement, grâce à l'équilibre entre le Sénat, où chaque État aurait deux délégués, et la Chambre des représentants élue à la proportionnalité des habitants, un « grand compromis » fut trouvé qui permit de faire avancer les travaux.

2) sur l'esclavage : la Constitution tolérait implicitement l'esclavage là où il se trouvait et le Congrès se réservait le droit d'interdire la traite des esclaves à partir de 1807.

LE DÉBAT SUR L'ESCLAVAGE :
LA CLAUSE DES « TROIS CINQUIÈMES »

La question de l'esclavage, plus que toutes les autres, était au cœur du clivage régional. Elle ne fut toutefois jamais débattue pour elle-même, mais à l'occasion d'autres problèmes. Lors de la discussion sur la représentation au Congrès, les délégués du Sud obtinrent des adversaires de l'esclavage la clause « des trois cinquièmes » par laquelle, au décompte de la population nécessaire pour définir le nombre de délégués de chaque État à la Chambre des représentants, on ajoutait trois cinquièmes du nombre des esclaves résidant dans l'État. Cette clause résultait d'une longue discussion dans laquelle les esclavagistes firent valoir qu'ils payaient des impôts sur leurs esclaves dans la même proportion.

> Les Nordistes, ainsi que quelques Virginiens, auraient souhaité au moins abolir la traite des esclaves, escomptant qu'avec la fin de la traite, l'institution parviendrait à une extinction naturelle. Les Sudistes obtinrent un délai de vingt ans, et les abolitionnistes n'en demandèrent pas plus : soucieux avant tout d'aboutir à la signature du document final, ils laissèrent aux États un pouvoir discrétionnaire en matière d'esclavage.

3) sur la liberté : la formation d'un État centralisé à pouvoirs étendus laissait subsister la très large souveraineté des États et la division des pouvoirs d'un gouvernement ainsi affaibli.

Grâce à ces divers compromis, les constituants purent conserver ce qui faisait l'essentiel de leur accord : en économie, la garantie d'une monnaie saine dans toute l'Union et la protection de la propriété ; en politique, la création d'un gouvernement central, « monstre à trois têtes » comme dirent ses opposants, où les trois branches devaient être à la fois distinctes et munies du pouvoir de contrôle mutuel. Le système des « freins et contrepoids » *(checks and balances)* permettait d'écarter la menace d'une « tyrannie » de l'un des pouvoirs, mais aussi celle d'une *mobocracy* (ou démocratie de la populace) crainte par tous les délégués.

Seule la Chambre des Représentants, qui n'était que la moitié de l'une des trois branches, était élue au suffrage direct ; les autres branches — président, Sénat — étaient l'émanation du suffrage indirect, et les juges fédéraux étaient nommés à vie par le Président. Difficile débat que celui des limites à apporter au contrôle populaire. D'accord pour retenir la formule du bicamérisme, les constituants avaient divergé sur le mode de représentation dans les Chambres. Les députés devraient-il être élus par la masse des citoyens ou par les assemblées des États ? Les deux Chambres devraient-elles être élues de la même manière ? Elbridge Gerry se fondait sur son expérience du Massachusetts pour rejeter l'idée d'un contrôle populaire ; James Madison de Virginie et James Wilson de Pennsylvanie souhaitaient conserver au peuple son caractère souverain, mais limiter les effets d'une trop large démocratie. Aucun d'entre eux ne demandait le suffrage universel, et aucun non plus ne mentionna la possibilité d'inclure les femmes parmi les citoyens actifs. La question fut finalement réglée par l'adoption d'une procédure différente pour les deux Chambres : la Chambre des représentants serait élue par le peuple, le Sénat par les assemblées des États.

La Constitution organisait les pouvoirs publics, et eux seuls ; aussi le principal grief des opposants concerna-t-il l'absence d'un *Bill of Rights* fédéral capable de protéger les droits de l'individu. Cette lacune fut comblée en 1789 par une série de dix amendements à la Constitution — la ratification définitive n'intervenant qu'en 1791.

Conservatrice dans bien de ses aspects, la Constitution des États-Unis (dont on trouvera le texte en annexe, de même que celui du *Bill of Rights*) repose pourtant sur un principe démocratique : la légitimité du gouvernement découle du consentement des gouvernés. Les mots par lesquels commence le document, « Nous le Peuple », affirment le principe de la souveraineté populaire et, si la rédaction en fut élitiste, la ratification de la Constitution par les conventions d'États fut l'occasion de la faire reposer sur une base démocratique.

LE PRÉAMBULE DE LA CONSTITUTION

Nous, le peuple des États-Unis, en vue de former une union plus parfaite, d'établir la justice, d'assurer la tranquillité intérieure, de pourvoir à la défense commune, de développer le bien-être général et d'assurer les bienfaits de la liberté à nous-mêmes et à nos descendants, ordonnons et établissons la présente Constitution pour les États-Unis d'Amérique.

La Constitution laisse aux États le soin de déterminer les conditions du suffrage ; mais elle définit indirectement la nature de la nationalité américaine : les Indiens « qui ne paient pas l'impôt » sont écartés du corps national ; les Noirs, pour leur majorité non libres, ne peuvent participer à la société civile. En revanche, la nation est ouverte aux immigrants qu'un acte de volonté peut transformer en nationaux américains.

La procédure d'adoption des amendements constitutionnels, telle qu'elle est prévue à l'article V, rend la loi fondamentale souple et durable à la fois. Les provisions de la Constitution qui ne résisteraient pas au temps pourront être modifiées sans que la Constitution soit entièrement invalidée et il suffit désormais de l'accord de trois-quarts des États pour qu'un amendement soit adopté. La méthode de ratification elle-même, qui prévoit des conventions spéciales, est une application du principe de la souveraineté populaire.

Les constituants n'ont pas prévu la manière dont les termes de la Constitution, qui sont souvent imprécis, vont être interprétés pour se plier à la conjoncture. C'est John Marshall, président de la Cour suprême à partir de 1800, qui donnera à l'organe judiciaire autorité en la matière.

LA RATIFICATION DE LA CONSTITUTION PAR LES ÉTATS

Sachant, comme l'avait déjà démontré le Rhode Island, que la Constitution ne recueillerait pas l'assentiment *unanime* des États, les conventionnels changèrent aussi cette clause des Articles de Confédération ; ils décidèrent que neuf États — les trois quarts — suffiraient à faire de la Constitution « la loi suprême du pays » *(the supreme law of the land)* dans ces États, et ils demandèrent aux États de réunir des conventions populaires pour examiner le document.

Les conflits dans le pays prirent une ampleur beaucoup plus grande que ceux qui avaient agité le corps homogène des conventionnels de Philadelphie. A ceux qui défendaient la Constitution au nom d'un *fédéralisme* nécessaire, les *antifédéralistes* opposèrent d'abord l'irrégularité de la démarche des conventionnels : ils avaient été mandatés pour apporter quelques changements aux Articles de Confédération et non pas pour rédiger une nouvelle loi fondamentale. Mais plus qu'une objection formelle, les antifédéralistes opposèrent à la Constitution des arguments fondés sur les principes de la révolution, principes qu'ils trouvaient bafoués dans le nouveau texte. Samuel Adams, Richard Henry Lee représentaient ces whigs qui, dans les années 1760-1770, avaient combattu la « tyrannie » du roi d'Angleterre au nom des droits naturels. Cette tyrannie, ils la voyaient renaître un jour par le fait du gouvernement centralisé qui venait d'être créé et par l'étendue de ses pouvoirs qui, disaient-ils, étouffait la souveraineté des États, seuls garants des libertés individuelles. Ils s'effrayaient de voir qu'aucune « Déclaration des droits » n'accompagnait la Constitution, alors qu'elle précédait chacune des Constitutions des États.

Le débat de ratification fut animé et passionnant. Après avoir obtenu la rédaction de la Constitution, les partisans d'un pouvoir central puissant, qui prirent alors le nom de

« Fédéralistes » pour désarmer leurs adversaires, continuèrent leur action jusqu'à ce que la Constitution soit ratifiée dans les États. Les Fédéralistes étaient, cependant, sur la défensive. Il leur fallait prouver que les États ne perdraient pas leur souveraineté et surtout que, sans un gouvernement fédéral qui mettrait de l'ordre dans les finances et dans les relations sociales, le pays courait à sa ruine.

Le principal reproche fait à la Constitution par les antifédéralistes était d'empiéter sur la souveraineté des États. Ils opposaient en effet aux Fédéralistes une conception des États comme entités organiques, comme communautés indestructibles fondées sur le contrat social réalisé au sortir de l'état de nature. C'est à ces communautés que les citoyens confiaient leur « vie, leur liberté et leur propriété » et ce sont les gouvernements des États que les adversaires de la Constitution considéraient comme les seuls gouvernements légitimes, « institués pour protéger » les droits naturels. Cette conception était inconciliable avec celle d'un gouvernement central qui aurait prise directement « sur les individus » ; mais les antifédéralistes se laissèrent persuader qu'un *Bill of Rights* ajouté à la Constitution suffirait à limiter les pouvoirs fédéraux et protégerait à la fois la souveraineté des États et la liberté des citoyens.

Les antifédéralistes, contrairement à leurs adversaires, ne formaient pas un groupe d'intérêts bien délimité. Aux idéologues comme Samuel Adams, venaient se joindre nombre d'hommes pauvres — fermiers sans terre, débiteurs, artisans — qui, pour la première fois, avaient accès aux décisions politiques. Ils accusèrent les rédacteurs d'avoir mis en place des institutions aristocratiques ; ils critiquèrent l'abandon des élections annuelles des députés et des sénateurs, la création d'une armée permanente... Les différentes clauses furent attaquées une à une dans les réunions publiques et dans les journaux.

Cependant, les Fédéralistes disposaient des pouvoirs et des moyens que leur donnaient leur assiette financière et leur expérience politique. Ils gagnèrent aisément l'accord des quatre plus petits États, usèrent de manœuvres douteuses en Pennsylvanie et obtinrent le vote du Massachusetts grâce à la promesse d'un *Bill of Rights*. Le 21 juin 1788, le Maryland, la Caroline du Sud et le New Hampshire avaient complété la liste des neuf États nécessaires. Il ne restait plus qu'à gagner la ratification dans les deux puissants États qu'étaient le New York et la Virginie ; ce dernier ratifia à une faible majorité ; le premier fut gagné à la cause de la

Constitution par les articles rassemblés ensuite sous le titre *The Federalist,* articles de propagande mais qui sont restés pour la postérité l'un des plus grands commentaires politiques modernes.

« LE FÉDÉRALISTE » N° 10

Les *Federalist Papers,* série de 77 articles parus dans la presse new-yorkaise entre 1787 et 1788 sous le pseudonyme de Publius, ont été écrits par John Jay, mais surtout par James Madison et Alexander Hamilton, afin de répondre aux arguments des antifédéralistes. Leur portée dépasse l'enjeu du moment. Rassemblés en un volume dès 1788, ils constituent un commentaire de la Constitution dont la subtilité est imparable. Par ailleurs, malgré le ton conciliant, on peut y déceler la philosophie politique des Fondateurs.

L'article N° 10 est justement célèbre, car il expose les fondements sociaux et économiques de la Constitution. Rejetant l'ancienne théorie des « gouvernements mixtes » qui était encore en vogue, Madison y décrit le système qu'il a contribué à créer comme un délicat équilibre entre les « factions » multiples et contradictoires qui se partagent le pays. Ces factions, gouvernées par des « intérêts » opposés, sont, dit-il, inévitables et même souhaitables. La société est faite de riches et de pauvres, de débiteurs et de créanciers, de cultivateurs et de financiers. Le système politique américain, bénéficiant d'un espace étendu, permet aux divers groupes d'être représentés sans que, comme dans une démocratie directe, ils puissent exercer leur « tyrannie » : éloignés de leurs mandants, les députés et les sénateurs forment, dans le gouvernement fédéral, un ensemble qui représente la nation tout entière.

Vu par certains commentateurs comme l'expression du conservatisme d'une élite, le *Fédéraliste* N° 10 contient aussi la théorie de la souveraineté du peuple le peuple abstrait (« We, the People ») au nom duquel ont parlé les constituants.

L'ÈRE FÉDÉRALISTE : LES FONDEMENTS D'UNE ÉCONOMIE NATIONALE

En avril 1789, George Washington, élu à l'unanimité du collège électoral, effectua un voyage triomphal de Mount Vernon (Virginie) à New York, la nouvelle capitale. Les membres du nouveau Congrès à majorité fédéraliste l'attendaient et, dès avril, le nouveau gouvernement prit en charge les affaires d'un pays alors en pleine croissance. La population continuait à doubler tous les vingt-cinq ans, atteignant presque 4 millions de personnes. A 90 % rurale, elle comportait cependant une forte minorité qui contribuait à la croissance des villes : New York comptait 33 000 habitants, Philadelphie 42 000, Boston 18 000. Le territoire de l'Ouest acquis dans le cadre de la Paix de Paris était encore peu peuplé, mais les pionniers commençaient à affluer dans l'Ohio et dans le Kentucky.

La croissance numérique et territoriale, qui pouvait porter à l'optimisme, n'allait pourtant pas sans problèmes. La monnaie fiduciaire, totalement dévaluée, n'était compensée par aucune réserve métallique ; la dette publique des États était immense. Le gouvernement n'avait aucun revenu fixe.

La première tâche des nouveaux élus fut de combler les carences de la Constitution. Un cabinet restreint vint, aux côtés de Washington, occuper l'exécutif. Alexander Hamilton, secrétaire au Trésor, Thomas Jefferson, secrétaire d'État, Henry Knox, à la guerre, furent les premiers ministres à être choisis — et ce en fonction de leur compétence plus que pour leur appartenance politique.

Par le *Judiciary Act* du 24 septembre 1789, le Congrès organisa le système judiciaire fédéral. Et comme ils l'avaient promis, les députés fédéralistes adoptèrent une série d'amendements, dont les dix premiers à être ratifiés (ceux qui constituent le *Bill of Rights*) garantissaient aux citoyens les libertés fondamentales : liberté de religion, de la presse, de pétition ; droit de porter les armes, jugement par jury, souveraineté des États garantie par le rappel que « les pouvoirs non dévolus à l'État fédéral sont réservés aux États et aux citoyens ».

Les appréhensions des antifédéralistes ne furent pourtant pas calmées par ces premières mesures. Dès l'hiver 1789-1790, Alexander Hamilton, figure-clé du régime, présenta au Congrès une série de mesures destinées à réorganiser l'économie et les finances. Il y appliqua sa conception d'un gouvernement puissant, soutenu par une élite de nantis et pourvu des moyens d'exercer son autorité sur les États comme sur les citoyens.

En décembre 1790, il soumit au Congrès un rapport sur la nécessité d'instituer pour vingt ans une banque « quasi » publique. La propriété et la gestion de la Banque seraient mixtes, les quatre cinquièmes étant aux mains d'investisseurs privés. Il y voyait le seul remède à la situation financière chaotique du moment : en 1789, trois banques, à New York,

Philadelphie et Boston, émettaient des billets qui ne suffisaient même pas aux besoins commerciaux de ces villes. L'intérieur du pays souffrait d'une pénurie de billets aussi bien que de monnaie métallique.

James Madison commença alors à se convertir aux vues des antifédéralistes et affirma que le projet de loi était anticonstitutionnel. Thomas Jefferson y voyait le premier pas vers l'établissement d'un régime monarchique, d'un État-Léviathan. La discussion se centra sur les pouvoirs donnés à l'État fédéral par la Constitution ; et, pour répondre à l'interprétation étroite de Jefferson *(strict construction)*, Hamilton élabora la théorie des « pouvoirs implicites », c'est-à-dire non énumérés dans le texte constitutionnel, mais découlant nécessairement des pouvoirs explicitement impartis. La Banque ne serait dès lors, selon l'interprétation large de Hamilton *(loose construction)*, qu'un moyen permettant la mise en œuvre d'objectifs effectivement prévus par la Constitution, à savoir la collecte des impôts et la régulation du commerce.

George Washington pencha, à demi convaincu, pour la thèse de Hamilton et promulgua, le 25 février 1791, la loi instituant la Banque *(first charter)* pour une durée de vingt ans. Quant au débat plus général sur l'interprétation étroite ou large (littérale ou implicite) de la Constitution, il se poursuivit jusqu'au cœur du XIXᵉ siècle et ne cessa qu'avec la guerre civile.

Les rapports de Hamilton sur le crédit public, sur la Banque des États-Unis, sur les manufactures, violemment combattus par son collègue Jefferson et par les tenants d'un État libéral, aboutirent néanmoins à l'adoption d'une politique économique nationaliste. Les dettes des États furent reprises à son compte par le gouvernement fédéral ; les anciennes créances furent rachetées contre des Bons du Trésor public ou des bons fonciers ; un tarif douanier modéré sur les marchandises importées apporta quelques revenus à l'État, complétés par le rendement d'une taxe sur la production du whisky et des produits de luxe. Une Banque des États-Unis mixte permit à l'État de contrôler l'émission monétaire et d'assainir la situation financière.

Le débat Jefferson-Hamilton était un débat de fond qui concernait l'avenir — agrarien ou industriel — du pays. Lorsque, en décembre 1791, Hamilton présenta au Congrès son « Rapport sur les manufactures », troisième volet, après la Banque et le Crédit public, de son plan pour l'économie américaine, chacun y vit un projet ambitieux (trop novateur pour beaucoup) d'encouragement et de protection des premières industries de la chaussure et du textile. Hamilton arguait que les États-Unis ne pourraient jamais se rendre indépendants tant qu'ils devraient importer d'Europe les produits manufacturés. Il demandait donc au Congrès d'encourager l'immigration de techniciens et d'ouvriers, de voter des tarifs douaniers protectionnistes et de subventionner les premières entreprises. Peu de députés furent convaincus par ces idées. L'opinion était alors, à l'instar de Jefferson et de ses amis, favorable au maintien d'une économie agrarienne où les producteurs, vertueux petits propriétaires, resteraient l'âme de la République. Le rapport fut rejeté par le Congrès, mais Jefferson lui-même, dans les premières années du XIXe siècle, dut à son tour reconnaître la nécessité vitale de bâtir une économie industrielle.

L'opposition à ces divers projets en critiquait moins le détail (encore que certaines mesures comme la taxe sur le whisky déclenchèrent de véritables révoltes) que la philosophie : le « grand plan » d'Hamilton s'inscrivait dans la vision à long terme d'une Amérique industrielle, dominée par une élite d'entrepreneurs capitalistes, fermement attachés à la puissance de l'État dont la législation devait prioritairement favoriser le commerce et l'industrie.

En 1796, George Washington refuse de se présenter pour un troisième mandat présidentiel. Début septembre, il rédige un discours d'adieu qui est resté dans les annales, notamment parce qu'il annonce, avec près de trente ans d'avance, la célèbre « doctrine de Monroe ». Publié (le 17 septembre) dans un journal de Philadelphie, le discours fait une large place à la politique étrangère. Alors que les États-Unis subissent de la part des belligérants européens nombre de pressions et d'exactions, Washington met en garde ses concitoyens contre une participation directe au conflit. Le grand danger d'un abandon de la politique neutraliste est notamment qu'il conduirait à diviser le pays, à opposer le Sud, plus proche des Français, au Nord, souvent anglophile. Washington appelle à l'unité entre les différentes régions (ou sections) dont l'économie est complémentaire et non pas opposée, et à l'entente entre les citoyens au nom d'un patriotisme qui doit rejeter la division partisane comme la tentation révolutionnaire. La crainte prophétique de possibles sécessions n'est pas étrangère à son discours, et à cela il ne voit qu'un seul remède, le respect scrupuleux de la Constitution : « La Constitution [...] est pour tous une obligation sacrée. L'idée même que le peuple ait le pouvoir

LA RÉVOLTE DU WHISKEY
(Whiskey Rebellion, 1794)

La consommation d'alcool des Américains au XVIIIe siècle était environ le double de ce qu'elle est aujourd'hui. En imposant une taxe sur le whisky (en 1791), le gouvernement avait espéré à la fois réduire la consommation et accroître ses revenus. Les producteurs des régions de Frontière en Pennsylvanie et en Caroline du Nord protestèrent avec vigueur, s'organisèrent et leur contestation tourna peu à peu à l'émeute. Le 7 août 1794, le président Washington somma les insurgés de se disperser et rassembla une troupe de douze mille hommes des milices de Pennsylvanie et des environs. L'émeute s'apaisa avant que les troupes ne l'aient rejointe. Deux suspects seulement furent condamnés puis graciés.

Révolte avortée, sans qu'il y ait eu de sang versé, la « révolte du whiskey » est pourtant porteuse de signification : les fermiers de l'arrière-pays de Pennsylvanie, de Caroline du Nord, mais aussi d'autres régions, étaient les mal-aimés du régime fédéraliste. Ils n'avaient pas profité de la prospérité accrue du pays et étaient au contraire lésés par les mesures financières et fiscales du gouvernement. Dans les campagnes, les antifédéralistes gagnaient du terrain et leurs adversaires craignaient de perdre le pouvoir.

Il faut ajouter que la Révolution française, notamment depuis 1793, avait exacerbé la crainte des conservateurs américains. L'influence d'une révolution violente et égalitaire trouverait, pensaient les Fédéralistes, un terrain tout prêt chez ceux qui avaient autrefois participé à la *Shays' rebellion*, de fâcheuse mémoire. Le gouvernement fédéraliste utilisa donc la clause de la Constitution qui lui permettait de « réprimer la violence domestique », soucieux qu'il était de faire régner l'ordre et la loi, par la force s'il le fallait.

Les fermiers entendirent raison, mais la « révolution » suivante, en 1800, ils la firent par le vote, en élisant Jefferson à la présidence des États-Unis.

---

et le droit de se doter d'une forme de gouvernement présuppose le devoir, pour chaque individu, d'obéir au gouvernement établi ». Lincoln, quelque soixante ans plus tard, reprendra la même argumentation.

L'IMPOSSIBLE NEUTRALITÉ ET LA CRISE POLITIQUE

Malgré le désir de Washington de rester à l'écart des guerres qui déchirent l'Europe, son deuxième mandat, comme celui — unique — de John Adams, est dominé par les problèmes de politique étrangère et par les réactions partisanes qu'ils déclenchent aux États-Unis. Le dynamisme qui a marqué les débuts de l'ère fédéraliste en est affecté. La confiance dans le gouvernement s'affaiblit. Les factions s'organisent en clubs et en partis. Les principaux acteurs de la politique fédérale — Jefferson en 1793, Hamilton deux ans plus tard — se retirent du gouvernement. Mais les deux hommes continuent, jusqu'en 1800, à influencer le débat.

Les occasions de querelles sont nombreuses entre les Fédéralistes et les Républicains-Démocrates. Mais elles tournent toujours autour des mêmes sujets : dans le conflit qui a éclaté entre la France révolutionnaire et la Grande-Bretagne, l'Espagne et la Hollande, faut-il prendre parti, et pour qui ? Comment diriger la République alors qu'elle semble menacée dans son intégrité territoriale, dans son indépendance, dans son fonctionnement, par les menées des belligérants ?

La question se pose une première fois lors de l'éclatement de la guerre en 1793 : les États-Unis sont tenus par leur alliance de 1778 avec la France. Mais ils n'ont que des obligations limitées ; et leur économie dépend encore du commerce avec la Grande-Bretagne. Malgré les sympathies des jeffersoniens pour la Révolution française, ceux-ci se rendent à la raison et acceptent la proclamation de Washington d'avril 1793, dans laquelle il a laissé percer la détermination des États-Unis à rester neutres. Même lors de l'affaire Genêt, dans laquelle les Fédéralistes voient un empiètement inadmissible sur les prérogatives et l'indépendance du gouvernement, les Républicains-Démocrates soutiendront le gouvernement de Washington. Mais la population francophile du Sud, se montrant à cette occasion peu loyale, renforcera le parti jeffersonien.

L'affaire du « citoyen Genêt » s'inscrit dans le contexte de la Révolution française et de sa réception outre-Atlantique. Après avoir, en juillet 1789, salué dans la Révolution française l'émule de l'américaine, les Américains se divisèrent rapidement sur une révolution que les jeffersoniens continuèrent à défendre, mais que les Fédéralistes décrivirent, après 1793, comme la « préparation à la venue de l'Antéchrist » et la perversion du républicanisme. L'affaire Genêt sembla donner raison aux Fédéralistes. En avril 1793, Edmond Genêt, chargé par la Convention de rappeler aux États-Unis leur alliance passée avec la France et d'en obtenir le prêt de navires pour la course, débarqua à Charleston, en

Caroline du Sud, où il savait rencontrer des sympathies. Il y fut en effet accueilli triomphalement, mais, lorsqu'il se rendit à Philadelphie, Jefferson, alors Secrétaire d'État, le reçut froidement. Toutes ses demandes furent refusées et il fut prié de cesser de recruter en territoire américain. Genêt commit alors une série d'indiscrétions dans la presse et mena, dans le Sud, une campagne de recrutement de navires et d'officiers. *La Petite Démocrate,* navire ancré dans la capitale, fut subrepticement détourné. Jefferson allait protester auprès du gouvernement français lorsque, les Jacobins ayant pris le pouvoir en France, Genêt fut poursuivi. Pardonné par les États-Unis, il y obtint l'asile politique.

L'affaire Genêt conforta les Fédéralistes dans leur méfiance à l'égard de la France révolutionnaire et prépara la négociation qui allait suivre avec la Grande-Bretagne.

L'année suivante, lorsque John Jay signera avec l'Angleterre un traité qui assurera aux États-Unis la continuation d'un commerce profitable, les Républicains s'en prendront alors vigoureusement au penchant des Fédéralistes pour une alliance avec l'Angleterre monarchiste. Complété en 1795 par le traité signé avec l'Espagne par Charles Pinkney, le « traité de Jay » assure pourtant aux États-Unis une plus grande liberté sur mer et sur le continent. Mais la France proteste et s'en prend à la flotte marchande américaine.

LE TRAITÉ DE JAY (1794)

Depuis 1783, de nombreuses questions restaient en suspens, que la Paix de Paris n'avait pas résolues, ou qui résultaient d'une mauvaise application du traité de paix. Les Anglais refusaient au commerce américain le libre accès aux Antilles ; ils remettaient sans cesse la signature du traité de commerce demandé ; ils n'envoyèrent même pas un ambassadeur en titre aux États-Unis avant 1791. Le pire était qu'ils maintenaient des postes militaires sur le territoire des États-Unis, au sud des Grands Lacs, faisant craindre au gouvernement américain une collusion avec les Indiens en révolte dans ces régions.

En 1794, l'Angleterre, en guerre contre la France, accepta de régler ses différends avec les États-Unis et de tenter un rapprochement. Le traité conclu par Jay en novembre 1794 fut attaqué par les jeffersoniens, amis de la France, qui arguèrent que le traité était anticonstitutionnel. Celui-ci creusa encore le fossé entre les deux partis, mais il assura aux États-Unis une reprise de leurs activités commerciales dans les Antilles et de leur expansion territoriale.

En 1797, avec l'affaire XYZ, Talleyrand et le Directoire insultent la diplomatie américaine. La crise avec la France éclate. John Adams, alors président, a le plus grand mal à maintenir la guerre dans un état « larvé », et le parti fédéraliste obtient du Congrès le vote d'une série de lois qui protègent les États-Unis de la « corruption » révolutionnaire française et des menées séditieuses dans le pays.

La réponse des jeffersoniens aux atteintes aux libertés que représentent les *Alien and Sedition Acts* n'aura pas de portée politique immédiate. Mais elle prépare les élections de 1800 et, surtout, elle pose les principes sur lesquels John Calhoun et les sudistes feront, un demi-siècle plus tard, reposer leur droit à la *nullification*, puis à la sécession.

DES *ALIEN AND SEDITION ACTS* (1798)...

John Adams ne put jamais appliquer les principes de neutralité énoncés par Washington dans son « Discours d'adieu ». Dès son entrée en fonctions, il dut faire face au mécontentement de la France qui, s'estimant trahie par le traité de Jay, rétorqua en saisissant des navires marchands américains. En 1798, Talleyrand, ministre des Affaires étrangères du Directoire, exigea des États-Unis un cadeau personnel et un prêt à la France avant toute négociation. Les Fédéralistes s'estimèrent insultés et commencèrent à mobiliser. Mais John Adams ne put faire qu'une « guerre larvée » contre la France, car les Fédéralistes, qui voulaient surtout profiter de la situation pour étouffer l'opposition républicaine, s'opposèrent à une guerre ouverte.

Durant l'été 1798, le Congrès vota une série de lois destinées à assurer la sécurité intérieure : la loi sur les étrangers *(Alien Act)* donnait au président le pouvoir d'expulser sans procès tout étranger suspect ; la loi sur la naturalisation repoussait de cinq à quatorze ans la durée de séjour nécessaire avant de devenir citoyen ; la loi contre la sédition *(Sedition Act)* faisait un crime de toute attaque ou critique contre un membre du gouvernement. Ces lois, qui portaient atteinte aux libertés fondamentales, firent l'objet de protestations véhémentes dans les rangs républicains.

... AUX *KENTUCKY AND VIRGINIA RESOLUTIONS* (1798)

Jefferson écrivit que, comparés aux *Alien and Sedition Acts*, la création de la Banque des États-Unis, le Rapport de Hamilton sur les manufactures ou le traité de Jay n'avaient été que « des choses mineures et sans conséquence ». Il chercha à alerter ses concitoyens sur le danger que faisaient peser ces lois sur les libertés, et leur proposa un moyen d'y résister. Il fit présenter par ses amis à l'assemblée du Kentucky une série de résolutions, et Madison fit de même en Virginie. Une fois adoptées par ces deux États, les résolutions furent envoyées à toutes les Assemblées d'États pour qu'elles se concertent en vue d'une action commune.

Les Résolutions du Kentucky et de Virginie affirmaient que le *Sedition Act* excédait les pouvoirs attribués au Congrès par la Constitution et qu'il violait le Ve amendement. C'était aux tribunaux des États à juger les séditieux. Jefferson et Madison réaffirmaient ainsi le rôle des États dans la protection des libertés, et ils leur attribuaient le droit d'annuler toute Loi fédérale qui contreviendrait aux droits naturels des citoyens ou qui représenterait une extension du pouvoir fédéral dépassant les limites tracées par la Constitution. Soixante ans plus tard, à la veille de la guerre de Sécession, les Sudistes n'allaient pas oublier cette leçon.

LA « RÉVOLUTION » JEFFERSONIENNE

Homme de culture, Thomas Jefferson était aussi un homme politique passionné. Il mena sa campagne, en 1800, sur un programme précis qu'il était déterminé à appliquer : réduire le poids et le coût du gouvernement ; abroger les lois fédéralistes répressives ; sauvegarder la paix internationale. Averti par son expérience au gouvernement, il choisit des ministres qui lui étaient entièrement dévoués : James Madison au Secrétariat d'État, Albert Gallatin au Trésor, Henry Dearborn à la Guerre, Levi Lincoln à la Justice...

Les premières réalisations furent conformes au programme : la dette des États-Unis fut réduite pour accroître l'indépendance du pays ; l'impôt direct fut aboli et le revenu du gouvernement, dont les dépenses furent diminuées, devait provenir des taxes douanières. L'armée et le budget militaire subirent des coupes draconiennes, la flotte de guerre fut mise hors d'activité. Jefferson pourvut, en compensation, à une armée de professionnels en créant en 1802 l'école de *West Point* et le Corps du Génie.

Thomas Jefferson ne bouleversa pas les structures politiques et sociales de la République. La « révolution » qu'il se vanta en privé d'accomplir consista surtout dans un aménagement des organes du gouvernement et dans l'abrogation des mesures les plus choquantes des Fédéralistes, telles que la taxe sur le whisky ou la loi de naturalisation de 1798. Le système fiscal et financier de Hamilton fut très peu touché, de même que les modalités réglementant les relations entre les États et le pouvoir fédéral.

Au moment où l'Angleterre s'engageait dans la révolution industrielle, les dirigeants américains, à la tête d'une population encore à 90 % rurale et d'un continent dont les terres semblaient inépuisables, pensaient que tous les choix étaient ouverts. L'orientation économique d'une Amérique à la croisée des chemins fut le principal sujet de discorde entre les Fédéralistes et les Républicains, car elle engageait aussi, on le savait, de manière irrémédiable, l'avenir de la société tout entière. Les Fédéralistes, ainsi que nous l'avons noté à propos de Hamilton, avaient voulu favoriser l'industrialisation, selon une politique dans laquelle on a pu voir la continuation du mercantilisme anglais. Les Républicains s'en tenaient, eux, à l'ancienne conception agrarienne qui préservait l'indépendance du fermier propriétaire, un niveau de vie élevé pour tous et une démocratie fondée sur la vertu des citoyens. Jefferson exprima ces idées dans ses écrits ; il tenta aussi de les appliquer en rejetant les tarifs douaniers excessifs ; mais ce fut lui, finalement, en proclamant l'embargo sur les marchandises importées d'Europe, qui donna sa première impulsion à la future révolution industrielle.

Le républicanisme jeffersonien n'était pourtant pas sans contradictions. Les Fédéralistes avaient beau jeu de taxer ces partisans de l'égalité — pour beaucoup possesseurs d'esclaves — d'hypocrites. Et surtout une étrange inadéquation apparut très vite entre les principes affichés par les Républicains lorsqu'ils étaient dans l'opposition et la politique menée par Jefferson président. L'achat de la Louisiane fut justifié par une interprétation de la Constitution qui n'était rien moins qu'« étroite ». L'économie nationale fut dirigée et contrôlée par le secrétaire au Trésor Gallatin avec une rigueur que n'aurait pas osé exercer Hamilton. Les libertés individuelles ne furent pas toujours strictement respectées. Enfin, la politique étrangère de Jefferson le mena au bord d'une nouvelle guerre.

Les Fédéralistes manquaient toutefois des moyens de contrer efficacement la politique de Jefferson. Sans bases populaires solides, intérieurement divisé, le parti sombra dans un déclin dont ne le tirèrent que de manière éphémère des affaires comme l'achat de la Louisiane ou l'embargo de 1807.

La politique fédéraliste fut cependant continuée par un homme, John Marshall, qui avait été nommé à la Cour suprême par John Adams juste avant que celui-ci ne quitte la présidence. John Marshall était décidé à accroître les pouvoirs fédéraux. Il fit échouer les tentatives de Jefferson visant à réformer la justice et fit au contraire admettre, en 1803, à l'issue du procès *Marbury vs. Madison*, l'indépendance de la Cour suprême et sa prééminence sur le Congrès.

MARBURY VS. MADISON (1803) : LA COUR SUPRÊME S'AFFIRME

John Marshall, nommé à la Cour suprême par John Adams en 1801, resta à ce poste jusqu'à sa mort en 1835. C'est en partie sur son action que repose le fonctionnement actuel du système politique américain. Le pouvoir judiciaire fédéral, qui avait été quelque peu négligé dans la Constitution, fut renforcé par lui de telle manière que la Cour suprême reçut le pouvoir d'interpréter la Constitution et de juger de la constitutionnalité des lois votées par le Congrès ou par les États. Cousin mais adversaire de Jefferson, Marshall opposa à la doctrine des *Kentucky Resolutions* celle de la *Judicial Review* qui découlait de sa prise de position lors de l'affaire *Marbury vs. Madison* en 1803.

A la demande que William Marbury avait faite à la Cour d'obliger le secrétaire d'État Madison à signer sa nomination comme juge, Marshall répondit 1) (reculade tactique) que la plainte n'était pas recevable parce que la Cour n'avait pas le pouvoir constitutionnel de donner un tel ordre à l'exécutif ; 2) que la loi du Congrès qui lui avait conféré ce pouvoir était contraire à la Constitution ; et 3) que donc (comme la Cour — habileté suprême — venait d'en faire la démonstration !) il était à l'évidence du ressort du tribunal, et de lui seul, de juger de la constitutionnalité des lois. C'est cette dernière décision qui fit précédent et qui permit à la Cour, notamment dans les affaires *McCulloch vs. Maryland* et *Dartmouth College vs. Woodward* (1819), d'affirmer la suprématie de l'État fédéral sur les États et de donner aux classes possédantes l'assurance qu'elles étaient protégées par la Constitution. Sous sa direction, la Cour suprême se fit le rempart d'une politique économique conservatrice.

Le deuxième mandat de Jefferson, de 1805 à 1809, fut encore plus difficile. C'est d'abord l'affaire d'Aaron Burr, dans laquelle Jefferson fit preuve de parti pris et bafoua ses propres principes concernant les libertés individuelles. C'est ensuite la difficulté qu'il rencontra au Congrès pour faire adopter l'interdiction de la traite des esclaves : la loi fut votée, mais il fut clair pour tous que les sudistes ne la respecteraient pas. C'est enfin la guerre franco-anglaise qui mit à rude épreuve les intentions pacifiques du président, ainsi que ses idées sur le gouvernement faible et, indirectement, sur la primauté de l'agriculture dans l'économie américaine.

Dans la guerre totale qui s'engagea en 1803 entre la France et l'Angleterre, les États-Unis jouirent d'abord de la position privilégiée d'une puissance neutre dont les navires commerçaient avec les deux adversaires. Mais rapidement les navires britanniques commencèrent à saisir les cargaisons américaines et, en 1806 et 1807, Napoléon émit les décrets de Berlin et de Milan, en réponse aux Ordres du Conseil (*Orders in Council*) de Grande-Bretagne : les deux adversaires déclaraient l'embargo, non seulement sur les flottes ennemies, mais aussi à l'encontre des navires neutres, notamment américains. S'estimant offensé par l'Angleterre, Jefferson refusa néanmoins de se lancer dans la guerre. En décembre 1807, il fit voter par le Congrès une loi interdisant aux navires américains de quitter les ports et décrétant l'embargo sur les navires étrangers. Cette politique, qui entravait le commerce des négociants de Nouvelle-Angleterre, suscita une violente opposition chez les Fédéralistes. La passion anti-jeffersonienne se déchaîna avec tant de force que le parti fédéraliste s'en trouva revivifié. Quant aux négociants, ils se mirent, par une intéressante ironie du sort, à investir leurs capitaux libérés dans les premières entreprises de manufacture américaines.

Sur de nombreux points, la présidence de Jefferson manqua d'éclat et surtout elle se heurta à des réalités qu'il n'avait pu prévoir. Mais « l'empire pour la liberté » que Jefferson promettait à la République avait, avec lui, pris son essor.

UNE RÉPUBLIQUE IMPÉRIALE : « *GO WEST !* »

Cependant que Napoléon tentait de faire de l'Europe un empire sous son contrôle, les États-Unis se lançaient à la conquête de leur continent pour y fonder un empire républicain.

Inscrite dans la fondation même des premières colonies, l'expansion vers l'Ouest a été retardée par la faiblesse du peuplement, par l'insuffisance des moyens de communication et par les limites qu'y a mises la politique royale. Libérés de cette contrainte, les États-Unis indépendants bénéficient de leur forte croissance naturelle, de l'aide que les gouvernements d'États apportent aux entreprises privées désireuses d'aménager les routes, et des capitaux investis dans l'achat de terres par les spéculateurs. Surtout, dès l'indépendance, le législateur institue un système qui intègre la conquête territoriale dans le projet républicain.

Il n'est pas étonnant que Thomas Jefferson soit l'inspirateur le plus important de la législation et de l'acquisition territoriales. L'expansion est dans la logique de la philosophie agrarienne : la vision d'une démocratie fondée sur la petite propriété terrienne serait vaine si elle s'inscrivait dans un espace limité. Et, malgré sa méfiance pour les républiques trop vastes, Jefferson se laisse persuader, notamment par Madison, que grâce au système fédéral, la République sera préservée, quelle que soit l'étendue du pays.

L'ORDONNANCE DU NORD-OUEST (13 juillet 1787)

L'Ordonnance de 1787 *(Northwest Ordinance)* est la troisième d'une série de lois votées par le Congrès pour organiser le « territoire du Nord-Ouest « compris entre l'Ohio, le Mississipi et les grands Lacs. Les Ordonnances de 1784 *(Territorial Ordinance)* et 1785 *(Land Ordinance)* avaient divisé le territoire en unités *(townships)* de six miles carrés, elles-mêmes partagées en sections de 640 acres. Bien que Thomas Jefferson, leur inspirateur, ait pensé faire de ces Ordonnances l'instrument de la petite propriété agraire, les sociétés de spéculation foncière firent pression sur le Congrès pour que la vente se fasse par sections entières, au prix minimum, à enchérir, de 1 dollar l'acre. La compagnie de l'Ohio en bénéficia immédiatement. Toutefois, les Ordonnances servirent aussi le dessein démocratique jeffersonien : un seizième du revenu des ventes de terres devait être consacré à la construction d'écoles, et les habitants des nouveaux territoires, sous régime colonial provisoire, étaient, de par l'Ordonnance de 1787, nantis de tous les droits de citoyens américains.

Par delà la réaction violente des tribus indiennes aux spoliations cyniques et à l'avance souvent brutale des Blancs, les trois Ordonnances laissèrent des traces tangibles dans l'histoire des États-Unis : le contrat établi par l'Ordonnance du Nord-Ouest entre les États-Unis et les pionniers fut le principe fondateur de toute l'expansion territoriale ultérieure.

Entre 1783 et 1828, l'expansion prend des visages et des voies multiples. La première de celles-ci est l'œuvre législative qui organise les nouveaux territoires acquis lors de la Paix de Paris : les lois sur les terres du Nord-Ouest réglementent l'intégration de la région entre Ohio et Mississipi.

La question du Mississippi est cruciale. Malgré les termes du traité de Paris de 1783, l'Espagne continue, dix ans plus tard, de refuser aux Américains la libre navigation sur le fleuve. Or les régions bordières — Kentucky, Tennessee, Ohio — se développent rapidement et exigent que les surplus de leur agriculture florissante puissent être exportés par la voie la plus « naturelle », celle qui conduit au golfe du Mexique. Un premier traité avait été signé avec l'Espagne par John Jay en 1785, mais celui-ci ayant sacrifié la question du Mississipi à celle du commerce dans les Antilles, lequel favorisait les négociants de Nouvelle-Angleterre, le Sénat en avait refusé la ratification. C'est finalement Charles Pinkney qui, en 1795, signe avec l'Espagne le traité garantissant la liberté de navigation sur le Mississipi. Les habitants du Kentucky ne furent toutefois pleinement satisfaits que lorsque Thomas Jefferson acheta la Louisiane et assura ainsi la totale maîtrise du fleuve aux États-Unis.

Cet achat permet aux Américains de porter hardiment leur regards au-delà du Mississipi. Des expéditions de reconnaissance sont lancées qui doivent pénétrer l'intérieur du continent et prospecter les côtes du Pacifique. Là, des puissances étrangères sont souveraines. Par la négociation (en 1819) pour la région de l'Oregon, par l'achat (en 1803) de la Louisiane anciennement française, par la colonisation et la révolte « suscitée » (en 1810) dans le cas de la Floride occidentale, par l'incursion et l'intimidation (en 1819) dans le cas de la presqu'île de Floride : toutes les méthodes utilisées pour la conquête de l'Ouest dans la seconde moitié du XIXᵉ siècle sont déjà expérimentées dans ses premières décennies.

L'expansion des années 1800-1828 porte aussi en germe les conflits et les contradictions qui éclateront un peu plus tard et qui plongeront le pays dans la guerre de Sécession. A mesure que de nouveaux États entrent dans l'Union, leur situation géographique et leur potentialité économique posent le problème du type de production et d'organisation sociale qui les caractérisera. Le « Compromis du Missouri », voté en 1820, n'apaisera que momentanément la querelle entre le Sud esclavagiste et le Nord qui commence son

L'ACHAT DE LA LOUISIANE (1803)

Le territoire (de la taille de l'Europe occidentale) qui s'étend à l'ouest du Mississipi sur 220 millions d'hectares fut, en 1800, cédé par l'Espagne à la France. L'opinion américaine, inquiète de voir à nouveau la présence française sur le continent, devint belliqueuse lorsque l'Espagne, qui avait gardé le contrôle de la Nouvelle-Orléans, menaça de ruine les fermiers américains en leur interdisant d'y entreposer leurs marchandises.

Jefferson reçut alors du Congrès une allocation pour tenter d'acheter la Nouvelle-Orléans. Mais Bonaparte, en difficulté à Haïti, proposa toute la région aux diplomates américains.

L'achat de la Louisiane représentait un dilemme : d'une part, il permettait de réaliser le vieux rêve d'une nation continentale, et « d'offrir, comme disait Jefferson, un espace à nos descendants jusqu'à la centième et la millième génération » ; mais, d'autre part, il posait un problème constitutionnel (la Constitution n'ayant pas prévu l'achat et l'intégration de territoires étrangers) ; Jefferson trancha le problème à regret en adoptant la théorie, qu'il avait naguère si vivement combattue, des *implied* powers donnés par la Constitution au président, et le proposa pour ratification au Sénat, lequel se prononça favorablement le 20 octobre 1803.

industrialisation. En 1819, les résidents du Missouri, pour la plupart immigrés du Kentucky et du Tennessee, demandèrent à former un État esclavagiste. La classe politique, qui avait jusqu'alors pu éviter la question explosive de l'esclavage, se rendit compte que le délicat équilibre entre les États à esclaves et les États libres menaçait d'être rompu et que l'esclavage allait, avec le Missouri, se répandre vers le Nord. Le Sénat, également partagé entre les deux sections, rejeta l'amendement proposé par le New-yorkais James Tallmadge qui envisageait l'abolition graduelle de l'esclavage dans le Missouri. Un premier compromis fut proposé en 1820 : il prévoyait l'admission concomitante du Maine, libre, et du Missouri, esclavagiste, dans l'Union et fixait désormais une frontière (fixée à la latitude de 36° 30') à l'intérieur du territoire de Louisiane entre les États libres et les esclavagistes. Le plan faillit échouer lorsque le Missouri présenta sa Constitution ; elle contenait une clause qui interdisait l'entrée dans le futur État aux Noirs libres. Le 2 mars 1821, enfin, le Congrès vota la résolution autorisant l'admission du Missouri dans l'Union, à la condition expresse que sa Constitution soit amendée, ce qui fut fait le 26 juin 1821.

Aussi habile que fût la solution trouvée en 1820, elle ne résista pas à la progression de la conquête territoriale. Trente ans plus tard, la question de l'esclavage dans les nouveaux États sera laissée à la décision du peuple. En 1857, dans le fameux « arrêt Dred Scott », le président de la Cour suprême déclarera anticonstitutionnel le compromis de 1820.

L'Ouest, déjà, est l'enjeu majeur opposant les deux grandes régions, l'une qui se fait Royaume du coton, l'autre qui, avec la construction des grands canaux (le canal de l'Érié est terminé en 1825) et les débuts de l'industrialisation, trouve sa complémentarité dans l'agriculture familiale du Nord-Ouest et son développement dans la production par une classe de travailleurs salariés.

L'agriculture du Nord-Est, cependant, périclite ; les fermiers appauvris voient encore dans la migration vers l'Ouest l'équivalent de la mobilité verticale que leur promet le rêve américain. Avec les Indiens autochtones, les contacts sont rarement pacifiques. Provocations, représailles, appel à l'armée et action des politiciens ouvrent la voie à un « déplacement » plus à l'Ouest des tribus gênantes.

L'ÈRE DES BONS SENTIMENTS
ET DE LA MAUVAISE HUMEUR

La période qui s'ouvre avec l'élection de James Madison à la présidence n'a pas la clarté politique qui a marqué les administrations précédentes. Les partis, affaiblis par le vieillissement des révolutionnaires qui leur avaient donné une âme, sont dépourvus d'un programme cohérent. On peut dater de cette époque « l'ère des bons [mais faibles] sentiments » qui réunissent tous les politiciens dans un nationalisme modéré. Une fois de plus, c'est la politique étrangère qui va réveiller les animosités, mais aussi les éteindre lorsque la guerre de 1812 — la « guerre de M. Madison » —, sans grand relief jusqu'au traité de paix de Gand, se survivra dans la brillante victoire remportée à la Nouvelle-Orléans par Andrew Jackson.

Au XIX\ :superscript:`e` siècle, les historiens disaient généralement qu'en 1812 les États-Unis avaient déclaré la guerre à la Grande-Bretagne en représailles contre les violations anglaises du droit maritime américain : à savoir la saisie de marchandises et de navires neutres américains ou encore la « presse » (pratique consistant à arrêter et à recruter de force des marins américains, aussi bien au large des côtes américaines qu'en haute mer, sous prétexte qu'il pouvait s'agir de déserteurs anglais). Les historiens modernes doutent du bien-fondé de cette explication : si la guerre avait eu pour seul objet la protection des droits maritimes, pourquoi la plupart de ses opposants se trouvaient-ils en Nouvelle-Angleterre, région par excellence du commerce international ?

Les raisons véritables sont sans doute à chercher dans la faiblesse de la diplomatie américaine de l'époque. Madison était incapable d'échapper à la main faussement tendue de Napoléon, et celui-ci réussit à faire croire aux Anglais que les États-Unis s'étaient tournés vers la France. Mais surtout, les « faucons » répondaient d'une part à la pression des pionniers qui craignaient que les Indiens dont ils prenaient les terres ne soient renforcés par les troupes britanniques encore stationnées au Canada, et d'autre part à celle des fermiers qui attribuaient la dépression dont ils étaient alors victimes aux dommages infligés par la marine anglaise au commerce américain. La guerre fut difficile ; les Américains s'illustrèrent sur mer, mais ils durent assister impuissants à l'incendie de leur capitale. La victoire leur resta, mais les résultats furent médiocres.

Restés anglophiles, les Fédéralistes de Nouvelle-Angleterre s'opposèrent de manière virulente à « la guerre de M. Madison ». Leurs dirigeants — Josiah Quincy, John Lowell, Timothy Pickering — refusèrent à l'Union les subsides et la milice nécessaires et projetèrent même de faire sécession. Ils ne voyaient pas d'avenir pour la région dans une Union dominée par les Sudistes qui monopolisaient la présidence, qui profitaient de la clause des « trois cinquièmes » pour augmenter leur représentation à la Chambre des représentants et qui avaient encore renforcé leur pouvoir grâce à l'acquisition de la Louisiane. Une convention des membres du parti fut convoquée à Hartford en décembre-janvier 1814. Les plus radicaux pensaient y annoncer la sécession de la Nouvelle-Angleterre et peut-être du Nord-Ouest. Leurs espoirs furent déçus, car il apparut dans les derniers mois de la guerre qu'ils étaient minoritaires et que la convention n'aboutirait qu'à des résolutions sans portée. Les Fédéralistes sortirent de cette initiative très affaiblis et divisés. La *Hartford Convention* signifia pour eux le début de la fin.

Mais la grande affaire des Américains dans les années 1810-1828, c'est la croissance intérieure, l'organisation des terres nouvellement acquises, le développement d'une infrastructure de communications, la mise au point du système du crédit, l'accueil des immigrants qui affluent après la fin des guerres napoléoniennes.

La Banque des États-Unis, dont la charte arrive à expiration en 1811, n'est pas renouvelée, mais l'ancien système des banques autonomes se révèle vite nuisible. En 1816, le Congrès accorde pour vingt ans une deuxième charte à la Banque des États-Unis. C'est le coup d'envoi de ce que Henry Clay, son principal théoricien, appelle le « système américain ». Ce plan vise à unifier la nation par des liens d'interdépendance, malgré sa diversité économique et régionale ; il actualise en fait l'ancien système de Hamilton, dans un contexte de nationalisme économique beaucoup plus dynamique qu'au siècle précédent. Dans cet esprit, le Républicain James Madison fait voter un tarif douanier protectionniste pour soutenir les premières industries, et le Congrès vote la loi sur les grands équipements *(internal improvements)* qui doivent, comme le dit le sénateur Calhoun, « lier la République en un tout par un réseau parfait de routes et de canaux ». Le veto de Madison est peu efficace, car il laisse subventionner la route nationale de l'Ohio, d'intérêt militaire.

James Monroe, le dernier président de la dynastie virginienne, continue la politique intérieure de Madison. Son secrétaire d'État, John Quincy Adams, mène brillamment une politique étrangère marquée par l'affirmation vigoureuse du nationalisme américain. En 1819, le traité qu'il signe avec l'Espagne repousse la frontière méridionale des États-Unis jusqu'à la mer. En 1822, les États-Unis reconnaissent les nouvelles républiques indépendantes d'Amérique latine et s'affirment, face à l'Espagne, les protecteurs naturels de leurs voisins menacés par l'impérialisme. C'est ce qu'ils font entendre à l'Europe, en 1823, dans un message présidentiel au Congrès connu sous le nom de « doctrine de Monroe » *(Monroe Doctrine)*.

Les hommes d'affaires américains sont les premiers intéressés par la doctrine de Monroe. Le commerce avec l'Amérique latine est actif et les capitaux commencent à s'y investir. Cependant, l'économie américaine connaît ses premiers grands déboires. De 1819 à 1822, une grave crise frappe le pays. La Banque des États-Unis y répond par une restriction du crédit. Les fermiers demandent une baisse des tarifs douaniers. Les travailleurs des villes connaissent le chômage massif ; ils commencent à s'organiser en syndicats et à se manifester sur la scène politique. Malgré la reprise

LA « DOCTRINE DE MONROE » (2 décembre 1823)

Après la chute de Napoléon et la formation de la Sainte-Alliance [1], les États-Unis se trouvèrent une fois de plus sollicités par les affaires européennes. Les Grecs en appelaient aux Américains dans leur lutte de libération contre les Turcs. La Russie, qui possédait l'Alaska, accentuait ses incursions jusqu'à la baie de San Francisco, interdisant la navigation et la pêche au large de l'Oregon. La France, qui venait de restaurer l'absolutisme en Espagne, menaçait de mener avec celle-ci une expédition de reconquête dans les républiques d'Amérique latine.

Plutôt que de se joindre à l'Angleterre dans une mise en garde commune comme le proposait George Canning, ministre anglais des Affaires étrangères, John Quincy Adams conseilla à James Monroe de faire une déclaration séparée qui, tout en affirmant l'attitude non-interventionniste des États-Unis au regard des affaires de l'Europe, viserait, en retour, à écarter toute intervention européenne sur l'ensemble du continent américain et à empêcher l'Angleterre de monopoliser le commerce avec l'Amérique latine.

Le message au Congrès de James Monroe, réaffirmant la séparation entre l'Europe et l'Amérique, présentait le Nouveau Continent comme un tout dont les États-Unis étaient le protecteur privilégié. Dépourvus de la flotte nécessaire, ils en imposèrent moins à la Sainte-Alliance que ne pouvait le faire la Grande-Bretagne, et la doctrine resta sans suite jusqu'en 1867, année où elle fut invoquée pour s'opposer à l'aventure française au Mexique. Au fil du temps, elle devint l'un des fils conducteurs de la diplomatie américaine.

économique du milieu de la décennie, le mécontentement et les conflits qui vont conduire au mouvement jacksonien ont déjà pris racine.

UNE CULTURE NATIONALE

Dans les premières décennies de la République, une fois retombée l'exaltation révolutionnaire, les dirigeants durent reconnaître que la nation n'était encore qu'embryonnaire et qu'il lui manquait ce qui fait les vieilles communautés

---

1. Pacte d'assistance mutuelle (septembre 1815) entre la France, la Russie, l'Autriche et la Prusse, visant à défendre le système monarchique — ou à le restaurer dans les pays devenus républicains.

nationales : une cohésion sociale et une culture nationale. Jusqu'à la guerre de Sécession, sauf à de rares périodes où le nationalisme s'exacerbe, les gens du peuple, ainsi qu'une partie de l'élite, ne conçoivent la nation qu'en termes politiques : sous la forme d'un État fédéral, instrument de liaison entre les diverses régions, instance artificielle, symbolique d'une communauté que la plupart ont du mal à imaginer.

La période est pourtant marquée par une notable effervescence culturelle, due à trois courants principaux. D'une part, les dirigeants, aussi bien jeffersoniens que fédéralistes, ont le souci de donner à la nation l'indépendance et l'unité culturelles qui la souderont. Leur effort est volontariste et consiste surtout à éveiller un sentiment qui réunisse les citoyens autour d'une commune adhésion à l'État fédéral, à « l'Union ». Il se traduit par l'instauration de fêtes nationales, par l'invention d'une tradition qui rassemble les citoyens, anciens immigrés, dans une perpétuelle commémoration de leur geste commune — la découverte du continent, la fondation des premières colonies, la Révolution — et dans un culte commun aux ancêtres de la République et à ses héros. Les revenus de l'État sont faibles et il faudra attendre la deuxième moitié du XIXe siècle pour que l'œuvre soit matérialisée par la construction de monuments, l'érection de statues, l'ouverture de musées. L'édification de Washington comme capitale fédérale (1800) s'inscrit dans cette perspective.

Résultat d'un marché conclu en 1790 entre Fédéralistes et Républicains, Washington est la première ville au monde à avoir été construite dans le seul but d'en faire le siège de l'État. Le président Washington avait choisi sur le Potomac un site découpé dans une concession faite par la Virginie et le Maryland, et commandé au français Pierre Charles L'Enfant le dessin de la ville. Plus que la forme radiale des avenues, imitée du plan de Versailles, c'est la disposition des principaux édifices qui retient l'attention : le Capitole, siège du Congrès, est placé sur le point le plus élevé et la résidence du président, entourée des départements du pouvoir exécutif, en est séparée par les deux kilomètres de Pennsylvania Avenue. Le troisième angle du triangle, équidistant des deux autres, était réservé à la Cour suprême. Si le plan d'ensemble reflétait la conception politique des constituants, le site — indéfendable, aride et dépourvu de débouché portuaire — condamnait la capitale à un rôle de second plan, qui convenait à l'idéologie républicaine de l'époque. Thomas Jefferson fut le premier président à y résider et lorsque, le 4 mars 1801, il se rendit au Capitole pour prêter serment, la simplicité de sa mise s'accordait à une capitale qui n'était qu'un village marécageux, où, comme le remarquaient les visiteurs étrangers avec condescendance, « les députés chassaient le coq de bruyère dans leurs moments de loisir ».

Le deuxième courant qui contribue à la construction culturelle du pays est de source locale et souvent privée. C'est dans le but explicite de préparer les enfants à leurs futurs droits et devoirs de citoyens « vertueux » que les assemblées des États relayent dans des écoles publiques l'ancienne éducation religieuse ; que les intellectuels se font pédagogues et rédigent des manuels scolaires dont toutes les matières sont au service du patriotisme ou qu'ils tentent d'inventer une langue qui se différencie de celle des sujets du roi d'Angleterre.

L'ÉCOLE DANS LA NOUVELLE RÉPUBLIQUE

Le véritable mouvement de réforme dans l'enseignement ne commença que dans les années 1840-1850, pour prendre sa véritable ampleur après la guerre de Sécession. Mais, dès l'époque révolutionnaire, le sentiment généralisé que la création nationale devait s'accompagner d'un effort cohérent dans le domaine de l'éducation produisit des résultats. La Nouvelle-Angleterre, qui avait toujours pris les devants en raison de l'implantation puritaine, continua à prédominer. Dès la Révolution, les établissements secondaires (academies) s'y multiplièrent et le Connecticut mit sur pied un système d'écoles publiques gratuites.

Plusieurs auteurs, comme Jefferson et Rush, auraient souhaité que l'État prenne en charge l'éducation depuis le primaire jusqu'au supérieur. Mais seule la Caroline du Nord ouvrit une université d'État dès 1789. Ailleurs, les collèges privés se multiplièrent : de neuf qu'ils étaient en 1789, ils passèrent à vingt-sept en 1800, répartis dans tous les États sauf le Delaware.

Le contenu de l'enseignement changea aussi. Les auteurs des manuels les voulurent plus pratiques, moins uniquement consacrés à la religion. Une véritable offensive fut lancée contre l'enseignement des langues mortes, cependant que l'étude des matières profanes, y compris les mathématiques, devait servir à l'apprentissage du patriotisme. L'attitude envers les enfants commença aussi à se modifier : les enseignants se voulurent moins répressifs, plus persuasifs, plus enclins à rationaliser l'éducation.

Enfin, un courant spontané se manifeste, à la fois chez les intellectuels — écrivains, comme Philip Freneau, historiens comme David Ramsey, peintres comme Charles Willson Peale ou Jonathan Trumbull, anciens révolutionnaires qui ont à cœur de prolonger le mouvement de création nationale — et les couches populaires qui, bien qu'éloignées des centres de pouvoir et peu atteintes par la création intellectuelle, se laissent emporter par la ferveur nationaliste. Plus fréquemment, elles inventent à leur tour des traditions, des comportements liés à leur propre expérience. A l'Ouest, les *revivals* du Kentucky, du Tennessee rassemblent les communautés de pionniers dans une ferveur commune. A l'Est, les associations de typographes, de charpentiers, de travailleurs de la chaussure condamnées par les tribunaux dans les *Conspiracy Cases,* sont les premières institutions d'une couche d'artisans-ouvriers, les premières manifestations socio-culturelles de l'Amérique proto-industrielle.

LES EXCLUS ET LES OPPRIMÉS

L'indépendance des États-Unis ne fut pas bénéfique aux deux catégories de la population américaine qui avaient été tenues à l'écart de la société coloniale. A la suite de la guerre, les États du Nord et du Centre abolirent l'esclavage, mais la plupart refusèrent d'admettre les Noirs libres parmi les citoyens de droit. Dans le Sud, seule la Virginie admit que les maîtres émancipent leurs esclaves, mais en 1803 elle expulsa les Noirs libres. La Constitution tolérait le maintien de l'esclavagisme et, après l'invention par Eli Whitney du *cotton 'gin* (machine à égrener le coton), « l'institution particulière » se renforça et s'étendit à mesure que le coton se faisait « roi » du Sud.

Le sort des Indiens fut, sans exception, aggravé à la suite de l'indépendance. Considérés comme sauvages, ils furent implicitement traités comme nations étrangères par la Constitution, et tenus pour hostiles par l'exécutif qui attribua les relations avec les tribus au Secrétaire à la guerre.

De nombreux traités suivirent celui que signa le gouvernement américain avec les Delaware en 1778. Les premiers, signés avec les chefs des Six nations iroquoises, voyaient dans les tribus qui s'étaient alliées à la Couronne des nations vaincues. Par la suite, les traités furent moins punitifs, mais tous avaient pour objet principal la cession des terres indiennes aux États-Unis.

Ainsi celui de Fort Stanwix. Peu après la Paix de Paris, le gouvernement des États-Unis entreprit des négociations avec les tribus indiennes de la Frontière. Il cherchait à faire renoncer les tribus à leur allégeance envers l'Angleterre et à obtenir qu'elles cèdent des terres. Dans la région de l'Ohio, les représentants des Six nations iroquoises s'en tenaient aux frontières établies par le précédent traité de 1768, et ils se plaignirent des empiètements des pionniers américains. Du côté du gouvernement fédéral, on s'appuyait sur la doctrine du « droit de conquête » des États-Unis, vainqueurs, lors de la dernière guerre, des Anglais et de leurs alliés iroquois. Cette doctrine permettait de s'approprier des terres sans se soucier d' indemniser leurs propriétaires. A l'occasion du traité de Fort Stanwix (22 oct. 1784), les Iroquois durent reconnaître la souveraineté américaine. Ils cédèrent leurs terres situées dans l'ouest de l'État de New York et de la Pennsylvanie. Les Oneida et les Tuscarora, qui avaient aidé les Patriotes, se virent reconnaître la propriété de leur territoire. Mais peu après, les autorités de l'État de New York les obligèrent eux aussi à échanger leur domaine pour de petites réserves.

Désireux de satisfaire la demande des pionniers qui affluaient dans les territoires au-delà des Appalaches, le gouvernement de Jefferson, comme ses successeurs, abordait le « problème » indien sous deux angles différents : soit les Indiens accepteraient de se « civiliser » et, après avoir cédé une part de leurs terres rendues inutiles par leur conversion économique, ils se fondraient dans la masse des citoyens américains ; soit — et peut-être était-ce préférable pour eux — ils évacueraient les régions qu'ils possédaient et se rendraient au-delà du Mississipi, dans « le Grand Désert américain ». Dans le premier cas, ils abandonneraient leur identité indienne ; dans le second, ils vivraient à l'écart des Blancs, dans une sorte de partition du continent.

Ni les tribus indiennes, ni les esclaves noirs n'assistèrent passivement au déni de justice qui leur était fait. Les tribus indiennes se regroupèrent pour défendre les régions du Nord-Ouest, entre Ohio et Mississipi. La première confédération battit les armées du Congrès continental en 1790 et 1791. Elle fut à son tour défaite à Fallen Timbers et les tribus durent céder une immense portion de territoire au traité de Greenville de 1795. Le traité fut toutefois dénoncé

MADISON AUX INDIENS :
« DEVENEZ DES BLANCS »

Dans la guerre de 1812, les Anglais disposaient d'un atout important : l'aide des tribus indiennes du Nord-Ouest — Potawatomi, Shawnee, Delaware, Winnebago, Kickapoo — auxquelles ils avaient promis la création d'un État indien dans la région. Le gouverneur William Harrison avait réussi à en circonvenir certaines, mais la présence du chef shawnee Tecumseh, malgré sa défaite à Tippecanoe face aux troupes d'Harrison (1811), incitait encore de nombreux autochtones à la résistance contre les pionniers. Le président Madison ne pouvait espérer retourner les chefs des tribus qu'il invitait à Washington en faveur d'une alliance américaine. Sa politique consista donc, comme on l'avait fait pendant la guerre d'Indépendance, à essayer de maintenir les tribus dans la neutralité. A la fin de la guerre, il refusa la solution de l'État indien et poursuivit au contraire la politique qu'il avait annoncée dès 1812 : les Indiens doivent reconnaître la suprématie du gouvernement des États-Unis et abandonner leur mode de vie pour s'américaniser. On retrouve ici la logique de Thomas Jefferson dans ses nombreux discours aux nations indiennes : « Vendez vos terres, adoptez l'économie agrarienne, défaites-vous de vos coutumes tribales et vous pourrez devenir citoyens américains.

par Tecumseh, le chef shawnee de la nouvelle confédération. Son programme de tenure panindienne des terres, ainsi que le soutien qu'il recevait des Anglais, inquiéta le gouvernement. Lorsqu'éclata la guerre de 1812, Tecumseh fut battu et tué. Mais la résistance continua dans le Nord-Ouest, comme dans le Sud-Ouest où les États menaçaient l'indépendance et la propriété des « Cinq tribus civilisées ». L'idée qu'avait formulée Jefferson d'un déplacement des tribus parut alors la seule solution au « problème » indien.

Pour les Noirs esclaves, la résistance se traduit de multiples manières, la plus ouverte étant la révolte concertée et violente. Depuis les années 1800, les esclaves sont de plus en plus craints et la société du Sud, qui les utilise, cherche en même temps à s'en protéger. En réponse aux révoltes de Toussaint Louverture à Haïti et de Gabriel Prosser en Virginie, on envisage de déporter les Noirs libres, et l'on enferme les autres dans un réseau de codes de surveillance et de coercition.

LA RÉVOLTE DE GABRIEL
(GABRIEL'S REBELLION), 1800

Dans les trente premières années du XIXᵉ siècle, un grand réveil religieux secoua la société américaine, touchant aussi bien les esclaves noirs que les populations blanches. Gabriel Prosser était un esclave qui travaillait comme forgeron et qui jouissait d'une relative liberté de mouvement. Il se rendit aux réunions de son frère, qui était prédicateur, et y recruta d'autres esclaves artisans ; puis il étendit son action auprès des esclaves des plantations. Inspiré par l'égalitarisme religieux, il se référait également aux révolutions de France et de Haïti et prêchait la révolte contre des maîtres non respectueux des droits de l'homme.

Son plan prévoyait une marche sur la capitale de Virginie, que les révoltés devaient incendier après avoir capturé le gouverneur. Le projet avorta, et Gabriel et ses amis furent arrêtés et pendus.

Au cours de son procès, on se rendit compte du danger auquel venait d'échapper toute la Virginie. Des mesures furent alors prises pour renforcer le contrôle des Noirs (black codes) dans tout le Sud.

4

L'UNION EN PÉRIL : LA DÉMOCRATIE ET L'ESCLAVAGE (1829-1865)

On peut lire l'histoire des États-Unis entre 1829 et 1865, entre la Présidence de Jackson et celle de Lincoln, comme une marche inexorable vers la plus grande épreuve qu'ait subie le pays : l'éclatement de l'Union en deux sections de plus en plus antagonistes jusqu'à l'affrontement final dans une guerre civile qui fait plus de 600 000 morts, mais restaure définitivement la nation américaine dans son unité. C'est l'histoire telle qu'elle apparaît au niveau national, dans le choc des grandes personnalités et des partis, dans les lois principales de l'époque, dans les relations avec les pays étrangers. Ce sont ces aspects que retiennent les histoires générales des États-Unis, à cause de leur tempo dramatique et de la nécessité de trouver des lignes de force. Mais ces tableaux sont loin d'épuiser la richesse de la réalité américaine. On oublie trop souvent que cette dernière s'enracine essentiellement dans des unités géographiques plus petites que la communauté nationale : les États, les comtés, les villes ou les villages. Pays fédéral, les États-Unis bénéficient d'une vie locale active, foisonnante. C'est à ce niveau que les citoyens construisent la démocratie. On imagine que l'historien qui voudrait retracer d'une manière exhaustive cette singularité multipliée à des milliers d'exemplaires se heurterait à une poussière d'expériences. Force est donc, pour gagner en intelligibilité, de sacrifier de larges pans de ce qui fait l'originalité de la vie américaine et de se concentrer sur les événements qui ont un écho national.

On ne saurait juger l'Amérique de ce temps à l'aune d'un absolu. Ses caractères propres apparaissent par comparaison avec les autres pays du milieu du XIXe siècle. Ce qui distingue fondamentalement les États-Unis, c'est qu'ils constituent alors la première démocratie libérale du monde. En

1831, Tocqueville traverse l'Atlantique pour étudier ce modèle qui dessine les traits futurs d'une Europe encore aristocratique et monarchique. Sous la présidence d'Andrew Jackson (1829-1837), cette démocratie, qui hérite de son nom *(Jacksonian democracy),* bien qu'elle le dépasse de beaucoup, estompe le vieil idéal républicain. Elle s'incarne dans une vie politique extraordinairement animée, encadrée par des partis fondés sur des liens de loyauté très forts. Les multiples fonctions électives permettent aux citoyens d'accéder largement aux responsabilités, surtout au niveau local, où se forment les futures élites nationales. Dans les institutions démocratiques américaines de l'époque, la loi est l'expression de la majorité, sans que cela empiète sur les libertés des citoyens, car le pouvoir est éclaté en de nombreux centres relativement autonomes. Parlera-t-on pour autant d'un « âge de l'égalitarisme », comme le pense l'historien Lee Benson ? Généralisation du suffrage universel, refus des privilèges légaux, affirmation progressive, mais lente, de l'éminente égalité des hommes plaident en faveur de cette interprétation, mais cette égalité civile et sociale-celle des chances offertes à tous en cette ère du *common man* — ne s'étend pas aux résultats. L'Amérique démocratique voit le triomphe de la libre entreprise et de la logique du marché ; l'inégalité des revenus et des patrimoines ne suscite pas de scandales, puisqu'elle est supposée résulter des efforts propres de l'individu, sans appui artificiel du pouvoir politique. Les succès de la croissance économique justifient cette conception de la démocratie. Et c'est parce que l'Amérique honore ses promesses et matérialise une partie des rêves qu'elle suscite, que les immigrants commencent à nouveau, après une longue interruption qui remonte à la Révolution, à se presser en masse à ses portes.

Paradoxalement, cette Amérique démocratique et libérale ne l'est que pour les Blancs ; l'immense majorité des Noirs qui l'habitent, sans que leurs ancêtres l'aient volontairement choisie, y sont tenus en esclavage et s'y voient refuser le statut de personne, réduits qu'ils sont à l'état de cheptel humain. Certes, dans le Nord, l'esclavage a disparu, mais la discrimination raciale exclut presque partout les gens de couleur des urnes. Dans le Sud, où triomphe à cette époque le « Roi Coton » *(King Cotton),* qui fait l'objet d'une forte demande en Europe occidentale, la démocratie la plus individualiste coexiste fort bien avec l'institution servile. L'idéologie esclavagiste tend même à s'y durcir après 1832 ; l'asservissement est considéré désormais comme un bien — ce qui élimine toute mauvaise conscience. Il est donc peu probable que « l'institution particulière » du Sud serait morte de sa belle mort, comme ont voulu le faire croire certains historiens. Elle était trop rentable jusqu'en 1860 pour que les propriétaires acceptent de sacrifier un tel patrimoine. Mais, quand bien même ils auraient eu moins d'intérêts matériels en jeu, les planteurs sudistes ne se seraient pas résolus à l'affranchissement généralisé, car il ne leur paraissait pas possible d'assurer une coexistence raciale pacifique.

Si la question de l'esclavage a failli faire périr l'Union, c'est essentiellement parce que les États-Unis de l'époque sont un pays en pleine expansion territoriale ; ils colonisent les terres achetées à la France en 1803 ; ils s'agrandissent considérablement des territoires conquis sur le Mexique ou partagés avec l'Angleterre. Dans les États, la Constitution interdisait pratiquement de toucher à brève échéance à l'institution servile. Le conflit ne pouvait naître que sur le statut des territoires : l'esclavage y serait-il interdit ou accepté ? Si les États-Unis avaient été un pays clos, sans espaces vides, il est probable qu'il n'y aurait pas eu de guerre de Sécession. Celle-ci tire son origine de la conjonction entre une institution de moins en moins supportable dans un monde gagné par les valeurs de la démocratie libérale et un expansionnisme qui puise sa force dans la conscience d'accomplir une « destinée manifeste ». C'est pourquoi l'heure des triomphes, sous la présidence de Polk (1845-1849) annonce le fracas presque simultané des discordes sectionnelles. Les victoires mettent l'Union en péril. Un fil continu mène de la prise de Mexico (1847) à l'attaque sudiste contre Fort Sumter (1861). Pour sauvegarder l'esclavage, la majorité des Sudistes, démocratiquement, choisit la sécession. Inversement, c'est au nom de leur conception de la démocratie que Lincoln et la majorité des Nordistes refusent l'éclatement d'une nation qui représente, à leurs yeux, le meilleur espoir de la démocratie sur terre. Et c'est finalement au nom de leurs valeurs qu'ils abolissent l'esclavage.

L'ÉTAT DE LA SOCIÉTÉ

Pendant les trois décennies qui précèdent la guerre de Sécession, la population américaine continue de croître au même rythme qu'auparavant. Les recensements décennaux enregistrent les chiffres suivants (en nombre d'habitants) : 1830 : 12 900 000 ; 1840 : 17 100 000 ; 1850 : 23 200 000 ; 1860 : 31 400 000.

La guerre civile marque le début d'un ralentissement : en 1870, on compte 39 800 000 résidents. Cette expansion, exceptionnelle quand on la compare à la situation démographique de l'Europe à la même époque, s'explique par les conditions propres à ce pays jeune : un taux de natalité élevé, un taux de mortalité relativement bas, et en outre, un afflux d'immigrants principalement irlandais et allemands.

Après l'indépendance, les États-Unis n'ont pas été une grande terre d'immigration, du moins jusqu'aux années 1830. C'est alors que la vague prend de l'ampleur ; elle atteint sa plus grande intensité relative par rapport à la population dans la décennie qui va de 1845 à 1855. Entre 1851 et 1854, ce sont plus de 400 000 personnes qui entrent chaque année dans ce qui leur apparaît alors comme une terre promise. Les gros contingents sont fournis par l'Irlande et l'Allemagne. Dans les deux cas, l'effet d'expulsion du pays d'origine est puissant : la maladie de la pomme de terre réduit une bonne partie de la population irlandaise à la famine ; en Allemagne aussi, la crise économique, les difficultés alimentaires contraignent paysans et artisans à émigrer. S'ils vont essentiellement vers les États-Unis, c'est que la force d'attraction de ce pays joue alors pleinement : la nouvelle nation connaît une vague de prospérité, qui permet d'offrir des emplois mieux rémunérés que dans la vieille Europe ; d'autre part, la production alimentaire y atteint des niveaux suffisants pour que la disette y soit inconnue.

Par opposition à l'Europe, l'Amérique est un pays libre, sans monarchie, ni police omniprésente ; une authentique démocratie, où les citoyens choisissent eux-mêmes leurs représentants. Le regard de l'étranger perçoit mieux l'originalité des États-Unis du milieu du XIXe siècle. Pour l'Européen habitué à vivre dans une société autoritaire et aristocratique, le caractère exceptionnel de l'Amérique apparaît immédiatement. Et les Américains en sont bien conscients, qui considèrent leur nation comme un fanal pour l'humanité, un jalon pour l'avenir. En Allemagne, par exemple, les autorités et les nationalistes ne voient pas toujours d'un bon œil cette déperdition de forces vives, même si l'exode de révolutionnaires potentiels ne leur déplaît pas à court terme.

L'Amérique séduit par la liberté qui y règne (sauf pour les esclaves), par les occasions qui s'offrent à tous dans une société relativement égalitaire, car dépourvue d'aristocratie héréditaire. Mais elle ne remplit les espoirs que de ceux qui sont prêts à travailler dur. L'Amérique n'est pas un paradis pour les rêveurs ; elle n'améliore la condition que des pionniers qui font reculer la forêt ou des habiles qui se livrent à des spéculations heureuses. Après avoir été long-temps contesté par une idéologie républicaine, le marché impose sa loi, incitant chacun à maximiser son revenu.

TOCQUEVILLE : *DE LA DÉMOCRATIE EN AMÉRIQUE* (1835)

Visitant les États-Unis avec Gustave Beaumont, en 1831, Alexis de Tocqueville cherchait surtout à comprendre sur place ce qui attendait la vieille Europe : la démocratie lui semblait être la forme d'organisation sociale de l'avenir et l'Amérique en était le laboratoire. En observant ses avantages et ses inconvé-nients, on pouvait espérer faciliter la transition inévitable, même si elle ne paraissait pas intégralement souhaitable ou transpo-sable. Tocqueville a mené une enquête très sérieuse, qui n'est pas dépourvue cependant de préjugés. On discute aujourd'hui certaines de ses observations, certaines de ses sources, certaines de ses généralisations. Les États-Unis de l'ère jacksonienne ne sont pas une société aussi fluide, ni aussi mobile qu'il l'affirme. Reste que, par comparaison avec l'Eu-rope, un véritable esprit égalitaire imprègne la société améri-caine et ne peut qu'éblouir le visiteur habitué aux structures aristocratiques du Vieux Monde.

Les États-Unis de l'ère jacksonienne et de l'avant-guerre civile ne sont pas cependant un pays où on se contente de « faire du dollar ». Un grand courant réformateur, inspiré par l'évangélisme protestant, parcourt toute la nation. De nombreux mouvements où militent hommes et femmes tentent d'améliorer la condition matérielle et morale de leurs concitoyens en changeant les structures. L'esprit de réforme vise à supprimer l'esclavage, à humaniser les prisons, à accorder plus de droits aux femmes [1], à diffuser l'enseigne-ment public gratuit et obligatoire, à autoriser la constitution

---

1. En juillet 1848, à la Convention de Seneca Falls (N. Y.), Lucretia Mott et Élisabeth Stanton firent adopter un manifeste *(Declaration of sentiments)* qui devint la charte du mouvement féministe.

de syndicats ouvriers qui échapperont désormais à l'accusation de conspiration contre l'ordre social établi. Malgré des échecs, de lents progrès dans de nombreux domaines, le bilan est positif. Le champ de la liberté et de la démocratie s'élargit dans les décennies qui vont de Jackson à Lincoln.

Même si elle est la plus progressiste de son temps, la société américaine ne présente pas que des aspects séduisants. La violence est loin d'y être maîtrisée. La vie intellectuelle n'y brille pas d'un éclat comparable à celui qu'elle connaît en Europe occidentale. Mais l'Amérique commence à combler ce retard dont se plaignait le président John Quincy Adams dans son premier message au Congrès de 1825. Dans le domaine philosophique, le transcendantalisme représente un effort d'émancipation. Dans la littérature, dans la musique se développe une vigoureuse culture populaire, à la fois enracinée dans les réalités du pays et universelle.

EMERSON : « THE AMERICAN SCHOLAR » (1837)

Quand il prononce, le 31 août 1837, son discours sur l'*American Scholar* devant la fraternité Phi Beta Kappa de l'Université Harvard, Ralph Waldo Emerson (1803-1882) n'est pas encore le philosophe américain le plus célèbre. Ancien pasteur unitarien, il a publié l'année précédente son essai sur la « Nature » où il expose certains des thèmes du transcendantalisme. Il a déjà beaucoup réfléchi à plusieurs des phénomènes qu'il va aborder : la confiance en soi, le rôle de la nature, de l'action et des livres dans la formation du caractère, l'exaltation de l'individu. Le discours fut bien accueilli. C'était une sorte de « Déclaration d'Indépendance intellectuelle » adaptée au nationalisme du temps, mais sans relents agressifs, et qui assignait au scholar une fonction singulière dans la société : celle d'y être le délégué de l'intelligence *(delegated intellect)* et de la liberté de l'esprit.

LA CROISSANCE ÉCONOMIQUE

Les trois décennies qui précèdent la guerre de Sécession ont vu les États-Unis accomplir de remarquables progrès économiques. Entre 1840 et 1859, le produit de l'agriculture et de l'industrie a augmenté en moyenne de 4,6 % par an, taux comparable à celui des trois dernières décennies du

XIXe siècle. Comme la population croît d'environ 3 % par an, le produit par tête réel progresse d'environ 1,5 % par an. La décennie 1860-1869, par contraste, marque une nette décélération. Le conflit civil, loin de favoriser l'industrialisation du pays, comme l'a soutenu l'historien Charles Beard, l'a plutôt freinée, la croissance se réduisant à 2 % par an.

Le développement américain est harmonieux ; il est à la fois agricole et industriel, en même temps que commercial. L'agriculture assure une alimentation régulière et diversifiée ; elle fournit aussi les principaux articles exportés, comme le coton qui domine à cette époque les échanges extérieurs américains. Les *farmers* indépendants constituent la classe la plus nombreuse et garantissent une stabilité sociale qu'ignore l'Europe de la même époque, agitée par des troubles sociaux et des mouvements agraires. Quoique moins importante par sa part dans la valeur ajoutée totale, l'industrie progresse entre 1840 et 1859 au rythme de 7,8 % par an, avant de subir un fort ralentissement dans la décennie suivante (2,3 % par an entre 1860 et 1869). Certains ont fixé entre 1843 et 1860 la période du décollage pour les États-Unis ; même si cette chronologie est discutable, il est certain que l'industrialisation s'effectue à vive allure, surtout dans le Nord, et touche presque tous les secteurs.

Au milieu du XIXe siècle, l'agriculture est encore de loin la principale source de richesse des États-Unis. Sa part dans la valeur ajoutée de la production de biens (les services étant exclus) à prix courants reste majoritaire, déclinant légèrement de 66 % en 1839 à 57 % en 1849 et 58 % en 1859. Grande nation agricole, l'Amérique n'est cependant pas encore un grenier de l'Europe ; elle ne l'approvisionne qu'en période de mauvaises récoltes, à cause de la cherté du transport des produits pondéreux. A côté du maïs (cultivé dans l'Ouest et le Sud) et du blé (dans les États qui bordent les Grands Lacs), le Roi Coton domine les échanges des États-Unis ; il leur permet de financer leurs importations de café, de thé, de sucre, d'articles manufacturés. La demande mondiale progresse à cette époque à vive allure, de l'ordre de 5 % par an. Aussi le Sud, qui est la seule région à le cultiver, pouvait-il espérer en faire une arme efficace face au Nord.

Mais, avant la guerre de Sécession, les États-Unis sont déjà une grande puissance industrielle, loin derrière le Royaume-Uni, certes, mais prête à rattraper la France. Dans les trois décennies qui précèdent le conflit civil, l'industrialisation avance à grands pas. L'industrie (mines incluses, mais construction exclue) passe de 29 % de la part de la valeur ajoutée dans la production de biens (prix courants 1839) à 39 % dix ans plus tard et 38 % en 1859.

L'industrie est inégalement répartie selon les sections. Les 1 311 000 ouvriers recensés en 1860 travaillent, pour 42 % d'entre eux, dans les établissements installés dans les États du Centre, surtout le New York et la Pennsylvanie qui forment alors le cœur de la puissance américaine, tandis que la Nouvelle-Angleterre, avec 30 %, ne vient qu'au second rang — fait qu'on a trop souvent tendance à oublier. L'Ouest emploie 16 % de la main d'œuvre industrielle ; il a déjà dépassé le stade purement agricole. Cincinnati en est la métropole manufacturière avant Chicago et St. Louis. Avec 8 %, le Sud n'est pas le désert industriel qu'on décrit parfois, mais il paiera cher, lors de la guerre de Sécession, l'insuffisance de ses équipements dans le secteur secondaire. Enfin, sur la côte pacifique, l'essentiel est constitué par les mines d'or découvertes en 1848 — et par la célèbre ruée (gold rush) qui s'ensuivit.

Cet essor est imputable d'abord aux facteurs de production mis en œuvre, à la qualité des travailleurs américains, moins routiniers que leurs confrères européens, à l'esprit d'entreprise des patrons ouverts aux innovations, mais aussi à la politique douanière, qui tend cependant à devenir moins protectionniste à l'approche de la guerre de Sécession. Il ne faut pas négliger non plus l'évolution du droit, de plus en plus favorable à la libre concurrence et au marché au détriment des monopoles légaux. Cela favorise l'apparition de nouveaux moyens de transport comme les canaux et les chemins de fer qui supplantent les anciennes routes à péage (turnpikes).

Loin d'être régulière, cette croissance est soumise à de fortes fluctuations, car l'économie est étroitement imbriquée à celle du monde entier. Les crises n'y sont pas rares, comme en 1837, puis en 1839-1843 (la plus longue dépression avant celle de 1929-1933, mais sensible surtout par son effet sur les prix plus que sur le volume du P.N.B.) et en 1857.

Ces crises se manifestent par des « paniques » bancaires, les déposants cherchant à convertir leurs billets en espèces métalliques. La fragilité du système bancaire américain fait alors l'objet de nombreuses controverses politiques, ce qui incite le gouvernement fédéral à se retirer de ce secteur entre 1833 et 1863.

LA CRISE DE 1837

En 1824, Henry Clay (1777-1852) avait plaidé pour un développement plus autocentré de l'économie américaine — son fameux « système américain » basé sur une protection douanière élevée, une politique de grands travaux *(internal improvements)* et une banque nationale. Il réagissait ainsi au fait que, par ses liens étroits avec l'économie britannique qui était à la fois son premier client et son principal fournisseur, ainsi que sa source de capitaux extérieurs pour construire des canaux ou des chemins de fer, l'Amérique était très sensible aux fluctuations conjoncturelles européennes. Ses craintes n'étaient pas infondées, car les grandes vagues de prospérité furent de fait périodiquement interrompues par des crises financières et industrielles, elles-mêmes marquées par de nombreuses banqueroutes et faillites, des taux d'intérêt élevés et une montée du chômage. En 1837, au terme d'une longue période d'expansion caractérisée par des achats spéculatifs de terres publiques, survient une crise violente. Faisant abstraction des facteurs internationaux, les Whigs en imputent la responsabilité à l'administration démocrate de Jackson et de son successeur Van Buren, c'est-à-dire à la politique monétaire et bancaire qui vient d'être suivie : la destruction de la seconde Banque nationale a encouragé une spéculation effrénée, puis, en sens inverse, la circulaire sur le paiement en espèces pour tout achat de terres publiques *(specie circular*, 11 juillet 1836) a révélé la fragilité de l'inflation du crédit qui venait de régner.

Andrew Jackson a vécu la controverse au plus près. Dans son message d'adieu au peuple américain, au terme de ses huit années de présidence, il revient longuement sur ce qui a été le grand combat de cette période : sa lutte contre la *Bank of the United States.* Celle-ci, la seconde du nom, avait reçu en avril 1816 une charte du gouvernement fédéral pour 20 ans. Elle disposait d'un capital, énorme par rapport aux autres entreprises, de 35 millions de dollars souscrit, pour un cinquième, par le gouvernement, le reste étant placé auprès des particuliers, y compris des étrangers. Au conseil d'administration, l'autorité publique ne disposait que de 5 directeurs sur 25. La *Bank,* qui était donc en fait une institution privée, jouissait de pouvoirs importants. Elle servait d'agent fiscal du gouvernement ; elle pouvait ainsi exercer certaines des fonctions d'une banque centrale et contrôler la masse de billets émis par les banques ayant reçu une charte des États. Il lui suffisait de convertir ces billets contre des métaux précieux pour empêcher toute émission intempestive. Aussi s'était-elle fait de multiples ennemis dans l'Ouest et le Sud, toujours avides de crédits bon marché, mais aussi dans le Nord-Est, où les banquiers de New York et de Boston voyaient d'un mauvais œil le pouvoir de l'institution de Philadelphie. Pour Jackson, cette *Bank of the United States* était un « monstre » dangereux pour les libertés américaines, susceptible de corrompre les citoyens et de fausser le jeu de la démocratie. Il la détestait d'autant plus que, pour lui, la seule bonne monnaie était la monnaie métallique, d'où ses attaques répétées contre la monnaie fiduciaire, le papier-monnaie.

En opposant son veto à la reconduction de la charte de la seconde *Bank of the United States* [2], Jackson avait, en 1832, complètement dissocié le gouvernement fédéral des activités bancaires. Celles-ci ne relevaient plus que du contrôle des États. L'administration de Washington gérait ses propres affaires par l'intermédiaire de l'*Independent Treasury*. Sans banque centrale, le système bancaire américain fonctionna tant bien que mal jusqu'à la guerre de Sécession, et même jusqu'en 1913, date à laquelle fut organisé l'actuel *Federal Reserve System*.

---

2. Le veto opposé par Jackson au projet de loi renouvelant la charte de la seconde *Bank of the United States* est un des messages les plus importants qu'ait rédigés un président américain. En 40 ans, de Washington à John Quincy Adams, les Présidents n'avaient utilisé cette arme que 9 fois et toujours pour des raisons constitutionnelles. Jackson ne se sent pas lié par de telles limites ; il estime avoir le droit d'utiliser son droit de veto pour des raisons politiques, sociales ou économiques, chaque fois qu'à ses yeux l'intérêt de la nation et du peuple est en jeu. En outre, il revendique pour la présidence le droit de participer au processus législatif au côté du Congrès — position inadmissible pour les Whigs qui ont toujours lutté pour la suprématie du pouvoir législatif. Quand Jackson exige que les projets de loi soient soumis avant d'être discutés au Congrès, ses adversaires y voient une prétention tyrannique et dénoncent le « Roi Andrew ». Jackson hait la Banque, qu'il appelle dans ses lettres « un monstre à tête d'hydre » dangereux pour les libertés du peuple américain et corrupteur des valeurs républicaines. Il ne reprend pas cette expression dans son message au Congrès du 10 juillet 1832 (annonce de son veto), mais, à coté d'arguments constitutionnels et nationalistes (comme la dénonciation du poids du capital étranger), il lance une sorte d'appel à la guerre de classe ; selon lui, les Démocrates représente-raient tout le peuple travailleur contre l'aristocratie de l'argent : condamnant « monopoles » et « privilèges », il s'élève contre toute « prostitution » du gouvernement qui se solderait par « l'avancement du petit nombre au détriment de la multitude ». Chef d'œuvre de propagande, sinon de bon sens économique, ce message resté célèbre allait servir de texte de référence pour la campagne présidentielle de 1832, laquelle s'acheva par la victoire et la réélection du président sortant.

LA DÉMOCRATIE JACKSONIENNE

Au début du XIXe siècle, l'idéologie politique dominante aux États-Unis était « républicaine ». On se méfiait des impulsions populaires, qui représentaient une menace pour la liberté conçue comme la valeur suprême. L'égalité ne venait qu'au second rang. Aussi ne paraissait-il pas nécessaire d'accorder le droit de suffrage à tous les citoyens. Dans certains États, la société, fondée sur des formes de déférence, perpétuait au pouvoir les élites sociales. Mais peu à peu, l'idéal démocratique s'imposa. Dans les années 1820, le suffrage universel pour les Blancs (c'est-à-dire les hommes adultes) s'établit à peu près partout ; les citoyens participent directement à la désignation de leurs dirigeants. Les États-Unis sont bien alors la première et la seule démocratie du monde. La présidence d'Andrew Jackson correspond à cette irruption massive et définitive du fait démocratique.

ANDREW JACKSON :
UN PRÉSIDENT « NOUVEAU STYLE »

Président de 1829 à 1837, Andrew Jackson (1767-1845) est une des grandes figures de l'histoire nationale, une des plus controversées aussi. En son temps, il a suscité des admirations intenses et des haines tenaces. Sa personnalité, sa politique ont été soit portées aux nues, soit violemment critiquées. Ses électeurs voient en ce héros du Parti démocrate le symbole de l'époque : un défenseur du *common man* contre l'aristocratie de l'argent, un ardent nationaliste qui a battu les Anglais à la Nouvelle-Orléans en 1815, détruit la puissance des Indiens dans le Sud et contré la tentative de *nullification* des lois fédérales par la Caroline du Sud (1832-1833). Il personnalise la démocratie américaine, agressive et vivace. Ses vetos contre les projets de subvention fédérale aux grands travaux publics et contre le renouvellement de la charte de la seconde *Bank of the United States* lui valent l'appui des partisans des droits des États et des adversaires des monopoles légaux, mais aussi la haine des *Whigs* attachés à une intervention active dans la vie économique. En outre, on lui reproche d'exploiter le « système des dépouilles », qui donne priorité à la loyauté politique sur la compétence.

Pour organiser cette nouvelle vie politique se créent des partis politiques. Les États-Unis avaient déjà eu un premier système de partis à la fin du XVIIIe et au début du XIXe siècle, celui des Fédéralistes et des Républicains-

Démocrates, mais il avait disparu à « l'ère des bons sentiments ». Au début des années 1830 naît un second système, où s'opposent les Démocrates, partisans de Jackson, et les National-Republicains ou Whigs, ces derniers regroupant d'anciens Fédéralistes, des partisans de l'ex-président John Quincy Adams et des antimaçons. Ces partis, s'ils ne s'appuient pas sur des classes sociales, ont néanmoins une idéologie qui leur est propre, enracinée dans les groupes ethno-culturels qui composent la mosaïque américaine. Dans les années 1850, les tensions engendrées par la question de l'esclavage disloquent le second système de partis et préparent la naissance d'un troisième, celui qui opposera les Démocrates aux Républicains apparus sur la scène politique en 1854. Lors de l'élection de 1860, on est encore dans une période de transition. C'est pourquoi quatre candidats s'affrontent. Cependant, pendant ces trois décennies, le style de la vie politique reste le même — celui d'une démocratie authentique et vivace qui mobilise les citoyens pour la défense d'intérêts ou d'idées diverses.

En 1844, et cela va devenir une tradition, les partis qui présentent un candidat à l'élection présidentielle rédigent un programme à l'intention des électeurs. Depuis la formation du second système de partis au début des années 1830, deux partis étaient généralement en compétition : les Démocrates et les Whigs, avec parfois de petits tiers partis, comme les abolitionnistes. Après 1852, le système se disloque, sous l'effet des crises qu'engendre la question de l'extension de l'esclavage dans les territoires. Le Parti whig disparaît ; ses anciens électeurs apportent leurs voix aux *Know-Nothing* [3], xénophobes représentés par le « Parti américain », et aux Républicains, qui viennent (en 1854) de se constituer en nouveau parti dont le programme se résume alors en une franche hostilité à l'esclavage.

A l'élection de novembre 1860, quatre candidats s'affrontent, ce qui est exceptionnel aux États-Unis, mais en fait il serait plus exact de parler d'un double bipartisme sectionnel : chaque section a son propre bipartisme. Dans le Sud s'opposent John C. Breckinridge, Démocrate dissident, choisi par les Sudistes qui veulent imposer leurs conditions, et John Bell, porte-drapeau de l'« Union constitutionnelle », coalition d'anciens Whigs et d'« Américains », qui refuse de rédiger un programme. Dans le Nord, on retrouve face à

---

3. Ainsi nommés, parce que les membres de ce parti en forme d'organisation secrète prétendaient ne rien savoir de ses activités.

face le Démocrate officiel Stephen Douglas et le Républicain Abraham Lincoln. Seul le Parti républicain rédige un long programme qui exprime la stratégie modérée choisie par ses leaders. Si l'esclavage y figure en bonne place, avec le refus de son extension dans les territoires, d'autres propositions sont avancées afin de diversifier un électorat jusqu'alors trop marqué par la lutte antiesclavagiste : homestead, chemin de fer du Pacifique, tarif douanier élevé, etc. Le Parti républicain cesse de devenir celui d'une seule idée, mais en s'abstenant de faire campagne dans le Sud, il apparaît comme le représentant des intérêts de la seule section du Nord. Ce double bipartisme fait que le vainqueur, Lincoln, est élu avec seulement 39,8 % des voix. Il est vrai que le système électoral américain est ainsi fait que Lincoln aurait quand même été élu, même s'il avait eu en face de lui un candidat unique recueillant 60 % des suffrages.

La vie politique américaine de l'Amérique jacksonienne n'est pas simplement un affrontement d'idéologies ; elle met en jeu des émotions populaires, des sentiments de loyauté à l'égard du parti, d'autant plus vifs que les affiliations partisanes reposent plus souvent sur des liens religieux et ethniques que sur une conscience de classe. Pour entretenir cette ferveur, les leaders nationaux et locaux recourent à toute une série de procédés qui semblent efficaces : meetings, barbecues, défilés. Les citoyens ont ainsi l'impression de participer activement à la vie démocratique, d'élire eux-mêmes leurs représentants aux conventions du parti, aux assemblées et aux nombreuses fonctions exécutives qui sont soumises au vote de tous. C'est pourquoi la participation électorale est alors très forte, quoique inégale d'un État à l'autre. A l'élection présidentielle de 1844, par exemple, qui oppose le Démocrate James K. Polk et le Whig Henry Clay, le taux moyen s'élève à 78,9 %, le maximum étant enregistré en Géorgie (92,6 %) et dans l'État de New York (92,1 %), le minimum au Rhode Island (45,1 %) et en Louisiane (47,1 %). En 1840, pour battre le Démocrate Van Buren (présenté comme un aristocrate de l'Est), les Whigs ont mené une campagne démagogique et fait élire ainsi leur candidat « homme du peuple », William Henry Harrison (1773-1741). La leçon n'a pas été perdue. Et jusqu'à la guerre de Sécession, ce style s'impose.

La période voit aussi l'essor de l'institution présidentielle. Jusqu'alors, les présidents étaient sans partis. Désormais le Congrès n'est plus la pièce dominante du système constitutionnel ; il partage ses pouvoirs avec le chef de l'exécutif. Dans cette évolution, Andrew Jackson joue un rôle déterminant. Avec Lincoln, il est la personnalité la plus forte de l'époque. Il incarne le nouvel idéal démocratique en instituant la rotation des postes de fonctionnaires *(spoils system)*, en usant théâtralement du veto, en s'affirmant le représentant direct du peuple américain, en faisant de l'élection présidentielle une sorte de référendum sur des questions controversées, comme le renouvellement de la charte de la *Bank of the United States.*

LE SYSTÈME DES DÉPOUILLES *(SPOILS SYSTEM)*

Jackson avait fait campagne contre John Quincy Adams en 1828 en dénonçant la corruption de l'administration sortante et en proposant une politique de « réformes ». Une fois installé à la présidence, il entreprit de nettoyer « les écuries d'Augias » en licenciant les fonctionnaires fédéraux coupables de malversations. Ses partisans espéraient trouver ainsi de nombreux postes, alors que ses adversaires évoquaient une sorte de « règne de la Terreur » ; la presse d'opposition tira à boulets rouges sur une politique qui, selon elle, privait le pays de son élite administrative et confiait les responsabilités de gestion à des hommes de parti incompétents, incultes et malhonnêtes. C'est ainsi qu'est née la légende de Jackson créateur du « système des dépouilles » : à chaque changement de majorité, le personnel de la fonction publique serait intégralement remplacé, afin d'entourer le nouveau président de fonctionnaires fidèles et loyaux représentant la volonté récemment exprimée par le suffrage universel. Cette interprétation est très exagérée. En effet, Jackson n'a pas inauguré le système des dépouilles. D'autre part, il n'a pas procédé à des licenciements massifs. Enfin, il n'a pas effectué de choix très différents de ceux de ses prédécesseurs. Reste qu'il a , consciemment ou non, renforcé une tradition très particulière : désormais il n'y a plus, aux États-Unis, de fonctionnaires titulaires à vie.

L'EXPANSION TERRITORIALE

Les États-Unis ont atteint leurs frontières actuelles par grands bonds successifs. En 1803, ils ont acheté l'immense Louisiane qui correspondait au bassin occidental du Mississippi. En 1845-1848, ils élargissent leur domaine sur le golfe du Mexique et, dans l'Ouest, jusqu'à l'Océan Pacifique. A l'origine de cette expansion territoriale il y a un sentiment nationaliste très vif, une conscience d'appartenir à une civilisation supérieure dont la « destinée manifeste » est de dominer le continent nord-américain.

UNE « DESTINÉE MANIFESTE »

Le journaliste John L. O'Sullivan est célèbre pour avoir forgé, en 1845, le concept de « destinée manifeste » *(Manifest Destiny)* dans un article de son journal *The United States Magazine and Democratic Review.* Son impérialisme agressif rencontre alors une large audience parmi les Démocrates, tandis que les Whigs, au contraire, montrent des dispositions plus pacifiques. En juillet 1845, le Texas fait désormais partie de l'Union depuis quelques mois et on se doute que le Mexique ne va pas accepter le fait accompli, mais O'Sullivan va plus loin. Il envisage l'extension des États-Unis jusqu'à l'océan Pacifique comme une conséquence inéluctable et « providentielle » de la conquête de l'Ouest. Les Whigs objectaient que cette fuite en avant à travers l'espace ne se justifiait pas, car le pays disposait de millions d'hectares dans la vallée du Mississippi qui n'étaient pas encore mis en valeur : les 20 millions d'Américains n'étaient pas à l'étroit dans leurs frontières. La volonté expansionniste n'était donc pas fondée sur le besoin de terre, mais sur une certaine idée de la supériorité culturelle des Anglo-Saxons et un mépris certain des civilisations autres.

Face aux Whigs partisans d'un développement plus intensif, les Démocrates incarnent cette volonté expansionniste, qu'ils soient du Sud ou de l'Ouest. Les possessions continentales ne leur suffisaient pas ; en octobre 1854, le manifeste d'Ostende signé entre autres par le futur président James Buchanan préconisait l'achat de Cuba à l'Espagne.

Mais ces terres livrées aux pionniers n'étaient pas vides ; des tribus indiennes — peu nombreuses, il est vrai — estimaient avoir sur elles des droits ancestraux. Pour les acquérir, le gouvernement fédéral signa avec elles des traités qui auraient dû être considérés comme des contrats, mais que les colons violaient sans que l'autorité publique réagît, comme cela eût été son devoir. Le statut subalterne des Indiens encouragea ces empiètements. Leur assimilation à court terme semblant une chimère, il était tentant pour le gouvernement fédéral, afin d'éviter tout conflit avec les États, de déporter les tribus à l'ouest du Mississippi.

Dès les années 1820, il était apparu avec une évidence grandissante que la situation des tribus indiennes installées à l'est du Mississippi allait être de plus en plus précaire. Les États les considéraient comme des kystes incompatibles avec leur autorité souveraine. Les tribus du Sud étaient pourtant évoluées, en particulier les Cherokee qui s'étaient donné un alphabet et convertis à l'agriculture sédentaire ; dans le nord-est de la Géorgie, ils avaient mis sur pied un gouvernement et se considéraient comme une nation indépendante de l'État. Cela, les Blancs de Géorgie ne pouvaient l'admettre ; l'assemblée de l'État avait invalidé les décisions politiques prises par la nation cherokee. Celle-ci fit appel devant la Cour suprême. Dans son arrêt intitulé *Cherokee Nation vs. Georgia,* le président du tribunal, John Marshall, fervent nationaliste, démontre que les tribus indiennes ne constituent pas des nations étrangères et qu'en conséquence elles ne peuvent intenter un procès devant la Cour contre un État. Il les définit positivement comme des nations internes et dépendantes, soumises à la tutelle du gouvernement fédéral, mais les traités que les États-Unis continuent alors de signer avec elles, afin d'obtenir des cessions de terre, ne sont pas assimilables à des traités conclus avec des puissances étrangères. La solution qui finit par prévaloir est celle que Monroe avait déjà envisagée : la déportation des Indiens à l'ouest du Mississippi dans des territoires où ils ne seront plus troublés par les pionniers et où ils pourront effectuer à leur rythme leur acculturation, s'ils le désirent. En 1834, le Congrès crée un « Territoire indien » — option qui n'aurait pu réussir que si les traités signés avaient par la suite été respectés et si des crédits suffisants avaient été dégagés.

La puissance indienne disparut définitivement, sous la présidence de Jackson, à l'est du fleuve, mais le processus enclenché depuis l'arrivée des colons au XVIIe siècle n'avait pas de raison de s'arrêter : avec le recul progressif de la Frontière, les Indiens perdraient une grande partie de leurs territoires et seraient cantonnés dans des réserves. Les pionniers pourraient ainsi disposer de l'espace dont ils avaient besoin à des prix de plus en plus bas et même gratuitement dans le cas des *homesteads.*

Que faire en effet des immenses espaces de l'Ouest ? Deux politiques étaient concevables, sans être totalement exclusives. D'une part, le gouvernement de Washington pouvait rechercher le maximum de revenu possible, en vendant la terre relativement cher : ce fut la politique foncière initiale (vente par larges lots, aux enchères, avec un prix minimum élevé). De l'autre, il pouvait aider le peuplement rapide de l'Ouest et sa mise en valeur en adoptant des mesures contraires. Les pionniers appuyaient cette seconde voie. Pour eux, la terre n'avait, dans cette région, de valeur qu'autant qu'elle était cultivée ; or l'installation était assez onéreuse ; il n'était donc pas équitable de l'alourdir par l'obligation d'achat. La politique de vente encourageait, d'autre part, les spéculateurs qui n'avaient pas l'intention de travailler le sol, mais attendaient le moment opportun pour en tirer de gros bénéfices. Pour répondre à ces doléances, le Congrès avait voté en 1841 le *Pre-emption Act* qui permettait aux *squatters* installés sur des terres non arpentées d'acquérir 64 hectares (160 acres) au prix minimum quand elles seraient mises en vente. Ce dernier s'élevait encore à 1,25 dollar l'acre ; ce qui était jugé trop élevé. Aussi une coalition de partisans de « la soupape de sécurité » et d'agrariens exigea-t-elle la gratuité du *homestead*, c'est-à-dire de la concession agricole. Les Républicains en font un point central de leur programme en 1860, tandis que les Sudistes esclavagistes s'y opposent et obtiennent son rejet en 1859. Leur sécession permet l'adoption du fameux *Homestead Act* le 20 mai 1862 ; après la guerre, la colonisation de l'Ouest allait en conséquence recevoir une forte impulsion.

Dans les années 1840, les États-Unis acquièrent, de fait, des millions de km^2. D'abord le Texas en 1845, le seul État indépendant à avoir demandé et obtenu son annexion.

Le traité Adams-Onis (1819) délimitant la frontière entre les États-Unis et l'empire colonial espagnol laissait à ce dernier le territoire du Texas. Peu après, le Mexique conquérait son indépendance et englobait le Texas. Mais, dès 1821, les premiers colons anglo-saxons, conduits par Stephen Austin, venaient s'installer à l'ouest de la *Sabine River* sur des terres où ils pouvaient cultiver le coton à l'aide d'esclaves. Largement majoritaires, les pionniers ne tardèrent pas à exiger une large autonomie vis-à-vis de l'État mexicain qui avait aboli l'institution servile et voyait d'un mauvais œil l'afflux de protestants dans une région catholique. Le refus du gouvernement de Mexico d'accéder à ces exigences entraîna une rébellion en 1835. Le massacre de la garnison américaine d'Alamo (mars 1836) n'empêcha pas la proclamation de l'indépendance de la République du Texas (2 mars 1836). Un an plus tard, Jackson reconnut le nouvel État, mais ne demanda pas son annexion aux États-Unis, malgré le désir des Texans de rejoindre l'Union.

Pendant 9 ans, le Texas mena une existence indépendante. La Grande-Bretagne et la France étaient favorables à cette situation qui leur offrait une source d'approvisionnement en coton, mais les Sudistes y voyaient un obstacle à leur expansion. Aussi le président Tyler (1841-1845) poussat-il à l'annexion. En février 1844, il choisit comme secrétaire d'État John C. Calhoun afin de mener cette tâche à bien. Ce dernier avait une réputation de défenseur acharné de l'esclavage. Les Nordistes virent donc dans la tentative d'annexer le Texas un effort des esclavagistes pour renforcer leur poids dans l'Union. En juin 1844, le Sénat rejeta le traité d'annexion par 35 voix contre 16. La victoire du Démocrate Polk en novembre régla la question. Trois jours avant son investiture, le 1er mars 1845, une résolution conjointe des deux chambres du Congrès, au lieu d'un traité, proclama l'annexion. La question du Texas n'était cependant pas complètement réglée. Restaient deux problèmes : les limites

LA GUERRE DU MEXIQUE (1846-1848)

Les responsabilités des différents acteurs dans le déclenchement de la guerre entre les États-Unis et le Mexique en mai 1846 ont fait l'objet de nombreux débats, à l'époque et ensuite parmi les historiens. Dans son message au Congrès daté du 11 mai, tout comme dans son second message annuel en décembre, le président James K. Polk répondit aux critiques et se posa en agressé. En fait, il cherchait un prétexte pour faire la guerre au Mexique et acquérir des territoires. Mais le problème des origines n'est jamais simple. Pour certains, il faut y voir la main de la slavocratie du Sud, désireuse de multiplier le nombre des États à esclaves pour faire contrepoids au Nord, ou celle de l'Ouest, avide de terres pour les pionniers, ou encore celle des commerçants du Nord-Est. Pour d'autres, la guerre est l'expression du nationalisme agressif des Américains des années 1840, la réalisation de leur « destinée manifeste ». On ne peut pas pour autant absoudre complètement le Mexique, où se succèdent des révolutions de palais militaires propices à toutes les surenchères démagogiques. La personnalité de Polk figure au centre des débats : pour les uns, il a cherché à éviter la guerre ; pour les autres, il a tout fait pour qu'elle éclate. Une fois celle-ci déclenchée, les deux adversaires étaient trop inégaux pour que les Américains ne remportent pas une éclatante victoire en l'espace d'un an et demi. Le traité de Guadalupe Hidalgo signé le 2 février 1848 leur donnait les actuels États de Californie, de l'Arizona, du Nouveau-Mexique, du Nevada, de l'Utah et une partie du Colorado, contre une indemnité de 15 millions de dollars.

de l'État et sa dette publique. Ces deux points firent partie du « Compromis de 1850 ».

Après l'acquisition du Texas vint celle du territoire de l'Oregon, partagé avec l'Angleterre (traité du 15 juin 1846), puis celle de tout le quart sud-ouest actuel du pays conquis sur le Mexique (1848).

Aucun président américain n'a réalisé plus complètement son programme que le Démocrate James K. Polk (1845-1849) et, à ce titre, il pourrait figurer au panthéon des grands hommes de la nation, mais au moment même où les Etats-Unis remportaient de tels triomphes, ils ouvraient, de ce fait même, la porte aux antagonismes sectionnels, aux déchirements entre le Nord et le Sud. Les nouveaux territoires seraient-ils à esclaves ou sans esclaves ? L'expansion territoriale mena directement à la guerre de Sécession. Ici comme ailleurs, la roche Tarpéienne fut proche du Capitole.

VERS LA FIN DE L'ESCLAVAGE

Dans un pays qui se voulait une démocratie libérale, la présence de quatre millions d'esclaves en 1860 constituait un scandale.

Dans les quinze États esclavagistes, à la veille de la guerre de Sécession, les propriétaires d'esclaves et leurs familles ne forment nulle part la majorité de la population. Les trois-quarts des hommes libres n'y possèdent pas de main d'œuvre servile, mais cette moyenne cache de fortes disparités régionales. La puissance relative des esclavagistes est particulièrement marquée en Caroline du Sud, dans le Mississippi, en Géorgie, en Floride, en Alabama et en Louisiane. A l'autre extrémité, elle est faible dans le Delaware, le district de Columbia, le Missouri, le Maryland. Dans deux États, la Caroline du Sud (57,2 %) et le Mississippi (55,2 %), les esclaves constituent plus de la moitié de la population totale ; ils forment une masse presque égale à celle des Blancs en Louisiane (47 %), en Alabama (45 %), en Floride et en Géorgie (44 %). C'est dans ces zones de forte concentration que l'esprit sécessionniste souffle le plus violemment, parce que les planteurs y jouent un rôle prépondérant, que de considérables intérêts matériels y sont en jeu et qu'on ne sait comment organiser la coexistence pacifique entre des masses noires aussi nombreuses et la population blanche.

Toute une idéologie se développe dans le Sud, surtout après 1830, pour justifier l'esclavage, en faire un bien et non un mal inévitable. Des raisons bibliques, anthropologiques, historiques, climatiques sont invoquées pour montrer tout le profit que le Noir en tire. La défense de l'institution, de la nécessité de son expansion dans les territoires de l'Ouest est étroitement liée à la revendication des droits du Sud face à un Nord considéré comme la terre d'élection de l'abolition-nisme, face notamment à des antiesclavagistes comme William Lloyd Garrison (1805-1879) qui, dès 1831, propose dans son journal, *The Liberator,* une abolition immédiate et complète de l'esclavage.

La condition matérielle des esclaves a fait l'objet de nombreux débats. Certains mettent l'accent sur la médiocrité de leur alimentation et de leur logement ; d'autres, au contraire, signalent que les rations, converties en calories, sont comparables à celles des travailleurs de force libres. Cette interprétation domine aujourd'hui et elle est cohérente avec l'idée qu'on se fait de la rentabilité de l'esclavage. Pour obtenir les meilleurs rendements en coton, en riz ou en canne à sucre, les maîtres avaient avantage à se soucier de la bonne condition physique de leur cheptel humain.

L'institution servile présentait une faiblesse, celle d'être limitée aux quinze États du Sud, mais elle tirait une grande force de sa rentabilité. Contrairement à ce qu'ont soutenu des historiens comme Ulrich B. Phillips, elle n'était pas prête à s'éteindre d'elle-même. La classe des planteurs était puissante ; sa fortune reposait sur une demande mondiale soutenue de coton, de riz ou de tabac. En organisant le travail des masses noires, elle pouvait espérer une rentabilité du capital comparable à celle des emplois alternatifs dans l'industrie ou les échanges. Le Roi Coton empêchait peut-être une diversification de l'économie sudiste et un retard en matière d'urbanisation, mais ces handicaps n'étaient guère perceptibles à la veille de la guerre de Sécession.

En outre, les non-propriétaires d'esclaves, qui consti-tuaient la majorité de la population blanche du Sud, ne voyaient pas comment les deux races pourraient coexister pacifiquement, en cas d'affranchissement général. Les pré-jugés racistes interdisaient de concevoir une société égali-taire, sans barrière de couleur. L'esclavage lui-même était perçu comme une garantie des valeurs de liberté et d'égalité pour les Blancs. Au Nord, au contraire, une minorité d'abolitionnistes, inspirés par la Bible et la Déclaration d'Indépendance, exigeaient que fussent reconnues les promesses de la Révolution américaine et que le pays fût entièrement libre.

Comme la Constitution interdisait pratiquement de s'attaquer à l'esclavage dans les États, le problème se cristallisa sur les territoires. L'esclavage pourrait-il ou non s'y éten-

---

LE COMPROMIS DE 1850

Après la victoire sur le Mexique, le problème de l'interdiction de l'esclavage dans les territoires nouvellement acquis se pose avec force en 1849-1850. Afin de réduire la tension entre les deux sections, Henry Clay propose au Sénat, le 29 janvier 1850, ses huit résolutions qui vont servir de base au compromis, mais il faut plus de sept mois de débats pour aboutir aux cinq lois qui ont pour but de préserver l'Union. Sans être la seule, la question de l'esclavage est de loin la plus importante dans les mesures adoptées : admission immédiate de la Californie comme État sans esclaves ; reconnaissance du principe de la souveraineté populaire dans les territoires du Nouveau-Mexique et de l'Utah, quand ils accéderont au statut d'État ; clauses rigoureuses concernant la récupération des esclaves fugitifs ; interdiction du commerce des esclaves dans la capitale fédérale. On a beaucoup discuté la question de savoir à qui le compromis profitait le plus : au Nord ou au Sud ?

LA LOI DU KANSAS-NEBRASKA (30 mai 1854)

En mars 1849 avait été constitué un territoire du Minnesota. Restait un vaste espace inorganisé entre ce dernier et le territoire de l'Oregon, formé en août 1848. Le projet de loi Kansas-Nebraska consistait à y organiser deux territoires : le Kansas et le Nebraska. Le promoteur de la loi était Stephen Douglas, sénateur de l'Illinois, qui représentait les intérêts du Nord-Ouest et voulait construire un chemin de fer transcontinental jusqu'à la côte pacifique récemment acquise. Son projet, déposé en janvier 1854, ne pouvait passer sans l'appui des Sudistes. Aussi fut-il amené à leur faire progressivement des concessions de plus en plus importantes. Le critère géographique (type Compromis du Missouri, 1820) fut remplacé par celui de la souveraineté populaire — déjà inscrit en pointillé dans les lois du compromis de 1850 organisant les territoires du Nouveau-Mexique et de l'Utah. En conséquence, le compromis du Missouri et sa fameuse ligne de démarcation se trouvèrent abolis. Les abolitionnistes du Nord interprétèrent cette mesure comme une victoire de l'esclavagisme, car elle mettait un terme à toute politique d'endiguement. Les conséquences politiques de la loi furent considérables.

dre ? Quel critère employer pour le limiter ? L'exclusion, comme dans l'ordonnance du Nord-Ouest (1787), ou une ligne géographique comme dans le compromis du Missouri (1820), ou la souveraineté populaire comme dans le compromis de 1850 et la loi du Kansas-Nebraska de 1854 ?

Pour les Sudistes extrémistes, leur « institution particulière » devait pouvoir s'étendre à tous les territoires, sinon elle serait dépréciée. L'arrêt Dred Scott (Cour suprême fédérale, 6 mars 1857) sembla leur donner raison.

Cet arrêt, un des plus célèbres qui aient été rendus par la Cour suprême, a joué un rôle décisif dans l'antagonisme croissant entre le Nord et le Sud. Dred Scott avait été l'esclave d'un médecin militaire qui l'avait emmené d'abord en Illinois, puis dans le territoire du Wisconsin, deux régions où l'esclavage était interdit par l'Ordonnance du Nord-Ouest (1787) et par le compromis du Missouri (1820). Aussi en 1846 intenta-t-il un procès à la veuve de son ancien maître (mort en 1843), en invoquant ses résidences successives pour revendiquer sa liberté. Sa démarche ayant été rejetée par la Cour du Missouri, Scott fit appel devant la Cour Suprême des États-Unis.

Les neuf juges de la Cour présidée par Roger B. Taney devaient répondre à deux questions :

1) Dred Scott est-il un citoyen du Missouri ? La réponse de la majorité fut non. Même un Noir libre n'est pas citoyen des États-Unis, *a fortiori* un esclave ; il ne peut donc pas intenter de procès. La résidence en Illinois et dans le territoire du Wisconsin n'a pas fait de Scott un homme libre. Mais la Cour, qui aurait pu se contenter d'une décision « étroite » de ce type, en dépit de la faiblesse des arguments historiques et logiques invoqués à son appui, éprouva le besoin de rendre un arrêt plus « large » en répondant à la seconde question :

2) Le Congrès avait-il le droit, lors du Compromis du Missouri, d'exclure l'esclavage d'une portion de ce territoire ? La réponse, là encore, fut négative. Dans cette affaire, la Cour, composée de cinq Sudistes et de quatre Nordistes, assuma une responsabilité que le Congrès avait toujours fuie, elle inaugura le « gouvernement des juges » et suscita la fureur des abolitionnistes [4] — et, au-delà, de nombre de citoyens attachés à la séparation des pouvoirs et aux valeurs américaines de liberté.

----

4. Dont le fameux John Brown qui, en décembre 1859, tenta à Harpers Ferry, en Virginie, de susciter un soulèvement général des esclaves.

Pour les Nordistes, au contraire, attachés à l'idéologie du « sol libre »[5], l'esclavage devait être contenu dans les limites des États où il était installé, si on voulait espérer le voir un jour disparaître. C'est la position de Lincoln face à Douglas dans les célèbres débats de 1858. Aucun compromis ne s'avérant possible entre les deux positions, la guerre de Sécession trancha la question. Si les Nordistes soutinrent quatre longues années de combats meurtriers, ce ne fut pas à l'origine pour abolir l'esclavage, mais pour sauver l'Union. Le racisme largement répandu dans le Nord n'aurait pas permis initialement que ce fût une guerre de libération. Mais, logiquement, le conflit se transforma peu à peu aussi en une croisade pour l'émancipation de la population de couleur. D'abord partiel, cet objectif fut atteint en 1865.

L'ÉMANCIPATION PROCLAMÉE (1er janvier 1863)

Le président Abraham Lincoln était profondément antiesclavagiste, mais son souci fondamental était la sauvegarde de l'Union. Pour des raisons militaires, il avait, en 1861, désavoué l'action du général Fremont émancipant les esclaves des rebelles dans le Missouri. Il avait essayé de convaincre les parlementaires des *Border States* d'accepter un plan d'émancipation avec indemnisation. Sans succès. Tout programme volontaire partant des États semblant impossible, il change en 1862 sa façon d'aborder la question : l'émancipation devra d'abord concerner les États rebelles, avant de s'étendre aux États restés fidèles à l'Union. Comme les troupes nordistes ne réussissent pas à l'emporter, il faut frapper un grand coup susceptible d'ébranler l'ennemi sudiste sur ses arrières. L'émancipation des esclaves des régions rebelles, et d'elles seules, avait d'abord un caractère stratégique.

Le 22 juillet 1862, Lincoln lit un premier projet de proclamation présidentielle à son cabinet, mais il sursit à sa publication, car il veut qu'elle coïncide avec une victoire de ses armées. La défaite de Lee à Antietam permet une proclamation préliminaire, le 22 septembre — la proclamation finale datant du 1er janvier 1863. L'esclavage sera définitivement aboli par le XVe amendement (18 décembre 1865).

---

5. L'attachement à l'idée d'une Amérique intégralement exempte d'esclavage *(free soil)* conduisit à la création d'une *Free-Soil Party* (1848-1854) qui milita avec force en faveur de l'abolition et « nomina » Martin Van Buren (1782-1862) lors de la campagne présidentielle de 1848.

L'UNION MENACÉE ET SAUVÉE

L'esclavage n'est pas le seul fondement de l'esprit sectionnel aux États-Unis. A plusieurs reprises, des États ont menacé la stabilité et la survie de l'Union pour défendre ce qu'ils considéraient comme leurs intérêts vitaux. La politique commerciale lors de la guerre de 1812, le tarif douanier lors de la crise de la *nullification* (1832-1833) ont joué ce rôle. Il est vrai cependant que, dans ces exemples, on pouvait toujours aboutir à des compromis puisqu'il était question d'affaires matérielles. L'esclavage, lui, donnait au débat une dimension morale qui rendait toute conciliation beaucoup plus difficile.

Dans ce genre de querelle, les parties en cause ne manquent pas de bons arguments ; l'histoire et le droit sont suffisamment riches d'expériences contradictoires pour fournir aux esprits déliés les munitions dont ils ont besoin pour affirmer la loyauté de leurs partisans et affaiblir la cohésion de leurs adversaires. C'est ainsi que le Sud défend une doctrine du droit des États qui réduit le gouvernement fédéral à une position secondaire.

CALHOUN ET LA THÉORIE DE LA « NULLIFICATION » (1831)

Le 19 décembre 1828, John C. Calhoun avait rédigé, sans la signer, la *South Carolina Exposition* qui condamnait La politique douanière comme étant « inconstitutionnelle, oppressive et injuste ». Trois ans plus tard, après avoir rompu avec le président Jackson, il n'a plus de raison de garder l'anonymat. Dans un appel rédigé depuis sa plantation de Fort Hill, il prend parti officiellement pour la *nullification*. Son argumentation logique servira aux Sudistes par la suite. L'idée centrale est que la souveraineté repose dans les États considérés comme des communautés politiques séparées ; ce sont eux qui forment les acteurs principaux, le gouvernement fédéral n'étant que leur agent et résultant d'un contrat passé entre eux. C'est donc aux États eux-mêmes et non à la Cour suprême de vérifier si les clauses du contrat sont bien respectées. Si la constitutionnalité d'une loi leur paraît discutable, ils ont le droit de la déclarer nulle et non avenue et de refuser de l'appliquer.

Au Nord, au contraire, triomphe l'idée nationale, le sentiment d'appartenir à un pays phare dont l'unité mérite d'être sauvée, quoi qu'il en coûte. La guerre d'Indépendance avait créé chez les Américains, et singulièrement les Nordistes, un sentiment national qui n'existait guère auparavant. Dans le demi-siècle qui suit la rupture des liens avec l'ancienne métropole, cette conscience se développe, avec ses mythes, ses grands hommes, ses rites, tels que la célébration de l'anniversaire de la Déclaration d'Indépendance le 4 juillet. Une véritable religion civique américaine naît, fondée sur le sentiment de vivre une expérience originale, différente de celle de l'Europe. L'idée nationale, qui prend parfois des aspects xénophobes et nativistes, comme c'est le cas dans les années 1850 avec la brève explosion du mouvement des *Know-Nothing,* représente le plus solide rempart contre les aspirations sécessionnistes d'une partie des Sudistes, lesquels, eux aussi, s'appuient sur leur civilisation et leur « institution particulière » pour revendiquer le droit à une existence indépendante. À sa façon, l'Amérique participe, comme l'Europe de son temps, au mouvement des nationalités.

En 1832, bien qu'il soit lui-même d'origine sudiste, le président Jackson refuse la menace de sécession venue de Caroline du Sud sous le masque de la « nullification ».

Pour apaiser le mécontentement de la Caroline du Sud, le Congrès avait essayé en juillet 1832 d'atténuer les effets du protectionnisme résultant du « tarif des abominations ». La concession parut tout à fait insuffisante aux disciples de Calhoun, lesquels, assemblés en convention, votèrent le 24 novembre 1832 une ordonnance de nullification. Ce document estimait que le Congrès avait outrepassé ses pouvoirs constitutionnels en imposant une protection douanière élevée ; il interdisait la perception des droits en Caroline du Sud et exigeait des citoyens le serment de se conformer aux prescriptions de la convention. Enfin, au cas où le Congrès emploierait la force pour appliquer une loi annulée par l'État, celui-ci ferait sécession de l'Union et reprendrait son indépendance. Le président Andrew Jackson était attaché aux droits des États, mais son nationalisme ne pouvait admettre une sécession : la nullification, lance-t-il dans sa *Proclamation au peuple de Caroline du Sud* (10 décembre), « est synonyme d'insurrection et de guerre ; et les autres États sont en droit de la réprimer ». Pour lui, le gouvernement fédéral était celui d'« une confédération fondée sur une union perpétuelle » par la volonté du peuple, celui-ci ayant ratifié la Constitution dans des conventions ad hoc. Un État n'avait donc pas le droit constitutionnel de faire sécession [6].

Le Président pensait fournir là l'argumentation définitive selon laquelle l'Union est perpétuelle. C'était sans compter sur la dynamique américaine. Si le pays était resté dans des frontières limitées, la coexistence entre les États où triomphe le « sol libre » *(free soil)* et ceux qui restent

---

LINCOLN PRÉSIDENT :
PREMIER DISCOURS D'INVESTITURE (4 mars 1861)

Dès que la nouvelle de la victoire du candidat républicain, Abraham Lincoln, à l'élection présidentielle du 6 novembre 1860 fut connue, la Caroline du Sud prit la tête du mouvement sécessionniste dans le *Deep South* cotonnier. Le 20 décembre, une convention élue à cet effet, déclara dissoute l'union et exposa, quatre jours plus tard, les motifs de son action : l'agitation antiesclavagiste serait contraire à la Constitution ; le Parti républicain vainqueur ayant fait connaître son intention de déclarer la guerre à l'esclavage, les États à esclaves ne se sentent plus protégés face à un gouvernement fédéral hostile. Entre le 9 janvier et le 1er février 1861, six autres États du Sud suivent la Caroline du Sud : le Mississippi, la Floride, l'Alabama, la Géorgie, la Louisiane et le Texas. Ils envoient des délégués à Montgomery, qui adoptent le 7 février la Constitution des États Confédérés d'Amérique et élisent, le 9, Jefferson Davis comme président. Aussi, le 4 mars, jour de son investiture, Lincoln fait-il face à une République du Sud composée de 7 États qui ont fait sécession. Dans son adresse, très attendue, le nouveau président explique sa stratégie politique et les idées qui l'inspirent : l'Union est « perpétuelle » et constitue notre « loi fondamentale » ; la quitter est donc « illégal » et user de la violence est un acte « insurrectionnel » ; « dans un pays où les droits des minorités sont respectés, comme je m'y engage, toute sécession ne peut conduire qu'à « l'anarchie » ; ce n'est pas moi qui tirerai le premier »... Il reviendra sur ces thèmes dans son message spécial au Congrès du 4 juillet 1861, posant la question : « Faut-il nécessairement qu'un gouvernement soit trop fort pour les libertés de son peuple, ou trop faible pour maintenir sa propre existence ? »

---

6. Jackson se tira d'affaire par une politique de la carotte et du bâton : en janvier 1833, il demanda au Congrès de voter une *Force Bill* (lui permettant d'envoyer des troupes en Caroline du Sud) et accepta une baisse progressive des tarifs douaniers, proposition avancée par Henry Clay. Les deux textes furent adoptés le même jour et constitue le « Compromis de 1833 » La Caroline du Sud suspendit son ordonnance de nullification.

attachés à l'institution servile aurait été possible. Mais les États-Unis connaissent une extraordinaire expansion territoriale. Les deux idéologies dominantes du Nord et du Sud s'affrontent sur le destin de ces territoires. Seront-ils libres ou accueilleront-ils des esclaves ? Dans les années 1850, on ne peut plus esquiver le débat.

Et la guerre vint : guerre de Sécession en français, guerre civile pour les Américains. Lincoln ne peut accepter la formation d'une Confédération du Sud.

Lincoln a l'habileté de pousser les troupes de la Caroline du Sud à attaquer la garnison de Fort Sumter dans le port de Charleston (12 avril 1861). S'ensuivent quatre longues années de combats farouches — telles la bataille de Bull Run (21 juillet 1861, première victoire sudiste) ou en sens inverse celle, capitale, d'Antietam (17 septembre 1862) [7] — qui feront plus de 600 000 morts, de loin la plus grande épreuve de l'histoire américaine.

Mais, avec le temps, le sens de la guerre évolue. A l'origine, il s'agissait de sauver l'Union menacée, de maintenir les valeurs démocratiques. Puis, peu à peu, la lutte se radicalise et se transforme en croisade pour la liberté humaine, pour l'abolition de l'esclavage, afin que se réalisent pleinement les promesses de la Déclaration d'Indépendance.

LE DISCOURS DE GETTYSBURG
(19 novembre 1863)

En juin 1863, le général sudiste Robert E. Lee avait franchi le Potomac avec 75 000 hommes et envahi la Pennsylvanie pour ébranler le moral des Nordistes et les contraindre à accepter la sécession. Les troupes nordistes commandées par George Meade lui barrèrent la route. Du 1er au 3 juillet se déroula à Gettysburg (Pennsylvanie) la bataille la plus décisive de la guerre. Lee fut vaincu : il perdit 28 000 hommes et Meade 23 000. Ces journées marquent un tournant dans le conflit, d'autant plus que le 4 juillet, le général Ulysses S. Grant s'emparait de Vicksburg, ce qui lui assurait le contrôle de la vallée du Mississippi. Le 19 novembre, Lincoln fut invité à

---

7. La victoire de McClellan contre Lee fut décisive en ce sens qu'elle refroidit les ardeurs pro-sudistes de la France et de la Grande-Bretagne (qui s'apprêtaient à reconnaître la Condéfération) et poussa Lincoln à hâter l'émancipation des esclaves dans les États en révolte (proclamation préliminaire du 23 septembre 1862).

parler lors de la commémoration d'un nouveau cimetière militaire national sur le champ de bataille de Gettysburg. En trois paragraphes très concis, sans aucune grande envolée lyrique, comme c'est souvent le cas dans ce genre de cérémonie, il définit avec clarté le sens réel de la guerre. Il s'agissait cette fois de bien plus que de sauver l'Union ; Lincoln met au premier plan l'idée que tous les hommes sont nés égaux et que le combat pour la démocratie et la liberté est engagé au nom de l'humanité tout entière.

Au nom de cet idéal, les Nordistes ont perdu pendant la guerre de Sécession 365 000 morts, dont 140 000 sur les champs de bataille, le nombre des blessés s'élevant à 282 000. De leur côté, les Confédérés ont eu 258 000 morts. Aucune guerre (passée ou à venir) ne s'est soldée par autant de pertes pour les États-Unis.

LINCOLN : SECOND DISCOURS D'INVESTITURE (4 mars 1865)

Au moment de l'inauguration de son second mandat, Lincoln, vainqueur du général George McClellan, peut envisager une prompte victoire finale sur les Confédérés. En effet, en novembre-décembre 1864, le général Sherman a réussi à traverser la Géorgie et à atteindre la mer à Savannah, coupant en deux le territoire de la Confédération. Dans l'Ouest, les troupes rebelles subissent des désastres. Le 17 février, Columbia, la capitale de la Caroline du Sud est tombée. Reste Lee, en Virginie, contraint par Grant à livrer une guerre de tranchées devant Richmond et Petersburg, où ses forces s'épuisent. Le second discours d'investiture est d'un ton bien différent du premier ; l'Union est sur le point d'être reconstituée, mais le prix humain et matériel a été terriblement élevé. Comme l'adresse de Gettysburg, le discours est concis et lyrique — avec, cette fois, de constantes références religieuses : la guerre est présentée comme une punition divine du péché qu'a été l'esclavage. Le 31 janvier précédent, le Congrès a voté le XIIIe amendement abolissant l'institution servile, mais il faut encore attendre la ratification des trois-quarts des États pour qu'il soit définitivement adopté. En outre, Lincoln pense déjà aux difficultés qui l'attendent pour la reconstruction du Sud. Sa modération inquiète les Républicains radicaux, car, toujours soucieux de l'unité de son pays, il appelle à la tolérance, à une paix juste et durable, fondée sur la disparition de l'esclavage, cause initiale de la guerre civile. Il meurt le 14 avril 1865 (cinq jours après la reddition de Lee à Appomatox), assassiné par un acteur sudiste fanatique ou déséquilibré, John Wilkes Booth. Sa disparition, en laissant le champ libre aux radicaux du Nord, allait ouvrir une période douloureuse pour les Sudistes vaincus — et bientôt humiliés.

5

L'ÂGE DORÉ, 1865-1896

Durant cette période de « l'Age doré » *(Gilded Age)*, qui évoque le clinquant d'une richesse de mauvais goût, l'évolution des États-Unis n'apparaît ni très claire, ni très brillante. Elle n'est marquée ni par la mise en place d'un remarquable système de gouvernement, ni par la montée irrépressible des périls à l'instar des périodes précédentes.

La réussite économique, comme les prouesses techniques — téléphone, lampe électrique, gratte-ciel — s'accompagne de scandales innombrables, ceux de la vie politique ou de la finance, comme de farouches luttes sociales. Les grandes grèves de 1877 ou 1894, le drame de Haymarket semblent menacer l'équilibre de la grande République à peine sortie du plus grave conflit de son histoire. La puissance syndicale des Chevaliers du Travail, puis de l'*American Federation of Labor* se heurtent à l'arbitraire patronal.

Dans le même temps la vie politique sombre dans la grisaille et il est bien difficile de se remémorer rapidement l'œuvre d'un Hayes ou d'un Harrison, et ce n'est qu'à la toute fin de la période que la croix et la voix d'or de William J. Bryan donnent l'illusion d'un vent plus pur. Les Américains semblent se complaire dans cette situation, sans ambition internationale affichée, faisant de quelques milliardaires sans scrupules leurs seuls héros.

Les espoirs de Jefferson, comme les analyses de Tocqueville, semblent bien pris en défaut. Le Nouveau Monde ne fait plus recette ; dans les années 1880, même les immigrants se font rares. Pourtant un constat aussi pessimiste, sans être faux, ne donne qu'une idée partielle d'une période pleine de bruit et de fureur, mais aussi riche de promesses et marquée par de très profonds changements.

Il s'agit, dans un premier temps, de gérer les conséquences de cette guerre que les Américains font bien de nommer civile. La période de la Reconstruction ne résout nullement les problèmes posés par l'affranchissement des esclaves, mais met en place néanmoins un cadre institutionnel qui ne sera pas oublié. Tout en restant sensibles, les cicatrices de ce fantastique conflit se referment assez vite entre le Nord et le Sud ; mais les Noirs s'enfoncent dans une ségrégation officialisée, en 1896, par l'arrêt de la Cour suprême, *Plessy vs. Ferguson*, et qui durera jusqu'au milieu du siècle suivant.

Mais le *Gilded Age* est, avant tout, celui du développement des États-Unis. L'inauguration du premier chemin de fer transcontinental, en 1869, l'essor des grandes aciéries de Pittsburgh sont autant de signes des progrès d'une industrie reine. Sans doute ce succès n'est pas atteint sans crise — 1873, 1893 —, sans drame social, mais les États-Unis, à la fin de la période, talonnent les plus grandes puissances du temps : Grande-Bretagne et Allemagne. Le Pont de Brooklyn (1883), les expositions universelles de Philadelphie (1876) et surtout de Chicago (1893) fournissent l'occasion de montrer au monde tout l'éclat des États-Unis, qui n'est pas seulement du toc.

Ce développement multiforme reste limité au territoire des États-Unis, riche de ressources diverses, mais 1890 marque la fin officielle de la Frontière, l'achèvement de la conquête de l'Ouest. Les années qui précèdent sont capitales tant pour le sort de la région que pour les mythes qu'elle engendre. Les Indiens sont désormais définitivement vaincus, malgré leur victoire sans lendemain à Little Big Horn en 1876, mais simultanément le *cow-boy* devient le héros de l'Ouest ; la troupe de Buffalo Bill parcourt le monde, célébrant son avènement. Plus prosaïquement, la colonisation de ces vastes régions suscite la révolte, des fermiers se plaignant de l'emprise des barons de l'Est. Le populisme cherche à répondre à ces craintes.

La médiocrité du milieu politique semble rendre impossible la solution de ces diverses contradictions. Pourtant, malgré la corruption des villes et les combinaisons des politiciens, ces années sombres sont celles d'une amorce de renouveau. De plus en plus nombreux sont les Américains à comprendre les dangers du *spoils system*, les risques du laissez-aller sans frein. L'assassinat du président Garfield, en 1881, suscite les premières mesures visant à créer un véritable service civil permanent. Woodrow Wilson, alors professeur, cherche à établir les bases d'un fonctionnement plus harmonieux du système politique. *Volens nolens,* le

Congrès est amené à réglementer le commerce (1887), à lutter contre les trusts (1890)...

Après l'acquisition de l'Alaska (1867), les États-Unis paraissent assurément dépourvus de toute ambition, de tout désir expansionniste, et aucun événement majeur ne les hisse sur la scène internationale. Mais un examen plus attentif montre que les Américains n'entendent pas rester inertes. Des cris d'alarme s'élèvent pour signaler la faiblesse de la Marine. En recevant de la France la désormais célèbre statue de la Liberté, le président Cleveland laisse transparaître un sentiment de supériorité tranquille, qu'il manifestera neuf ans plus tard lors du conflit avec la Grande-Bretagne au sujet des frontières du Venezuela.

Tous ces exemples prouvent que le *Gilded Age* n'est pas si noir qu'on pourrait le croire au premier abord. C'est une époque de progrès multiples où les universités se développent avec rapidité et font, déjà, l'admiration des observateurs étrangers ; des auteurs comme Henry James ou Mark Twain illustrent l'éclosion d'une élite cultivée qui faisait jusque-là défaut.

Finalement les États-Unis apparaissent comme de plus en plus contrastés, entre Est et Ouest, entre riches et pauvres, entre d'un côté une misère profonde et de l'autre le faste et le raffinement. Par ces différentes facettes la réalité américaine semble s'apparenter à un vaste puzzle dont on a encore du mal à percevoir la signification. La guerre sociale va-t-elle se déchaîner ou, surmontant la crise de 1894, les États-Unis vont-ils reprendre leur ascension ? En fait ces années sont capitales, car elles sont celles de la maturation, de la mise en place, parfois douloureuse, des configurations du XXe siècle approchant. On voit peu à peu se dessiner les contours du visage des États-Unis dans la période suivante : puissance et limite des trusts, premiers éléments du progressisme, amorce de visées internationales dans un contexte d'immigration grandissante. Le règlement des grandes questions intérieures, au détriment des Indiens comme à celui des Noirs, permet de tourner la page du XIXe siècle américain.

LA RECONSTRUCTION

Si la victoire du Nord sur le Sud assure la pérennité de l'Union, elle ne résout en rien les problèmes posés par le sort des vaincus, ni par la formidable nouveauté que représente l'affranchissement des esclaves. De surcroît, disparaît avec Lincoln la hauteur de vue d'un président rassembleur et la vision raisonnable d'un avenir paisiblement réunifié (dès la fin 1863, il avait proclamé une large amnistie en faveur des Sudistes prêts à rentrer dans le rang).

Dans ces conditions, la Reconstruction se révèle être une lutte farouche pour le pouvoir qui va secouer le pays pendant une douzaine d'années. Le terme même ne manque pas d'ambiguïté : s'agit-il de reconstruire l'Union à l'identique ou seulement de restaurer l'unité perdue ?

Cette lutte pour le pouvoir se manifeste d'abord par la volonté des Républicains d'extirper très vite les racines de l'esclavage et de justifier ainsi leur lutte. Les XIVe et XVe amendements illustrent cette noble volonté. Ces textes renouvellent la lecture des institutions américaines, même si leurs limites apparaissent vite. Mais, au-delà de ces mesures essentielles, les Radicaux, qui dirigent le parti républicain au Congrès, se rendent compte que leur pouvoir ne sera complet que s'ils parviennent à se débarrasser du président Johnson, lequel n'a pas du tout la même conception de la Reconstruction. Le paroxysme de cette lutte est atteint, en 1868, lors de la tentative d'*impeachment* contre le Président.

Jusqu'à l'introduction de la procédure d'*impeachment* contre Richard Nixon en 1974, le seul autre cas fut celui d'Andrew Johnson, entré à la Maison-Blanche à la suite de l'assassinat d'Abraham Lincoln. Sous les apparences strictement juridiques de la procédure, celle qui est lancée contre le président Johnson est uniquement politique. Johnson n'avait jamais dissimulé son antipathie pour les Radicaux qui contrôlaient le Congrès et ceux-ci ne pouvaient accepter qu'il freine, par tous les moyens, leur Reconstruction. Démocrate d'origine, il était soupçonné des plus noirs desseins et considéré par certains de ses adversaires comme un usurpateur. C'est dans ce climat que naît l'idée d'*impeachment*, mais les Radicaux ont quelques difficultés à bâtir un dossier juridiquement acceptable. En effet les divergences de Johnson sur le sort réservé au Sud n'avaient rien de contraire à la Constitution, mais le renvoi par le Président du ministre de la Guerre, Edwin E. Stanton, le 21 février 1868, fournit le prétexte recherché : le *Tenure of Office Act* [1] aurait été violé.

---

1. Loi du 2 mars 1867 interdisant au Président de révoquer un haut fonctionnaire nommé avec l'aval du Sénat sans l'accord de ce dernier.

Très vite la Chambre des Représentants vote en faveur de l'*impeachment* ; mais le 16 mai, après deux votes, le Sénat se prononce pour l'acquittement du Président, à une voix de majorité (les deux tiers étant nécessaires). Une victoire des Radicaux aurait signifié un profond abaissement de la présidence au profit du Congrès, ce qui explique la défection de certains Républicains lors du vote, comme l'abandon pendant plus d'un siècle de la procédure d'*impeachment* à l'encontre des présidents eux-mêmes.

Mais cette lutte pour le pouvoir ne se situe pas uniquement à Washington ; elle se déroule surtout dans le Sud. Les ex-confédérés n'acceptent ni l'occupation de leurs États par les troupes fédérales, ni l'accession des anciens esclaves à l'égalité. Si les célèbres *Black Codes* [2] — qui illustrent bien la volonté de s'éloigner aussi peu que possible des habitudes de l'esclavage — ne sont qu'éphémères, l'esprit qu'ils révèlent est bien présent. La création du Ku Klux Kan en est une preuve très éclairante, et les Noirs du Sud ont bien du mal à résister à ce climat détestable, malgré les quelques garanties offertes par le gouvernement fédéral au début des années 1870.

Peu à peu les Radicaux se désintéressent des problèmes du Sud, conscients d'avoir accompli leur devoir et impuissants à réellement s'imposer dans le Sud. Les Sudistes, qui n'ont jamais accepté la Reconstruction militaire, l'intervention du Nord dans leurs affaires et la promotion des Noirs, s'empressent de relever la tête et de revenir aux commandes. Leurs journaux n'hésitent pas à affirmer très haut leurs convictions. La résistance des Blancs du Sud contre la Reconstruction imposée par le Congrès est implicite dès le lendemain de la guerre. Toutefois pendant les premières années il s'agit de faire « le gros dos » en raison de la présence de troupes fédérales, du poids exercé par les Républicains et les *carpetbaggers,* de la nouveauté de la situation des Noirs. A partir de 1872, l'amnistie accordée à la quasi-totalité des ex-dirigeants de la Confédération redonne du tonus au parti démocrate qui, dans le Sud, n'a plus à se cacher. D'ailleurs les Républicains du Congrès ne mettent plus autant d'enthousiasme à vouloir s'imposer dans un Sud rétif, le nombre des « tuniques bleues » s'amenuise au fil des années et elles sont concentrées dans les rares zones contrôlées encore par les Nordistes et leurs alliés.

---

2. Dispositions législatives ou réglementaires adoptées par certains États du Sud au lendemain de la guerre civile afin de limiter les droits des Noirs.

LE KU KLUX KLAN

C'est pour réagir contre la promotion des Noirs, organisée par la Reconstruction radicale (et plus ou moins facilitée par les *carpetbaggers* [3] et les *scalawags* [4]), que six anciens soldats de la Confédération fondent, le jour de Noël 1865 à Pulaski (Tennessee), le « K.K.K. ». Assez vite ce club devient un organisme politique luttant contre l'accession des Noirs aux responsabilités publiques et cherchant à rétablir, par tous les moyens, la suprématie blanche.

En mai 1867, l'organisation se donne des structures et élit son premier « Grand Sorcier » en la personne du général Nathan B. Forrest. Le Klan, dont les membres sont vêtus de longues robes blanches, le visage masqué par une haute cagoule, agit la nuit, effrayant les Noirs, exécutant ceux qui réagissent contre cette humiliation et cherchant à échapper aux troupes fédérales. Semant la terreur dans une partie du Sud, le K.K.K. réussit à intimider les Noirs, à les séparer du parti républicain. D'autres organismes du même genre, comme les Chevaliers du Camélia Blanc *(Knights of the White Camelia)* se créent pour affirmer la renaissance du pouvoir blanc dans le Sud.

Le premier Klan, il s'agit ici de ses principes de 1868, se dissout en 1869 en raison des excès qu'il a engendrés. Toutefois de nombreux groupes locaux restent actifs de longues années, justifiant le vote des *Force Acts* par le Congrès en 1870-1871 qui font officiellement disparaître le K.K.K. Il resurgira à d'autres périodes avec son rituel grotesque, son racisme virulent et ses méthodes brutales.

Dans ce contexte on assiste, surtout à l'approche des élections au Congrès de 1874, à une nette contre-attaque des Blancs du Sud qui sentent venu le moment de relever la tête et d'organiser une reprise en main de leurs États. Fondée essentiellement sur la race, leur attitude révèle un sentiment de plus en plus répandu dans le Sud : celui de retrouver au plus vite la « suprématie blanche » d'avant la guerre.

Dans cet affrontement les Noirs ont bien du mal à se faire entendre. Leur participation aux assemblées de certains États ne dure guère et seuls quelques individus parviennent

---

3. Aventuriers venus du Nord, une simple mallette à la main *(carpetbag)*, afin d'aider les affranchis, mais soucieux avant tout de promouvoir leurs propres intérêts.

4. Blancs du Sud, « traîtres » à leur cause, car participant à la politique nordiste de Reconstruction.

à s'imposer au niveau fédéral. Leur attitude est très éloignée de la description apocalyptique qu'en font les tenants du pouvoir blanc.

Ces années de Reconstruction sont bien celles d'un inachèvement. Certes le Sud est réintégré dans l'Union, mais le problème noir reste plus que jamais posé ; d'autres tâches, cependant, occupent désormais les États-Unis.

LE MODERNISME ÉCONOMIQUE

Au lendemain d'une guerre qui pèse sur l'économie et arrête sa croissance, la vie économique va retrouver un développement plus normal et connaître un essor étonnant. Les données statistiques concernant les chemins de fer, la métallurgie, et le blé permettent de s'en rendre compte malgré l'inflexion très nette due aux crises de 1873-1878 et surtout de 1893-1894. Si la production augmente régulièrement (le P.N.B. croît à un taux de près de 4 % par an), la période 1865-1896 est néanmoins marquée par une baisse constante des prix qui gêne la croissance. Par contre le protectionnisme exacerbé a pour but de favoriser le développement de l'industrie américaine aux dépens de ses concurrents.

Le développement économique s'accompagne de nombreux exploits techniques, car les années du *Gilded Age* sont celles de multiples découvertes et d'applications réussies de la technique à l'industrie et à la vie quotidienne. La liaison réussie entre les deux compagnies qui construisent le premier chemin de fer transcontinental est un événement marquant, et les abattoirs de Chicago, par leur rapidité et leur efficacité stupéfient les visiteurs étrangers.

Les résultats étonnants amenés par le machinisme — et leur impact sur les méthodes de production ainsi que sur l'existence des ouvriers — ne vont pas sans susciter certaines interrogations tellement le rythme des changements est rapide et surprenant, tellement les progrès de productivité sont sensibles. C'est dans cette période que l'économie américaine devient majoritairement industrielle et que cesse la traditionnelle prédominance agricole, ce qui provoque de nombreux troubles dans les campagnes.

Les succès de l'économie américaine ne sont pas le fait du hasard. Aux considérables ressources dont les États-Unis disposent s'ajoutent les nouvelles méthodes mises en œuvre

LE TRANSCONTINENTAL (1869)

La construction des chemins de fer et le développement des différents réseaux ne sont pas particuliers à l'Age doré. C'est toutefois dans cette période que le mouvement s'amplifie considérablement et que les résultats les plus spectaculaires sont obtenus.

Depuis le prodigieux essor de la Californie les pressions se font nombreuses pour améliorer les relations entre l'Est et l'Ouest. Dès octobre 1861, le télégraphe traverse le continent. Aussi n'est-il pas surprenant que l'année suivante le Congrès accorde une charte à l'*Union Pacific Railroad* et à la compagnie *Central Pacific* pour réaliser le premier chemin de fer transcontinental. La première de ces compagnies doit se diriger d'Omaha vers la Californie d'où la seconde doit, à travers les Rocheuses, se lancer à sa rencontre vers l'Est.

L'ampleur des investissements et des travaux nécessités par cette entreprise explique la générosité du Congrès : outre de larges concessions de terres de part et d'autre de la ligne, chaque compagnie reçoit des prêts qui varient, suivant la difficulté du parcours, de 16 000 à 48 000 dollars le mile. De telles sommes justifient l'acharnement mis par chacun à construire le plus grand nombre de kilomètres de voie. Le travail ne commence guère qu'après la guerre civile ; chaque compagnie emploie près de 10 000 hommes, des Chinois pour la *Central,* des Irlandais pour l'*Union,* et autant d'animaux.

Finalement, la jonction se fait le 10 mai 1869 à Promontory Point dans le territoire de l'Utah. Événement majeur, immédiatement retransmis par le télégraphe dans tout le pays, et qui précède le peuplement de l'Ouest américain. Quatre autres transcontinentaux seront construits entre 1883 et 1893.

pour les exploiter et un incontestable orgueil renforcé par le succès. L'avènement des premiers trusts, et tout particulièrement celui de la *Standard Oil* de John D. Rockefeller cause un certain émoi, car il semble s'agir d'une nouvelle forme de capitalisme plus efficace et sans scrupule. La montée des grandes entreprises aux États-Unis n'est pas nouvelle, mais les innovations technologiques et les nouvelles méthodes de production entraînent leur développement dans de nouveaux secteurs. Ainsi les années 1880 sont celles de l'apparition de firmes comme *Procter & Gamble, Diamond Matches* ou *Eastman-Kodak.* Ce processus aboutit à une certaine forme de concentration industrielle autour de l'entreprise la plus productive et la plus dynamique.

Une autre forme de concentration est due au regroupement d'entreprises d'un même secteur. Nullement spécifiques des États-Unis, les cartels, les pools s'y multiplient dans les années 1870 à un moment où la baisse des prix et la récession amènent les compagnies à chercher des arrangements entre elles pour se partager le marché et éviter la surproduction. La *Standard Oil Company* appartient à ce type, mais, dès la fin des années 1870, il apparaît que John D. Rockefeller en est le seul patron ; ses accords avec les compagnies ferroviaires qui transportent le pétrole puisé en Pennsylvanie lui permettent de contrôler 90 % de cette production. L'habilité du montage financier en fait le premier trust, celui qui attire tous les regards, suscitant admiration (en raison de sa réussite et des retombées qu'ils

ANDREW CARNEGIE :
« L'ÉVANGILE DE LA RICHESSE »

Dans un monde d'hommes d'affaires qui, malgré les critiques, ne se posent guère de questions quant à leur fortune, Andrew Carnegie est un cas particulier. Émigrant venu d'Écosse à l'âge de dix ans, il a su s'imposer comme l'un des tous premiers maîtres de forges des États-Unis. Il doit son succès à l'adoption, dès 1875, des convertisseurs fonte/acier (du Britannique Henry Bessemer) dans son aciérie Edgar-Thomson, ainsi qu'à son refus de diversification et à des méthodes financières traditionnelles ; il refuse en effet de faire appel à la Bourse. A 54 ans, en 1889, sa fortune se monte à 30 000 000 dollars et son revenu annuel à 1 850 000 ; mais il ne se consacre pas uniquement à le faire fructifier, écrivant, voulant propager les idées républicaines en Grande-Bretagne même.

Depuis de nombreuses années il songe à une utilisation philanthropique de son immense fortune, voyant même dans cette voie un moyen de résoudre le problème social. C'est dans cet état d'esprit qu'en mai 1889 il rédige un article intitulé « Wealth » qui connaît un immense succès, particulièrement en Grande-Bretagne : « Le milliardaire, y explique Carnegie, ne doit être que le fondé de pouvoir des pauvres » et il a le devoir de faire servir sa fortune à la communauté tout entière ; « celui qui meurt riche meurt dans la honte ». En 1900, l'article sera publié sous forme de livre : *The Gospel of Wealth (l'Évangile de la Richesse)*.

Malgré les critiques, notamment celles des socialistes, Carnegie entendit appliquer ses propres idées et, quand en 1901 il se retira après avoir vendu son monopole à la *U.S. Steel Corporation*, il se rendit compte qu'il n'était pas si simple de donner. Virent alors le jour les « fondations Carnegie ».

engendre), mais aussi crainte et hostilité (à cause de son gigantisme inhumain). Le débat entre partisans et ennemis des trusts est lancé pour longtemps...

Les manifestations de cette économie triomphante sont tout à fait spectaculaires ; Andrew Carnegie affirme bien haut sa foi dans la richesse dans un texte qui fait date et l'Exposition universelle de Chicago s'ouvre dans un climat d'euphorie offrant au monde l'image de la réussite américaine dans sa ville de prédilection.

Pourtant avant même que la crise de 1893-1894 ne débouche sur une critique profonde du système économique et une dénonciation de ses abus, le Congrès a dû réagir contre un développement trop anarchique qui suscite nombre de réactions. Aussi est-ce dans les années mêmes qui voient s'épanouir les trusts et monter en puissance les maîtres des chemins de fer, de l'acier et autres produits qu'apparaissent les premières mesures réglementant, encore bien timidement, l'activité économique. C'est le cas de l'*Interstate Commerce Act* (1887) qui tente de limiter les abus tarifaires des compagnies de chemins de fer et du célèbre *Sherman Antitrust Act* du 2 juillet 1890 qui s'efforce de brider quelque peu l'essor de ces nouvelles structures. Il ne s'agit là que d'un début dans le processus réglementaire, mais il fait surgir les premières limites du « laissez-faire laissez-aller » qui caractérise encore globalement l'économie américaine.

La première loi fédérale réglementant les fameux *trusts* paraît marquer une date importante dans la volonté du Congrès de s'attaquer aux abus de ce qu'on nommera, plus tard, « capitalisme sauvage » — d'autant qu'elle est votée en 1890, la même année que le *McKinley Bill* renforçant le protectionnisme ou que le *Sherman Silver Purchase Act* qui satisfait les argentistes de l'Ouest.

En fait les choses ne sont pas aussi claires. D'un côté existe une incontestable pression pour réglementer les trusts. Les deux partis font figurer cette revendication dans leurs programmes de 1888 et nombreuses sont les voix qui s'élèvent pour dénoncer les agissements des *trusts*. De plus les réglementations édictées par certains États sont restées lettre morte, puisqu'il suffit qu'une firme installe son siège social dans un État plus libéral — New Jersey, Delaware ou Virginie occidentale — pour retrouver toute sa liberté d'action. La nécessité d'une loi fédérale apparaît avec évidence. Mais la loi, proposée par le sénateur John Sherman mais rédigée par les sénateurs George Hoar et

George Edmunds, est tellement ambiguë qu'on peut se demander ce que le Congrès a voulu faire. En effet aucune définition des trusts n'est donnée, à tel point que la loi semble pouvoir s'appliquer à toute *corporation,* par exemple les syndicats ouvriers..., et aucune mesure n'est prévue contre ceux qui auront enfreint ce texte.

Il semble que, forcé à agir, le Congrès s'en soit remis à la justice du soin de définir une politique effective à l'égard des *trusts.* Autant dire que les abus dus à l'excessive concentration ne furent guère menacés, mais une première pierre avait été posée.

GO WEST...

Alors que la conquête de l'Ouest s'achève et que s'amplifie la légende de cette région, celle-ci connaît des transformations majeures qui se répercutent dans tout le pays.

Les premiers occupants, les Indiens, semblent toucher le fond. Leur nombre atteint son minimum historique avec moins de 300 000 et leur sort est tragique. La victoire des Sioux à Little Big Horn aux dépens de l'aventureux Custer, malgré l'émoi qu'elle suscite, n'est déjà plus qu'un baroud d'honneur. Devant une telle situation qui n'est pas à la gloire du gouvernement fédéral des voix s'élèvent et une amorce de politique nouvelle se fait jour.

LA QUESTION INDIENNE :
DE LITTLE BIG HORN À WOUNDED KNEE

De plus en plus les Black Hills [5], terres sacrées des Sioux, sont l'objet de la convoitise des pires trafiquants blancs, alors que les Indiens dans leurs réserves subissent les exactions des agents (corrompus) des Affaires indiennes. La situation empire jusqu'au point où les tribus sont menacées de famine, ne recevant que quelques rations de farine et de viande avariée... Certains guerriers, dirigés par *Crazy Horse* et *Sitting Bull* sortent alors des réserves pour regagner leurs terrains de chasse traditionnels, toujours giboyeux, dans les monts Big Horn. Ils se déclarent prêts à se battre pour sauver leur mode de vie ancestral et refusent de regagner les réserves. L'affron-

---

5. Région montagneuse à cheval sur le Dakota du Sud et le Wyoming.

tement avec les troupes fédérales devient inévitable. Au cours de l'été 1876, trois colonnes pénètrent dans la région ; l'une d'elle est commandée par le général Alfred H. Terry qui envoie le général Custer et un détachement repérer les Indiens. Le bouillant cavalier, au lieu de rapporter à son supérieur, décide d'attaquer le village sioux et cheyenne qu'il découvre. Le 25 juin 1876, lui-même et ses 265 hommes, fatigués et loin des leurs, sont tués jusqu'au dernier dans la fameuse bataille de Little Big Horn par des Indiens mieux armés (*Sitting Bull* et *Crazy Horse* seront écrasés le 31 octobre). Il s'agit du dernier combat d'importance de la période, mais cette victoire n'apporte qu'une vaine gloire aux Indiens, pourchassés et à nouveau parqués dans les réserves.

La fin des guerres indiennes, la preuve de l'incurie des Affaires indiennes et l'énergie du désespoir mise par les tribus à résister pour défendre leur façon de vivre sont autant d'éléments qui fournissent des arguments aux partisans d'une réponse humanitaire au problème. Les solutions de force prônées par les militaires ont tourné court : les Indiens l'emportant souvent entre 1865 et 1876, la troupe a tendance à se comporter toujours plus durement.

Les réformistes de l'*Indian Rights Association* en arrivent à la conclusion que la disparition des réserves, un effort d'éducation et une accoutumance à la propriété foncière aboutiront à l'intégration des Indiens dans la société américaine. Leur porte-parole est Helen Hunt Jackson dont *A Century of Dishonor* a autant remué l'opinion publique en 1881 que *Uncle Tom's Cabin* trente ans plus tôt.

Ce mouvement est assez influent pour que le président Arthur se saisisse de la question et, avec un certain courage, fasse des propositions dans le même sens lors de son premier message présidentiel. Il faudra attendre 1887 pour que le *Dawes Act* donne force de loi à ces intentions (cette loi prévoyait d'accorder à chaque chef de famille indienne, en échange d'un renoncement à son allégeance tribale, 80 hectares de terre en même temps que la citoyenneté américaine).

Ces dispositions, mal adaptées, mal appliquées par de médiocres agents ou des militaires rétifs, n'aboutiront qu'au partage légal des terres des réserves et aux derniers soubresauts des Indiens, impitoyablement réprimés, comme à Wounded Knee le 29 décembre 1890[6]. Les soldats du 7e de Cavalerie, ancien régiment de Custer, n'avaient pas oublié Little Big Horn.

Le déclin des Indiens s'explique facilement par l'énergie qu'ont déployée tous les pionniers de l'Ouest. Si les Mormons ne cherchent qu'un lieu de retraite, ils font merveille

---

6. Voir à ce sujet : Élise Marienstras, *Wounded Knee ou l'Amérique fin de siècle*, Éditions Complexe, Bruxelles, 1992.

pour mettre en valeur les ressources de ces terres arides : installés dans l'Utah, ils fondent Salt Lake City ; d'autres, moins pacifiquement, disputent à l'Indien ses territoires et son pittoresque. Le *cow-boy,* qui accompagne les immenses troupeaux indispensables pour l'alimentation de la population, s'affirme comme le nouveau héros de l'Ouest, figure bientôt mythique dont la rudesse est indémêlable d'une certaine poésie.

Mais la plupart des nouveaux arrivants sont moins pittoresques ; avides de terres, ils profitent du développement des chemins de fer et suivent ses avancées. Si la colonisation se fait souvent calmement, chacun voulant bénéficier de son *homestead,* les choses se compliquent au fur et à mesure que les bonnes terres se font rares. La colonisation de l'Oklahoma, aux dépens des Indiens, est un exemple fameux de la frénésie mise par les colons à tout faire pour pouvoir enfin s'installer. Mais, dans les années 1880, un autre conflit surgit dans l'Ouest, opposant éleveurs et fermiers aux ambitions et aux modes de vie opposés. L'utilisation du fil de fer barbelé, preuve de la pénétration de la technique jusque dans ces terres lointaines, provoque de vives réactions.

Alors même que le cowboy devient le héros de l'Ouest, il est en effet menacé par une invention technique qui se répand dans les années 1880 : il s'agit du fil de fer barbelé, mis au point par une firme de Worcester (Mass.), *The Washburn and Moen Manufacturing Company.* Le *barbed wire* permet en effet aux éleveurs et fermiers de l'Ouest de modifier considérablement leurs pratiques agricoles. Les premiers, en isolant les meilleures bêtes, peuvent pour la première fois procéder à une réelle sélection qui permet d'améliorer la qualité de la viande sans risque de perdre des têtes de bétail. Les seconds peuvent enfin cultiver en maïs ou en blé les bonnes terres et développer des jardins sans crainte de les voir piétiner par des troupeaux en folie. Ce progrès vient s'opposer à la migration des fameux *longhorns* (qui se blessent aux fils de fer), à la nourriture des bêtes sur des terres sans limites. De surcroît il faut envisager de négocier avec les compagnies de chemin de fer pour qu'elles viennent chercher le bétail. Il s'agit tout simplement de la fin de la vie du *cowboy* libre de ses itinéraires, nomade par goût et tradition. Aussi assiste-t-on à des attaques systématiques contre les clôtures, lesquelles sont sectionnées ou arrachées par des cavaliers masqués *(fence-cutters).* La réaction des fermiers est violente et il faudra attendre la toute fin du siècle pour que peu à peu le calme revienne et que le barbelé triomphe.

L'attrait de cette région ne justifie guère ces luttes inexpiables, car la colonisation de l'Ouest n'est pas chose facile ; les débuts sont particulièrement durs pour des immigrants habitués à un autre type de nature, à la vie villageoise ; la réalité ne correspond pas toujours à la légende.

Ces conditions très spécifiques peuvent-elles avoir forgé une mentalité particulière aux *Westerners* ? On le croirait dans les années 1890 quand se manifeste le malaise des fermiers qui protestent contre les gros intérêts de l'Est, malaise qui aboutit sur le plan politique à la revendication argentiste et populiste (voir plus loin). La question se pose d'autant plus que depuis le recensement de 1890, la Frontière est officiellement close. L'Ouest ne représentera plus l'avenir de l'Amérique... Pourtant son apport n'a pas été vain, puisque une voix se fait entendre qui valorise la signification de la Frontière dans l'histoire américaine — celle de Frederick Jackson Turner éclairant la question de l'Ouest telle qu'elle se pose avec acuité au milieu des années 1890.

FREDERICK JACKSON TURNER :
LE RÔLE DE LA FRONTIÈRE

Les interrogations sur l'Ouest se multiplient au début des années 1890. Entre 1870 et 1880 une région vaste comme la Grande-Bretagne y a été mise en culture et, même s'il reste encore des terres à exploiter, une certaine forme d'expansion commencée sur la côte atlantique en 1607 a pris fin : en 1890, le *Bureau of the Census* proclame la fermeture officielle de la Frontière. C'est alors qu'un jeune historien, Frederick Jackson Turner, fait sensation en réinterprétant l'ensemble du phénomène de la Frontière lors d'une réunion de la *State Historical Society of Wisconsin* en décembre 1893. Ses analyses, bientôt publiées et âprement discutées, rencontrent un puissant écho dans les milieux intellectuels et au-delà. Rompant avec les historiens qui voient dans les institutions et l'histoire des U.S.A un prolongement de la tradition européenne, Jackson fait de la Frontière et de l'expansion vers l'Ouest le moteur même de la civilisation et de la démocratie américaines : « L'histoire de nos institutions politiques, de notre démocratie, n'est pas une histoire faite d'imitations ou de simples emprunts [...] c'est l'histoire de la naissance d'une nouvelle espèce politique ».

UNE CHAUDIÈRE SOCIALE

Si, malgré conflits et menaces, l'Ouest garde durant tout le *Gilded Age* une aura de légende, il n'en va pas de même des villes industrielles du Nord-Est. Dès le lendemain de la guerre civile, les derniers vestiges du mythe de l'harmonie sociale américaine, tant admirée encore par certains idéalistes européens, disparaissent totalement.

L'essor de l'industrie, le développement des villes dévoilent la difficile situation de certaines catégories sociales dont les revendications inquiètent les possédants et alertent les réformateurs. De vives pressions s'exercent sur le Congrès pour arrêter l'immigration des Chinois (devenus inutiles après l'achèvement du chemin de fer transcontinental, ils sont nécessairement dangereux...), et le vote d'une loi très stricte (*Chinese Exclusion Act,* 1882) révèle pour la première fois les craintes frileuses de la société américaine. Par ailleurs les grandes grèves de cheminots de 1877 posent, pour la première fois, le problème des relations du capital et du travail. Les États-Unis vont-ils être menacés par la guerre sociale, à l'instar des puissances européennes ? Cherchant à éviter une telle évolution le penseur socialiste Henry George propose des solutions qui ne doivent rien aux réflexions européennes, mais qui sont trop simplistes et passéistes (*Progress and Poverty,* 1879).

Ces constats ne doivent pas dissimuler les efforts des syndicats pour améliorer le sort des travailleurs, et là encore les Américains semblent innover. En effet les Chevaliers du Travail ont une organisation semi-clandestine et un rituel proche de la franc-maçonnerie.

Les efforts des uns et des autres ne parviennent pourtant pas à écarter la violence sous-jacente, et les tragiques événements de Haymarket, en mai 1886, émeuvent profondément l'opinion tant aux États-Unis qu'en Europe. Chicago, dans les années 1880, est le centre du mouvement pour la journée de huit heures tel qu'il se développe alors aux États-Unis. L'essor industriel de la ville, la concentration d'une main-d'œuvre ouvrière au sein de laquelle les éléments anarchistes et syndiqués sont actifs : autant d'éléments qui expliquent que le drame de Haymarket se soit déroulé là et non ailleurs. Le 3 mai 1886, après une manifestation en faveur des huit heures, de très violents heurts se produisent entre certains grévistes de l'usine *McCormick Harvesting Company* et des briseurs de grève envoyés par la direction. La police de la ville intervient violemment, tuant six

LES CHEVALIERS DU TRAVAIL
(KNIGHTS OF LABOR)

Dès 1850 les premières organisations syndicales américaines apparaissent, comme la *National Typographical Union*,
puis en 1866 la *National Labor Union*. Elles ont du mal à trouver
leur équilibre, d'aucunes acceptant le système capitaliste,
d'autres le rejetant au risque de sombrer dans l'activisme
politique. Par contre *The Noble Order of the Knights of Labor*
prend rapidement un essor remarquable. Fondé en 1869 par un
tailleur franc-maçon, Uriah S. Stephens, qui lui donne son
rituel, l'Ordre prospère, à partir de 1878, sous la direction d'un
ancien mécanicien, Terence V. Powderly. Syndicat refusant
l'organisation en métiers, l'Ordre est centralisé, cherche à éviter
les grèves et à promouvoir les coopératives, se montre ouvert
aux Noirs et aux femmes, aux ouvriers qualifiés comme aux
manœuvres. De 50 000 membres en 1878, il passe à 700 000
en 1886.

Souhaitant s'étendre au Canada, les Chevaliers, très largement catholiques, se heurtent à un clergé particulièrement
conservateur et font l'objet une condamnation papale en 1884.
A cette première difficulté s'ajoute le fait d'être associés, dans
l'esprit du public, aux violences anarchistes qui éclatent, en
mai 1886, à Chicago (Massacre de Haymarket). Un excès de
centralisme et de profondes divergences entre dirigeants sur
les fins à poursuivre achèveront de précipiter le déclin de
l'Ordre.

---

manifestants. Une journée de protestation est organisée le
lendemain par des anarchistes à Haymarket Square ; les
discours sont enflammés, mais l'atmosphère calme, ce qui
conduit le maire à donner l'ordre de repli à la police. Un
élément insubordonné de celle-ci intervient néanmoins pour
disperser la manifestation : une bombe est alors lancée qui
tue sept policiers et fait plus de soixante blessés. Sous la
pression d'une opinion survoltée et bien qu'aucune preuve
ne soit produite, les anarchistes sont considérés comme
coupables ; le juge condamnant autant l'intention que l'acte
criminel. Le jury suit ses recommandations et sept des huit
accusés sont condamnés à mort. Le procès n'est nullement
équitable ; il s'agit de faire un exemple. Cette parodie de
justice provoque une grande émotion dans le monde, et
l'exécution des quatre anarchistes non graciés n'a lieu que le
11 novembre 1887.

Dans les quelques années qui suivent, la situation sociale
semble néanmoins s'apaiser, du moins dans le monde

ouvrier, car le relais est pris par les fermiers qui manifestent leur mécontentement. Sur le plan du syndicalisme ouvrier, une nouvelle organisation, légaliste et « responsable », occupe désormais le devant de la scène : l'*American Federation of Labor (AFL)* créée en 1886 sous la houlette de Samuel Gompers (225 00 adhérents en 1889). Mais la crise économique qui éclate en 1893 se fait durement sentir. Elle suscite des manifestations de mécontentement qui échappent aux organisations les plus structurées : ainsi la grande grève de l'usine Pullman *(Pullman Strike)* durant l'été 1894. Le conflit laisse des traces et montre bien que les États-Unis ne sont vraiment plus le pays de la paix sociale.

La grève du printemps 1894 à l'usine Pullman de Chicago marque une étape importante dans l'évolution sociale des États-Unis. Plus que les grèves de 1877, plus que celles de l'usine *Homestead* de Carnegie en 1892, ce conflit prend rapidement une ampleur nationale, car cette fois syndicats et patronat s'affrontent avec intervention des autorités fédérales et de l'État de l'Illinois. La compagnie *Pullman Palace Car* et sa cité ouvrière étaient, jusqu'en 1893, un exemple de réussite tout à fait remarquable. Sans doute l'organisation sociale de l'entreprise était-elle paternaliste, mais les affaires marchaient à merveille et le calme régnait. Tout change avec la crise ; la production de wagons devient excédentaire ; Georges Pullman n'hésite pas à baisser les salaires ouvriers (de 20 à 30 % en un an) sans toucher à ceux des cadres, ni aux dividendes des actionnaires ; par contre il maintient le niveau des loyers de *Pullman-City*, jouant de sa double casquette de propriétaire et de patron. Les 4 400 ouvriers de l'usine réclament les salaires de 1893 et adhèrent en grand nombre à l'*American Railway Union* (A.R.U.) d'Eugene V. Debs. Le 11 mai 1894 la grève est votée ; le patron répond par un lock-out. Le conflit est dans l'impasse, Pullman refusant toute négociation collective. L'A.R.U. décide alors, à compter du 26 juin, le boycott de tous les wagons Pullman en circulation sur les chemins de fer arrivant à Chicago. La grève de solidarité des cheminots prend rapidement une ampleur nationale. Mais l'association patronale, la *General Managers' Association,* décide de licencier les ouvriers refusant d'accrocher les wagons Pullman. Le président Cleveland envoie alors la troupe et Debs est emprisonné. Privé de son chef (qui bientôt deviendra le leader du *Socialist Party of America*), le mouvement se désintègre, mais il a marqué en profondeur la conscience ouvrière du pays.

La violence des conflits et une crise qui semble s'éterniser suscitent des réactions de peur. Des voix s'élèvent même pour demander un contrôle plus strict de l'immigration : après les Chinois à l'Ouest, ce sont les Allemands qui, à l'Est, sont désormais en butte aux attitudes de rejet.

LES NOIRS : VERS LA SÉGRÉGATION

Pendant cette période de bouillonnement social, marquée par les grandes grèves, mais aussi par de long moments de paix, les Noirs connaissent une évolution qui leur est propre, même si elle est influencée par la conjoncture économique et sociale. En effet la population noire est toujours massivement agricole et concentrée dans le Sud à plus de 90 %, et ce n'est guère avant la décennie 1890 qu'un léger mouvement d'urbanisation se fait jour.

Cette situation a fait dire que ces années étaient celles du « nadir » (Rayford Logan, 1954) pour les affranchis. En réalité, les choses sont plus complexes et ce sont les légers progrès accomplis par quelques Noirs qui expliquent que la ségrégation organisée ne se mette vraiment en place qu'après 1890-1892.

La première preuve d'une évolution qui n'est pas seulement négative est fournie par l'augmentation de la population qui ne disparaît pas comme l'avaient espéré quelques Sudistes égarés ; de 5,4 millions en 1870, les Noirs passent à 6,6 dix ans plus tard, puis à 7,8 en 1890 et à 8,8 à la fin du siècle. Par ailleurs certaines voies se sont ouvertes pour permettre aux jeunes les plus remarquables de la communauté de parvenir à une meilleure situation ; l'éducation joue un rôle essentiel.

Pourtant la masse des Noirs du Sud reste dans une situation précaire, soumis aux Blancs qui ne les ménagent guère, prêts à chercher leur avenir ailleurs, comme le prouve l'exode des Louisianais vers le Kansas en 1879. Mais la fuite n'est pas souvent possible et la population noire doit continuer à subir une situation difficile, ponctuée de menus succès et de bien des épreuves qui prouvent que la libération issue de la guerre reste, vingt ans après, presqu'un leurre. Peu à peu la ségrégation se met en place avec plus de force encore. Le pouvoir dans le Sud passe, à la charnière des années 1890, des mains des planteurs, des *Bourbons* [7], à

---

7. Aile réactionnaire du Parti démocrate dans le Sud, composée de partisans acharnés d'un retour à l'ordre ancien.

celles de « petits blancs » revigorés par le mouvement populiste ; il n'est plus question de paternalisme, mais bien de suprématie raciale *(white supremacy)*.

Rapidement les États-Unis s'enfoncent dans la ségrégation, même si la réussite exemplaire d'un Booker T. Washington laissent subsister un certain optimisme dans la population de couleur. Né en 1856 en Virginie, dans l'esclavage, Booker T. Washington devient dans les années 1890 une célébrité nationale. Directeur de l'École normale de Tuskegee (Alabama), reçu en 1901 par le président Theodore Roosevelt, célébré par les Noirs comme par de nombreux Blancs, il meurt en 1915 au terme d'une étonnante carrière qui a pourtant commencé dans les pires difficultés. Le jeune Booker travaille dans la mine, puis, à la fin de la guerre, sa mère le pousse à faire des études à cause de ses incontestables dispositions — et malgré les réticences de son père. Après avoir travaillé comme ouvrier d'usine et connu la misère, il parvient à entrer à l'*Hampton Institute*, premier centre d'éducation technique pour les Noirs. Il s'y fait remarquer et peut, à son tour, aller enseigner. Son histoire illustre la possibilité pour un jeune noir d'accéder à l'éducation, patiemment, sans exiger plus que son dû. Il fera de cette sorte de patience active sa solution au problème noir et l'exposera en 1901 dans son autobiographie *(Up From Slavery)* et dans bien d'autres écrits ou discours. La voix de Booker T. Washington est avant tout marquée par la modération et le refus de toute violence verbale. Alors même que la violence des lynchages ne cesse pas, que la perte du suffrage noir est consommée dans tout le Sud, lui continue de prôner calmement la coopération entre les races et à faire confiance à l'éducation. Cette attitude lui vaut l'estime des Nordistes et de certains Sudistes. Quant aux Noirs, ils sont fiers de voir l'un des leurs parvenu si haut et exprimer ce que, peut-être, ressent le plus grand nombre.

Il est cependant très significatif que huit mois tout juste après son plus célèbre discours (lors de l'*Atlanta Cotton States and International Exposition*, 18 septembre 1895) [8] survienne l'arrêt (non moins fameux) de la Cour suprême officialisant la séparation entre les races ! *Plessy vs. Ferguson* (1896) va régir pour plus d'un demi-siècle les rapports entre Noirs et Blancs.

---

8. Booker y annonça pour le Sud, blancs et noirs réunis, « un nouveau ciel et une nouvelle terre ».

L'ARRÊT *PLESSY VS. FERGUSON* (1896)

La Cour suprême a joué un rôle essentiel dans les rapports raciaux, depuis le fameux arrêt *Dred Scott* de 1857 jusqu'à *Brown vs Topeka* près d'un siècle plus tard. Sa décision de 1896 a une· importance aussi grande et a profondément marqué la société américaine.

Depuis la fin de la Reconstruction, la Cour avait déjà eu à se prononcer sur ces questions. Entérinant l'évolution plus que la suscitant, elle avait suivi le retrait des autorités fédérales du Sud en limitant les cas dans lesquels la protection du gouvernement fédéral pourrait s'exercer (*US vs. Reese* et *US vs. Cruishank*, 1873 et 1876) ; enfin, en 1883, elle avait annulé les dispositions du *Civil Rights Act* de 1875 *(Civil Rights cases)*. La jurisprudence indiquait que le gouvernement fédéral ne pouvait, selon le XIVe Amendement, qu'intervenir au niveau des États et non à celui des individus pour tout ce qui touchait à la ségrégation raciale.

Un test de cette évolution est fourni par l'application d'une loi de l'État de Louisiane (1890) prévoyant que « toutes les sociétés de chemin de fer transportant des voyageurs [...] doivent fournir aux personnes de race blanche ou de couleur des installations séparées mais égales ». Or, le 7 juin 1892, le métis Plessy a acheté un billet de première classe pour aller de la Nouvelle-Orléans à Covington et entend s'installer dans un wagon « blanc ». Accusé aux termes de la législation de 1890, il perd en appel devant la Cour suprême de Louisiane et porte le cas au niveau fédéral. La Cour rend son arrêt le 18 mai 1896. La décision, prise à une majorité de 7 voix contre 1 (celle du juge John M. Harlan arguant que « la Constitution ne distingue pas entre les couleurs »), confirme le principe du separate but equal et officialise pour longtemps (jusqu'à *Brown vs. Board of Education of Topeka*, 1954) la ségrégation raciale aux États-Unis.

Ainsi le « nadir » institutionnel est-il incontestable ; les Noirs ne votent plus et affrontent partout la barrière des races *(color line)* ; pourtant dans le même temps certains progrès laissent penser que la situation n'est peut-être pas à jamais figée.

UNE VIE POLITIQUE SANS ÉCLAT

La présidence du général Ulysses S. Grant (1869-1877), caractérisée par l'incompétence et la multiplication des « affaires », n'a pas relevé le prestige du pouvoir fédéral marqué par la tentative d'*impeachment* contre Andrew Johnson. Les scandales et la corruption de l'administration républicaine sont particulièrement choquants au moment où le pays célèbre son premier centenaire, et la façon dont sont gérés les États et les municipalités, pris dans la fièvre de l'industrialisation et de l'attribution des terres, n'est le plus souvent guère plus brillante. Début 1877, l'accession controversée à la présidence de Rutherford Hayes fournit un exemple de la bassesse atteinte par le débat politique, et des combines entre les deux grands partis.

La situation empire quand il apparaît que l'assassinat du président Garfield en 1881 est le résultat direct du *spoils system*, et n'est pas indépendant des luttes de clans au sein du parti républicain. Une réaction s'impose, même au sein du Congrès qui vote, deux ans plus tard, la première loi destinée à freiner les débordements du recrutement du *Civil Service*.

LE *PENDLETON ACT*, 1883

Depuis les ignominies de l'administration Grant une certaine agitation se fait jour pour exiger une réforme de la fonction publique *(Civil Service)*, tant au Congrès qu'à l'initiative de citoyens indignés, par exemple la *National Civil Service Reform Association* de George W. Curtis. Pourtant ce mouvement reste impuissant et bien marginal jusqu'au choc provoqué par l'assassinat de Garfield.

C'est en effet le nouveau président, Chester A. Arthur, qui prend les devants dès son premier message du 6 décembre 1881 ; malgré son passé discutable d'homme de parti, il tient à une réforme qui supprimerait le *spoils system*. Pour les plus corrompus, habillant leurs protestations d'arguments idéologiques, une sélection des fonctionnaires par concours aboutirait à privilégier les plus éduqués et les plus riches et séparerait le *Civil Service* de l'électorat. Ils soutiennent même qu'avec le système proposé jamais Lincoln n'aurait pu accéder à la présidence... Pourtant l'indignation est trop générale ; poussé par la volonté de réforme de l'opinion, le Congrès vote finalement le *Pendleton Act* en janvier 1883.

Cette loi est essentielle, car elle introduit la sélection au mérite dans la fonction publique américaine. Sans doute la Commission du Service civil prévue par la loi ne définit-elle que 14 000 postes, soit 12 % du total, qui seront ainsi pourvus, mais l'évolution est désormais irrésistible : 100 000 emplois sont touchés en 1900, plus du double en 1908. Peu à peu, avec beaucoup plus de lenteur, États et municipalités vont suivre le mouvement.

Pourtant la démocratie, aussi triste soit-elle, est une réalité vivante. Les « machines » des partis encadrent les citoyens qui votent en masse, et le scrutin est très largement étendu. Il devient même moins malhonnête avec la généralisation après 1890 du scrutin secret. Des citoyens excédés du comportement des politiciens professionnels parviennent parfois dans les municipalités à se faire élire pour promouvoir des réformes démocratiques.

Ces tentatives sont néanmoins insuffisantes pour changer en profondeur le fonctionnement du système. Les Républicains et les Démocrates ont des programmes de plus en plus voisins et le contrôle du Congrès n'a guère pour but le bien public. La législation est particulièrement médiocre servant des clientèles électorales et dilapidant les fonds publics. Ainsi le nombre de pensions attribuées aux anciens combattants de la guerre de Sécession ne fait que croître au fur et à mesure que les années passent, le parti républicain cherchant par là à élargir toujours plus son assise.

C'est dans ce contexte que les fermiers de l'Ouest et du Sud commencent à s'organiser, ne se sentant représentés ni par des Républicains liés aux intérêts capitalistes de l'Est, ni par des Démocrates issus des fractions les plus traditionnelles du parti. A l'occasion de l'élection de novembre 1892, apparaît un tiers parti au programme audacieux, le parti populiste. Alors que les deux grands partis s'enlisent dans la politicaillerie quotidienne et que les syndicats ouvriers ne sont pas encore prêts à placer leurs revendications sur le terrain politique, la contestation la plus active vient des fermiers du Sud, du Middle West et surtout de l'Ouest. Depuis les années 1870 un vif mécontentement parcourt les fermes de ces régions ; les villes croissent et prospèrent alors que les campagnes semblent stagner. *Granges* [9], *Greenbackers* [10], *Farmers' Alliances* [11] expriment tout au long de la période, quand les prix des produits agricoles baissent, quand les terres doivent être hypothéquées, cette réaction avec localement un certain succès.

Ces réelles difficultés que connaissent les fermiers peuvent s'expliquer par l'industrialisation accélérée du pays, par

9. Associations secrètes pour la défense de la vie rurale, mi-professionnelles mi-politiques, et qui en 1875 comptaient 800 000 membres.
10. Parti qui réclamait le maintien d'une monnaie dévaluée plus favorable aux fermiers endettés et obtint plus d'un million de voix aux législatives de 1878
11. Organisations d'agriculteurs ligués contre les gros intérêts financiers, les monopoles bancaires, les intermédiaires, etc.

le développement du machinisme dans les campagnes, comme par la concurrence acharnée entre les compagnies de chemins de fer. Mais, manquant de numéraire, se sentant oubliés de tous, les fermiers sont de plus en plus persuadés qu'ils sont victimes d'un vaste complot mené par les banquiers, les « rois » du rail, les industriels et autres grossistes qui chercheraient à prendre le contrôle de leurs terres. Les gouvernements les ayant trahis, disent-ils, au profit des « ploutocrates » de l'Est, les fermiers sont persuadés que le peuple doit reprendre ses affaires en main et corriger ces maux par des lois.

Ces idées mûrissent depuis des années et elles sont mises en forme dans diverses conventions en 1890-1891, avant de trouver une version définitive, sous l'impulsion d'Ignatius Donnelly, dans le programme du *People's Party* adopté à la

---

WILLIAM JENNINGS BRYAN :
LE DISCOURS DE LA « CROIX D'OR » (1896)

A l'approche de l'élection de novembre 1896, les Démocrates sont divisés entre partisans du maintien de l'étalon-or et « silverites », tenants d'une monnaie d'argent abondante et dévaluée permettant d'éponger les dettes des petites gens. A la convention de Chicago, début juillet, les délégués sont agités, divisés, mais aucun candidat ne semble s'imposer. Le poids des défenseurs de l'argent, marqués par la propagande populiste est considérable, mais leur porte-parole, Benjamin Tillman, se révèle piètre orateur, alors que les Démocrates conservateurs se montrent particulièrement persuasifs. Personne ne semble prêter attention à la délégation du Nebraska dirigée par un avocat de 36 ans, William Jennings Bryan, et l'annonce de sa candidature amuse. En fait Bryan parvient à être un des rédacteurs du programme des défenseurs des *silverites,* et prend la parole en dernier le 9 juillet. Alors que les précédents orateurs pouvaient à peine se faire entendre des 20 000 délégués, Bryan use de toutes les ressources de sa voix et tient en haleine l'assemblée. Son discours, soigneusement préparé, est un des plus importants de toute l'histoire américaine, il lui assure la désignation par le parti et le ralliement des populistes : s'adressant aux partisans de l'étalon-or, il lance cette phrase restée fameuse : « Vous n'enfoncerez pas sur le front du travailleur cette couronne d'épines, vous ne crucifierez pas l'humanité sur une croix d'or ». Malgré une campagne survoltée, marquée par la ferveur idéologique et un violent « sectionnalisme », Bryan est battu par McKinley, mais le débat politique ne sera plus jamais le même.

convention d'Omaha le 4 juillet 1892 : les points principaux concernent la nationalisation des moyens de transport et de communication, une monnaie nationale unique, un impôt progressif sur le revenu, la journée de huit heures pour les employés du gouvernement, le vote à bulletin secret, l'élection directe des sénateurs, le référendum d'initiative populaire, une immigration mieux contenue. Dans le scrutin présidentiel qui suit, le candidat populiste obtient plus d'un million de voix, soit 8 % du total et les idées ainsi popularisées ne seront pas oubliées de sitôt.

Les années qui suivent, marquées par la crise de 1893-1894 et l'impuissance de Cleveland, amènent un profond bouleversement du parti démocrate, qui se manifeste avec éclat lors de la convention de Chicago en juillet 1896. William J. Bryan semble soudain figurer l'avenir de la démocratie américaine.

LES CHEMINS DE L'IMPÉRIALISME

Les années qui séparent la guerre de Sécession de la guerre contre l'Espagne en 1898 ne sont pas marquées par une intense activité internationale des États-Unis. Pourtant toute une série d'indices plus ou moins significatifs prouvent que l'impérialisme américain n'a pas surgi subitement à la fin du XIXe siècle.

L'expansion continentale américaine, dans la première moitié du XIXe siècle, était déjà une forme d'impérialisme. Toutefois par sa dimension strictement continentale, la *Manifest Destiny* s'apparentait à une politique de « frontières naturelles ». On peut encore faire rentrer dans cette catégorie en 1867 l'achat de l'Alaska, comme les velléités annexionnistes du président Grant à l'égard de Saint-Domingue en 1870 ou l'intérêt porté à Cuba en 1876.

Il n'en est plus tout à fait de même dans les années 1880, car le médiocre Chester A. Arthur, et surtout son Secrétaire d'État James G. Blaine, donnent les preuves d'un relatif activisme international. La doctrine de Monroe ressort un peu des oubliettes avec les tentatives de regroupement des États américains sous la Bannière étoilée. C'est Blaine qui lance l'idée en 1881, mais la Conférence projetée ne se tient qu'en 1889 quand les Républicains ont retrouvé le pouvoir, et sans aboutir à des résultats significatifs.

Les États-Unis n'ont pas toujours porté un grand intérêt à l'Amérique du Sud, et les seules vagues propositions d'unir toutes les nations américaines étaient venues de Bolivar en 1826. Les choses changent doucement dans les années 1870, la tentative de Ferdinand de Lesseps de percer le canal de Panama inquiète le gouvernement américain, soucieux de voir une telle voie aux mains des Européens ; la faillite de la compagnie française est bienvenue, mais l'attention des États-Unis est désormais en éveil. Des voix se font entendre, par ailleurs, pour déplorer que les nations américaines achètent leurs produits manufacturés à la Grande-Bretagne ou à la France plutôt qu'aux États-Unis. Enfin le conflit entre le Pérou et le Chili, qui éclate en 1879, ou encore les accrochages entre le Guatemala et le Mexique au début de 1881, sont mal vus par Washington qui craint l'instabilité.

L'arrivée de James G. Blaine au secrétariat d'État donne, en mars 1881, une cohérence à ces préoccupations. L'homme est ambitieux ; humilié que James Garfield lui ait été préféré, il veut s'affirmer comme une sorte de Premier ministre et accroître son prestige par une politique internationale active. Il obtient du président la convocation d'une assemblée des pays latino-américains pour maintenir la paix et favoriser le commerce au profit des États-Unis. Arrivé au pouvoir, Arthur accepte le principe d'une telle conférence ; l'invitation est lancée le 29 novembre 1881, mais Arthur s'empresse de remplacer l'encombrant Blaine. Le projet est abandonné, mais sera repris, à peu près dans les mêmes termes, par le Congrès en 1888 ; revenu aux affaires, Blaine organisera la première conférence en octobre 1889, à Washington, mais les résultats ne seront pas à la hauteur de ses espérances, même si les bases de la future *Pan-American Union* y sont finalement jetées.

Les Américains ne sont qu'« observateurs » à la Conférence coloniale de Berlin (sur l'autonomie — menacée par l'Allemagne — des îles Samoa). Quelques voix, encore très isolées, se font entendre pour stimuler l'orgueil international américain bien effacé. Pourtant il ne s'agit là que de cas individuels, car n'existent alors ni une motivation économique importante pour s'approprier des marchés extérieurs, ni une volonté établie d'expansion territoriale en dehors du continent américain. D'ailleurs il suffit d'un changement d'administration ou de conjoncture pour faire disparaître ces minuscules tentatives.

La quiétude internationale est illustrée par l'inauguration, en octobre 1886, de la statue de la Liberté, laquelle n'aurait pas été offerte par la France à un pays aux ambitions internationales dévorantes.

« LA LIBERTÉ ÉCLAIRANT LE MONDE » :
28 OCTOBRE 1886

Le don par la France de la statue de la Liberté aux États-Unis est un événement unique dans les relations internationales et le plus étonnant est que cette statue soit devenue un symbole typiquement américain.

C'est en 1865 qu'a germé dans l'esprit d'Édouard Laboulaye l'idée de célébrer de façon grandiose le centenaire de la grande République américaine. Le projet a soulevé l'enthousiasme du sculpteur républicain Auguste Bartholdi qui ébauche une maquette de statue gigantesque et va même repérer les lieux à New York en 1871. Les Américains contactés sont intéressés, mais attendent une initiative française. Celle-ci provient d'hommes qui n'ont pas tourné le dos aux États-Unis, une fois la République installée en France, mais n'implique nullement le gouvernement.

Une vaste souscription binationale est lancée le 28 septembre 1875 pour réunir les fonds nécessaires, avec le concours des Américains de Paris et des descendants des grandes familles, Lafayette, Rochambeau. Une main de la statue est présentée à l'Exposition universelle de Philadelphie en 1876, mais l'argent ne rentre pas vite malgré les divers moyens mis en œuvre. il faut attendre juillet 1880 pour que la souscription soit close : 181 villes et 100 000 personnes y ont pris part. La statue achevée est remise officiellement aux Américains le 4 juillet 1884.

Du côté américain le mouvement est plus lent, le socle n'est pas commencé et le Congrès renâcle à débourser les fonds nécessaires. Il faut une vigoureuse campagne du journaliste Joseph Pulitzer dans le *New York World* pour qu'enfin le socle soit achevé. La statue, arrivée à New-York en juillet 1885 est finalement inaugurée le 28 octobre 1886 par le président Cleveland.

Le changement s'amorce avec la décennie 1890. La fin de la Frontière comme l'accroissement considérable de la production industrielle et agricole posent le problème de l'inexistence de la flotte marchande américaine et celui de la médiocrité de sa marine de guerre, toutes deux pouvant se révéler indispensables pour assurer la sécurité du commerce américain. Pourtant ce mouvement favorable à l'expansion, voire à l'impérialisme, est encore bien incertain. Les Américains restent largement hostiles à toute aventure extérieure, n'en voyant guère l'utilité. Le va-et-vient en 1893 au sujet de ce qu'on pourrait appeler la « vraie/fausse » annexion d'Hawaï illustre bien ces réticences.

L'archipel hawaïen constitue, depuis le début du XIXe siècle une sorte de « frontière » du Pacifique pour les États-Unis. Étape naturelle sur la route de la Chine, il a très vite attiré une colonie d'Américains qui exercent une forte influence sur le gouvernement local ; en effet il s'agit de planteurs de canne à sucre qui cherchent à vendre leur production aux États-Unis. Ils obtiennent, à défaut de l'annexion souhaitée par certains, comme par le secrétaire d'État William Seward en 1867, un traité de réciprocité renouvelé à partir de 1875 qui assure la libre entrée du sucre hawaïen aux États-Unis. Le tarif McKinley de 1890 menace de mettre un terme à cet avantage et la reine Liliuokalani cherche à rendre son royaume, où sont arrivés de nombreux travailleurs asiatiques, plus indépendant des Américains. La crise économique empirant, la minorité américaine pousse de nouveau en faveur de l'annexion aux États-Unis et s'empare même du pouvoir, avec l'aide de marines, en janvier 1893, tout en arborant la Bannière étoilée. Le président, Benjamin Harrison, s'empresse de préparer un traité d'annexion en février. Mais Cleveland, arrivé au pouvoir pour la seconde fois, n'accepte pas ce procédé et retire le projet. Ne pouvant restaurer la monarchie, il accepte la République d'Hawaï, proclamée le 4 juillet 1894. Quatre ans plus tard, le lobby annexionniste n'ayant pas désarmé, Hawaï deviendra territoire américain...

C'est pourtant Cleveland, à la fin de son deuxième mandat, qui frappe le premier « coup de gong » d'un impérialisme renouvelé, brandissant en 1895 la doctrine de Monroe au sujet d'une controverse frontalière entre la Grande-Bretagne et le Venezuela.

Le problème hawaïen s'apparente par de nombreux aspects à l'expansion du début du XIXe siècle ; la méthode employée est semblable à celle utilisée lors de l'annexion du Texas ou de la Californie. On comprend, de ce fait les réticences de Cleveland. La situation est tout à fait différente lors de la controverse au sujet de la frontière entre Venezuela et la Guyane britannique. Cette controverse date de 1841, mais est réactivée en 1875 par la découverte d'or dans la zone contestée. Très vite le Venezuela demande l'arbitrage des États-Unis et avance même que les prétentions britanniques seraient contraires à la doctrine de Monroe. Une active propagande se développe dans la presse américaine à partir de la rupture des relations entre le Venezuela et la Grande-Bretagne (en 1887) pour dénoncer la conduite de celle-ci. Cleveland, à son arrivée au pouvoir, s'intéresse à la question et approuve le message brutal de son secrétaire d'État Richard Olney qui est adressé à Londres le 20 juin 1895 ; la doctrine de Monroe y est fermement revendiquée. Le ton est inadmissible pour le *Foreign Office* qui prend tout son temps pour répondre, alors que dans les deux pays une presse enflammée fait jouer les réflexes le plus nationalistes. Lord Salisbury refuse tout compromis, ce qui entraîne le message de Cleveland du 17 décembre 1895 et la réaffirmation solennelle de la doctrine de Monroe présentée par le président comme étant d'un « intérêt vital pour notre peuple et son gouvernement ». Il ne s'agit plus d'intérêts secondaires, mais bien du rôle des États-Unis dans le continent américain. Le tournant est important. La Grande-Bretagne, prise par la guerre des Boers, accepte finalement un arbitrage qui sera rendu plutôt en sa faveur en 1899, mais l'opinion américaine est fière de la « victoire » remportée contre John Bull.

6

L'AMÉRIQUE, PUISSANCE MONDIALE (1897-1929)

Les années 1897-1929 sont d'abord caractérisées par un remarquable développement économique. En 1913, le revenu national aux États-Unis est déjà trois fois plus élevé que celui de l'Angleterre ou de l'Allemagne et cinq fois plus élevé que celui de la Russie ou de la France.

L'Amérique s'est donné les bases d'une économie moderne à la veille de la Première Guerre mondiale : une agriculture spécialisée et mécanisée fournit plus de la moitié des exportations américaines jusqu'en 1914. Quant à l'industrialisation, qui représente le phénomène fondamental, elle a été favorisée par les richesses du sous-sol, l'arrivée massive des immigrants et surtout un taux de formation du capital souvent de l'ordre du quart du PNB avec en plus l'apport d'investissements européens (6,75 milliards de dollars en 1914). L'industrie américaine a bénéficié de la demande massive d'un vaste marché national unifié par les chemins de fer et soutenu avec efficacité par la montée du revenu par tête et le développement des villes. Un système industriel original se développe, caractérisé par l'emploi d'une main d'œuvre en partie composée d'immigrants, rapidement et efficacement formée, des techniques de production rationnelles et économiques (pièces interchangeables, standardisation, emploi des machines-outils permettant la production en série) et le rôle novateur des chefs d'entreprise, véritables « hommes d'État industriels » agissant avec l'appui bienveillant des autorités politiques fédérales favorables au *big business*. En 1913, la production industrielle américaine égale celle de la Grande-Bretagne, de l'Allemagne et de la France réunies.

En 1900, avec 200 000 miles de voies ferrées, les États-Unis ont un réseau ferré plus long que tous les pays d'Europe réunis. En 1914, ils possèdent plus du tiers du réseau mondial, avec près de 270 000 miles. Cette armature contribue à assurer l'unité économique du pays qui compte 76 millions d'habitants en 1900 et 105 en 1920 dans les 48 États de l'Union, depuis l'admission de l'Oklahoma en 1907 et de l'Arizona et du Nouveau-Mexique en 1912.

La Première Guerre mondiale renforce encore la position des États-Unis : le développement des exportations améliore la balance commerciale. En 1919, les États-Unis possèdent 45 % du stock d'or mondial. Le Trésor américain a prêté aux Alliés une dizaine de milliards de dollars, tandis que les Européens ont dû vendre une bonne partie des valeurs américaines qu'ils détenaient. De nation débitrice, les États-Unis deviennent une nation créancière au lendemain de la guerre.

Après une violente mais courte crise du milieu de 1920 à la fin de 1921, l'économie américaine entre dans une ère d'expansion presque ininterrompue jusqu'en 1929 — sauf par deux légères récessions en 1924 et 1927. L'indice de la production industrielle (indice 100 : moyenne 1933 à 1939) passe de 58 en 1921 à 110 en 1929 ; le revenu national progresse de 59,4 milliards de dollars à 87,2 et le revenu réel par habitant de 522 à 716 dollars.

Le développement de la consommation est facilité par l'augmentation du pouvoir d'achat, l'extension de la vente à crédit, le développement de la publicité. La concentration des entreprises se poursuit. Il y avait 181 constructeurs d'automobiles aux États-Unis en 1903. Il n'y en a plus que 44 en 1926 et les trois principaux — Ford, General Motors et Chrysler — fabriquent 83 % des voitures. L'industrie automobile devient alors la première industrie américaine : la production passe de 1 500 000 voitures en 1921 à 4 800 000 en 1929. A cette date, il y a environ 26 millions de véhicules à moteur aux États-Unis, dont 23 millions de voitures de tourisme. Environ 4 millions d'emplois dépendent alors directement ou indirectement de l'automobile. Une véritable civilisation de l'automobile apparaît. C'est la fin de l'isolement rural et l'accélération de l'urbanisation. En 1929, 56 % des Américains vivent dans des villes. Le plan des villes et de leur banlieue est modifié. En 1929, on commence à construire le fameux *Empire State Building,* qui est achevé deux ans plus tard. A côté de l'automobile, la radio joue également un rôle fondamental dans la vie de l'Américain : 13 millions de postes sont déjà en service en 1930. Quant au cinéma, il connaît un rapide succès au temps du muet, puis du parlant après 1927.

Au début du XXe siècle, les bénéfices de la prospérité sont loin d'être distribués équitablement. Les ouvriers s'efforcent de s'organiser soit dans le cadre de syndicats réformistes, avec l'*American Federation of Labor,* soit avec des organisations plus révolutionnaires comme les *Industrial Workers of the World.* Le candidat du parti socialiste, Eugene V. Debs, obtient 900 672 voix aux élections présidentielles de 1916. C'est le record absolu dans l'histoire américaine au niveau national. En octobre 1917, aux élections municipales de New York, un quart des suffrages va aux candidats socialistes. Toutefois, le socialisme ne s'implante pas en Amérique, car il passe pour *un-American,* c'est-à-dire contraire aux traditions et aux valeurs américaines. De plus, dans ce Nouveau Monde où les immigrants affluent, la conscience ethnique remplace la conscience de classe. On est irlandais ou italien avant de se sentir ouvrier.

Dans les premières années du XXe siècle, des journalistes et des romanciers surnommés *muckrakers* (remueurs de boue) s'attaquent avec vigueur — dans des magazines, des romans, des enquêtes de presse — à tous les défauts du système économique, dénonçant les pratiques de certains hommes d'affaires, la puissance des grands trusts, notamment financiers ou ferroviaires. Les *muckrakers* dénoncent aussi l'existence d'une pauvreté dramatique et d'une corruption généralisée. Se développe ainsi un puissant mouvement de réformes qui touche à la fois le domaine politique et le domaine social : l'introduction d'élections primaires, l'adoption du droit d'initiative populaire, du référendum et du rappel *(recall)* [1] sont décidés dans certains États. Les réformes touchent également la gestion des affaires municipales.

Au niveau fédéral, une partie des progressistes préconise l'extension des pouvoirs du gouvernement fédéral, afin d'équilibrer les puissants intérêts privés et faire prévaloir l'intérêt général. C'est le cas de Theodore Roosevelt qui veut seulement surveiller les trusts, car il n'est pas question pour lui de détruire la concentration capitaliste : c'est le « nouveau nationalisme », qui se situe tout à fait dans la tradition hamiltonienne. D'autres progressistes, avec Woo-

---

1. Révocation d'un fonctionnaire, d'un juge ou d'un élu local à l'initiative des électeurs (généralement un quart).

drow Wilson, veulent au contraire assurer le bon fonctionnement de la libre entreprise en détruisant le big business : c'est la « nouvelle liberté », dans la tradition classique de la démocratie d'inspiration jeffersonienne. Une fois entré à la Maison-Blanche, Wilson renonce à détruire les trusts et s'aperçoit que le programme du « nouveau nationalisme » est plus réaliste que celui de la « nouvelle liberté ».

Le mouvement progressiste — avant tout animé par les classes moyennes — a beaucoup fait pour améliorer la situation des enfants ou des femmes dans le monde du travail. En revanche, il ne se préoccupe guère des Noirs et reste méfiant à l'égard des immigrants. La grande vague des réformes progressistes s'arrête en 1916, les États-Unis se préoccupant alors du conflit qui déchire l'Europe depuis août 1914.

En 1920, les États-Unis comptent 106 466 000 habitants dont 11 500 000 Noirs. Dix ans plus tard, la population s'élève à 122 775 000 habitants dont 13 900 000 Noirs. La réduction de la natalité et la fin de l'immigration massive expliquent le ralentissement de l'accroissement démographique par rapport au début du siècle. Malgré la prospérité indéniable, de profondes inégalités subsistent. Les profits croissent plus vite que les salaires. Certaines régions restent à l'écart de l'essor économique.

La guerre a provoqué ou accéléré une évolution des mentalités. L'Amérique puritaine, qui croyait à la valeur du travail et de l'épargne, voit se développer à côté d'elle une Amérique légère, qui s'amuse et qui consomme. On se met à préférer les articles à la mode aux objets solides. L'enrichissement général détermine une progression des loisirs dont témoigne l'essor de la Floride et de la Californie. De nouvelles danses, les rythmes du jazz, du ragtime, des blues ou du swing avec des interprètes comme Benny Goodman, Duke Ellington et Louis Amstrong enthousiasment des millions d'Américains. La *flapper* — jeune femme « affranchie » dans sa mise et son comportement — devient le type de femme à la mode vers 1929. Les femmes votent depuis 1920 (dix-neuvième Amendement). Elles sont aidées dans leur travail à la maison par l'introduction de multiples machines domestiques.

Tandis que des courants conservateurs puissants traversent la société américaine avec le regain du fondamentalisme, la réapparition du Ku Klux Klan et la prohibition, des écrivains comme Henry L. Mencken ou Sinclair Lewis, premier Américain à recevoir le Prix Nobel de littérature, dépeignent impitoyablement un certain provincialisme et le matérialisme ambiant.

Le début du XXe siècle a non seulement été marqué par un fantastique développement économique qui place les États-Unis en tête de toutes les autres nations industrialisées du monde et par l'apparition d'une société urbaine où les classes moyennes jouent un rôle important ; c'est aussi le moment où les États-Unis s'affirment comme puissance mondiale.

Pendant tout le XIXe siècle, plus particulièrement depuis la guerre de Sécession, les États-Unis avaient été avant tout absorbés par la mise en valeur du pays, le peuplement de l'Ouest, le développement industriel. La seule expansion que les États-Unis eussent connue avant la fin du XIXe siècle avait été une expansion continentale. Ce n'est vraiment qu'à partir de 1895-1897 — c'est-à-dire une vingtaine d'années après les États européens — que les États-Unis connaissent un véritable « impérialisme », même s'ils avaient déjà manifesté de l'intérêt pour certains territoires. En 1867, ils avaient acheté l'Alaska et en 1889 partagé le protectorat des îles Samoa avec l'Angleterre et l'Allemagne. La guerre contre l'Espagne à propos de Cuba en 1898 marque à cet égard un tournant. Les États-Unis acquièrent Porto Rico et les Philippines. La même année, ils annexent l'archipel de Hawaï. Puis ils demandent l'application du principe de la « porte ouverte [2] » en Chine et participent à la répression du mouvement des Boxers à Pékin en 1900. Ils ne vont pas cesser d'intervenir en Amérique latine.

Pourquoi les États-Unis sont-ils devenus une puissance impérialiste ? Peu d'industriels craignent la saturation du marché intérieur. Mais l'idée de laisser les Européens ou les Japonais s'emparer de tous les marchés en inquiète un certain nombre.

Les impérialistes sont surtout des nationalistes convaincus que la race anglo-saxonne doit jouer un rôle prépondérant dans le monde en apportant la démocratie, la liberté, le progrès. C'est une nouvelle « destinée manifeste ». Avec Theodore Roosevelt, la politique étrangère américaine devient mondiale. Le Président multiplie les initiatives et les interventions. Mais la majorité des Américains reste encore assez indifférente à la politique internationale, et il existe

---

2. C'est-à-dire le droit (notamment pour les Américains) d'avoir libre accès à tous les marchés, quelle que soit la zone d'influence.

aussi un fort courant anti-impérialiste qui rejette l'imitation des puissances de l'Ancien Monde.

Le rôle de l'Amérique en tant que puissance mondiale s'affirme avec la Grande Guerre. Malgré le souhait du président Wilson de rester à l'écart du conflit mais d'être accepté comme médiateur, la politique allemande conduit finalement la démocratie américaine à jeter ses forces dans la bataille, à partir du 6 avril 1917. L'intervention américaine tire les Alliés d'une position périlleuse, pour ne pas dire désespérée. L'aide prend des formes diverses : dollars, bateaux, soldats. En novembre 1918, deux millions de *Doughboys* (*Sammies* pour les Français) se trouvaient en France, dont un million sur le front. Les Américains sont arrivés juste à temps pour aider les Alliés à supporter la dernière grande attaque allemande et pour leur permettre d'organiser une contre-offensive. A partir de juin 1918, les Alliés possèdent la supériorité numérique sur le front occidental. La présence des Américains a compensé la défaillance russe.

Mais si Wilson est entré en guerre, ce n'est pas seulement pour défendre les intérêts américains ou pour sauver les Alliés de la défaite, c'est pour reconstruire la paix sur des bases nouvelles et solides. Le programme en « 14 points », exposé au Congrès le 8 janvier 1918, est d'une part l'expression de la grande idée wilsonienne d'une « nouvelle diplomatie » fondée sur une Société des Nations, le refus des accords secrets, la suppression des barrières économiques, la liberté de navigation sur les océans, la réduction des armements et, en même temps, une alternative aux solutions proposées par Lénine.

Toutefois, les projets de Wilson se heurtent à d'insurmontables obstacles — à l'extérieur, mais surtout à l'intérieur — des États-Unis. Wilson réussit à faire incorporer le pacte de la SDN (Société des Nations) au traité de Versailles, mais le Sénat américain refuse de ratifier celui-ci. La victoire du candidat républicain Warren G. Harding à l'élection présidentielle de novembre 1920 confirme l'échec du grand projet internationaliste wilsonien.

Est-ce pour autant le retour des États-Unis à l'isolationnisme ? En apparence oui, avec le refus obstiné d'entrer ou même de coopérer avec la SDN. En réalité non, car si les États-Unis ont renoncé au rôle de leader que leur proposait Wilson, ils tiennent à la défense de leurs intérêts sur tous les continents : c'est l'ère du nationalisme. Les États-Unis s'efforcent d'obtenir le remboursement des dettes de guerre et pour cette raison se mêlent du problème des réparations allemandes. Ils s'efforcent de favoriser le désarmement naval, signent en 1928 avec la France un pacte mettant la « guerre hors la loi », auquel se rallient la plupart des nations du monde ; ils suivent avec attention les affaires chinoises, investissent massivement en Amérique latine et y interviennent pour maintenir l'ordre.

Au total, les investissements américains dans le monde sont passés de 684 millions de dollars en 1897 à 7 milliards en 1919 et 17 en 1929. Les États-Unis possédaient au lendemain de la Première Guerre mondiale 45 % du stock d'or du monde ; ils en possèdent 60 % en 1929. Au début de 1929, l'optimisme est généralement répandu aux États-Unis. Les Américains nourrissent une confiance inébranlable dans l'avenir, le système, les hommes d'affaires. Cette année-là, le président lui-même — le « grand ingénieur » Hoover — déclare le 4 mars : « Je n'ai aucune crainte pour l'avenir de notre pays. Il resplendit d'espoir ». Quelques mois plus tôt, il avait affirmé à ses compatriotes qu'« en Amérique aujourd'hui, nous sommes plus près du triomphe final sur la pauvreté qu'aucun autre pays dans l'histoire ne l'a jamais été ».

Pourtant, en octobre 1929, éclate le krach boursier à partir duquel va se déclencher la Grande Dépression...

LA GUERRE HISPANO-AMÉRICAINE ET LES DÉBUTS DE L'IMPÉRIALISME AMÉRICAIN

L'entrée en guerre des États-Unis contre l'Espagne pour obtenir l'indépendance de Cuba en 1898, l'acquisition d'un certain nombre de territoires (Philippines, Guam et Porto Rico), l'annexion des îles Hawaï (1898), la construction du canal de Panama à partir de 1904, puis les diverses interventions américaines en Amérique centrale représentent une nette rupture avec la politique de paix et d'isolement pratiquée jusque-là.

Quelles sont les raisons d'un tel changement ? Des mobiles économiques ont certainement joué un rôle. Depuis les crises des années 1880 ou 1890, les milieux d'affaires sont préoccupés par la recherche de nouveaux marchés. Toutefois, on ne peut pas parler d'une forte pression, car les

LA GUERRE HISPANO-AMÉRICAINE
ET SES SUITES

En 1898, éclate la guerre hispano-américaine, point de départ du rôle de puissance mondiale des États-Unis d'Amérique. C'est en quelque sorte l'entrée en scène fracassante des États-Unis dans la vie internationale.

Lorsqu'une insurrection éclate en février 1895 à Cuba contre le colonisateur espagnol, les sympathies du public américain, orientées par une presse à sensation, se déchaînent de plus en plus en faveur des révoltés. Les intérêts économiques américains menacés sur place et l'emplacement stratégique de l'île dans la zone des Caraïbes jouent aussi leur rôle.

Après avoir résisté pendant des mois à la pression belliciste et avoir obtenu par la voie diplomatique des concessions de l'Espagne — mais non pas la promesse d'accorder l'indépendance à Cuba —, le président William McKinley se résout à proposer au Congrès une intervention. Il explique pourquoi, finalement, les États-Unis doivent recourir aux armes. Dès le 20 avril, le Congrès répond en votant une « résolution conjointe » reconnaissant l'indépendance de Cuba, demandant le départ des troupes espagnoles et donnant au président le pouvoir d'utiliser la force armée pour obtenir satisfaction. Le 21 avril 1898, la guerre est déclarée.

La victoire éclair des Américains contre l'Espagne — et notamment l'anéantissement de la flotte espagnole des Philippines par l'amiral Dewey le 1er mai, puis de celle de Cuba le 13 juillet 1898 — posa rapidement la question de savoir si les États-Unis allaient ou non se lancer dans l'acquisition d'un empire colonial à la manière des puissances européennes. Par le célèbre « amendement Teller », le Congrès s'était engagé, le 20 avril, à ne pas annexer Cuba et à « laisser au peuple [cubain] le gouvernement et la maîtrise » de l'île. Mais il n'en alla de même pour les Philippines, autre possession espagnole. Au traité de Paris du 10 décembre 1898, qui mit fin à la guerre, l'Espagne abandonnait son contrôle sur Cuba et cédait aux États-Unis, Porto Rico, Guam — la plus importante des îles Mariannes — et les Philippines (annexées contre 20 millions de dollars).

Or, dès cette première expérience coloniale, les Américains se trouvent aux prises avec les difficultés : à peine l'annexion vient-elle d'être ratifiée par le Sénat (à deux voix de majorité) qu'une insurrection éclate aux Philippines : il faudra quatre ans pour en venir à bout.

Cette orientation nouvelle de la politique américaine ne rencontre pas l'approbation unanime de l'opinion publique. A la tête du mouvement contre l'acquisition de territoires outre-mer, se trouvait la Ligue anti-impérialiste fondée à Boston en juin 1898. Beaucoup de personnalités de premier plan du monde de la politique (Bryan, Cleveland), des universités (les présidents de Harvard et de Stanford), du monde des lettres (William James, Graham Sumner, Mark Twain) ou du monde des affaires (Andrew Carnegie) en font partie. L'acquisition d'un empire colonial leur apparaît comme une véritable trahison des grands principes de la démocratie américaine énoncés dans la Déclaration d'Indépendance.

produits manufacturés exportés ne représentent que 6,6 % de la valeur totale de la production de ces biens et 1,7 % du PNB. Ce qui est plus certain, c'est la volonté des dirigeants américains de veiller à ce que le monde reste ouvert aux produits ou aux investissements américains : c'est la fameuse demande de la « porte ouverte » en Chine.

Lorsque l'Allemagne, la France, la Russie et la Grande-Bretagne obtiennent de la Chine des sphères d'influence et des territoires à bail en 1897 et 1898, les États-Unis commencent à s'inquiéter. Ils redoutent en effet de voir leur commerce gêné par des dispositions concernant les importations ou les investissements et visant à favoriser les nationaux de ces puissances. La politique traditionnelle des États-Unis consistait en effet à revendiquer un traitement commercial égal pour tous ainsi que le respect de l'intégrité du territoire chinois. Avec l'accord de l'Angleterre, le secrétaire d'État John Hay adresse aux puissances européennes une première note le 6 septembre 1899, pour leur demander de ne pratiquer aucune discrimination à l'égard du commerce étranger dans leurs concessions ou territoires à bail. La révolte des Boxers contre l'influence étrangère en Chine et l'envoi en juillet 1900 d'une expédition où participent Européens, Japonais et Américains (pour défendre les légations étrangères assiégées dans Pékin) amènent Hay à adresser une seconde note le 3 juillet 1900, car il craint que la présence de ces forces ne soit le prétexte à un véritable dépeçage de la Chine. La politique dite de la « porte ouverte » — c'est-à-dire de l'égalité de traitement commercial pour tous — devient un élément de base de la politique extérieure américaine. En fait, les grands espoirs soulevés par le marché chinois se révélèrent décevants.

Mais la principale raison semble bien résider dans le fait que les États-Unis, qui viennent d'achever leur expansion territoriale continentale, ne peuvent pas rester totalement inactifs dans un monde marqué par le plein développement des impérialismes européens. Si les États-Unis ne se décident pas à devenir une grande puissance et ne définissent pas

LES U.S.A. ET L'AMÉRIQUE LATINE

Theodore Roosevelt donna une impulsion vigoureuse à la politique impérialiste inaugurée par McKinley. C'est lui qui décida la construction du canal de Panama, dont les travaux commencés en 1904 sont achevés en 1914.

Mais surtout la construction du canal, en donnant brusquement une importance stratégique de premier ordre à la mer des Caraïbes, amène Roosevelt à redéfinir les relations des États-Unis avec les pays d'Amérique latine. Comme le Président ne veut pas entendre parler d'interventions militaires des pays européens — et notamment de l'Allemagne — pour protéger leurs ressortissants ou leurs intérêts, il décide d'assumer lui-même ce contrôle et cette surveillance des républiques latino-américaines, plus particulièrement dans la zone sensible de l'Amérique centrale : c'est le « corollaire Roosevelt »[3] à la doctrine de Monroe.

En fait, cette doctrine de Monroe, revue et corrigée par Theodore Roosevelt, conçue au départ pour empêcher toute intervention européenne, allait être utilisée pour justifier des interventions américaines dans les affaires intérieures des républiques sud-américaines, notamment à Saint-Domingue (en 1905 et en 1916), à Haïti (en 1915), au Nicaragua (en 1912) et à Cuba (en 1906). Elle ne sera abandonnée qu'en 1930 de manière officieuse — et en 1933 officiellement.

Quant au Mexique voisin, il a toujours provoqué de la part des dirigeants américains une attention particulière ponctuée de guerres et de tensions. Avec Wilson et la diplomatie de la « nouvelle liberté », une ère nouvelle semble s'ouvrir, fondée sur des liens de libre coopération avec les gouvernements et peuples d'Amérique latine. Cependant, la mise en pratique de ces beaux principes s'avéra illusoire. Devant la cascade d'assassinats politiques et de prises de pouvoir par la force que connaît le Mexique, Wilson prétend s'en tenir à une reconnaissance de facto du gouvernement de Venustanio Carranza et justifie même une intervention pour défendre les vies et les biens américains.

Malgré ses intentions de départ, Wilson fut finalement conduit à suivre en Amérique latine une politique assez voisine de celle de ses prédécesseurs.

---

3. Le 6 décembre 1904, dans son discours sur l'état de l'Union, Roosevelt détailla ainsi son « corollaire » à la doctrine de Monroe : « Dans l'hémisphère occidental, l'adhésion des États-Unis à la doctrine de Monroe peut forcer les États-Unis, fût-ce à contrecœur, en cas de transgression du droit *(wrong-doing)* ou d'impuissance flagrantes, à exercer un pouvoir international de police ».

leurs intérêts commerciaux et stratégiques sur le continent américain d'abord, puis à l'échelon planétaire, leurs intérêts risquent d'être gravement lésés par leurs rivaux d'Europe ou du Japon.

L'expansionnisme américain prend des formes plus guerrières avec Theodore Roosevelt, plus financières avec Taft, plus moralisantes avec Woodrow Wilson. Mais un fait est certain : les États-Unis sont devenus une grande puissance mondiale.

L'AVÈNEMENT DU *BIG BUSINESS*

L'économie américaine connaît, de 1896 à 1919 un extraordinaire développement qui place les États-Unis au premier rang mondial, à peu près dans tous les secteurs, agricole, industriel, commercial. L'industrie devient, à partir de 1900, l'élément vraiment dominant de l'économie. Aux causes de l'essor industriel déjà valables pour la fin du XIXe siècle — richesse du sous-sol, main-d'œuvre nombreuse fournie en partie par l'immigration, afflux de capitaux européens rassurés par l'adoption de l'étalon or — s'ajoutent des progrès technologiques et l'application de nouvelles méthodes de production, avec notamment la production en série rendue possible grâce au développement de la consommation de masse.

Les capitaines d'industrie prennent des risques et saisissent les chances qui se présentent. Les théories du darwinisme social, qui insistent sur la nécessité de la lutte pour la vie, du progrès humain lié au triomphe du plus apte et à l'élimination des faibles, ainsi que la morale protestante, qui voyait dans la réussite matérielle la récompense des efforts, créent un climat favorable.

Si certains chefs d'entreprise ont amassé des fortunes colossales, ils ont aussi contribué au développement prodigieux de l'économie américaine. La période 1897-1914 est celle des empires financiers et ferroviaires : les groupes Morgan et Rockefeller dominent Wall Street. La phase de prospérité qui s'ouvre en 1897 se caractérise par un prodigieux mouvement de concentration qui aboutit à confier la direction des affaires à un nombre de plus en plus réduit d'individus. Dans le monde de l'industrie, de la finance et des transports, cette évolution a pour conséquence la transformation d'une économie gérée par des producteurs indé-

DE L'ADOPTION DE L'ÉTALON-OR...

La victoire électorale du président McKinley en 1896 marqua, entre autres choses, la défaite définitive du groupe « argentiste » qui, depuis vingt ans, défendait les thèses bimétallistes chères aux agriculteurs endettés. Non seulement les agriculteurs ne représentent plus qu'un tiers de la population active en 1900, mais, à partir de 1896-1897, la conjoncture économique de baisse amorcée depuis 1873 se renverse et une conjoncture de prospérité s'établit jusqu'en 1929 — à quoi s'ajoute le fait que la production mondiale d'or connaît une remarquable augmentation avec l'exploitation des mines du Transvaal, d'Australie et d'Alaska.

Désormais il n'est plus nécessaire de pratiquer une politique « moyenne » en matière monétaire. Les États-Unis peuvent rattacher leur monnaie à l'or, comme l'étaient déjà les autres grandes monnaies mondiales : la livre sterling, le franc germinal, le mark. L'étalon-or, défini par la loi de 1900 *(Gold Standard Act)*, restera en vigueur jusqu'aux modifications qui interviendront en 1933 et 1934.

L'adoption de l'étalon-or rassura les capitalistes et commerçants européens. Les investissements de capitaux européens doublèrent presque entre 1899 et 1908, passant de 3,15 à 6 milliards de dollars.

... AUX INNOVATIONS D'HENRY FORD

Parmi les raisons qui expliquent le remarquable essor industriel — l'abondance des capitaux et de la main-d'œuvre, existence d'une vaste économie de marché, innovations techniques —, il ne faut pas oublier la mise au point de nouvelles méthodes de travail par Frederick Winslow Taylor, père du « taylorisme ».

C'est Henry Ford qui se lança le premier dans la production en série, conçue pour une consommation de masse. A partir de 1900, une telle consommation devint possible grâce à une population de 76 millions d'habitants et à un pouvoir d'achat qui permettait une consommation de produits manufacturés 50 % plus élevée qu'en Grande-Bretagne et deux fois plus qu'en Allemagne et en France.

De 1908 à 1927, Ford fabriqua la même voiture, le fameux « modèle T » (ou *flivver*), sans modifications appréciables. Cela lui permit de mettre au point une nouvelle technique de montage : montage en poste, puis montage à la chaîne. La standardisation des produits et leur production en série, avec la baisse des prix qu'elles entraînent et l'élargissement du nombre des consommateurs, représentent un apport considérable à l'essor industriel des États-Unis en ce début de XXe siècle.

pendants en un système dominé ou contrôlé par un petit nombre de sociétés géantes, elles-mêmes aux mains d'une oligarchie restreinte de banquiers et d'industriels. La première étape de ce processus avait été l'extension de la société anonyme par actions ; la seconde en est le regroupement des sociétés en *super corporations*. Les regroupements prennent la forme de pools (ententes), de *trusts* ou de *holdings*. En 1904, il existe 318 ententes de divers types contrôlant en tout 5 288 entreprises différentes et représentant un capital total d'environ 7,25 milliards de dollars.

Il est incontestable que se produit au début du XXe siècle une augmentation continue de la richesse et des revenus de la population américaine prise dans son ensemble. Le revenu national passe de 36,55 milliards de dollars (soit 480 dollars par habitant) en 1900 à 60,4 milliards de dollars (soit 567 dollars) en 1920. Les années 1897 à 1919 sont marquées par le plein emploi et un progrès du niveau de vie.

Dans le monde ouvrier, un syndicalisme inspiré de l'exemple des « trade unions » britanniques et fondé sur la « conscience du métier », avec l'*American Fédération of Labor (AFL)*, ne met pas en cause le système capitaliste, mais se montre exigeant sur les salaires et les conditions de travail. Un autre courant, plus révolutionnaire, se développe avec les *Industrial Workers of the World (IWW)*, mais reste beaucoup plus restreint.

LE MOUVEMENT OUVRIER

Pour les ouvriers, les années 1898-1914 représentent une période de relative stabilité et de progrès économiques réguliers. Les salaires réels augmentent de 37 % de 1890 à 1914 et le plein emploi prévaut, sauf en 1908.

La situation sociale n'en est pas pour autant toujours calme et les syndicats — *American Federation of Labor (AFL)* créée en 1886 et *Industrial Workers of the World (IWW)* fondée en 1905 — organisent parfois des grèves très dures, comme celle affectant 25 000 ouvriers du textile à Lawrence (Mass.) en 1912.

Cependant le langage révolutionnaire et les méthodes violentes des *wobblies* (membres de I.W.W) soulevèrent l'hostilité de l'opinion et les adhérents de ce syndicat ne dépassèrent probablement jamais le chiffre de 70 000, même en 1916 à l'apogée du mouvement.

LE MOUVEMENT PROGRESSISTE

Les États-Unis connaissent de 1901 à 1917 environ, un puissant courant en faveur de réformes sociales et d'une meilleure gestion des villes et des États. En étalant tous les scandales et les vices de la société dans des revues à bon marché et à fort tirage (comme *McClure's Magazine, Cosmopolitan, Collier's, Everybody's...*), les journalistes dénonciateurs *(muckrakers)* contribuèrent, à partir de 1903, à donner au mouvement progressiste son ampleur et sa dimension nationale. Il n'y eut pas de « parti progressiste » sauf de façon éphémère en 1912 puis en 1924. Mais les deux grands partis — républicain et démocrate — eurent leurs éléments progressistes.

Il est permis de voir dans le mouvement progressiste une nouvelle et brillante manifestation de l'idéologie jeffersonienne et jacksonienne et d'y déceler l'influence de penseurs comme Henry George ou Edward Bellamy, ou encore du populisme de la fin du XIXe siècle.

Toutefois, le progressisme possède sa propre originalité. Les personnalités marquantes de ce courant appartiennent généralement aux classes moyennes urbaines. Des interprétations assez contradictoires ont été avancées concernant la nature même du mouvement : s'agit-il de réformateurs éclairés cherchant à combattre des abus criants ? Ou bien d'individus doublement inquiets devant le développement des très grosses sociétés et la montée du syndicalisme ? Ou encore d'hommes d'affaires désireux de voir le gouvernement mettre un frein à une compétition excessive ?

En fait, on ne peut pas parler d'un véritable programme progressiste, mais plutôt d'une série de réformes souhaitées avec plus ou moins d'intensité suivant les groupes, les moments, les lieux, sans qu'il y ait de liens entre les différents types de réformateurs. La question sociale est agitée partout, y compris dans certains milieux religieux. Tout au long du XIXe siècle, les Églises protestantes américaines avaient en général recommandé la conversion personnelle de chaque individu pour remédier aux maux de la société. Les problèmes nés de l'industrialisation et de l'urbanisation vont cependant amener certains pasteurs, prêtres et théologiens au début du XXe siècle à mettre davantage l'accent sur les réformes sociales à réaliser. La charité personnelle apparaît alors insuffisante et on considère indispensable de soutenir les actions en faveur d'une législation visant à éliminer la pauvreté et l'injustice. Ce mouvement reçut le nom d'« Évangile social » *(Social Gospel)*. L'une des figures les plus marquantes de ce courant fut Walter Rauschenbusch (1861-1918), pasteur baptiste, ayant connu les conditions de vie des immigrants allemands à New York. Son principal ouvrage, *Christianity and the Social Crisis*, paru en 1907, eut une influence considérable parmi les pasteurs de ce temps. Un demi-siècle plus tard, il inspirera encore des hommes comme Martin Luther King.

L'inflation continue qui marque la période 1897-1914 (en moyenne de 3,5 % par an) explique peut-être le succès du progressisme chez les classes moyennes. Celles-ci en souffrent en effet davantage que les autres catégories de la

---

LE SOCIALISME EN AMÉRIQUE

L'Amérique est la seule grande nation industrielle à n'avoir jamais eu un mouvement socialiste durable. Si le socialisme n'a pratiquement pas pris racine aux États-Unis, il n'en a pas moins connu un « âge d'or » dans la période 1900-1912.

En 1912, le parti socialiste américain, fondé en 1901, déclare compter 126 000 adhérents. A l'élection présidentielle de novembre 1912, son candidat, Eugene V. Debs, obtiendra même 900 000 voix, soit 6 % des suffrages — le pourcentage le plus élevé obtenu par un candidat socialiste dans l'histoire des États-Unis.

Les raisons de cette relative flambée socialiste sont multiples : volonté de réformes et d'amélioration des conditions d'existence chez certains, dénonciation virulente des excès du capitalisme, qualités du chef du parti, Eugene Debs, qui sait expliquer ce qui distingue le parti socialiste des autres courants réformateurs.

Après son apparition sur la scène nationale en 1912, le Parti socialiste américain disparaît presque complètement. Quelles sont les raisons de ce phénomène ? Est-ce la souplesse des partis traditionnels, républicain et démocrate, aiguillonnés par leurs éléments réformateurs, et leur capacité à réaliser les réformes les plus indispensables, sans pour autant abolir le capitalisme ? Est-ce l'expansion et le succès du système industriel américain et le fait que celui-ci rendit peu crédible une doctrine importée d'Europe et bien en retard par rapport aux États-Unis ? Est-ce l'attitude hostile à l'égard du socialisme de beaucoup de dirigeants politiques et syndicaux — tel Samuel Gompers, président de l'AFL —, ou bien cette allergie est-elle liée aux convictions religieuses d'un pays marqué depuis sa naissance par la doctrine calviniste de la « prédestination » ? La question reste posée.

population : grâce aux syndicats et aux grèves, les ouvriers obtiennent, pour leur part, des augmentations de salaires importantes ; quant aux businessmen et aux fermiers, ils profitent, eux, de la hausse des prix.

Enfin, les progressistes restent généralement très distants à l'égard du socialisme qui n'attire que les travailleurs les plus désavantagés de l'agriculture, des forêts ou des mines de l'Ouest, certains immigrants urbains de l'Est ainsi que certains intellectuels.

DU *SQUARE DEAL* DE THEODORE ROOSEVELT A LA *NEW FREEDOM* DE WOODROW WILSON

Le mouvement progressiste ne se cantonna pas dans les villes ou dans quelques États. Il se manifesta au niveau national : pour les Américains de l'époque, un homme incarna l'espoir de réforme et apparut comme l'audacieux novateur qui aurait presque à lui seul créé le mouvement progressiste : Theodore Roosevelt, président de 1901 à 1909, inventeur du *Square Deal* (« la juste donne »).

En réalité, cet extraordinaire leader ne fit que se laisser porter par la vague qui s'enflait à travers le pays au début du XXᵉ siècle. Mais il sut orienter cette vague de telle sorte que le progressisme conserva force et continuité pendant la présidence de son très conservateur successeur William H. Taft (1909-1913) et qu'il atteignit son apogée avec la « nouvelle liberté » de Woodrow Wilson (président de 1913 à 1921).

L'un des résultats les plus tangibles de l'œuvre de Roosevelt fut l'établissement d'une sorte de consensus en faveur du progressisme autour de 1910. Toutefois, la philosophie progressiste de Theodore Roosevelt et de Woodrow Wilson différait. On le vit bien lors des élections de 1912.

Le centre du débat portait sur la question capitale du rôle de l'État fédéral face au *big business* et, d'une façon plus générale, sur le rôle du gouvernement dans la défense de toutes les catégories sociales. Pour Theodore Roosevelt, dont le *New Nationalism* — inspiré par l'ouvrage de Herbert Croly, *The Promise of American Life* (1909) — se situait dans la tradition hamiltonienne, il ne fallait pas priver le public des bénéfices technologiques et matériels que pouvaient apporter les grosses sociétés ; en compensation, le gouvernement devait être assez fort, centralisé et interven-

LE *SQUARE DEAL* DE THEODORE ROOSEVELT

Élu vice-président en novembre 1900, Theodore Roosevelt se retrouve président quelques mois plus tard, à la suite de l'assassinat de McKinley par un anarchiste en septembre 1901. Jusqu'aux élections de 1904, il dut prendre garde de ne pas heurter la majorité républicaine très conservatrice. Une fois réélu avec une majorité de 2 millions et demi de voix, il se sentit plus à l'aise pour mener à bien le *Square Deal* qu'il avait promis à chaque Américain pendant sa campagne électorale : « Non pas simplement le jeu loyal avec les présentes règles du jeu, mais un changement de règles, de façon qu'une plus profonde égalité de chances et de récompenses soit apportée à ceux qui rendent des services également utiles ».

Très doué pour saisir les aspirations populaires, Roosevelt sentit parfaitement le besoin de réformes qui envahissait le pays. Dans son message annuel au congrès du 5 décembre 1905, il annonce son intention de s'attaquer au contrôle des tarifs des chemins de fer. Tarifs élevés, pratiques discriminatoires et influences politiques entraînaient en effet beaucoup de mécontentement à l'égard des chemins de fer. En même temps, Roosevelt précise bien qu'il n'est nullement opposé aux big corporations, à condition que le gouvernement fédéral soit fort et puisse les contrôler.

Le principal titre de gloire de Theodore Roosevelt dans le domaine des affaires intérieures réside sans doute dans son action vigoureuse en faveur de la conservation des ressources naturelles, se révélant ainsi un remarquable précurseur en la matière. Roosevelt, qui connaissait l'Ouest, aimait personnellement beaucoup la nature et l'appréciait en connaisseur, conduisit ce combat avec une énergie et une habileté sans pareilles. Il fut aidé par un mouvement animé par des scientifiques et différents experts. Il favorisa les politiques de reboisement, d'irrigation, de régularisation des rivières ; il créa les premiers parcs nationaux et de multiples refuges pour la vie sauvage.

tionniste pour exercer sur elles un contrôle efficace et réglementer la vie économique et sociale en fonction du bien commun, sans tenir compte de la pression des intérêts particuliers.

Woodrow Wilson, au contraire de Roosevelt, mettait l'accent sur les droits des États et le vieux « laisser-faire » du XIXe siècle dans la tradition classique de la démocratie jeffersonienne et de l'économie de libre entreprise. Pensant que l'intervention du gouvernement fédéral dans les affaires économiques ne profitait qu'aux puissants intérêts particuliers, il entendait défendre l'intérêt général en rétablissant une libre compétition véritable, ce qu'il appelle la « nouvelle liberté » *(New Freedom)* : « Si l'Amérique ne peut jouir de la libre entreprise, alors elle ne peut préserver aucune sorte de liberté » estimait-il.

WOODROW WILSON ET LA « NOUVELLE LIBERTÉ »

La désignation de Taft, en juin 1912, comme candidat du parti républicain à l'élection présidentielle de novembre amena finalement Theodore Roosevelt (resté à l'écart en 1908) à se présenter à la tête d'un « tiers parti » — le Parti progressiste — créé au mois d'août. Cette division des Républicains favorisa le candidat démocrate, Woodrow Wilson, qui l'emporta avec moins de 42 % des voix.

Wilson, ancien professeur et président de l'Université de Princeton, puis gouverneur du New Jersey, était lui aussi un représentant du courant « progressiste » au sein du parti démocrate. Mais son approche des problèmes différait de celle de Roosevelt. Opposé au *New Nationalism* de Theodore Roosevelt, Wilson proposait de rétablir ou de préserver la liberté et la dignité de l'individu, de restaurer une véritable liberté de l'entreprise. En même temps, le gouvernement devait, selon lui, être l'organisateur de l'intérêt général face à la coalition des intérêts particuliers. Une fois au pouvoir, Wilson entreprit de réaliser son programme politique et fit de gros efforts pour convaincre le Congrès de la justesse de ses vues. La bataille pour la *New Freedom* s'ouvrit en avril 1913 avec la révision du tarif douanier. Puis le président s'attela à la réorganisation du système bancaire et monétaire avec la création du *Federal Reserve System.* Fin 1913, Wilson commença à s'occuper de l'opportunité d'une législation antitrust. Le *Federal Trade Commission Act,* voté en septembre, et le *Clayton Antitrust Act,* voté en octobre 1914, sont l'expression de cette nouvelle politique. Dans le premier cas, il s'agit de la création d'une commission fédérale du commerce chargée d'enquêter sur les personnes ou les sociétés assujetties aux lois antitrust. Quant au *Clayton Act,* il constitue un sérieux renforcement du *Sherman Antitrust Act* de 1890 et contient également des dispositions favorables aux syndicats (Wilson s'était donc partiellement converti au *New Nationalism* de Roosevelt).

En fait, ni Wilson ni Roosevelt ne remettaient en question le système capitaliste. Ni l'un ni l'autre n'approuvaient les positions du socialiste Eugene V. Debs, lequel demandait que les principales entreprises industrielles devinssent la propriété de l'État.

Par-delà ce qui les séparait, tous deux luttèrent néanmoins avec énergie pour la protection de l'enfance : si les réformateurs progressistes avaient eu tendance à négliger les problèmes des Noirs, des Indiens, des Américains d'origine mexicaine et des immigrants en général, ils consacrèrent en revanche beaucoup d'efforts à améliorer le sort des femmes ou des enfants au travail. Le *National Child Labor Committee*, fondé en 1904, s'efforça d'obtenir le vote dans tous les États de lois limitant à 14 ans l'âge de l'embauche. C'était chose faite, sauf pour un État, en 1914. Restait néanmoins à mettre en place une législation nationale, car les dispositions sur le travail des enfants de 14 à 16 ans variaient beaucoup d'État à l'autre.

Un premier *Child Labor Act* fut signé par Wilson en septembre 1916 : il interdisait le transport interétatique de produits fabriqués par des enfants de moins de 14 ans, de produits extraits de mines ou de carrières où des enfants de moins de 16 ans auraient travaillé et de n'importe quelle marchandise fabriquée par un enfant travaillant plus de 8 heures par jour. C'était la première fois que le Congrès usait de son pouvoir concernant la réglementation du commerce interétatique pour intervenir dans les conditions de travail des entreprises. Toutefois, l'invalidation de cette loi par la Cour suprême en 1918 amena le Congrès à voter un second *Child Labor Act,* signé par le Président le 24 février 1919. Cette seconde loi ayant été invalidée à son tour par la Cour suprême en 1922, c'est finalement le *National Industrial Recovery Act* du 16 juin 1933 qui, onze ans plus tard, devait régler la question.

LE FONCTIONNEMENT DU « MELTING POT » [4]

La population américaine passe de 76 millions d'habitants en 1900 à 105 millions en 1920, augmentant ainsi de 40 %. La poussée démographique se produit surtout dans l'Ouest, bien que 70 % de la population se trouve encore à l'Est du Mississipi en 1920.

L'accroissement des Noirs (de 8 000 000 à 10 400 000 entre 1900 et 1920) est plus lent que celui des Blancs. Cette fraction de la population malgré les XIIIe, XIVe et XVe

---

4. L'expression n'apparaît qu'en 1908 (titre d'une pièce du dramaturge anglais Israel Zangwill).

amendements à la Constitution, reste largement à part de la population blanche.

L'ACTIVISME NOIR :
NAISSANCE DU *NIAGARA MOVEMENT* (1905)

On peut dire de l'ère progressiste (et c'est une de ses grandes lacunes) qu'elle fut une époque de profond découragement pour les Noirs. La ségrégation était à peu près totale dans le Sud, où vivaient la presque totalité des Noirs des États-Unis (7 900 000 sur 8 800 000), mais beaucoup de Blancs du Nord n'étaient pas davantage disposés à accepter l'égalité avec les Noirs : lorsque, le 16 octobre 1901, Theodore Roosevelt invita à dîner à la Maison-Blanche le grand leader noir, Booker T. Washington, il souleva une tempête de protestations.

Pour améliorer leur condition, deux tendances se firent jour chez les Noirs eux-mêmes. Booker T. Washington, ancien esclave né en Virginie en 1856, fondateur du Tuskegee Institute dans l'Alabama, conseillait à ses compatriotes du Sud d'éviter l'activisme politique et de devenir bons citoyens, mais sa modération ne fut pas du goût de tous.

C'est pourquoi, au début du XXe siècle, un groupe de jeunes Noirs actifs décida de rompre avec les méthodes de Booker T. Washington et entreprit de mener une lutte active contre toutes les formes de discrimination ou de ségrégation. Le plus célèbre d'entre eux fut W.E.B. Du Bois, qui avait obtenu un doctorat en histoire à l'Université Harvard et enseignait depuis 1899 à l'Université d'Atlanta.

Du Bois et un petit groupe d'intellectuels noirs se réunirent, en juillet 1905, dans un hôtel de Niagara Falls au Canada (d'où le nom de *Niagara Movement*) pour mettre au point un programme exigeant l'égalité politique et économique entre Noirs et Blancs.

Les Indiens, quant à eux, dépouillés de leurs terres, voient leur population diminuer. Au début du XXe siècle, les guerres indiennes sont terminées. En 1910, les Indiens, qui étaient 600 000 en 1776, ne sont plus que 220 000. La plupart vivent dans des « réserves », presque toujours situées sur des terres trop pauvres pour attirer les nouveaux arrivants blancs. Ils sont pratiquement dépouillés de tout.

La superficie des réserves n'avait cessé de se réduire depuis le vote de la loi Dawes en 1887. En effet, les Indiens qui souhaitaient obtenir la citoyenneté américaine recevaient 160 acres par famille. Le surplus des terres tribales ainsi distribuées pouvait être vendu aux Blancs. Aussi en 1934, date à laquelle la distribution fut arrêtée, les Indiens avaient-ils perdu 90 millions des 137 millions d'acres qui représentaient la surface totale des réserves en 1887. En outre, comme la loi Dawes permettait aux Indiens, non pas de vendre, mais de louer leurs terres, ils se retrouvèrent dépouillés de manière plus ou moins légale de la moitié des 47 millions d'acres qui leur avaient été distribués.

L'arrivée massive des immigrants européens contribue alors puissamment au développement des États-Unis à qui elle apporte un surcroît de main-d'œuvre. Mais elle pose aussi des problèmes : au total, la population américaine comprend une proportion assez considérable d'individus nés

---

LA « NOUVELLE IMMIGRATION »

Le mouvement d'immigration constitua une force considérable pour le développement des États-Unis : 14 millions et demi d'immigrants s'y installèrent de 1900 à 1915. Il y eut plus d'un million d'entrées en 1905, 1907, 1910, 1913 et 1914. De 1903 à 1914, il n'y eut que deux années à moins de 700 000 entrées. Le record absolu fut atteint en 1907 avec 1 285 000 arrivants.

La « nouvelle immigration » en provenance de l'Europe du Sud et de l'Est représentait 72 % des nouveaux arrivants de 1901 à 1910, et 80 % en 1914. De 1896 à 1914, les pays européens qui fournirent les plus gros contingents furent l'Italie (3 millions), l'Autriche-Hongrie (3 millions environ) et la Russie (2 300 000 immigrants). La cause fondamentale de ces départs d'Europe était la surcharge démographique, l'insuffisance des emplois ainsi que la dislocation de la vieille économie rurale.

En 1907, la « Dillingham Commission » chargée par le Congrès d'enquêter sur la question de l'immigration publia un énorme rapport en 41 volumes qui insistait sur le caractère original de la « nouvelle immigration ». Les immigrants italiens du sud de la Péninsule et les Slaves étaient principalement composés d'hommes, en général non qualifiés, illettrés et se fixant difficilement.

En réalité, les différences entre les deux catégories d'immigrants — « anciens » et « nouveaux » — avaient été exagérées. Des études récentes réalisées par groupes nationaux l'ont parfaitement démontré. Ainsi, les Juifs arrivés après 1880 possédaient très peu des caractères de la « nouvelle immigration » : ils étaient généralement plus instruits, plus spécialisés, plus fixés et moins exclusivement composés d'éléments masculins que certains groupes appartenant à la « vieille immigration »

à l'étranger *(foreign born)* : 13,6 % en 1900, 14,7 % en 1910. Si l'on ajoute à ces chiffres les personnes nées en Amérique de parents dont l'un ou les deux sont nés à l'étranger, on obtient en 1910 le chiffre considérable de 40 % (c'est le *foreign white stock*).

La principale porte d'entrée aux États-Unis est New York, et beaucoup des nouveaux immigrants s'y fixent : en 1910, les immigrants récents et les Blancs nés en Amérique de parents étrangers atteignent 78,6 % de la population totale ! Des problèmes d'assimilation commencent à se poser. Lawrence, dans le Massachusetts, se distinguait comme étant, en 1920, la ville américaine possédant le plus d'habitants d'origine étrangère. On y parlait presque toutes les langues, mais fort peu l'anglais !

LA GRANDE CROISADE
POUR LA DÉMOCRATIE

En août 1914, au moment où la guerre se déclenche en Europe, la première réaction des Américains, dont beaucoup ont pourtant des attaches sentimentales avec l'un ou l'autre camp, est de préférer se tenir à l'écart du conflit. C'est la voie que choisit résolument le président Wilson.

La nouvelle du déclenchement de la guerre en août 1914 constitue pour la majorité de ses concitoyens, ignorante de l'évolution diplomatique de l'Europe ou n'ayant pas eu l'occasion d'observer les signes avant-coureurs de la catastrophe, un coup terrible. Pour le président Wilson, élu en 1912 sur un programme de réformes intérieures, ce cataclysme européen est l'occasion de se pencher sur la politique extérieure au point d'y accorder progressivement une priorité absolue. Le 4 août 1914, Wilson rappelle d'abord la neutralité officielle de son pays. Puis, le 19 octobre, il lance à ses compatriotes, par l'intermédiaire du Sénat, un appel leur demandant de respecter une parfaite neutralité, non seulement dans les faits, mais dans leurs consciences. Cet appel sans précédent montre à quel point le président redoute de voir l'unité du pays menacée par les prises de position divergentes des différents groupes ethniques ou nationaux (y compris allemands) qui composent le peuple américain.

Le problème pourtant n'est pas simple : les États-Unis ont du mal à faire respecter leurs droits de neutres face à l'Angleterre qui s'efforce de réaliser le blocus de l'Allemagne — et surtout face à l'Allemagne dont la guerre sous-marine fait des victimes américaines lorsque des paquebots alliés sont coulés. L'augmentation des exportations américaines à destination des pays de l'Entente [5], les prêts consentis par les banques privées américaines à ces pays pour leur permettre de poursuivre leurs achats avantagent toutefois l'Angleterre et la France qui ont la maîtrise des mers.

UN NEUTRALISME INTENABLE

En dépit de la volonté sincère de Wilson de respecter une stricte neutralité, le gouvernement américain fut amené à prendre des décisions qui allaient favoriser un camp plutôt que l'autre. Ce fut le cas avec la question des prêts aux pays belligérants.

Les Alliés, qui avaient la maîtrise des mers et pouvaient donc transporter les marchandises dont ils avaient besoin, étaient les seuls à demander des prêts. Les Allemands, en raison du blocus imposé par ceux-ci, en étaient réduits à attaquer les bateaux alliés avec leurs sous-marins.

Dans un premier temps, le secrétaire d'État, William Jennings Bryan, avait déconseillé aux banques américaines d'accorder des prêts aux États belligérants parce qu'il estimait de tels prêts, bien que parfaitement légaux, « incompatibles avec un véritable esprit de neutralité ». Cette mesure fut assouplie lorsque le département d'État fit savoir en privé d'abord (15 octobre 1914), puis publiquement (31 mars 1915) que des « crédits commerciaux » pouvaient être accordés par les banques américaines. D'août 1914 à avril 1917, les États-Unis prêtèrent 2,3 milliards de dollars à l'Entente (dont 1,06 à la Grande-Bretagne, 0,7 à la France, 1,36 à la Russie) et seulement 27 millions de dollars à l'Allemagne.

Lorsque les dirigeants allemands décident de se lancer dans une « guerre sous-marine à outrance » qui bafoue les droits des neutres et la liberté de navigation sur les mers, ils s'en prennent cette fois directement aux intérêts américains : sur proposition de Wilson, le Congrès déclare la guerre à l'Allemagne le 6 avril 1917.

Pour le président américain, l'entrée des États-Unis dans la guerre lui permet de réaliser ce qu'il avait déjà voulu faire

---

5. A partir de 1907, système d'alliance entre la France, la Grande-Bretagne et la Russie en vue de contrebalancer la Triple Alliance (Allemagne, Autriche-Hongrie, Italie).

à travers ses tentatives de médiation manquées : contribuer à asseoir les relations internationales sur de nouvelles bases. L'idée qu'il remplit une « mission » sous-tend en effet toute la politique de Woodrow Wilson.

Le rôle des États-Unis fut-il déterminant dans les dix-neuf mois de leur participation à la guerre ? On peut le penser. Un corps expéditionnaire de 2 millions d'hommes sous le commandement du général Pershing est transporté en France. Les États-Unis procèdent à une formidable mobilisation économique. Ils prêtent aux Alliés 10 milliards de dollars. Ils contribuent pour une large part à résoudre la crise du tonnage. Enfin, le blocus de l'Allemagne devient une réalité.

L'expérience de la guerre devait laisser une empreinte durable aux États-Unis mêmes : l'extension considérable des pouvoirs et des fonctions du gouvernement fédéral et particulièrement du président annonce en quelque sorte l'époque du *New Deal*.

Ces sont les « 14 points » de Wilson qui constituent la base des négociations aboutissant à l'armistice du 11 novembre 1918. Ovationné dans les capitales européennes qu'il visite en décembre 1918, Wilson participe en personne à la Conférence de la Paix et obtient satisfaction sur l'essentiel — la création d'une Société des Nations instituant la sécurité collective — tout en acceptant quelques concessions vis-à-vis de ses « associés » (France, Angleterre, Italie). L'entrée des États-Unis dans la guerre avait amené le président américain à préciser ses projets sur la manière dont il fallait établir la paix, une fois le conflit terminé. Son conseiller en politique extérieure, le colonel Edward M. House, avait obtenu de lui en septembre 1917, la création d'une commission d'experts, le *Peace Inquiry Bureau,* pour étudier les problèmes de géopolitique liés à la paix. Lorsque Lénine, qui venait de prendre le pouvoir en Russie, proposa le 8 novembre 1917 de mettre fin à la guerre sur la base de la renonciation aux conquêtes et du désir des peuples à disposer d'eux-mêmes, Wilson sentit la nécessité de proposer, lui aussi, un programme de paix susceptible de recueillir l'approbation des éléments libéraux en Europe. Ne pouvant obtenir des Alliés une déclaration commune, il se décida à formuler unilatéralement les buts de guerre des États-Unis dans un discours prononcé devant le Congrès le 8 janvier 1918 : il s'agit des fameux « 14 points » qui allaient servir de base à la préparation de l'armistice du 11 novembre.

Mais les choses n'allaient pas être simples.

LES ÉTATS-UNIS DANS LA GUERRE :
UNE PARTICIPATION MULTIFORME

En avril 1917, les États-Unis ne semblaient pas du tout prêts à mener une guerre importante sur des théâtres d'opérations lointains. Pourtant la démocratie américaine allait, non sans quelques difficultés, s'organiser pour la guerre. Il fallut mettre sur pied une armée ; la conscription fut décidée. Mais il fallait aussi équiper cette armée et, d'une manière générale, réaliser une véritable mobilisation économique. En mars 1918, devant les résultats insuffisants obtenus jusque-là dans ce domaine, Wilson nomma Bernard M. Baruch, riche et intelligent agent de change de Wall Street à la tête du *War Industries Board* auquel il conféra des pouvoirs considérables pour prendre en mains la gigantesque machine industrielle américaine. Baruch fit du *War Industries Board* l'agence la plus puissante du pays, lui-même devenant, sous l'autorité directe du président, une sorte de « dictateur économique » des États-Unis en temps de guerre.

La participation américaine à la guerre prit diverses formes : prêts du Trésor américain aux gouvernements alliés de l'ordre ; coopération de la flotte américaine pour le transport des marchandises indispensables aux Alliés et dans la lutte anti-sous-marine ; enfin envoi d'un corps expéditionnaire. Au total, deux millions de *Doughboys* (ou *Sammies*) traversèrent l'Atlantique. Le général Pershing, commandant en chef des forces américaines sous l'autorité du général en chef des armées alliées Foch, souhaitait l'organisation d'une armée américaine autonome, plutôt que l'utilisation des forces américaines dans les unités françaises (suivant le principe de « l'amalgame »), comme le préférait le commandement français. La Première Armée américaine forte de 550 000 hommes fut constituée le 10 août 1918. Le 26 septembre, Pershing, qui dispose alors de 1 200 000 soldats lance ses troupes entre Meuse et Argonne sur un front de 24 kilomètres de large, dans le cadre de l'offensive générale entre Verdun et Ypres.

Les Américains n'ont certes participé aux combats que dans les derniers mois de la guerre et leurs pertes (53 000 tués au combat) ont été beaucoup moins lourdes que celles subies par les Français (1 385 000) ou les Anglais (900 000). Mais leur arrivée massive avait permis aux Alliés d'obtenir la supériorité numérique permettant la reprise des offensives. Si la guerre s'était poursuivie, 1919 aurait été « l'année des Américains ».

LES INCERTITUDES DE L'APRÈS-GUERRE

Le rejet du Traité de Versailles par le Sénat est le premier signe du « difficile retour à la normale » que les États-Unis connaissent au lendemain de la guerre. La réapparition d'un fort courant isolationniste, l'hostilité des Républicains, la maladie et l'entêtement de Wilson aboutissent à cet échec. Le vote du Sénat américain en mars 1920 ruine donc les efforts que Wilson avait déployés pour faire jouer à son pays un rôle international déterminant : les États-Unis ne feront pas partie de la SDN.

Grave revers pour Wilson que le rejet du traité de Versailles, qu'il était allé en personne négocier à Paris — principalement avec Clemenceau, Lloyd George et Orlando — lors de la Conférence de la Paix (18 janvier-28 juin 1919). Il avait pourtant réussi à obtenir, dès le 14 février 1919, que le Pacte instituant une Société des Nations fût incorporé au traité et en constituât les premiers articles. Mais, aux États-Unis, une certaine opposition aux idées novatrices de Wilson en matière de politique étrangère s'était fait jour et le président démocrate avait négligé de s'assurer le soutien des Républicains. Or ceux-ci dominaient le Congrès depuis les élections de novembre 1918. L'approche du scrutin présidentiel de novembre 1920 n'arrangea rien. Le chef de file des opposants républicains modérés à la politique internationale, le sénateur Henry Cabot Lodge, proposa au Sénat le 19 novembre 1919 d'accepter le traité avec un certain nombre de « réserves ». Les adversaires farouches du traité et ses défenseurs les plus intransigeants, fidèles à Wilson, se coalisèrent contre les *mild reservationists* inspirés par Lodge : cela aboutit au rejet pur et simple du traité. Cette situation se renouvela le 19 mars 1920.

La victoire du candidat républicain Warren G. Harding à l'élection de novembre 1920 marque la volonté du peuple américain d'un « retour à la normale », c'est-à-dire, espère le nouvel élu, au « bon vieux temps » d'avant 1914. Mais la forte hausse des prix qui se déchaîne dès la fin de la guerre provoque une vague de grèves et de revendications. Des actions aveugles d'anarchistes entraînent une violente indignation populaire, le désir de se venger et d'exercer des représailles. Il s'ensuit une véritable « croisade contre les rouges », une intolérance contre les minorités, des mouvements de xénophobie.

Le « retour à la normale » *(back to normalcy)*, mot d'ordre des Républicains, pouvait-il se concevoir dans le

LA CHASSE AUX ROUGES ET AUX ANARCHISTES : L'AFFAIRE SACCO-VANZETTI

Les États-Unis connurent au lendemain de la guerre une grande agitation sociale avec des grèves nombreuses et dures fin 1918 et en 1919, notamment la grève générale de Seattle, la grève des ouvriers de l'acier, celle de la police de Boston, puis celle des mineurs.

Cette vague de grèves jointe aux nouvelles inquiétantes concernant les méthodes de gouvernement des Bolcheviks en Russie et l'éclatement de mouvements révolutionnaires communistes en Allemagne et en Hongrie contribuèrent à déclencher aux États-Unis une véritable panique dans la population. Les passions, déchaînées pendant la guerre contre les Germano-Américains se reportèrent contre les « rouges » : ce fut la *Red Scare*. L'action violente de quelques anarchistes poseurs de bombes augmenta encore la nervosité du public.

Le gouvernement lui-même, en la personne de l'« *attorney general* » Palmer, agit comme si ces quelques extrémistes constituaient une menace terrible. Le *Federal Bureau of Investigation (FBI)* fut chargé de dépister et de surveiller les communistes. Une vaste opération fut montée dans la nuit du 2 au 3 janvier 1920 : des milliers d'agents fédéraux et de policiers locaux arrêtèrent environ 4 000 personnes dans la plupart des grandes villes des États-Unis.

Les actions aveugles des anarchistes entraînèrent une violente indignation populaire, le désir de se venger et d'exercer des représailles. Parmi les suspects figuraient les récents immigrants, surtout s'ils professaient des idées d'extrême gauche. L'affaire qui souleva le plus de passions fut celle qui résulta de l'arrestation, à la suite de l'attaque et du meurtre d'un garde lors d'un cambriolage, de deux anarchistes italiens, Nicolas Sacco, cordonnier, et Bartolomeo Vanzetti, marchand de poissons ambulant. Traduits devant un jury en 1921, ils furent déclarés coupables et condamnés à mort. Des voix s'élevèrent pour mettre en cause l'impartialité du juge : les deux hommes n'avaient-ils pas été condamnés à cause de leurs idées politiques et non pour un crime dûment prouvé ? Une commission d'enquête confirma le jugement et les deux accusés furent électrocutés le 22 août 1927.

domaine international ? Signifiait-il que les États-Unis allaient abandonner « l'internationalisme wilsonien » pour se réfugier dans « l'isolationnisme » ? Certes, les États-Unis avaient refusé de participer à la SDN parce qu'ils ne voulaient à aucun prix être entraînés dans des querelles européennes ; à quoi il faut ajouter que les lois imposant des restrictions à l'immigration et les mesures protectionnistes en matière de douane traduisaient une certaine hostilité à l'égard de l'extérieur. Mais, en fait, les États-Unis ne se replièrent pas sur eux-mêmes durant cette période. Présidents et secrétaires d'État se déclarent opposés à l'isolement et fermement « nationalistes ». Souci de rester à l'écart de la SDN, exigence du remboursement des dettes de guerre, participation aux discussions sur les « réparations », volonté d'endiguer les ambitions japonaises et continuation sous diverses formes de la « diplomatie du dollar », notamment en Amérique latine, furent les principales composantes de ce « nationalisme ».

L'AMÉRIQUE PROSPÈRE DES ANNÉES 1920 ET LE DÉFERLEMENT DE « L'AMÉRICANISME »

L'élection de 1920 a marqué un tournant dans l'histoire américaine. Le retour des Républicains, la vague d'« américanisme », le nationalisme caractérisent la volonté des Américains de s'appuyer sur leurs traditions et de s'occuper d'abord de leurs propres intérêts. L'extraordinaire prospérité que connaissent les États-Unis pendant les années 1920 conduit le pays et ses dirigeants à cultiver l'optimisme.

L'enrichissement national est incontestable. Les Américains sont persuadés que l'accès à l'aisance matérielle est à la portée de tous. Sur quelles bases repose cette expansion ? Tout d'abord, l'augmentation du pouvoir d'achat, qui résulte d'un accroissement des salaires, permet le développement de la consommation. L'extension du crédit, la publicité, les progrès de la concentration, le développement de la productivité, les innovations technologiques et les nouvelles méthodes de travail font le reste. Les idées de Taylor sont adoptées dans presque toutes les branches de l'industrie à partir de 1920. Le travail à la chaîne mis au point par Ford dès 1913-1914 est adopté dans un grand nombre d'industries vers 1920 également. La production d'électricité atteint, en 1928, 117 milliards de kilowatts-heure. L'énergie électrique sert de base à la deuxième révolution industrielle, les États-Unis consommant alors la moitié de l'énergie utilisée dans le monde.

Certains secteurs de la production connaissent un essor remarquable : la production automobile augmente de 255 %

de 1919 à 1929, celle des produits chimiques de 94 %, celle des produits du caoutchouc de 66 %, de l'imprimerie et de l'édition de 85 %, du fer et de l'acier de 70 %. En 1929, il y avait 26 millions de véhicules (dont 23 millions de voitures de tourisme) enregistrés sur le territoire américain. Parmi les industries en plein essor, citons aussi les industries de matériel électrique et l'industrie du bâtiment.

La période 1921-1929 se caractérise aux États-Unis par un brillant développement économique. On a parfois parlé de prospérité « factice », à cause de son tragique épilogue en 1929. Il ne faudrait cependant pas sous-estimer le prodigieux développement industriel qui mit le niveau de vie américain au-dessus de celui de toutes les autres nations et à un point encore jamais atteint dans l'histoire. Après une brève dépression en 1920-1921, l'économie se redressa pour entrer dans une période d'expansion sans précédent et presque ininterrompue jusqu'en 1929. Les chiffres parlent d'eux-mêmes : l'indice de la production industrielle (100 : moyenne de la période 1933-1939) passe de 58 en 1921 à 110 en 1929 ; le revenu national de 59,4 milliards de dollars à 87,2 et le revenu par tête de 522 à 716 dollars. Les progrès du pouvoir d'achat, l'augmentation de la taille des entreprises, les innovations techniques et les nouvelles méthodes de travail expliquent le développement de la production.

Si la prospérité est presque générale pour tous les secteurs de l'industrie, il n'en va pas de même pour l'agriculture. La surproduction devient un problème chronique. La demande extérieure diminue brusquement : l'Europe en paix recommence à produire et les pays neufs concurrencent les États-Unis. Les habitudes alimentaires, donc les demandes de produits, se modifient. Enfin le gouvernement supprime le 31 mai 1920 le soutien qu'il accordait au cours du blé. Les prix agricoles montent légèrement entre 1921 et 1929, mais insuffisamment pour faire de l'agriculture une entreprise réellement rentable. Les agriculteurs qui recevaient 16 % du revenu national en 1919 n'en ont plus que 8,8 % dix ans plus tard. Les terres perdent de leur valeur.

Face à l'Amérique trépidante, à l'affût de la nouveauté, envahie par le goût du profit, commença alors à se faire entendre une autre Amérique — conservatrice, inquiète, soucieuse d'écarter les influences néfastes de la société moderne et finalement tout ce qui n'était pas vraiment américain. La majorité blanche, anglo-saxonne et protestante s'estima soudain menacée. Les déceptions engendrées par le règlement des questions européennes, l'anxiété devant le développement du communisme en Europe, l'arrivée de nombreux immigrants juifs ou catholiques, la diffusion de nouvelles théories scientifiques et matérialistes se conjuguèrent pour provoquer une vigoureuse réaction d'intolérance qui prit, au cours des années 1920, plusieurs visages. La majorité exerça son sectarisme à l'encontre des étrangers comme envers les minorités catholiques, juives, noires ; elle voulut combattre les théories de l'évolution ; elle permit la réapparition d'un très actif Ku Klux Klan.

COUP D'ARRÊT À L'IMMIGRATION...

La « peur des Rouges », qui s'était déchaînée au lendemain de la guerre, avait été la première manifestation de la réaction d'une partie de la population à l'égard de tout ce qui n'était pas vraiment « américain ». Cette intolérance s'exprima d'abord par une volonté de limiter l'immigration. Syndicats et employeurs étaient pour une fois d'accord sur la nécessité de ralentir l'afflux des immigrants. L'arrivée de plus de 900 000 Européens en 1920 renforça brusquement le courant en faveur d'une limitation de l'afflux des étrangers. La loi de 1917 visant à interdire l'entrée des illettrés (et votée malgré le veto de Wilson) semblant très insuffisante, le Congrès vota une première loi de quotas *(Quota Law)* en 1921 limitant les entrées annuelles à 3 % du nombre des immigrants de chaque nationalité vivant effectivement aux États-Unis en 1910. En 1924, une nouvelle loi *(National Origins Act)* réduisit le pourcentage à 2 % et prit comme année de référence 1890 au lieu de 1910. Cette loi qui fut appliquée entre 1929 et 1965.

... ET RETOUR DU KU KLUX KLAN

Parallèlement aux efforts visant à endiguer le flot des étrangers se développa un mouvement préconisant la défense farouche des institutions et de la culture américaines : ce fut « l'américanisme ». Mais c'est sans doute la réapparition du Ku Klux Klan qui exprima le plus clairement le sentiment populaire selon lequel l'américanisme n'était plus, comme du temps de Jefferson ou Lincoln, un évangile pour toutes les nations, mais un secret national qui ne pouvait être partagé avec ceux qui n'étaient pas du « même sang ». Le Ku Klux Klan incarna alors, dans sa forme extrême, cette protestation du nationalisme américain contre le rôle (perçu comme envahissant) des races, des croyances et des idéaux sociaux étrangers.

L'intolérance de la majorité se manifeste aussi, durant cette folle décennie, par la volonté d'imposer la « prohibition ». Mais cet excès de vertu eut, en matière de gangstérisme, des effets extrêmement négatifs. En 1919, le dix-huitième Amendement à la Constitution entra en vigueur : il « prohibait » la fabrication, le transport et la vente de toute boisson alcoolisée. Comme l'avaient prévu les adversaires de cette mesure, elle fut un échec et provoqua un des problèmes les plus sérieux des années 1920. L'opposition fut spécialement forte dans les grandes villes, dans tout le Nord-Est et la haute vallée du Mississippi. Beaucoup d'Américains virent dans le dix-huitième Amendement une atteinte injustifiée à leur liberté individuelle. Il fut pratiquement impossible d'empêcher le marché noir. En outre, le trafic illégal de l'alcool, avec l'occasion qu'il donnait de gagner d'énormes fortunes, suscita bien des vocations de gangsters. Le plus célèbre chef de bande de la « décennie sèche » fut Al Capone qui organisa et dirigea le trafic des boissons alcoolisées dans la région de Chicago. Véritable « maire officieux » de cette ville, maître des élections grâce à la corruption, Al Capone mit au point un « syndicat du crime » d'une redoutable efficacité. Vers 1927, son revenu annuel illicite atteignit 60 millions de dollars.

VERS LA FIN DE « L'ÈRE NOUVELLE »

Une étude des années 1920 donne une impression de stabilité, de solidité. Les Républicains semblent installés solidement au pouvoir : le médiocre Harding, le discret Coolidge, enfin le technocrate Hoover se succèdent à la Maison-Blanche. Le parti républicain symbolise la prospérité, la prohibition, les Américains de vieille souche, les valeurs américaines. Il faudra attendre la grande dépression pour que les Démocrates avec Franklin D. Roosevelt reviennent au pouvoir.

La philosophie politique de cette période est bien exprimée par Herbert Hoover, secrétaire au Commerce de 1921 à 1929, avant de devenir président. Hoover, comme la majorité de ses compatriotes, est profondément optimiste sur l'avenir de « l'ère nouvelle ». Pourtant, à côté de l'optimisme béat des dirigeants et du conformisme imposé par la majorité, une profonde évolution se fait jour dans les mœurs et dans les idées. La population américaine, qui passe de 106 à 123 millions d'habitants, devient de plus en plus urbaine (51 % en 1920, 56 % en 1930). La grande migration des

LE DÉSARROI DU PARTI DÉMOCRATE

La période 1921-1933 fut marquée par la victoire de présidents républicains conservateurs : Harding (1921-1923), Coolidge (1923-1929), Hoover (1929-1933). L'influence des progressistes continua cependant à s'exercer au Congrès, mais les propositions les plus réformatrices furent arrêtées par des vetos présidentiels. Une coalition progressiste éphémère se forma sans succès autour du sénateur du Wisconsin, Robert M. La Follette, à l'approche du scrutin présidentiel de 1924. Quant aux Démocrates, ils ne se remirent pas de leur désastre des élections de novembre 1920. Le parti était pratiquement cassé en deux entre les Démocrates du Nord et ceux du Sud qui s'opposaient presque sur tout : la prohibition, le Ku Klux Klan, les mesures à prendre à l'égard des fermiers, des ouvriers ou des Noirs, la SDN.

En 1928, le parti démocrate choisit comme candidat à la présidence Alfred E. Smith, gouverneur de l'état de New York d'origine irlandaise. C'était la première fois dans l'histoire américaine qu'un catholique était désigné comme candidat à la présidence. Son appartenance religieuse fut probablement l'une des principales raisons de son échec.

Noirs vers le Nord se poursuit. Tout cela entraîne un affaiblissement des valeurs de la société rurale traditionnelle. L'Amérique rurale aimait la tradition, le conformisme. L'Amérique urbaine représente la nouveauté et la diversité.

L'automobile constitue un puissant agent de changement social et contribue à l'indépendance de la jeune génération. Celle-ci se révolte contre les conventions sociales du XIXe siècle. A l'avant-garde de la rébellion se trouvent des jeunes femmes, la plupart issues des classes moyennes, qui inaugurent l'ère de la *flapper*, c'est-à-dire de la jeune femme affranchie dans ses comportements et ses vêtements. A côté de ces excentriques, la grande majorité des femmes suit l'exemple de loin. Elles ont obtenu le droit de vote en 1920 grâce au dix-neuvième Amendement à la Constitution.

Des courants profonds et quelquefois amers d'agitation intellectuelle se font jour et s'enflent en une révolte aux proportions non négligeables. Ne s'intéressant plus à la justice sociale et économique, beaucoup d'intellectuels — tel Henry L. Mencken — cherchent refuge dans le développement de leur individualité à travers la liberté sexuelle, les formes ésotériques de l'art et de la littérature : la « génération perdue » des années 1920 exprime les perplexités et les doutes de l'époque.

7

DE LA CRISE A LA VICTOIRE
(1929-1945)

Les années 1929-1945 ont une unité exceptionnelle qui leur vient de la personnalité du président, Franklin D. Roosevelt, lequel, élu en 1932, réélu en 1936, 1940 et 1944, meurt à son poste de commandement le 12 avril 1945, après plus de douze ans de pouvoir — cas unique dans l'histoire américaine. Au-delà de cet aspect des choses, il convient de rappeler l'ascendant exercé par Roosevelt sur ses contemporains. Pour des millions d'Américains, il fut le président de l'espoir, qui savait leur parler dans le registre exact de ses causeries au coin du feu, leur expliquer où en étaient leurs affaires, les galvaniser dans les périodes de découragement, les mener par des voies subtiles et détournées là où il le désirait. Bien avant le déferlement des médias, Roosevelt fut un extraordinaire communicateur qui savait trouver le ton juste, même à travers ses échecs. Les politologues ont beaucoup parlé de la *personnalisation du pouvoir* : Franklin D. Roosevelt en fut l'initiateur aux États-Unis, car aucun président, ni avant lui, ni après lui, n'a su autant et aussi bien faire vibrer son peuple. Au moment où les populations asservies de l'Europe, de l'Asie et du Pacifique voyaient luire le soleil de la libération, sa mort fut ressentie comme un autre Pearl Harbor.

Car le président américain fut le moteur de la coalition qui rendit possible l'écrasement des dictatures européennes et asiatiques. Avant même l'entrée en guerre des États-Unis, avaient été prises — par le Congrès aussi bien que par le président — des décisions comme le *cash and carry,* le prêt-bail, l'échange de bases britanniques contre des destroyers américains, le convoyage des navires dans certaines zones maritimes... Tout cela dépassait largement ce qu'avaient consenti jusque-là les États neutres et laissait présager une prochaine participation des États-Unis. Dès 1940, le potentiel industriel américain, jusqu'alors largement sous-utilisé, est mis au service d'un réarmement en faveur des Britanniques et des rares pays encore présents dans la lutte. Roosevelt a fait de son pays « l'arsenal de la démocratie », rendant ainsi, à long terme, la victoire possible. S'il a galvanisé son peuple, il l'a encore davantage fait pour ses alliés, quelles qu'aient pu être les dissensions, souvent très graves, avec Churchill (sur la stratégie), avec Tchang Kaï-Chek (sur la participation de la Chine), avec Staline (sur le second front) et avec De Gaulle (sur tous les sujets).

La Seconde Guerre mondiale marque l'émergence des États-Unis au niveau du *leadership* mondial. Après le repli volontaire prôné par Washington et Monroe, après les tours de piste des premières décennies du XXe siècle, les États-Unis sont définitivement arrimés aux grands organismes internationaux. Leur victoire militaire leur a donné dans le monde une position de force qui n'a d'équivalent que celle dont jouit l'Union soviétique. En 1945, la rivalité des deux super-puissances est moins sensible que la position prééminente des États-Unis en Extrême-Orient comme en Europe. La puissance et le rayonnement internationaux découlent directement de la force militaire, et la force militaire des Américains n'a pas d'équivalent depuis qu'ils ont le monopole de l'arme atomique. Ils sont maîtres de la guerre comme de la paix, dictent leur loi au Japon exsangue, composent avec l'U.R.S.S. quand il s'agit de l'Europe, mais dominent complètement les Nations-Unies, qui sont encore leur bébé, et ils ont imposé à la conférence de Bretton Woods leurs conceptions en matière financière et monétaire. Symbole de cette puissance, le dollar devient l'étalon monétaire international, succédant à une livre bien affaiblie et remplaçant en fait l'or. Rien ne confirme mieux que cela la montée en puissance des États-Unis — devenus grâce à la guerre une super-puissance.

Ce rôle nouveau entraîne des obligations auxquelles les États-Unis ne sont pas préparés. Sont-ils en mesure de maintenir et de garantir la *pax americana* telle qu'elle a été établie à la fin du conflit ? Il est sans doute trop tôt pour répondre à cette question, mais elle implique des transformations radicales, telle que l'entretien d'une armée permanente à laquelle les Américains ont toujours été hostiles, et des liens contractuels avec des pays situés hors de l'hémisphère occidental. Or George Washington avait si bien mis en garde ses concitoyens contre l'immixtion dans des affaires

« étrangères » que la leçon s'était transformée en un dogme remis en pratique au lendemain de la Première Guerre. La position nouvelle des États-Unis dans le monde impliquait une profonde transformation des horizons et des politiques.

La transformation la plus profonde était certainement celle du front intérieur. De 1929 à 1945 la nature du gouvernement américain s'est transformée au même rythme que la relation entre ce gouvernement et les citoyens. Les nécessités de la crise, puis la guerre ont renforcé le gouvernement fédéral aux dépens des États. Certaines responsabilités jusque-là détenues par ces derniers, comme l'assistance, ont été partiellement transférées au gouvernement fédéral. Il en est ainsi dans le domaine de l'économie. Les États sont devenus plus dépendants du fédéral, surtout dans le domaine financier et fiscal. Au niveau du gouvernement fédéral, la balance s'est déplacée du Congrès vers le président. L'initiative d'un grand nombre de mesures de lutte contre la crise est venue, au moins du début, de la présidence, et le Congrès n'a pu que suivre en les votant. La Maison-Blanche a pris le pas sur le Capitole. Même certaines mesures essentielles intervenues pendant la drôle de guerre — l'échange destroyers/bases — résulte d'un échange de lettres entre le président et le gouvernement britannique, et non d'un acte du Congrès. A plus forte raison, pendant la guerre, celui-ci a-t-il été tenu à l'écart de certains projets prioritaires qui impliquaient des dépenses exceptionnelles, comme le « projet Manhattan », couverture de la bombe atomique. L'exécutif s'est ainsi fortement renforcé, comme en témoigne la loi de 1939 sur la réorganisation administrative. Il est d'ailleurs symptomatique que, proposée dès 1937, elle ait été deux fois repoussée par le Congrès par crainte d'un gouvernement « dictatorial ». Non seulement certains bureaux, comme celui du budget, furent transférés des ministères à la présidence, mais la prolifération des agences gouvernementales depuis 1933 traduit les appétits de l'exécutif et ses succès dans la concentration des pouvoirs. Les années 1933-1945 correspondent au passage du *small government* au *big government* et, à brève échéance, à la « présidence impériale » décrite par Arthur M. Schlesinger : mouvement apparemment irréversible.

La relation entre le citoyen et l'État s'est non moins profondément modifiée, avec le passage d'un capitalisme qualifié de « sauvage » aux prodromes de l'État-providence. Dans la conception traditionnelle de l'américanisme, chaque individu était responsable de son propre sort, avec la participation d'institutions religieuses et humanitaires. La misère tragique des années 30, avec son cortège d'expulsions, de prolifération des *hoovervilles*, de sous-alimentation et de suicides, n'a pu laisser indifférents ni l'État fédéral, ni les États de l'Union. Ceux-ci ont commencé à organiser l'assistance, mais, bientôt dépassés, se sont déchargés sur l'État fédéral qui pénètre ainsi dans un domaine qui lui est inconnu. La création d'une sécurité sociale (chômage et pension, à l'exclusion de la maladie), l'instauration d'un salaire minimum, la limitation des heures de travail, l'interdiction du travail des enfants engagent l'État fédéral dans une voie nouvelle : contre les excès du capitalisme, c'est à lui de protéger les individus et de mettre en défaut le vieux concept de libéralisme. Malgré de grandes différences, l'Américain a peu à peu acquis une protection sociale analogue à celle des autres grands pays industriels.

Les avantages acquis étant difficilement réversibles, le *Welfare State* a continué à se développer pendant et après la Seconde Guerre mondiale. Parmi ses mesures les plus significatives, on peut citer le *G.I. Bill of Rights* de juin 1944 ouvrant, entre autres, les collèges et universités aux anciens combattants. Toutes les administrations, qu'elles fussent démocrates ou républicaines, ont œuvré dans le même sens, malgré des réticences. Mais le mouvement ayant été généré par les Démocrates, ce sont eux qui en ont retiré le plus grand avantage. Le parti démocrate, parce qu'il a entrepris de combattre la crise, parce qu'il a lutté efficacement contre le chômage, parce qu'il a institué la sécurité sociale, parce qu'il a défendu occasionnellement les Noirs, est apparu comme le parti du progrès en même temps que celui des masses, et ce d'autant plus aisément qu'il a été au pouvoir durant toute la période. Il a acquis, par son passage aux responsabilités, une image nouvelle qui, associée à la figure de Roosevelt, en a fait, finalement le parti de l'espoir.

L'histoire ne connaît ni tournants, ni accélération du cours des choses. Il n'en reste pas moins que les années 1939-1945, celles du *New Deal* et de la Seconde Guerre mondiale, ont vu une orientation nouvelle des États-Unis, au plan mondial comme au plan domestique.

LA CRISE ÉCONOMIQUE

Depuis 1920, les États-Unis avaient connu une prospérité économique sans équivalent dans le passé, au point que, pour désigner cette décennie, on emploie un seul mot : *Prosperity*. Cette prospérité a été marquée, au moins dans les classes moyennes, par une course à la richesse et une transformation des mœurs qui sont bien décrites dans les romans de Sinclair Lewis, *Babbitt* et *Main Street*. L'héritage puritain s'efface peu à peu devant les relâchements de la morale traditionnelle, une vie beaucoup plus libre chez les hommes comme chez les femmes, la popularisation de l'automobile, la généralisation des appareils ménagers et une consommation de l'alcool d'autant plus tentante qu'elle est officiellement interdite depuis la mise en application de la prohibition. Une Amérique nouvelle est en cours de gestation, avec ses turbulences, ses excès et son côté fascinant, en particulier pour les Européens qui se remettent difficilement des conséquences imprévues de la guerre.

Cette prospérité est soutenue par l'essor de l'économie américaine qui profite des difficultés de la reconstruction européenne. Un signe qui ne trompe pas : ce sont désormais les États-Unis qui, par les prêts qu'ils consentent aux États européens, financent cette reconstruction, soit sur une base bilatérale, soit comme maîtres d'œuvre du plan Dawes (1924) organisant le versement échelonné des réparations allemandes — plan révisé par Owen D. Young en 1929. Au centre du circuit international ainsi créé se trouve l'Allemagne dont l'économie se remet en route grâce aux crédits américains. Elle peut ainsi payer des « réparations » aux anciens belligérants, lesquels acquittent leurs dettes envers les États-Unis : c'est l'engrenage crédits américains-réparations-dettes. Que la chaîne vienne à se rompre en un point, et c'est la catastrophe.

Les Américains n'ont, à aucun moment, été conscients de la fragilité de cet édifice, tant ils étaient portés par la vague d'optimisme qui paraissait ne jamais devoir s'interrompre. La montée continue des cours des actions dans les bourses, et en particulier à Wall Street, semblait leur donner raison. La diffusion des nouvelles techniques favorise alors les industries d'avant-garde : automobile *(General Motors, Ford, Chrysler, Packard)*, électricité *(Westinghouse, General Electric)*, chimie *(Dupont de Nemours)*, téléphone *(Bell)*. La vogue des placements boursiers entraîne la création de trusts d'investissements *(investments trusts)* en particulier dans le secteur des services publics *(public utilities)*. Les banques profitent de cet engouement trop souvent aveugle pour attirer des clients crédules dans des montages financiers attrayants, mais parfois fictifs. Tout semblait alors si bien réussir que peu d'Américains se posaient des questions sur les vicissitudes de l'avenir.

Pourtant, des lézardes apparaissent bien avant 1929. En 1927, on constate une baisse dans le rythme de la construction, en même temps qu'un fléchissement dans la production d'automobiles, deux secteurs qui avaient soutenu la prospé-

« BLACK TUESDAY » : LES CAUSES DU DÉSASTRE

La crise de 1929 se manifesta d'abord par une baisse dramatique des cours des valeurs à la bourse de New York. Après une première alerte le jeudi 24 octobre (*Black Thursday*), conjurée grâce à l'intervention de banquiers et de courtiers qui avaient racheté des paquets d'actions, la menace se précisa le 29 octobre (*Black Tuesday*), avec une nouvelle chute des cours. La panique, cette fois, devint incontrôlable : l'indice Dow-Jones chuta de 49 points, affectant les quelque 16 millions d'actions traitées durant la séance ; les valeurs les plus sûres perdirent 80 % par rapport à leur cours de septembre ; des millions d'épargnants virent s'envoler en vingt-quatre heures les économies d'une vie ; des milliers de banques, puis d'usines fermèrent leurs portes, jetant sur le pavé des millions de travailleurs sans ressources ; soudain incapables de rembourser leurs emprunts, des centaines de milliers de familles se retrouvèrent sans logis. L'agriculture, déjà en proie à la surproduction et à une forte baisse des prix — et oubliée par les pouvoirs publics malgré la création tardive du *Federal Farm Board* (juin 1929) — fut frappée de plein fouet. Entre 1929 et 1932, le PNB américain passe de 104 milliards de dollars à 59 ; les investissements de 16,2 milliards à 0,9 ; la production industrielle de l'indice 100 à l'indice 52 ; le revenu agricole de 11,3 milliards à 4,8.

Dès 1930, l'économiste Irving Fischer essaya d'expliquer la crise dans laquelle les États-Unis étaient plongés et il en attribua la cause principale à la « panique de Wall Street » d'octobre 1929. Cette explication, qui fait la part trop belle à la spéculation, n'est pas suffisante. Un quart de siècle plus tard, disposant de plus de recul et de données beaucoup plus complètes, un autre économiste, John K. Galbraith, ne voyait plus, lui, dans le krach de Wall Street qu'un accident, que l'étincelle qui avait embrasé l'Amérique, puis le monde entier : malgré ses apparences de robustesse, l'économie américaine de l'époque était viciée par une mauvaise répartition de la richesse et la fragilité des grandes entreprises (« *corporations* ») ; il avait donc suffi d'un incident somme toute mineur pour lézarder et faire s'écrouler une économie apparemment florissante, mais déjà minée de l'intérieur.

rité. Peu habitués à manier des indices économiques, les contemporains n'y avaient pris garde, d'autant moins que la montée des cours en bourse se poursuivait. C'est pourquoi le choc d'octobre 1929 fut si violemment ressenti. Un homme supposé compétent, Herbert Hoover, occupait la présidence depuis neuf mois, portant avec lui les espoirs de tous les Américains. Hoover était l'homme de la prospérité, et c'est sous sa présidence que se produisit la plus grande catastrophe économique de l'histoire américaine. Il fut impuissant à l'enrayer — mais quel président l'aurait pu ? —, il en porta l'opprobre et le transmit à son parti qui en resta marqué pendant deux décennies.

Hoover était profondément marqué par le credo républicain de la non-intervention en matière économique. Devant l'ampleur du désastre, il ne savait comment intervenir, ce qui a trop facilement conduit les historiens à l'accabler. Les notions de relance économique étaient alors inconnues, et l'assistance ne relevait pas du domaine du gouvernement fédéral, mais des associations caritatives, des Églises, des bienfaiteurs privés. Quand il se décida à intervenir, au début de 1932, par la *Reconstruction Finance Corporation*, les moyens mis à sa disposition étaient trop limités pour pallier l'ampleur des besoins. Il avait pourtant bien compris les implications internationales de la crise et fait un pas décisif en proposant un moratoire sur les dettes (20 juin 1931). Son geste fut mal interprété par les partenaires européens, en particulier la France, hantés par les « réparations » allemandes. Les États-Unis étaient les victimes de l'engrenage dans lequel ils s'étaient engagés quelques années auparavant.

LA CRISE EN QUELQUES CHIFFRES

Par delà les récits des contemporains et les reconstitutions des historiens ou des économistes, il est indispensable de se reporter aux données statistiques. Certes, elles ne sont pas toutes totalement fiables, en particulier celles du chômage, qui paraissent minorées. Cependant, elles révèlent toute l'ampleur de la crise, et sa culmination en 1932. Si le redressement démarre en 1933, il demeure encore fragile, comme le montre bien la rechute de 1937, qui apparaît aussi bien dans le tableau des valeurs boursières que dans celui du chômage.

Wall Street : évolution du prix des actions (1926-1938)

	1926	1927	1928	1929	1930	1931	1932	1933	1934	1935	1936	1937	1938
Janv.	102	106	137	193	149	103	54	46	84	81	114	148	100
Fév.	102	108	135	192	156	110	53	43	88	80	120	154	99
Mars	96	109	141	196	167	112	54	42	85	75	124	154	96
Avr.	93	110	150	193	171	100	42	49	88	79	124	144	86
Mai	93	113	155	193	160	81	38	65	80	86	118	138	86
Juin	97	114	148	191	143	87	34	77	81	88	119	134	92
Juil	100	117	148	203	140	90	36	84	80	92	128	142	106
Août	103	112	153	210	139	89	52	79	77	95	131	144	103
Sept.	104	129	162	216	139	76	56	81	76	98	133	124	104
Oct.	102	128	166	194	118	65	48	76	76	100	141	105	114
Nov.	103	131	179	145	109	68	45	77	80	110	146	96	114
Déc.	105	136	178	147	102	54	45	79	80	110	144	95	112

Source : Ligue des Nations, *Statistical Yearbook*, 1926-1938.

Population active et chômage (1929-1940)
(en milliers)

Année	Actifs	Chômeurs	%
1929	47 603	1 499	3,1
1930	48 420	4 248	6,6
1931	49 010	7 911	16,1
1932	49 576	11 901	24,0
1933	50 151	12 634	25,2
1934	50 774	10 968	21,6
1935	51 394	10 208	19,9
1936	51 972	8 598	16,5
1937	52 527	7 273	13,6
1938	53 130	9 910	16,7
1939	53 726	8 842	16,5
1940	53 944	7 476	13,9

Source : U S Department of Labor, Bureau of Labor Statistics, Employment and Occupational Outlook Branch, Occupational Outlook Division, 29 juin, 1945. *Technical Memorandum* N° 20, 4 juillet, 1945

La crise économique alla s'approfondissant et le chômage s'aggravant, avec son cortège de misères que symbolisaient les hoovervilles (bidonvilles ironiquement désignés ainsi par référence au président), la faim tenailla des millions d'individus qui, aux élections de 1932, donnèrent leurs voix à un nouveau venu, le démocrate Franklin D. Roosevelt.

TRIOMPHES ÉLECTORAUX ET PROGRAMMES DE GOUVERNEMENT

Élu en 1932 à une forte majorité contre le président sortant Herbert Hoover, Roosevelt connut un véritable triomphe aux élections de 1936 face au candidat républicain Alfred M. Landon qu'il distança de 11 millions de voix, majorité sans précédent dans l'histoire des États-Unis (il faudra attendre l'élection de Lyndon Johnson en 1964 pour retrouver quelque chose d'approchant...). Deux États seulement, sur quarante huit, le Maine et le Vermont, ont dégagé une majorité républicaine. Véritable plébiscite pour Roosevelt que cette élection, face à ses adversaires, face aussi à la Cour suprême. Pourtant Roosevelt n'utilise pas au mieux la ferveur populaire et ne retrouve plus jamais une situation analogue. Sa majorité s'effrite aux élections de 1940 et de

---

LES QUATRE « PRÉSIDENTIELLES » DE FRANKLIN DELANO ROOSEVELT

Année	Candidats	Parti	Vote électoral	Vote populaire
1932	Franklin D. Roosevelt	Démocrate	472	22 821 857
	Herbert Hoover	Républicain	59	15 761 841
	Norman Thomas	Socialiste	0	884 781
1936	Franklin D. Roosevelt	Démocrate	523	27 751 597
	Alfred M. Landon	Républicain	8	16 679 583
	Norman Thomas	Socialiste	0	187 720
1940	Franklin D. Roosevelt	Démocrate	449	27 244 160
	Wendell L. Willkie	Républicain	82	22 305 198
	Norman Thomas	Socialiste	0	99 557
1944	Franklin D. Roosevelt	Démocrate	432	25 602 504
	Thomas E. Dewey	Républicain	99	22 006 285
	Norman Thomas	Socialiste	0	80 518

1944, où la marge avec son adversaire s'est progressivement réduite. Il est vrai que Roosevelt a réussi un exploit unique dans les annales de l'histoire américaine, celui de se faire élire quatre fois à la présidence [1], en profitant de la menace de guerre, puis de la guerre elle-même. Il a dirigé les États-Unis pendant douze ans, de 1933 à 1945 et façonné ainsi un nouveau type de présidence, plus active, plus interventionniste, mais aussi mieux adaptée aux nouvelles responsabilités des États-Unis dans le monde.

Quand on connaît l'ampleur de l'œuvre réformiste réalisée dans ces années, on ne peut qu'être frappé par le caractère vague et général des programmes exposés, que ce soit dans les plateformes des conventions, qui tiennent lieu de manifestes pour les électeurs, ou dans les discours d'investiture. On n'y trouve aucune annonce des mesures qui vont former la base du *New Deal*, et certaines mentions, comme celles du nécessaire équilibre du budget et de la réduction des dépenses de l'État, sont en franche contradiction avec les réalités ultérieures. En tout cas, rien n'est révélé de la ligne suivie par le gouvernement. En revanche, ces textes et, en particulier, les discours d'investiture sont remplis de compassion pour toutes les victimes de la crise de 1929 qui, « mal logées, mal habillées, mal nourries », ne voient de salut que dans une intervention plus poussée de l'État, ou des États, ce à quoi se refusent farouchement Hoover et, derrière lui, le parti républicain, attaché à une conception du libéralisme inadaptée à la gravité de ce qui se passe aux États-Unis : « L'esprit du libéralisme est de faire des hommes libres [...] non d'accroître la bureaucratie [...] et le rôle de l'État dans la vie des affaires » (Herbert Hoover, discours électoral, 31 octobre 1932). C'est là que réside la supériorité de Roosevelt et des démocrates, et l'explication de leur succès : ils ont su, pour remettre le pays en marche, répondre aux demandes « interventionnistes » des plus défavorisés.

---

1. Le nombre de mandats présidentiels n'était pas alors précisé par la Constitution fédérale. La tradition, inaugurée par George Washington et qui voulait qu'un président n'accomplisse pas plus de deux mandats, fut interrompue par Franklin D. Roosevelt, dont le mandat fut renouvelé trois fois. Depuis 1951, date de l'adoption du vingt-deuxième Amendement, cette possibilité n'existe plus : « Nul ne sera élu plus de deux fois aux fonctions de président. » (Voir sur ce point : Marie-France Toinet, *le Système politique des États-Unis*, PUF, Paris, 1987, p. 167 sq.)

LE *NEW DEAL*

En 1932, à la convention démocrate de Chicago, Roosevelt avait convié ses concitoyens à une nouvelle donne — un *New Deal* — pour redresser le pays. L'expression est restée pour désigner l'œuvre réalisée après la victoire électorale. Roosevelt reprenait ainsi la tradition instaurée par son prédécesseur, Woodrow Wilson, qui, lui, avait adopté le label de *New Freedom,* en attendant le *Fair Deal* de Truman et la *New Frontier* de Kennedy.

Il serait impropre de voir dans le *New Deal* un programme raisonné. Le président et les membres de son *brain trust* avaient pour objectif de remettre en route l'économie du pays et de tirer les Américains de la misère, sans avoir

---

DE LA TENNESSEE VALLEY AUTHORITY (T.V.A.), 18 mai 1933...

La création de la *Tennessee Valley Authority* marque à la fois l'aboutissement des efforts du sénateur George W. Norris (dont un barrage, près de Knoxville, porte depuis le nom) et la consécration d'une nouvelle politique gouvernementale. La vallée du Tennessee était alors une région misérable, en dépit de ses grands atouts. L'Autorité reçoit la mission de construire (au bénéfice des États riverains — Tennessee, Virginie, Kentucky, Caroline du Nord, Géorgie, Alabama, Mississippi) des barrages pour la production d'électricité, mais aussi pour la maîtrise des crues, le développement de la navigation, la bonification des terres, leur remise en culture, l'amélioration du confort et de la santé de la population, etc. Elle servit de modèle à d'autres programmes, aux États-Unis et ailleurs.

... AU *NATIONAL INDUSTRIAL RECOVERY ACT (N.I.R.A),* 13 juin 1933

La loi sur le redressement national, la dernière des grandes mesures des « Cent Jours », s'applique à l'industrie et prélude à la création de la *National Industrial Recovery Administration,* confiée au général Hugh Johnson qui la mena comme une division de cavalerie. Les branches d'industrie étaient réorganisées par des codes limitant la concurrence selon une inspiration corporatiste. En même temps les travailleurs se voyaient reconnaître le droit de représentation dans l'élaboration des conventions collectives. En 1935 cette loi fut, comme plusieurs autres, invalidée par la Cour suprême.

d'idées préconçues sur la question. Ce sont tous des pragmatiques qui avancent par petits bonds, quitte à reculer, sans obéir à une idéologie. On a souvent fait le rapprochement entre les idées de John Maynard Keynes, l'esprit du *New Deal* et certaines des initiatives qui furent prises. Les idées de Keynes étaient certes connues de certains économistes et hommes politiques qui gravitaient dans les milieux dirigeants, mais leur influence ne se fit sentir qu'à la fin des années 30, après la publication de la *Théorie générale* en 1936. Quant à Roosevelt lui-même, il fit très mauvais ménage avec Keynes, dont, disait-il, il ne comprenait pas le galimatias.

Le *New Deal* fut une suite d'expériences, de tentatives, en trois étapes successives. La première, symbolisée par les *Cent Jours* (9 mars-16 juin 1933), consista à redresser l'économie par une série de mesures sans précédent par leur nombre et leur diversité : remise en route des banques, abandon de l'étalon-or, aide aux fermiers, mise en valeur de la vallée du Tennessee, réorganisation de l'industrie, création d'agences pour l'emploi des chômeurs... Ce fut une politique « tous azimuts » destinée aussi bien à relancer l'économie qu'à inspirer confiance aux Américains.

Cette politique fut relayée, en 1935, par des mesures de caractère social comme la reconnaissance officielle des syndicats en tant qu'interlocuteurs valables dans la signature des conventions collectives (loi Wagner-Connery, 5 juillet) et la création d'un système de sécurité sociale grâce au *Social Security Act* (14 août) : cette loi, qui fait partie du second train de mesures du *New Deal*, constitue une innovation aux États-Unis qui n'avaient pas, au niveau fédéral, de protection sociale. Elle concerne essentiellement deux domaines, les pensions de vieillesse (versées après 65 ans) et les allocations de chômage (fonds alimenté par l'État fédéral, les employés et les employeurs). Elle est fondée sur une collaboration entre l'État fédéral et les États, qui reçoivent des subventions du fédéral (par exemple en faveur des aveugles ou des enfants handicapés). Nulle mesure ne fit autant pour la popularité des Démocrates et la réalisation du *Welfare State*.

---

2. On a, de même, souvent parlé d'un *New Deal* pour les Indiens, l'expression se référant à l'*Indian Reorganization Act* de 1934 qui accorde aux tribus une grande autonomie en matière d'auto-organisation. Ce renversement de la politique d'assimilation suivie par le gouvernement fédéral depuis les origines fut en grande partie l'œuvre du commissaire aux Affaires indiennes, John Collier.

Entre-temps, certaines des grandes mesures, comme l'*Agricultural Adjustment Act* (12 mai 1933) et le *National Industrial Recovery Act*, deux des piliers du redressement, avaient été invalidés par la Cour suprême, ce qui obligea le gouvernement fédéral à revoir sa copie et à prévoir de nouvelles mesures, qui avaient en même temps pour objectif de faire face à la récession de 1937. C'est la troisième étape : le *New Deal* revu et corrigé des années 1937 et 1938.

LE DEUXIÈME *AGRICULTURAL ADJUSTMENT ACT* (16 février 1938)

Déclarée inconstitutionnelle, la première loi de mai 1933 visait à réduire les surplus agricoles et à améliorer le revenu des agriculteurs en faisant, par ce moyen, remonter les prix. La loi créait l'*Agricultural Adjustment Administration (A.A.A.)*, chargée notamment de contrôler la production de certaines denrées (comme le maïs, le coton ou le tabac) en échange de subventions financées par des taxes sur les entreprises d'agroalimentaire.

La seconde loi (16 février 1938) reprenait, pour une bonne part, le contenu de la première, y ajoutant diverses mesures, telles que la fixation de quotas de commercialisation (pour éviter une chute de prix de certains produits), l'organisation de structures de stockage (pour la résorption des surplus) et substituant les ressources du Trésor fédéral à l'imposition des industries de transformation.

Jamais encore les États-Unis n'avaient connu de réformes d'une ampleur comparable. Elles ont transformé la nature du gouvernement et de la société américaine dans la direction du *Welfare state*, aux antipodes des conceptions d'un Hoover. Cette option n'a rien de délibéré, car ce sont essentiellement les circonstances qui sont à l'origine de cet infléchissement. Elle attira, en tout cas, de nombreux ennemis au gouvernement et au parti démocrate.

La grande question demeure celle de l'efficacité des mesures du *New Deal*. Ont-elles tiré les États-Unis hors de la crise ? Oui et non. Dès 1934 se manifeste un mieux, qui se poursuit jusqu'en 1937, avec une reprise de la production, une diminution du chômage, une remontée du commerce extérieur et une amélioration du pouvoir d'achat. Cette reprise est interrompue brusquement en 1937 par une violente récession qui s'explique en partie par des erreurs de pilotage. A partir de ce moment, c'est le réarmement qui va entraîner l'économie américaine vers des niveaux très élevés que stimule l'économie de guerre — au point que les États-Unis en viendront à dominer l'économie mondiale au terme du conflit. Le *New Deal* y a fortement contribué, même si d'autres facteurs sont intervenus.

ADVERSAIRES ET PARTISANS

Le *New Deal* suscita, dans certains groupes et chez certains individus, des haines aussi féroces qu'étaient affirmées, chez d'autres, des sympathies sans mélange. Ces antagonismes sont la meilleure preuve de la nouveauté qu'était pour les Américains l'orientation politique, économique et sociale de l'expérience inaugurée par Roosevelt.

Du côté des adversaires, il y avait d'abord les jusqu'au-boutistes, ceux qui pensaient que le *New Deal* s'arrêtait à mi-course. Leur chef de file fut un médecin de Californie, le docteur Francis Townsend qui proposa le *Old Age Revolving Pension Scheme,* plan prévoyant une pension de 200 dollars par mois pour toutes les personnes de plus de 60 ans. Dans le Middle West, le père Charles Coughlin lança la *National Union for Social Justice :* favorable à une réforme sociale énergique, cette union se transforma ensuite en mouvement anticommuniste, antisémite et antidémocratique. Dans le Sud, le sénateur Huey P. Long, qui devait finir mystérieusement assassiné à Baton Rouge (8 septembre 1935), fut à l'origine d'un mouvement entièrement démagogique, le *Share Our Wealth (« Partageons nos richesses »),* qui réclamait un minimum vital de 5 000 dollars par famille et par an. Tous ces opposants se trouvèrent unis aux élections de 1936, pour les perdre — en compagnie des Républicains. Ceux-ci, soutenus par 80 % de la presse, dénoncèrent le *New Deal* comme une tentative visant à instaurer, contre la libre entreprise, une économie planifiée et bureaucratique (ils reprirent les mêmes arguments en 1940, mais ne remportèrent pas davantage les élections).

Plus dangereuse peut-être que celle des partis fut l'opposition née des escarmouches entre le gouvernement et la Cour suprême, à la suite de l'annulation du *National Industrial Recovery Act (NIRA)* en 1935 et de l'*Agricultural Adjustment Act (AAA)* en 1936. Le Président conçut alors un plan étrange pour réformer la vénérable Cour, sans s'être préalablement assuré du soutien de son propre parti. Toute atteinte aux institutions était considérée comme un crime.

La disparition successive de quelques juges âgés et leur remplacement par des fidèles mirent fin à ce blocage, mais non sans dommages politiques pour le Président.

ROOSEVELT ET LA RÉFORME DE LA COUR SUPRÊME (1937)

L'invalidation répétée, par la Cour suprême, des grandes mesures économiques et sociales du *New Deal* poussa Roosevelt à la faute. Le 5 février 1937, il soumit au Congrès un projet de réorganisation du pouvoir judiciaire, qui prévoyait de faire passer le nombre de juges de la Cour suprême de 9 à 15 : à la faveur de la nomination des six nouveaux juges, le Président pourrait s'assurer une majorité au sein de la haute instance et ainsi éviter de voir ses initiatives paralysées.

On l'accusa de dénaturer la Constitution, de vouloir une Cour à sa botte, de menacer l'indépendance des juges et de chercher à renforcer les pouvoirs de l'Exécutif. Le 9 mars, s'adressant à ses compatriotes sur les ondes de la radio, Roosevelt s'en prit au gouvernement des juges et réaffirma, en matière de lutte contre la crise, la primauté du « Congrès élu » sur les « préférences économiques personnelles » de la magistrature.

L'initiative présidentielle, trop contraire à la tradition et mal ressentie par l'opinion, rencontra l'opposition des Républicains et d'une partie des Démocrates, affaiblissant pour un temps la position politique de Roosevelt. Celui-ci dut renoncer à l'essentiel de son projet, mais, suite à diverses circonstances (décès, départ à la retraite), il remplaça 7 des 9 juges de la Cour suprême dans les quatre années qui suivirent.

La Cour, d'ailleurs, n'attendit pas ces remplacements pour se montrer plus souple, voire pour tourner casaque, et prendre dès la fin de 1937 des positions diamétralement opposées à la doctrine qui était la sienne depuis longtemps. Cette volte-face des neuf juges (ou de certains d'entre eux) est connue sous le nom de « the switch in time that saved nine »[3].

Le *New Deal* eut aussi ses partisans. Et d'abord les milieux ouvriers et syndicaux, reconnaissants de ce qui avait été fait pour eux : la section 7-a du *N.I.R.A.*, la sécurité sociale, la loi Wagner de 1935 sur les relations dans le travail et, par-dessus tout, la création d'emplois et l'ouverture d'agences gouvernementales pour les jeunes ou les chômeurs

---

3. Expression qu'on pourrait rendre par : « la remise à neuf qui a sauvé les neuf ».

(National Youth Administration, Civilian Conservation Corps, Works Progress Administration). Le syndicalisme se régénéra à la suite de la scission amorcée dès 1935 au sein de la vénérable A.F.L. dont un surgeon devint en 1937 le *Congress of Industrial Organization* (C.I.O).

NAISSANCE DU C.I.O. (1938)

Depuis le début des années 30, une opposition s'était développée à l'intérieur de l'*American Federation of Labor,* conduite par le bouillant président du syndicat des mineurs, John Lewis. Elle réclamait l'organisation des industries de masse, textiles, métallurgie, mines, automobile, parallèlement au syndicalisme de métier (plus élitiste) qui constituait l'épine dorsale de l'A.F.L. Au congrès de 1935, John Lewis présenta une motion en ce sens, qui fut défaite et ouvrit la voie à la création, par lui-même et Sidney Hillman, du C.I.O. *(Congress of Industrial Organizations)*, fondé en mai 1938. Les deux syndicats fusionneront à nouveau en décembre 1955, devenant l'*A.F.L.-C.I.O.* — avec George Meany pour président et une place égale pour les deux types d'organisations (de masse et de métier).

Si la condition des Noirs se transforma peu, ceux-ci bénéficièrent cependant de certaines sympathies dans le parti démocrate qui chercha à se les attacher, avec des mesures comme l'« ordre exécutif 8802 » du 25 juin 1941 interdisant la discrimination dans les entreprises travaillant pour la défense : le leader noir Asa Philip Randolph, président de la Fraternité de porteurs des wagons-lits, avait menacé le gouvernement fédéral d'organiser un grand défilé à Washington pour protester contre la ségrégation dans l'emploi. Soucieux de désamorcer le mouvement, le Président institua alors, par le biais d'un « ordre exécutif » le *Fair Employment Practices Committee* chargé de veiller à la non-discrimination dans les industries de guerre et les emplois fédéraux.

C'est aussi à cette époque que se produit le basculement des cours de justice contre la ségrégation et en faveur des droits politiques, annonçant le mouvement de l'après-guerre. Ce ne sont encore que des prodromes, mais significatifs. Ainsi la décision *Smith vs. Allwright* (3 avril, 1944) : malgré le 14e amendement (1868) interdisant aux États de restreindre les droits civiques des citoyens américains, les gens du Sud n'avaient pas hésité à interdire aux Noirs l'accès aux urnes. Au Texas, ceux-ci étaient exclus des élections primaires, ce qu'avait confirmé en 1935 l'arrêt de la Cour Suprême, *Grovey vs. Townsend*. Cet arrêt fut renversé par la même Cour en 1944 — au nom du XVe amendement, lequel, est-il rappelé, « interdit la discrimination par l'État dans l'exercice du droit de suffrage ».

FIDÈLES À LA NEUTRALITÉ

L'ampleur de la crise et l'urgence des remèdes ont relégué à l'arrière-plan la politique extérieure. Une priorité absolue a été donnée, dès 1933, aux nécessités du redressement aux dépens des engagements, comme en témoigne la rupture brutale des États-Unis à la conférence économique internationale de Londres, en juin 1933.

En apparence, la politique de l'administration démocrate n'est guère différente de celle de ses prédécesseurs républicains. Elle s'en est tenue à une neutralité d'autant plus poussée que se multipliaient les périls extérieurs. A chaque menace nouvelle — conquête de l'Éthiopie par l'Italie fasciste, guerre civile espagnole, conflit sino-japonais —, le Congrès a répondu par une loi de neutralité de plus en plus contraignante. Cette contrainte culmine avec le début de la guerre en Europe, en 1939 : seuls les belligérants sont autorisés à transporter, à leurs risques et périls, munitions et approvisionnements, après paiement comptant [4]. L'opinion américaine, dont l'influence est considérable sur la démarche politique, était obsédée par un retour à un entraînement automatique dans le conflit, car elle se rappelait le précédent de 1917. Des contre-feux ont été systématiquement dressés : interdiction de prêts aux mauvais débiteurs, commission d'enquête sur les ventes de munitions et d'armements pendant la Première Guerre. Le Président lui-même se trouva prisonnier de cette rhétorique. Le « discours de la quarantaine » (5 octobre 1937) manifesta l'impossibilité de prendre des sanctions réelles contre les agresseurs. Les menaces s'amoncelaient alors en Europe aussi bien qu'en

---

4. La décision évoquée ici est celle du *Neutrality Act* du 4 novembre 1939. Après avoir proclamé la neutralité des États-Unis dès le début du conflit en Europe, le président Roosevelt demanda au Congrès de réviser les lois de neutralité, de façon à permettre aux belligérants de s'approvisionner sur le marché américain, à leurs propres risques. C'est la clause *« cash and carry »* (payez comptant et emportez), qui apparaît pour la première fois dans cette loi et devait avantager Royaume-Uni et France, maîtres des mers.

Extrême-Orient, où le Japon venait de s'engager dans la guerre contre la Chine. Au retour d'un voyage dans l'Ouest où il avait tâté le pouls (fort hésitant) de ses concitoyens, le président Roosevelt prononça à Chicago un discours consacré à la politique extérieure et suggéra, comme seul moyen de préserver la paix, une mise en quarantaine internationale des agresseurs. Trop en avance sur l'état de l'opinion, ce discours eut néanmoins pour effet, à défaut d'éviter la guerre, d'encourager l'Amérique au boycott des produits japonais.

Au total, la politique extérieure des États-Unis n'est cependant pas aussi statique qu'il pourrait y paraître. L'administration démocrate s'est en effet attachée à débloquer la situation héritée de ses prédécesseurs, par exemple en inaugurant des relations diplomatiques avec l'Union soviétique : malgré certains rapports économiques occasionnels, les États-Unis n'avaient jamais reconnu le régime soviétique et étaient le seul des grands États à ne pas entretenir de relations avec l'URSS. Profitant de la venue à Washington du commissaire aux Affaires Étrangères, Maxime Litvinov, le président Roosevelt procéda à un échange de lettres qui aboutit à une reconnaissance officielle le 16 novembre 1933. Ce geste est caractéristique des tendances de la nouvelle administration démocrate.

Celle-ci s'est aussi efforcée de régler ses relations avec ses territoires « coloniaux » et ses voisins d'Amérique latine.

L'INDÉPENDANCE DE CUBA ET DES PHILIPPINES

Au lendemain de la guerre hispano-américaine, les États-Unis avaient limité la souveraineté de Cuba par une série de dispositions adoptées en 1901 et connues sous le nom d'« amendement Platt ». L'instabilité politique de Cuba après 1931 d'une part, et l'ouverture plus grande de la nouvelle administration démocrate, de l'autre, amenèrent le gouvernement américain à renoncer à toute responsabilité dans les affaires de l'île, qui devint ainsi pleinement indépendante — le *Platt Amendment* étant purement et simplement abrogé (29 mai 1934).

L'indépendance accordée aux Philippines par le *Tydings-McDuffy Act* du 24 mars 1934 était presque totale : des négociations ultérieures étaient simplement prévues concernant le statut des bases navales américaines. En application d'une constitution adoptée en juillet 1934, le premier président philippin, Manuel Quezon, fut élu le 17 septembre 1935.

Les deux conquêtes de la guerre hispano-américaine — les Philippines et Cuba — ont ainsi pu accéder à l'indépendance, immédiate ou à plus long terme.

Par ailleurs, les rapports avec les républiques voisines se sont nettement améliorés, la politique du bon voisinage se substituant à celle du *gros bâton*. Le président Roosevelt a lui-même ouvert la conférence panaméricaine de Buenos Aires en 1936 et celle de Lima en 1938 et a réaffirmé, avec l'appui des États-Unis, la détermination des États sud-américains à faire respecter leur indépendance. Quant au Mexique, la nationalisation des champs de pétrole appartenant à des compagnies américaines a été réglée par des négociations entre les gouvernements mexicain et américain en 1941.

Derrière un apparent immobilisme, c'est à une approche nouvelle des relations extérieures que l'on assiste entre 1933 et 1940. Sans jamais renoncer à leur neutralité, les États-Unis ont adopté une attitude moins arrogante, plus conciliante à l'égard de l'hémisphère occidental. Exemple de cette évolution : le Congrès avait voté en 1931 un tarif douanier (le *Smoot-Hawley Tariff*), qui avait sensiblement augmenté les taxes à l'importation, notamment sur le sucre et les textiles. L'administration démocrate chercha, grâce au *Reciprocal Trade Agreements Act* du 12 juin 1934, à favoriser les échanges commerciaux en conférant au Président le droit de négocier des traités bilatéraux comportant la clause réciproque de « la nation la plus favorisée ». De 1934 à 1941, vingt-six de ces traités furent signés, couvrant environ les deux tiers du commerce extérieur américain.

ENTRE PAIX ET GUERRE

La défaite de la France en juin 1940 précisa la menace qui se profilait à l'égard des États-Unis. L'écrasement de l'armée française laissait désormais face à face les Britanniques et les puissances de l'Axe, et l'impression générale était que l'Angleterre ne pourrait pas résister longuement et efficacement au déferlement des divisions nazies. Les Américains n'étaient pas prêts à intervenir, ni psychologiquement ni militairement, tout en étant persuadés qu'ils ne pouvaient pas abandonner l'ancienne mère patrie directement menacée.

D'où un jeu très serré de la part des États-Unis qui font de leur mieux pour apporter leur aide, tout en se gardant bien d'intervenir directement. Ils sont, en effet, hantés par les souvenirs de la Première Guerre mondiale, et de l'engrenage dans lequel ils ont fini par se laisser prendre, un peu malgré eux. Ils s'en tiennent donc à un isolationnisme de type légaliste, conforme aux lois de neutralité, en matière de crédit et de transport maritime, car c'est ainsi qu'ils avaient été engagés dans la Première Guerre. Par contre, ils imaginent des moyens plus subtils d'aider l'Angleterre, comme la location pour 99 ans de bases navales et aériennes britanniques dans l'Atlantique Nord (en échange de cinquante vieux destroyers américains), et surtout la loi prêt-bail *(Lend-Lease Act)* du 11 mars 1941 : les difficultés britanniques s'étaient accrues, militairement et surtout financièrement, suite au manque de devises permettant d'acheter aux États-Unis les armes et approvisionnements nécessaires. C'est alors que le Président eut l'idée de remplacer le *cash and carry* par le *lend-lease,* ou « prêt-bail », qu'il réussit à faire passer au Congrès à une large majorité. La loi permettait à « tout pays dont la défense était jugée vitale par le Président pour la défense des États-Unis » (donc d'abord à la Grande-Bretagne) de recevoir du gouvernement américain armes, équipements, fournitures, services, biens alimentaires par le biais d'une vente, d'un transfert, d'un échange, d'un bail ou d'un prêt. Outre qu'il fut efficace (une aide de 50 milliards de dollars allait au total être fournie aux ennemis de l'Axe), ce texte avait l'avantage d'éviter à l'avance les traditionnelles discussions d'après-guerre sur les dettes et, pour reprendre l'expression de Roosevelt, il faisait de l'Amérique, désormais oublieuse de sa neutralité, « l'arsenal de la démocratie ».

Malgré les réticences persistantes de l'opinion et d'une partie du Congrès, ces diverses mesures passèrent, grâce à une véritable préparation psychologique orchestrée par le Président, dont les causeries au coin du feu, en général radiodiffusées le samedi soir, devinrent l'instrument le plus efficace. Les adversaires de l'entrée en guerre s'étaient regroupés dans une association au titre significatif, *America First,* qui se réclamait de grands noms, dont celui du très populaire aviateur, Charles Lindbergh. Cette période, où la guerre est frôlée et qu'on désigne sous l'expression *short of war* (« tout sauf la guerre »), conduit lentement les Américains vers une intervention devenue inévitable.

Un des éléments essentiels de cette préparation psychologique est la définition des buts de guerre, en période de paix. Il faut convaincre l'opinion que les pays totalitaires menacent les valeurs qui sont celles de la démocratie américaine. Roosevelt s'y emploie dès le début de 1941 dans son message — traditionnel — au Congrès (en date du 6 janvier), où l'on trouve définies les « quatre grandes libertés » qui justifient son action. Le Président y reprend le thème de l'« arsenal », puis développe les valeurs morales dont la démocratie est porteuse. C'est alors qu'il formule les quatre libertés fondamentales *(Four Freedoms)* qui font sa grandeur et que les États-Unis offrent au reste du monde : *freedom of speech, freedom of religion, freedom from want, freedom from fear.*

Quant aux buts de la guerre, ils sont, eux, exprimés dans la Charte de l'Atlantique du 14 août 1941, véritable manifeste des futurs Alliés rédigé lors d'une rencontre entre le Président Roosevelt et le Premier Ministre britannique, Winston Churchill, au large de Terre-Neuve. Ce texte, qui exprime le refus de tout agrandissement territorial et annonce le rétablissement dans leurs droits des peuples opprimés et la restauration de la liberté du commerce, est, dans une certaine mesure, une nouvelle version des « 14 points » de Wilson adaptés à la situation du moment.

C'est bien autour de valeurs et d'objectifs communs que se réalise l'alliance avec le Royaume-Uni — et non sur un texte formel, comme dans la diplomatie classique. Tout en se préparant activement au rôle qui les attend, les Américains n'ont oublié ni les leçons de Washington, ni celles de Monroe.

SUR LE FRONT INTÉRIEUR

Le grand arsenal de la démocratie, dont Roosevelt avait eu la vision dès la fin de 1940, se mit en mouvement à la suite de l'attaque japonaise contre Pearl Harbor, en décembre 1941. Cette fois, les États-Unis étaient engagés dans la lutte directe et devaient faire face sur plusieurs fronts.

Malgré une mise en route progressive, de nombreuses difficultés surgirent sur le front intérieur. Le passage de l'économie de semi-paix à l'économie de guerre entraîna de grandes migrations internes, du Sud vers les centres industriels du Nord et de l'Ouest, mais aussi, dans le Sud, des campagnes vers les villes. Un peu partout, les activités de guerre permettaient d'offrir des salaires alléchants et attiraient la main-d'œuvre. Ce vaste mouvement eut pour

PEARL HARBOR (8 décembre, 1941)

Dans la matinée du dimanche 7 décembre 1941, plusieurs vagues de bombardiers japonais lançaient leurs attaques sur la base américaine de Pearl Harbor, dans les îles Hawaii, coulant cinq cuirassés, endommageant gravement dix-neuf autres bâtiments et faisant plus de 2 000 morts. Simultanément des attaques étaient lancées par les Japonais contre les Philippines, l'île de Guam et l'archipel des Midway. Au moment même de l'attaque contre Pearl Harbor, les conversations se poursuivaient à Washington entre l'ambassadeur japonais et le secrétaire d'État, Cordell Hull. Le lendemain, 8 décembre, le Président convoquait le Congrès pour lui exposer la situation et constater l'existence d'un état de belligérence avec le Japon : le Congrès vote la déclaration de guerre à l'unanimité moins une voix. Le 11, l'Allemagne et l'Italie déclarent la guerre aux États-Unis. Le 20, le Congrès adopte la loi sur la conscription *(Draft Act)*, stipulant que tous les hommes entre 20 et 44 ans sont incorporables (une loi du 16 septembre 1940 avait établi le service militaire sélectif). Quelque 10 millions de conscrits et 5 millions de volontaires vont former l'armée américaine. A ces « G.I.'s » [5] se joindront plus de 250 000 femmes engagées dans des unités non-combattantes. Tout le pays se mobilise. L'effort de guerre va être colossal.

conséquence la disparition du chômage et un retour à la prospérité pour les civils.

La guerre eut ses gagnants et ses perdants. Les gagnants furent nombreux : ouvriers des industries de guerre, techniciens, ingénieurs, spécialistes, et surtout fermiers. D'une façon générale, la guerre profita aux Américains ayant les revenus les plus bas et contribua à accuser la prépondérance des classes moyennes dans la société. Les femmes américaines, de leur côté, entrèrent en masse dans le monde du travail, où on les employa souvent dans des tâches jusque-là exclusivement réservées aux hommes, comme dans les chantiers de construction navale. Elles étaient évidemment mal préparées à ces travaux difficiles, mais de nouvelles méthodes d'assemblage et un nouvel environnement du travail furent développés pour tenir compte de leur spécificité. Elles furent notamment aidées par la simplification des opérations et leur standardisation, par exemple la substitu-

---

5. De « *Government Issue* », terme servant à désigner tout équipement distribué aux personnels des armées américaines.

tion du soudage au rivetage dans l'assemblage des navires. Leur engagement dans l'effort de guerre modifia à la fois leur statut social et leurs espérances économiques. Les femmes acquirent des qualifications analogues à celles des hommes et revendiquèrent l'égalité des sexes, un des grands thèmes de l'après-guerre.

Le mouvement migratoire et l'appel des grandes cités eurent aussi leur contrepartie : le manque de logements, l'entassement des familles dans des locaux inadaptés, la difficulté d'acclimatation des migrants à leur nouveau milieu. Il en résulta des affrontements souvent sanglants entre groupes ethniques comme à Detroit en juin 1943, entre Blancs et Noirs, et à Los Angeles, à la même époque, entre Mexicains-Américains et marins américains. En un certain sens, la guerre fut un catalyseur des luttes raciales aux États-Unis.

La guerre fut aussi l'occasion d'exclusions, comme celles des Américains d'origine japonaise, qui avaient jusque-là vécu en toute quiétude dans les États du Pacifique se consacrant au jardinage, au blanchissage, à d'autres métiers artisanaux. Brusquement — dès Pearl Harbor et l'entrée en guerre contre le Japon — ils se retrouvèrent au premier plan et devinrent la cible de toutes les animosités, non sans que la presse Hearst ait mis de l'huile sur le feu. Le 19 février 1942, un « ordre exécutif » ordonna l'internement des 110 000 Japonais des États de Californie, Oregon et Washington dans des camps de concentration tous situés dans des régions isolées. Rien de précis ne pouvait leur être reproché, sauf leur origine. Ils n'en furent pas moins, du fait de leur « transportation », spoliés de tous leurs biens. Leur réhabilitation fut tardive, et la restitution de leurs biens partielle.

Malgré ces difficultés, les Américains œuvrèrent pour la victoire et fournirent aux armées alliées les milliers de tanks, d'avions, de *liberty ships*, et les millions de tonnes d'explosifs indispensables au succès final. Si des millions de citoyens furent mobilisés dans l'armée, si des millions d'autres furent employés dans les usines de guerre, des millions d'autres encore se rendirent utiles dans des tâches plus subalternes. Tout le monde travaille dur, économise, évite les gaspillages ; on conduit moins vite pour épargner l'essence ; on partage sa voiture avec ses amis ou ses voisins pour aller au travail et faire ses courses : « Un siège vide est un cadeau à Hitler ! ».

La défense passive se révéla aussi utile que la lutte directe contre l'ennemi.

DE LA GUERRE A LA PAIX AMÉRICAINE

Attaqués en 1941 dans le Pacifique, les États-Unis menèrent une guerre sur de multiples fronts, dont le front européen, avec leurs troupes et celles de leurs alliés qu'ils fournissaient en armement, munitions et vivres — Britanniques, Français, Hollandais, Soviétiques, Polonais, Yougoslaves... La conduite des opérations appartint au « Comité des chefs d'état-major » *(Chiefs of Staff)* dominé par les Américains. Le grand coordinateur fut le général George C. Marshall, chef de l'état-major général. La priorité fut donnée à la libération de l'Europe sur celle des pays asiatiques, mais il resta indispensable de garder un certain équilibre entre les deux fronts.

Toutes les grandes décisions stratégiques furent prises dans des conférences réunissant, au départ, Américains et Britanniques, mais élargies ensuite, à partir de la conférence

---

DEUX RENCONTRES STRATÉGIQUES :

CASABLANCA...

La conférence de Casablanca, réunissant Roosevelt, Churchill, Giraud et De Gaulle du 14 au 27 janvier 1943 pour discuter de questions stratégiques et, en particulier, de l'ouverture du second front réclamé par les Soviétiques. Elle eut aussi à débattre du différend qui opposait les généraux Giraud et De Gaulle au sujet de l'Afrique du Nord et de l'armée française. Eisenhower fut nommé à la tête des opérations alliées en Afrique du Nord. Roosevelt et Churchill s'accordèrent enfin sur le rejet de l'idée d'armistice et sur la « reddition inconditionnelle » à exiger des divers ennemis, décision qui leur fut reprochée plus tard.

... ET TÉHÉRAN

La conférence de Téhéran (28 nov.-1er déc. 1943) fut la première rencontre entre les trois grands, Churchill, Roosevelt et Staline. Au terme des travaux ne fut publié qu'un bref communiqué, très lacunaire. Car des décisions de grande importance avaient été prises : ouverture d'un second front en Europe, aide armée aux partisans en Yougoslavie, évacuation de l'Iran au lendemain de la guerre, belligérance de la Turquie. Les Soviétiques furent satisfaits des engagements précis pris par leurs Alliés en ce qui concerne le débarquement en France.

---

de Téhéran, aux Soviétiques. A cet égard, les trois conférences décisives furent celles de Téhéran, qui décida du jour J du débarquement en Europe, de Yalta qui prévit l'intervention de l'URSS contre le Japon, et de Potsdam-Berlin, qui envisagea la reddition du Japon, alors que la bombe atomique était opérationnelle.

Toutes les conférences de ce type étaient également consacrées au statut futur du monde. La plus importante en ce sens, la plus contestée aussi, fut celle de Yalta en Crimée (où la France de De Gaulle ne fut pas conviée).

Au retour de la conférence de Yalta (4-11 février 1945), bien qu'épuisé par le voyage, Roosevelt, qui devait mourir subitement le 12 avril (et être remplacé par Harry S. Truman) fit un compte-rendu de ses entretiens avec Churchill et Staline devant le Congrès. La version qu'il donna est intéressante par ses silences. S'il évoque la future division de l'Allemagne en quatre zones d'occupation (américaine, britannique, soviétique et française), s'il mentionne bien les discussions sur la Pologne — avec, au centre des débats, la rectification des frontières au profit fe l'URSS (en échange d'élections libres, qui du reste n'eurent jamais lieu) —, il ne parle ni de l'engagement pris par l'URSS d'entrer en guerre contre le Japon, ni des concessions faites par les Alliés à Staline (par exemple au sujet de la Mandchourie ou de la Mongolie-Extérieure ou encore de l'octroi aux Soviétiques d'une zone d'occupation en Corée). La vulgate veut que cette conférence ait procédé à un partage du monde entre Soviétiques et Américains. Cette interprétation ne tient pas quand on lit le compte-rendu de ses débats. Ce qu'il est vrai de dire, c'est que Roosevelt défendit mal les intérêts américano-britanniques, en raison de son état de santé, et qu'il eut trop confiance en la parole de Staline. Yalta ne partagea pas plus l'Europe que le monde, et enregistra simplement un état de fait : la domination militaire des Soviétiques sur l'Europe de l'Est et celle des Américains sur l'Europe de l'Ouest, ce que confirmèrent les décisions prises à Potsdam, deux mois après la reddition de l'Allemagne.

Après avoir cherché à diviser les Alliés, les Allemands, au lendemain du suicide de Hitler, décidèrent de se rendre. Leur capitulation fut signée le 7 mai 1945 à Reims en présence des Britanniques, des Américains, des Soviétiques et des Français. Elle fut officialisée le lendemain, 8 mai, à Berlin (*V-E Day, Victory in Europe Day*). Les Allemands avaient été obligés d'en passer par la « reddition inconditionnelle » exigée à Casablanca. La guerre avec le Japon continuait, elle, de faire rage.

La conférence de Potsdam (17 juillet-2 août 1945) fut la dernière des grandes conférences interalliées, entre la capitulation allemande et celle du Japon. Truman, qui n'avait pas une grande expérience des affaires internationales, remplaça Roosevelt « haut le pied ». Churchill fut, lui, remplacé au cours même de la rencontre par son successeur, le nouveau Premier Ministre britannique, Clement Atlee. La conférence s'occupa surtout des problèmes allemands et polonais, alors les plus brûlants, exigea la reddition immédiate du Japon (sous peine de destruction totale) et entérina la création de l'Organisation des Nations Unies. La mise en place de cette nouvelle organisation internationale avait été préparée, en septembre-octobre 1944, par la rencontre de Dumbarton Oaks près de Washington (réunissant des délégués américains, anglais, russes et chinois) et surtout par la Conférence de San Francisco d'avril-juin 1945, rassemblant 50 pays et où les premiers craquements se firent entendre entre Américains et Soviétiques. Ce début de mésentente (essentiellement cristallisé sur l'avenir *démocratique* du monde) fut à nouveau perceptible lors de la rencontre de Postdam.

La capitulation allemande obtenue, la question du Japon restait cependant entière, et les Américains se trouvèrent affrontés à un très grave dilemme. Fallait-il, dans le Pacifique, mener une guerre conventionnelle qui risquait de traîner en longueur, car les Japonais opposaient une résistance acharnée après leurs défaites initiales ? Ou bien fallait-il recourir à l'arme atomique, que des savants américains avaient mise au point avec l'aide de réfugiés européens, comme Leo Szilard, Enrico Fermi ou Niels Bohr, sous le couvert du « projet Manhattan » ? C'est au nouveau président, Harry Truman, que revint la difficile décision de recourir à la bombe atomique, dont les Américains avaient alors le monopole. La première bombe A de l'histoire humaine fut lâchée sur Hiroshima le 6 août 1945 (180 000 victimes), mais le Japon ne cessa les hostilités que le 14 août, après la seconde explosion (Nagasaki, 9 aôut, 80 000 victimes) et l'invasion soudaine de la Mandchourie par les Soviétiques. La capitulation fut signée à bord du cuirassé *Missouri* dans la baie de Tokyo, le 2 septembre. La Seconde Guerre mondiale prenait fin par la victoire des États-Unis dans le Pacifique.

La paix était bien une paix américaine, puisqu'elle avait été imposée par la bombe atomique. L'Amérique sortait renforcée de la guerre et prête à imposer son hégémonie aussi longtemps que durerait son monopole atomique. Tout indiquait que les Américains n'étaient pas prêts à partager celui-ci avec d'autres puissances, fussent-elles leurs alliés. Mais à l'est de l'Europe un autre géant était né, dont la concurrence (politique, idéologique, militaire, spatiale...) allait être rude.

8

DE TRUMAN A EISENHOWER (1945-1960)

Les années cinquante, dans la mémoire collective des Américains, restent l'âge d'or des États-Unis : puissants, riches et respectés, ils dominent le monde qui admire et envie leur richesse et leur inventivité. Chacun vit bien — ou peut espérer vivre mieux bientôt ; capitalisme et démocratie sont les mamelles de la réussite et de la prospérité. Les Américains, alors, ne doutent pas que, selon la formule de Henry Luce, le grand patron de presse (*Time* et *Life*), le siècle est déjà et sera américain. Ne sont-ils pas, sans même le vouloir, contraints de reprendre le flambeau du leadership mondial des mains affaiblies d'une Britannia devenue incapable de gouverner le monde et dont l'empire tombe peu à peu en lambeaux ?

La fin de la Deuxième Guerre mondiale inquiète pourtant les Américains : il faut passer de la guerre à la paix, à l'extérieur comme à l'intérieur, et la prouesse semble d'autant moins aisée à réaliser que le plus grand président qu'ils aient jamais connu est mort à la veille de la victoire et que son successeur leur semble bien falot.

Né en 1884, à Lamar (Missouri), dans une famille aisée mais vite ruinée, alors qu'il est encore adolescent, Harry Truman ne pourra faire d'études supérieures. Il entreprend un peu tous les métiers : chronométreur, employé de banque, agriculteur (qui réussit fort bien par le modernisme de ses méthodes). Puis c'est la guerre, où il part pour l'Europe, et dont il revient avec le grade de capitaine et la réputation d'un bon meneur d'hommes. Il ouvre une chemiserie mais se retrouve vite en faillite. Il entame alors une carrière politique locale grâce à la « machine » de Tom Pendergast, le *boss* démocrate du Kansas. Il garde pourtant sa réputation d'intégrité, qui facilite son élection au Sénat des États-Unis, en 1934. En 1944, Roosevelt le choisit de façon quelque peu inattendue comme colistier. Le Président meurt le 12 avril 1945, de façon qu'on pourrait dire brutale, bien qu'il fût malade depuis des mois, et sans avoir aucunement préparé son successeur à l'immense tâche qui l'attend. En fait, Roosevelt a soigneusement tenu son vice-président à l'égard de toute décision, lui laissant même ignorer que les États-Unis disposent de l'arme atomique : les présidents détestent le double qui, à leurs côtés, n'attend que leur mort.

Un homme sans qualités détient dorénavant le pouvoir sur la première puissance mondiale, et sur le monde, et dans un moment extraordinaire et unique. Il s'en tirera fort bien, à la surprise générale. Même l'opinion, plutôt réticente, le réélit contre toute attente en 1948.

Il faut d'abord terminer la guerre. En Europe, la reddition allemande (8 mai 1945) suit de quelques semaines la disparition de FDR. En revanche, le Japon résiste. Truman se résout à lancer la bombe atomique sur Hiroshima, le 6 août, et Nagasaki, le 9 août 1945. La décision demeure discutée mais l'objectif est atteint : le 14 août, le Japon accepte l'armistice sans condition. La guerre, à l'Ouest comme à l'Est, est finie.

Le retour à la paix achève d'accréditer la normalité de l'interventionnisme fédéral et de la domination présidentielle. En effet, l'exécutif se donne alors les moyens d'action internes et externes qui ne manqueront pas de lui ouvrir la tentation de ce qu'on a appelé la « présidence impériale » [1]. Car, comme l'écrit Theodore Draper dans la remarquable série d'articles publiés dans la *New York Review of Books* à partir de 1987 sur les problèmes de politique étrangère des États-Unis : « Avant la fin de la Deuxième Guerre mondiale, les présidents n'avaient pas les moyens bureaucratiques de conduire seuls leur politique. [...] Roosevelt n'avait pas de CIA ou de conseiller pour la sécurité nationale. L'accord « des destroyers » [voir chapitre précédent] n'était un secret ni pour le Département d'État, ni pour le Congrès, ni pour personne ».

Les pouvoirs attribués au Président dans la constitution de 1787 sont réduits, vagues et ne définissent que très virtuellement les contours de l'institution. Mais de nombreux présidents, en veine d'accroître leur pré carré, ont su utiliser à leur profit les silences et les nombreuses ambiguïtés de la

---

1. Arthur M Schlesinger, Jr., *la Présidence impériale*, Paris, 1976.

constitution. Car celle-ci, dans le système politique qu'elle organise, n'est pour l'essentiel « qu'une invitation à la lutte pour le privilège de diriger la politique étrangère », selon la superbe formule d'un des plus grands constitutionnalistes américains, Edward Corwin. Et l'on pourrait ajouter qu'il en va de même en politique intérieure : « le territoire de pouvoir » conquis par la présidence lors des conflits extérieurs ne reste pas en jachère dans les moments de paix. Car les guerres, depuis la conquête d'une partie du Mexique (1846-1848) par Polk, mais aussi l'accession des États-Unis au rang de grande puissance, vers le début du siècle, et encore la sévérité de la grande crise de 1929, transformeront définitivement, sous Franklin Roosevelt, la présidence en institution dominante. Mais c'est sous Truman qu'elle devient impériale, enfin dotée des instruments hégémoniques qui lui avaient, pour l'essentiel, manqué jusqu'alors.

Le président Hoover avait trois secrétaires. En 1937, le fameux rapport Brownlow déclara : « Le Président a besoin d'aide ». Il n'est pas certain qu'il avait besoin d'autant d'aide que Truman et ses successeurs s'échinèrent à s'en procurer : on peut se demander si un seul homme peut encore contrôler cet édifice complexe et démesuré qui double l'ensemble du gouvernement. Le seul *Executive Office of the President* (créé en 1939) compte des milliers de personnes, quelques années seulement après la fin de la guerre. Le Président dispose de plusieurs milliards de dollars pour ses besoins administratifs. Et il a, dorénavant, les leviers d'action qui lui permettent d'aller contre la volonté même du Congrès ou, à tout le moins, de l'ignorer : Truman, en 1950, ne consultera même pas le Congrès avant d'accepter le mandat de l'ONU (qu'il a lui-même suggéré et souhaité) chargeant les États-Unis de l'intervention en Corée.

De façon systématique, l'influence extérieure et intérieure de l'exécutif est ainsi développée. Sur le plan extérieur, il s'agit de créer le *National Security Council* et la *CIA* (1947) tout en rationalisant la direction des forces armées, dorénavant chapeautée par un seul ministre, le *Secretary of Defense* (un civil, de par la loi) et en unifiant l'organisation des chefs d'état-major. Bien que l'on considère rarement que l'éducation, la culture et l'information puissent être des instruments d'hégémonie, il n'en demeure pas moins que la création d'un appareil de diffusion de la culture américaine (accords Blum-Byrnes, programme Fulbright ou *Voice of America*) a renforcé l'influence américaine dans le monde. Enfin, sur le plan intérieur, la consolidation - *Bureau of the*

Budget (dès 1921) [2] — ou la création — *Council of Economic Advisers* (1946), *Atomic Energy Commission* (1946), *National Science Foundation* (1950), *General Services Administration* (1949), *Department of Health, Education and Welfare Administration* (1953) ou *National Aeronautics and Space Administration* (1958) — d'organes de décision puissants permettent au Président de contourner plus facilement le Congrès... ou de le convaincre plus aisément. La pratique, de plus en plus fréquente, du décret présidentiel *(executive order)* — plus utilisé dans le quart de siècle qui suit la Deuxième Guerre mondiale que dans les 150 premières années de la République — est un autre signe de la volonté délibérée d'ignorer, autant que faire se peut, le contrôle législatif. Le Congrès se laisse faire pour l'essentiel, même s'il lui arrive (notamment en matière sociale) de refuser au Président ce qu'il demande. Et la Cour suprême avalise, dans l'ensemble, la prise du pouvoir par le Président — sauf quand l'abus de pouvoir est trop évident pour être ignoré *(Steel Seizure Case,* 1952). Mais, dans l'ensemble, l'exécutif devient totalement dominant.

Comme le note l'excellent historien de la présidence qu'est Arthur Schlesinger, le renforcement des pouvoirs présidentiels « est autant la conséquence de l'abdication parlementaire que de l'usurpation présidentielle ». Le Congrès le reconnaîtra lui-même, ultérieurement, trouvant les racines de son renoncement dans l'importance et l'accroissement de « l'engagement et la responsabilité des États-Unis dans un monde violent et instable », lesquels s'accompagnent du « manque de familiarité du Congrès avec les problèmes du monde, de la fréquence accrue des crises et de la nécessité d'agir rapidement ». Le Congrès n'osera réaffirmer ses prérogatives, tant externes qu'internes, que lorsque la présidence se sera embourbée au Viêt-nam et dans le scandale du *Watergate.* Mais cette réassertion, souvent ambiguë, sera demeurée de principe : le Congrès reste désormais second ; il n'est puissant que dans le refus.

Tout dorénavant est donc en place pour que les présidents puissent décider seuls et secrètement de la politique du pays. Ce qui ne les empêchera pas de s'y casser à maintes reprises les dents — n'en payant pas toujours les conséquences politiques parce que l'opinion (et le Congrès) s'inclinait par peur des Soviétiques, mais les payant parfois,

---

2. Depuis 1970, *Office of Management and Budget.*

comme Truman qui, à cause de la guerre de Corée, renoncera à la présidence.

La reconversion vers une économie de paix après 1945, provoque quelques soubresauts : l'inflation et le chômage croissent, le pouvoir d'achat diminue, des grèves massives éclatent (107 millions de journées de grève en 1946) et les agriculteurs semblent porter le coup de grâce aux démocrates en se refusant à livrer leurs produits sans augmentation des prix. Les effets politiques des difficultés économiques et de l'agitation sociale ne se font effectivement pas attendre : la popularité de Truman chute dramatiquement, de 87 % à la mi-mai 1945 à 32 % un an après ; les élections législatives de novembre 1946 sont un raz de marée républicain : le nombre de représentants républicains augmente de 190 à 245, celui des démocrates chute de 242 à 188 ; pour la première fois depuis l'arrivée de Roosevelt au pouvoir, en 1933, les deux Chambres du Congrès sont républicaines. Ceci ne se produira que deux fois, quatre ans au total sur six décennies, une fois sous Truman et une fois sous Eisenhower.

Les résultats anti-ouvriers ne se font pas attendre : la loi Taft-Hartley qui restreint les prérogatives syndicales est votée en 1947 par la nouvelle majorité conservatrice. Pourtant, l'État réussit à rétablir, dès la fin de la décennie, la situation économique : l'industrialisation massive, réalisée à coup de crédits fédéraux pour l'effort de guerre, va permettre de répondre rapidement à la demande civile ; équipement ménager et travaux publics relancent la machine. Socialement, le *G.I. Bill* de 1944, qui permet aux soldats démobilisés d'entreprendre des études universitaires et d'obtenir des prêts à taux bonifiés, et l'augmentation du salaire minimum en 1949 permettent de satisfaire les exigences les plus criantes. L'économie demeure cependant fragile : c'est une nouvelle guerre, la guerre de Corée (1950-1953) qui établira vraiment la prospérité.

L'évolution extérieure n'a pas été plus aisée et, malgré le raidissement rapide et croissant de l'attitude américaine à l'égard de l'URSS, Truman en paye les conséquences intérieures. En effet, politique étrangère et politique intérieure s'additionnent pour constituer l'enjeu d'attaques multi-frontales. Sur sa droite, les Républicains l'accusent d'être mou face au communisme international et de laisser des communistes ou leurs amis, à l'intérieur même du gouvernement, déterminer la politique du pays — ce qui n'empêche aucunement ces conservateurs républicains (qui se vanteront pourtant, ultérieurement, d'avoir gagné la guerre froide) de rogner systématiquement, voire de refuser purement et simplement, les crédits demandés par le gouvernement démocrate pour « contenir » la menace communiste. A gauche, une coalition informelle et hétéroclite (de Henry Wallace, ministre de l'agriculture, aux communistes en passant par Albert Einstein ou le célèbre journaliste Walter Lippman) lui reproche sa dureté à l'égard de l'URSS et redoute une militarisation croissante des États-Unis.

Harry Truman va prendre à revers tous ses opposants. Le 12 mars 1947, il annonce la « doctrine Truman » : les États-Unis interviendront économiquement ou militairement lorsqu'ils le jugeront nécessaire afin de préserver leurs intérêts stratégiques ou économiques. Le Président reprend ainsi à son compte la philosophie du *containment* (« endiguement ») qu'avait définie le diplomate George Kennan. Cette politique se double du plan Marshall (annoncé par le secrétaire d'État George Marshall le 5 juin 1947) pour aider les États européens à se relever économiquement — et à se défendre à l'Est : on le décrit, à juste titre comme le pendant économique de l'engagement politique que constitue la doctrine Truman.

Au même moment, une autre sorte de doctrine Truman, à usage interne est annoncée : le décret présidentiel du 21 mars 1947 permet dorénavant de vérifier le loyalisme politique des fonctionnaires. Au total, devant la menace idéologique qu'il redoute pour les États-Unis, Harry Truman a enclenché les redoutables mécanismes de la guerre froide et du maccarthysme, dont il sera la première victime — et qu'il sera fort difficile d'arrêter.

Pourtant, le président Truman négociera admirablement les premiers accrochages avec l'URSS, sans tomber dans le piège d'une contre-attaque disproportionnée. La réponse au blocus de Berlin — décidé par Staline pour tenter de fermer aux Occidentaux l'accès à la ville, asphyxier ainsi Berlin afin de récupérer dans « sa » part l'ex-capitale du Reich, et surtout tester la détermination américaine — fut symptomatique de l'intelligence diplomatique de l'équipe démocrate. Il n'est pas question d'utiliser la force pour briser le blocus, mais de renvoyer la balle dans le camp adverse en organisant un pont aérien. Staline, persuadé que l'Ouest se lassera, n'osera pas abattre des avions occidentaux. Mais l'Occident persiste : en onze mois, 277 264 vols apporteront 2,3 millions de tonnes d'alimentation, fuel et charbon, médicaments et vêtements, à la ville assiégée. Staline renonce, sans contrepartie.

Mais la première bombe atomique soviétique et la « perte » de la Chine avivent les inquiétudes américaines et les critiques des conservateurs : sous peine de passer pour une marionnette des communistes, ce qui commence à se murmurer, Truman va se croire contraint de réagir par la force à la prochaine difficulté : l'invasion du Sud par le Nord en Corée ; la guerre, avec engagement américain, s'ensuit. Elle n'a pas que des effets négatifs pour les États-Unis : même si le déficit budgétaire recommence à se creuser (mais sans commune mesure avec la période Reagan), les difficultés de l'économie américaine une fois encore, s'évanouissent comme par enchantement et le pays connaît alors une forte période d'expansion positive (sans comparaison avec la ruineuse reprise reaganienne). En revanche, l'enlisement sur le terrain, les pertes en hommes, l'impasse politique découragent l'opinion qui les fera payer aux Démocrates lors de l'élection présidentielle de 1952 : Truman, au plus creux de sa popularité (23 % fin 1952), renonce même à se représenter, ce qu'il eût pu faire malgré le 22e amendement (qui limite à deux les mandats présidentiels) ratifié en 1951 mais qui ne s'applique pas à lui.

La campagne se caractérisera par la dureté des attaques républicaines contre les Démocrates, sur le double thème de la corruption, indéniable, quoiqu'il s'agisse d'une réalité politique constante aux États-Unis, tentation à laquelle certains adjoints d'Eisenhower lui-même, comme Sherman Adams, ne résisteront pas, et de leurs penchants si progressistes qu'ils confinent au communisme, voire à la trahison. Eisenhower, général vainqueur, promet qu'il ira par lui-même se rendre compte de la situation en Corée, qu'il extirpera les « rouges » *(reds)* comme les « roses » *(pinkos)* des postes de responsabilité et qu'il remplacera l'« endiguement » des Soviétiques, politique « négative et immorale » s'il en est, par leur « refoulement » *(rollback).*

C'est aussi la première campagne électorale où la télévision prend véritablement de l'importance, pour l'essentiel du côté républicain, qui utilise même une agence de publicité pour mieux vendre son produit électoral. Elle servira surtout à Richard Nixon qui, accusé de corruption (des « fonds secrets » mis à sa disposition par des amis millionnaires) et risquant de perdre sa place sur le *ticket,* sauve avec maestria sa place de colistier d'Eisenhower en faisant pleurer l'auditoire sur ses pauvres petites filles auxquelles il n'enlèvera jamais le seul cadeau reçu, un chien nommé *Checkers* et qu'elles adorent.

Le républicain Dwight Eisenhower l'emporte sur le démocrate Adlai Stevenson par 55 % des suffrages contre 44 %. Né en 1880 dans une famille modeste (son père est cheminot), il réussit à entrer à West Point. Sorti dans les derniers, il fait une carrière médiocre, bien qu'il ait été l'adjoint de MacArthur de 1930 à 1939 [3] ; mais le général George Marshall, chef d'état-major, qui sait choisir ses hommes, le nomme commandant en chef des troupes américaines puis alliées sur le théâtre européen. Héros de guerre, président d'université, premier président républicain depuis 20 ans, l'homme tranquille Eisenhower saura rassurer et rasséréner une opinion troublée et inquiète. Il sera le président le plus populaire de l'après-guerre.

Pourtant, comme ses capacités de stratège (on lui reprochera de n'avoir pas cherché à atteindre Berlin avant les Soviétiques), ses qualités de chef de l'exécutif seront discutées : il apparaît comme un président fainéant. En fait, il n'en est rien et les décisions importantes sont siennes, même s'il laisse les détails à ses subordonnés. De plus, il sait tirer les leçons de ses erreurs et préfère passer en douceur plutôt qu'en force : c'est un excellent diplomate. Enfin, son goût du juste milieu et son horreur de l'excès correspondent à l'air du temps.

Les Américains gardent le souvenir que cette période fut heureuse. Ce qui n'empêche l'époque d'avoir été plus vibrante que tranquille. Les succès ne sont pas toujours là où on les attend. En politique étrangère, être la plus grande puissance du monde a ses coûts, notamment moraux, que les États-Unis ne sont pas toujours prêts à assumer. En économie, ces trente glorieuses de la croissance et de la prospérité n'empêchent pas ces à-coups brutaux qui caractérisent depuis toujours la situation américaine — et dont les effets négatifs sont inégalement répartis. D'ailleurs, sur le plan social, les bénéfices de l'expansion sont rarement partagés comme la justice le voudrait.

Cette période est aussi — on l'oublie trop souvent — symbolisée par la Cour Warren (1953-1969) qui va littéralement accoucher les droits individuels, jusque là restés dans l'ensemble fort théoriques : égalité à l'école, égalité devant

---

3. Lorsqu'on demandait à Ike (le surnom d'Eisenhower) s'il connaissait MacArthur, il répondait : « Certainement J'ai étudié le théâtre sous sa direction pendant neuf ans ».

la justice, égalité aux urnes, égalité devant la loi deviennent la règle pour tous, Noirs, pauvres, communistes ou simples citoyens des États (notamment sudistes) moins progressistes et plus répressifs que d'autres.

Toutes choses bien considérées, Earl Warren (1891-1974) s'avère le plus grand président qu'ait connu la Cour suprême depuis John Marshall (1755-1835) : ce que Marshall a fait en bâtissant un État fédéral puissant, simplement esquissé par la Constitution de 1787, Warren l'a complété en construisant ces droits individuels pour tous qui n'étaient qu'en germe dans la déclaration des droits de 1791.

La Cour suprême, dans une large mesure, et plus même que le Président, réussira à réduire le cancer maccarthyste. Dwight Eisenhower ne voudra jamais attaquer frontalement le sénateur McCarthy (il se refusera même à défendre son ancien supérieur, le général Marshall, contre les attaques iniques de McCarthy) et préfère temporiser. Ainsi se refusera-t-il à grâcier Ethel et Julius Rosenberg qui, en pleine hystérie anti-rouge, montent sur la chaise électrique le 19 juin 1953, bien que leur culpabilité n'ait pas été démontrée lors d'un procès bâclé.

Mais Joe McCarthy commet une erreur fatale en s'attaquant au loyalisme de l'armée elle-même. Celle-ci se rebiffe. Lors des auditions armée—McCarthy devant le Sénat au printemps 1954, le charme est rompu car l'opinion, grâce à la télévision, se rend compte de la brutalité et de la cruauté des méthodes du sénateur républicain. Il est « censuré » par le Sénat en décembre 1954. C'est la fin du maccarthysme. Ses effets dureront longtemps : la controverse intellectuelle est stérilisée. Surtout, les fonctionnaires qui devraient pouvoir conseiller en toute liberté sont paralysés : l'aventure vietnamienne en est largement la conséquence.

Car les difficultés ne cessent de surgir. Etre la plus grande puissance du monde ne va pas sans entraîner les États-Unis plus loin qu'ils ne le voudraient, au nom d'un anticommunisme obsessionnel. Qui plus est, ils n'en finissent pas de régler leurs propres problèmes. En effet, à peine la guerre de Corée se termine-t-elle (54 000 morts américains et plus d'un demi-million coréens) avec l'armistice de Panmunjon (27 juillet 1953) que commence en fait la guerre du Viêt-nam : en refusant de signer, avec le Viêt-nam du Sud, les accords de Genève (juillet 1954), les Américains mettent le doigt dans un engrenage qui leur coûtera cher — moins, il est vrai, qu'aux Vietnamiens. Eisenhower, en refusant de respecter les termes de Genève (élections avant juin 1956 dans l'ensemble du Viêt-nam sur la question de la réunification) et en aidant le Sud à former son armée a, sans même s'en rendre compte, présidé au début de la deuxième guerre d'Indochine.

Les États-Unis s'engagent d'autant plus profondément aux côtés du Viêt-nam du Sud qu'ils ont le sentiment de retrouver la main de Moscou dans tous les conflits régionaux. L'expansionnisme soviétique semble irrésistible, et l'URSS semble même capable de conquérir l'espace sans coup férir, laissant loin derrière les États-Unis : alors que les Soviétiques mettent en orbite avec succès le premier satellite *Spoutnik* (4 octobre 1957), le monde entier sourit à l'échec — télévisé en direct — du *Pamplemousse* américain (6 décembre 1957). C'est une douche froide pour les Américains qui attribuent ce qu'ils croient être leur retard à l'insuffisance (déjà bien réelle) de leurs méthodes éducatives. Il resterait évidemment à démontrer que la supériorité dans l'espace (ou la guerre des étoiles) sont signes de puissance et non illusions ruineuses.

Les États-Unis demeurent aussi malades de leur problème racial. L'égalité de *jure*, certes, commence à se réaliser à partir de 1954 (arrêt *Brown* sur l'intégration scolaire) mais se traduit peu dans les faits où persistent ségrégation et inégalités qui exaspèrent une communauté de plus en plus lasse d'attendre. Le Président calme d'autant moins le jeu qu'il laisse savoir son désaccord sur les décisions de la Cour suprême et ne décide que très tardivement, à Little Rock, Arkansas, en 1957, l'intervention fédérale, pour contraindre le Sud à intégrer ses écoles.

Devant la montée des périls (la concurrence de plus en plus vive de l'URSS, un ralentissement économique croissant à partir de 1957 et la combativité accrue de la minorité noire), Eisenhower semble bien absent : le candidat démocrate, John Kennedy, en profite, lors de la campagne électorale, pour accuser les Républicains, et leur porte-drapeau, Richard Nixon, d'avoir laissé l'Amérique prendre un retard difficile à combler — mais qu'il se chargera, lui, jeune, beau et intelligent, de rattraper. Il ne convaincra pas totalement l'opinion et, handicapé par son catholicisme et son inexpérience, l'emportera d'extrême justesse (100 000 voix d'avance sur 69 millions de suffrages).

De 1945 à 1960, quinze courtes années ; mais pleines, foisonnantes d'événements, de réussites, d'échecs, d'idéologie, de réformes, de progrès, de guerres et de paix, de bruit et de fureur, d'ambiguïtés et d'éclairs, de génie et d'horreur.

Les États-Unis sont à leur apogée ; ils dominent la planète, comme jamais avant et, sans doute, comme jamais après. Le rêve américain est près de se réaliser : l'âge d'or est enfin là et les États-Unis font l'envie du reste du monde. Des pans d'ombre, pourtant, persistent. Il vaut toujours mieux être blanc que noir, protestant que catholique, et riche que pauvre. A être communiste, on peut mourir et/ou perdre l'honneur. L'intolérance mine la démocratie américaine. La guerre, froide ou chaude, taraude le bien-être et la bonne conscience américains. Pourtant, l'Amérique croit encore à son destin. Mieux, elle a le sentiment qu'il se réalise là, tout de suite, ici et maintenant. Les déceptions et les doutes sont pour demain.

LA POLITIQUE ÉTRANGÈRE : DE LA GUERRE FROIDE...

Lorsque la Deuxième Guerre mondiale se termine, les États-Unis, qui en étaient les grands vainqueurs, pouvaient d'autant plus espérer de longues années de paix qu'ils avaient eu l'intelligence de tendre la main à leurs anciens ennemis en leur fournissant (ainsi qu'à leurs propres alliés, tout aussi démunis) l'aide indispensable à leur relèvement tout en leur imposant des systèmes de démocratie représentative. La guerre semblait d'autant moins probable que les États-Unis, cette fois-ci, avaient pris l'initiative de mettre en place une organisation internationale de résolution des conflits, l'O.N.U.

Staline, pourtant, ne voit pas tout à fait les choses de la même façon : il veut constituer un glacis de protection contre toute possibilité d'agression et, dans les fourgons de l'Armée rouge, met en place des régimes amis, de la Baltique à la mer Noire. S'agissait-il d'une politique défensive ou offensive ? Churchill, en 1946, semble être convaincu de la volonté expansionniste de l'URSS et alerte les Américains : il est certain que seuls les États-Unis ont la puissance nécessaire pour s'y opposer. Truman, pourtant moins bien disposé à l'égard de l'URSS que Roosevelt, n'en semble pas immédiatement inquiété. La politique menée en Europe de l'Est et les épreuves de force successives (Iran, Turquie, Grèce) vont néanmoins convaincre le président américain qu'il faut agir, et prendre le relais de l'Angleterre. Le 12 mars 1947, devant le Congrès, il annonce ce que sera désormais la politique étrangère des États-Unis : partout et

LA CHARTE DES NATIONS UNIES (26 juin 1945)

Harry Truman est très prudent et fort déférent lorsqu'il vient, en personne, solliciter l'approbation du Sénat (et de la Chambre des représentants) : mémoire oblige. En effet, en 1919 et 1920, le Sénat avait rejeté le traité de Versailles et surtout sa clause, voulue, négociée et incorporée dans le traité par Woodrow Wilson lui-même, prévoyant la création d'une Société des Nations. Cette fois-ci, on s'est bien gardé de présenter la Charte comme un traité : c'est une simple loi, qui peut être approuvée par une majorité ordinaire (alors qu'il faut une majorité qualifiée des deux-tiers pour un traité). Le texte est adopté par 65 voix contre 7 au Sénat et par 344 contre 15 à la Chambre. La section 6 de cette loi « de participation » laisse au Président la latitude, dans certaines limites, certes, mais sans autorisation parlementaire, d'engager les États-Unis sous la bannière de l'O.N.U. [4]

systématiquement, l'URSS sera « contenue » *(containment)* [5].

C'est la Grande-Bretagne qui précipitera le président Truman dans l'officialisation de cette politique d'endiguement. En effet, le 21 février 1947, le gouvernement britannique avertit officiellement les États-Unis qu'il n'est plus à même d'assurer les responsabilités qui avaient été les siennes comme arbitre, voire gendarme, du monde : il confie immédiatement son rôle de tutelle en Grèce et en Turquie aux mains... de son ancienne colonie. Dès le 12 mars 1947, Harry Truman occupe le vide ainsi créé en exposant devant le Congrès assemblé sa doctrine — la *Truman Doctrine*. Il y insiste sur le fait que les États-Unis interviendront partout

---

4. La création de l'O.N.U. avait été préparée par la signature des accords de Bretton Woods, dans le New Hampshire, en juillet 1944. Ces accords prévoyaient les conditions dans lesquelles les États-Unis seraient représentés au Fonds monétaire international et à la Banque internationale pour le développement et la reconstruction — à laquelle furent adjointes en 1956 l'*International Finance Corporation* et en 1960 l'*International Development Association* —, l'ensemble de ces institutions étant désormais nommé « Groupe de la Banque mondiale », voire « Banque mondiale », institutions dont les chartes *(Articles of agreement)* furent négociées, de fin août à début octobre 1944, à Dumbarton Oaks, près de Washington.

5. George F. Kennan est en poste à Moscou lorsque, le 22 février 1946, il envoie au Département d'État son analyse de la situation en URSS et de ce que doivent faire les États-Unis pour y répondre. Il est le véritable inventeur de la politique « d'endiguement » *(containment)* qu'adopteront les responsables américains à partir de 1947.

où cela sera nécessaire, directement s'il le faut, économiquement si possible mais militairement en tant que de besoin, pour préserver leurs intérêts stratégiques et économiques. Dans l'immédiat, cela veut dire aider la Grèce et la Turquie : 400 millions de dollars (environ 2,5 milliards de dollars actuels) leur seront alloués. Globalement, il s'agit d'une « réponse » à « l'expansionnisme » soviétique. Reste à démontrer que l'URSS était capable de faire tomber Turquie et Grèce (où son aide était réduite) et voulait la révolution en France et en Italie (où les partis communistes étaient légalistes).

Mais peu importe : le glacis antisoviétique est dorénavant la règle. C'est le véritable début de la guerre froide, le

---

LE PLAN MARSHALL (1947)

Le 5 juin 1947, lors de la remise solennelle des diplômes à Harvard, George Marshall est invité à faire le discours officiel. Responsable principal de la victoire alliée sur les puissances de l'Axe en tant que chef d'état-major des États-Unis (1939-1945), il devient le secrétaire d'État de Truman en janvier 1947. C'est à ce titre qu'il propose « un plan de reconstruction européenne ». L'Europe lui semble plus immédiatement menacée par la crise économique que par la subversion communiste, et il lui paraît que si l'on jugule la première, il ne sera plus guère question de la seconde. Il faut donc, pense-t-il, remplacer l'aide bilatérale accordée jusque-là par les États-Unis — aide qui a permis de satisfaire les besoins les plus criants des alliés, mais a, pour l'essentiel, réduit ou presque à néant les échanges européens : il faut permettre et favoriser la reconstruction de l'Europe, prise en tant qu'unité, et celle-ci est donc priée de s'organiser pour recevoir l'aide américaine. L'Europe de l'Est, à l'instigation de l'URSS, s'y refuse (perte de souveraineté, argumente-t-on). Seize pays d'Europe occidentale (et l'Allemagne à partir de 1949) acceptent le contrat. Au total, les États-Unis accorderont entre 1948 et 1951 treize milliards de dollars (quelque 75 milliards de dollars 1993), soit 1,2 % du PNB américain de l'époque. Pour quels résultats ? Là encore, le bilan demeure controversé. Mais chacun s'accorde au moins à reconnaître que cette aide a non seulement évité l'effondrement de l'Europe mais, pour le moins, accompagné la reconstruction, facilité la croissance, stimulé la production, réduit les déficits extérieurs et stabilisé les taux de change. Les États-Unis n'y ont d'ailleurs pas perdu non plus, renflouant leur principal client et lui permettant ainsi de contribuer à la prospérité américaine.

débat sur ses origines et sur les responsabilités réciproques n'ayant d'ailleurs pas fini d'agiter les historiens des relations internationales ; on pourrait ajouter que c'est aussi le début de la bipolarisation du monde — l'une et l'autre n'ayant véritablement cessé qu'avec la chute du mur de Berlin, en 1989.

Le pendant économique de la doctrine Truman, c'est le plan Marshall, annoncé par le nouveau secrétaire d'État à Harvard : les États-Unis sont prêts à accorder une aide massive à l'Europe, URSS comprise, pour permettre une reconstruction qu'elle ne semble pas capable d'assumer seule. L'URSS, tentée, refuse finalement, parce qu'elle veut une aide inconditionnelle alors que les États-Unis envisagent le développement de liens économiques entre les pays participants.

Par plusieurs coups d'éclat, l'URSS va alors tâter la détermination américaine : coup de Prague (février 1948) plongeant la Tchécoslovaquie dans le camp des « démocraties populaires », et dont l'effet le plus immédiat est de pousser le Congrès à adopter le plan Marshall ; blocus de Berlin (juin 1948—mai 1949), dont le résultat le plus clair est la création de l'OTAN (début de la « pactomanie » américaine) ; explosion de la première bombe atomique soviétique (septembre 1949) : Truman autorise immédiatement le développement de la bombe à hydrogène.

A chaque coup d'éclat, Staline avance, sonde, biaise, atermoie, puis recule : pas une fois, en près d'un demi-siècle, les deux adversaires n'engageront directement le fer. Les guerres chaudes se feront avec des substituts.

Lorsque Eisenhower arrive au pouvoir, en janvier 1953, son secrétaire d'État, John Foster Dulles, veut marquer la différence républicaine par rapport à la mollesse des Démocrates, jugés plus ou moins complices des communistes : il ne suffit plus de « contenir » le communisme, il faut le refouler *(rollback),* et le « dissuader » par la menace de « représailles massives ». Ce discours fort belliqueux restera purement rhétorique et ne connaîtra pas l'once d'un début de réalisation : le Président se refuse avec constance à envoyer les *GIs* combattre à l'étranger (les insurgés de Budapest attendront vainement un soutien militaire qu'ils avaient cru promis) ; il calme même les ardeurs de ses alliés trop prompts à compter sur la puissance américaine (Dien Bien Phu et Suez). Dès lors, il reste la détente, la négociation et la coexistence pacifique. La détente est facilitée par la mort de Staline ; la coexistence pacifique devient la ligne

DU BLOCUS DE BERLIN ET DU « PONT AÉRIEN » (1948-1949)...

A la conférence de Potsdam (juillet et août 1945), un commandement quadripartite est mis en place pour gouverner Berlin, divisée en quatre quartiers d'occupation (américaine, britannique, française et soviétique). Bien que la ville fût entourée de territoires occupés par l'URSS, il avait été entendu que l'accès à Berlin ne serait en aucune façon entravé par l'Union Soviétique. Les 20 et 22 juin 1948, les Soviétiques déclarent unilatéralement que Berlin fait partie intégrante de leur zone d'occupation et que dorénavant ils administreront seuls la ville. Le 24 juin 1948, ils interdisent totalement les communications par terre et par eau entre Berlin et les zones d'occupation occidentales. Les États-Unis et la Grande-Bretagne répondent immédiatement par un pont aérien — de nourriture et de charbon notamment — pour répondre aux besoins des populations civiles bloquées dans les quartiers d'occupation occidentale. Ils réussiront jusqu'à faire atterrir un avion par minute et à livrer quelque 4 500 tonnes de marchandises par jour. Il faudra près d'un an pour que les Soviétiques renoncent à leur blocus, qui est enfin levé le 12 mai 1949.

... AU TRAITÉ DE L'ATLANTIQUE NORD (OTAN)

Un mois plus tôt (le 4 avril 1949), le Traité de l'Atlantique nord est signé à Washington par les États-Unis et leurs alliés ouest-européens, et son organisation (OTAN) mise en place. Dirigée par le Conseil des Ministres des Affaires étrangères, l'OTAN répond à une stratégie très précise : toute attaque contre l'un des États-membres sera considérée comme une attaque contre tous et fera l'objet d'une réplique concertée (la Grèce et la Turquie rejoindront l'OTAN en 1952). L'URSS répliquera à sa façon, en 1955, par la signature du pacte de Varsovie.

officielle de l'URSS au XXᵉ congrès du PCUS (1956) ; quant à la négociation, Eisenhower et Khrouchtchev sont des négociateurs nés, le premier dans le style bon-enfant-à-principes, le second genre maquignon-roublard. Les tensions ne manquent pourtant pas. Le lancement de *Spoutnik* (octobre 1957) met en transes les Américains (sauf Eisenhower, mieux renseigné), persuadés qu'ils sont globalement dépassés ce qui est faux, mais fera pourtant perdre la présidence aux Républicains en 1960. C'est l'année où, justement, la coexistence semble sérieusement ébranlée par l'« affaire de l'U2 » : le sommet de Paris est torpillé par Khrouchtchev qui affirme ne pouvoir négocier avec des gens qui l'espionnent, comme le démontre le survol de l'URSS par l'avion-espion américain, abattu par la chasse russe [6]. Mais les menaces ne sont pas la guerre : l'apaisement de la guerre froide n'est que partie remise.

... A LA GUERRE CHAUDE

VE (Victoire en Europe) et *VJ* (Victoire au Japon) ne marquent pas la fin des hostilités Pour les États-Unis : il faut non seulement se défendre contre l'expansionnisme soviétique mais endiguer *(containment)* la vague communiste, voire la repousser *(rollback)*. Sans parler du blocus de Berlin (1948-1949) et du pont aérien que les alliés organisent alors pour permettre le maintien « à l'Ouest » de l'ex-capitale allemande et qui relève plus de l'opération politico-humanitaire que de l'expédition militaire, l'armée américaine va continuer à se trouver engagée sur tous les fronts, qu'il s'agisse de conflits majeurs — comme la guerre de Corée (1950-1953) ou les débuts de celle du Viêt-nam (1954-1975) — ou mineurs comme l'intervention au Liban (1958) ou encore la préparation de l'invasion de Cuba (1960-1961). Partout, et en tout lieu, en effet, semble apparaître la main de Moscou. Ne faut-il pas résister, l'éloigner, par la force si besoin est ? Mais les États-Unis ont-ils les moyens, et *a fortiori* la volonté de stopper l'avance communiste ? S'ils commencent la guerre pourront-ils l'arrêter ? Et pourront-ils éviter qu'elle ne dégénère en conflit direct avec l'URSS, voire en Troisième Guerre mondiale ?

En Chine, très vite, la cause semble perdue : les États-Unis s'inclinent lorsque Mao Tsé-tung proclame à Pékin, le 1er octobre 1949, la République populaire de Chine. Ils ont depuis longtemps renoncé à une intervention massive, trop

---

6. Le 1ᵉʳ mai 1960, alors que les quatre grands (États-Unis, URSS, Grande-Bretagne et France) doivent se rencontrer à Paris, un avion-espion américain est abattu après qu'il a survolé le territoire soviétique sur 2 000 km. Khrouchtchev attaque violemment les États-Unis et exige des excuses publiques d'Eisenhower sous peine de boycotter la conférence Eisenhower ne peut évidemment accepter cette humiliation — et la conférence n'a pas lieu, ce qui est sans doute le résultat escompté par Khrouchtchev : les déclarations publiques d'officiels américains lui ont fait comprendre qu'il est vain d'espérer un quelconque recul américain sur Berlin et l'Allemagne.

coûteuse en hommes et trop aléatoire : le régime de leur protégé Tchang Kaï-chek est si faible qu'ils refusent même d'accroître les fournitures au Kuomintang. Tout au plus se contenteront-ils de ne pas reconnaître le nouveau régime et d'aider leur homme, réfugié à Taïwan. Mais ce réalisme ne fera pas l'unanimité à Washington et, pendant des années, le « lobby chinois » ne cesse de harceler ceux (et notamment les Démocrates) qui ont « perdu » la Chine. Il faudra attendre 1972 et la reconnaissance de la Chine populaire par Richard Nixon (qui n'avait pas été le dernier à hurler avec les loups) pour que cessent les récriminations.

C'est dans ce contexte qu'éclate, de façon qui va surprendre les États-Unis, la guerre de Corée. Dean Acheson, secrétaire d'État de Truman, avait maladroitement laissé entendre, en janvier 1950, que la Corée du Sud ne faisait pas partie du périmètre de défense américain. Il n'en faut pas plus à Kim Il Sung qui croit pouvoir impunément prendre l'initiative : le 25 juin 1950, ayant massé 70 000 hommes avec leurs blindés sans que les services de renseignement américains s'en rendent compte (c'est par une dépêche d'agence, dit-on, que le Département d'État apprend l'invasion !) il franchit le 38e parallèle et envahit le Sud.

Truman ne peut pas ne pas réagir — et le fait avec une extrême rapidité. Dès le 27 juin, il annonce que les États-Unis apporteront leur soutien militaire à la Corée du Sud. Quelques heures plus tard, en l'absence du délégué soviétique (qui boycottait l'organisation depuis le début de l'année), les États-Unis obtiennent l'appui du Conseil de sécurité de l'ONU [7] : la Corée du Nord est condamnée et l'ONU confie aux Américains le commandement d'une force armée onusienne, qui sera pour l'essentiel américaine. Le général MacArthur, proconsul américain au Japon, va diriger le corps expéditionnaire. Les débuts sont brillants : après avoir débarqué à Inchon, en septembre 1950, les Américains bousculent les troupes du Nord et les repoussent jusqu'au 38e parallèle. C'est le plus beau fait d'armes de MacArthur, d'habitude stratège fort médiocre.

Les États-Unis vont-ils se contenter d'un retour au *statu quo ante* ? Avec l'accord de l'ONU (7 octobre 1950), le général MacArthur est autorisé à franchir le 38e parallèle. Mais les instructions présidentielles sont claires : il ne doit

---

7. L'appui de l'O.N.U. dispense Truman de toute autorisation du Congrès.

en aucun cas risquer l'entrée de l'URSS ou de la Chine dans le conflit. L'envahissement de la Corée du Nord est une erreur tragique et une faute coûteuse : la Chine avait prévu qu'elle ne l'accepterait pas ; elle fait preuve de patience, mais lorsque MacArthur bombarde (avec l'accord de Truman mais contre l'avis des chefs d'état-major) les ponts sur le Yalou, à la frontière de la Chine, celle-ci entre dans la danse. En plein hiver, c'est une déroute américaine.

MacArthur propose alors d'utiliser la bombe atomique contre la Chine. Devant le refus de Truman, il accuse celui-ci de lui lier les mains. Il est limogé le 11 avril et remplacé par le général Matthew Ridgway qui réussit, après une campagne de plusieurs mois, à reprendre pied sur le 38e parallèle. Des négociations d'armistice commencent en juillet 1951 à Panmunjon. Il est plus facile d'entrer en guerre que d'en sortir : elles n'aboutissent qu'en juillet 1953. Les Américains ont perdu 54 000 hommes et il y a eu, au total, deux millions de morts... dont 80 % de civils. Comme le déclara le général Omar Bradley (à propos de MacArthur, il est vrai), il s'est agi « d'une mauvaise guerre, au mauvais endroit, au mauvais moment, contre le mauvais ennemi ».

LE RAPPEL DU GÉNÉRAL MACARTHUR
(11 avril, 1951)

Le désaccord stratégique entre le président Truman et le général MacArthur était total. Lorsque MacArthur le rend public et intervient directement auprès du Speaker républicain de la Chambre (concluant sa lettre par · « Rien ne remplace la victoire »), c'en est trop. Constitutionnellement, le Président est « commandant en chef des armées » : Truman ne peut plus surseoir. Après avoir consulté les généraux Marshall et Bradley, le secrétaire d'État Acheson et l'ambassadeur Harriman, il décide de limoger le général MacArthur et de le remplacer par le général Ridgway. La campagne qui se déclenche alors contre le Président est d'une violence inouïe. Le sénateur McCarthy, lui-même fort porté sur la dive bouteille, le traite d'ivrogne. Le sénateur Nixon exige, sans succès, que Truman revienne sur sa décision. Le Président est insulté, brûlé en effigie, hué en public. MacArthur, en revanche, à son retour aux États-Unis, est adulé et adoré. Il envisage un moment de briguer la présidence. Mais ses incessants et venimeux discours lassent. Sa chute dans les sondages est vertigineuse : il n'a plus d'avenir et se résigne à l'anonymat de la retraite.

En la personne de Dwight D. Eisenhower, les Américains ont alors un nouveau président, républicain : les Démocrates ont payé la guerre de Corée, ses objectifs incertains et ses morts trop réels. N'ayant pas sollicité l'avis du Congrès, et par conséquent, l'appui des Républicains, ceux-ci n'éprouveront aucun scrupule à critiquer « la guerre de M. Truman ». Le héros de guerre qu'est Eisenhower peut d'autant plus facilement, aux yeux de l'opinion américaine, clore l'épisode coréen qu'il n'en porte pas la responsabilité. Le général-président va tenir un discours aussi dur que son prédécesseur mais, sur le terrain, il saura éviter les guêpiers et les bourbiers.

Car l'homme sait ce qu'est le combat et ne veut pas risquer les vies américaines par milliers : il sera plus prudent dans les engagements des États-Unis à l'étranger. Il préfère les « représailles massives » et atomiques aux corps à corps (discours Dulles) ; il ne s'engage qu'à coup sûr et pour aussi peu de temps que possible (Liban) [8] ; il n'hésite pas à utiliser des méthodes « détournées » (Guatemala où, en principe, les Américains n'ont *rien* fait [9]) ; il préfère même laisser accomplir la sale besogne par d'autres — et peut même les empêcher de retirer les marrons du feu à son profit (expédition de Suez [10]). Et, s'il ne sert à rien de s'exposer, il

---

8. Le 14 juillet 1958, le gouvernement pro-occidental d'Irak est renversé par des nationalistes pro-nasséristes. Camille Chamoun, président du Liban, hurle aux loups communistes et, persuadé d'être le prochain sur la liste de Nasser, implore l'aide américaine. Curieusement, celle-ci lui est accordée, notamment « pour protéger les vies américaines » — il y avait 2 500 Américains au Liban dont on ne sache pas que leur vie fût en danger. Quatorze mille marines, 70 bâtiments de la 6ᵉ flotte et quelque 420 avions de combat sont ainsi envoyés au Liban. Le Congrès refuse d'endosser la responsabilité. Les États-Unis tentent vainement (l'URSS met son veto) de passer le relais aux Nations-Unies. Finalement, trois mois plus tard, Camille Chamoun est remplacé par un gouvernement neutraliste qui s'empresse de demander le retrait des troupes américaines, demande à laquelle il est courtoisement accédé. C'est, de fait, la fin de la doctrine Truman ; et ce n'est pas l'épisode le plus convaincant de la présidence Eisenhower.

9. « Le peuple du Guatemala » s'est soulevé, dira Dulles le 30 juin 1957, et les États-Unis se sont contentés de le « soutenir ».

10. La crise armée de Suez (après la nationalisation du canal par Nasser en juillet 1956) pouvait laisser craindre aux Américains que le vide créé par le retrait (et l'humiliation) de la Grande-Bretagne, de la France et, secondairement, d'Israël, ne soit comblé par l'Union soviétique. Comme le Président le déclare aux chefs de file du Congrès le 9 mars 1957 : « Je ne crois vraiment pas que nous puissions laisser un vide au Moyen-Orient ». Il va donc demander au Congrès l'autorisation de pouvoir décider seul, quand et comme il l'entend, pour tout (ou groupe de) pays « dans la zone globale du Moyen-Orient », du montant et du type de l'aide, militaire et/ou économique, nécessaire « au maintien de l'indépendance nationale » de cette ou ces

n'hésite pas à ne rien faire (Hongrie). Il va même jusqu'à condamner le « complexe militaro-industriel » (discours d'adieu). Il en gardera jusqu'à sa mort une immense popularité, que les analystes mettront quelque temps à comprendre — tout comme à partager l'admiration qui la sous-tend. Et pourtant les débuts de la guerre (américaine) du Viêt-nam datent de sa présidence.

EISENHOWER ET LE DÉBUT
DE L'ENGRENAGE VIETNAMIEN (1954)

Les responsabilités républicaines dans l'engagement américain au Viêt-nam sont lourdes. Certes, Eisenhower refusera aux Français l'utilisation de l'arme atomique lors de la défaite de Dien Bien Phu, mais l'aide financière américaine fournie à la France pour la guerre en Indochine atteint alors près de la moitié de l'effort total. Après les accords de Genève, qui prévoyaient pour 1956 un référendum sur la réunification des Viêt-nam du Nord et du Sud, les États-Unis ne feront rien pour contraindre le Viêt-nam du Sud à respecter cette clause. Comme l'écrira imprudemment Eisenhower dans ses mémoires (*Mandate for Change*, 1963, p. 372), nul n'ignorait « que si des élections avaient été organisées, 80 % de la population auraient choisi comme dirigeant le communiste Ho Chi Minh plutôt que le chef d'État Bao Daï. » Le même homme qui, en février 1954, à la veille de Dien Bien Phu, se refuse à un engagement militaire massif, promet en octobre 1954 à Ngo Dinh Diem l'aide américaine. En février 1955, le *U.S. Military Assistance Advisory Group* (quelques centaines de conseillers militaires) prend en charge l'entraînement de toute l'armée sud-vietnamienne. C'est le début de l'engagement américain au Viêt-nam.

LA LUTTE IDÉOLOGIQUE :
LA CHASSE AUX SORCIÈRES

En un sens, Truman est le véritable fondateur de l'anticommunisme américain, en ce qu'il en fait une arme à double tranchant, l'un à usage extérieur et l'autre à usage

---

nations : c'est la « doctrine Eisenhower » *(Eisenhower Doctrine)*. Le Président obtient ce qu'il demande, malgré de légères modifications en ce qui concerne ses demandes d'ordre militaire et quelques réticences : les sénateurs Richard Russell de Géorgie et William Fulbright de l'Arkansas craignaient que le Président ne s'attribue ainsi, un peu plus, le droit de déclarer la guerre — prémonitions vietnamiennes...

intérieur. Sur le premier plan, l'idée est payante. L'anticommunisme, pour un demi-siècle, devient le ressort unanimiste de la politique étrangère des États-Unis et assure la cohésion idéologique et politique de la nation : on le verra bien lorsque la cause en disparaît — et que les États-Unis se trouvent fort dépourvus d'une vision unificatrice du monde et du rôle qu'ils doivent y tenir. En revanche, sur le plan intérieur, cette politique favorise, parmi les élites, une peur presque hystérique du communisme qui, loin de favoriser l'unité nationale, avive et fracture le tissu social, en créant la méfiance : il n'est pas sûr, à cet égard, que les États-Unis aient fini de payer cet accroc à leur tradition démocratique qu'a été la « chasse aux sorcières ».

Le 21 mars 1947, par le décret présidentiel n° 9835, le président Harry Truman établit un programme de vérification de la loyauté des fonctionnaires fédéraux. C'est le début d'une répression politique de grande ampleur : la doctrine Truman à usage interne. Il s'agit de lier clairement le danger communiste extérieur et le danger communiste intérieur ; l'un est prouvé par l'autre et réciproquement. Ainsi, Truman peut attaquer simultanément sur sa gauche ceux qui croient que l'accommodement avec Staline est possible, en les présentant comme de mauvais Américains plus ou moins compromis avec les communistes, et sur sa droite les Républicains isolationnistes, décrits comme des anticommunistes inconséquents qui refusent les mesures d'aide à l'étranger et de croissance de la défense, laissant ainsi le champ libre à l'expansionnisme soviétique. Truman semble avoir gagné. Il emporte même, contre toute attente, l'élection présidentielle de 1948. Certes, les droits individuels sont bien un peu malmenés, mais il suffira de veiller à ce que les enquêtes et poursuites soient aussi limitées que possible. Après tout, Roosevelt aussi avait dû faire semblant de céder aux inquiétudes anti-nazies et anticommunistes de la fin des années trente sans dommage pour les libertés. C'est là que Truman se trompe : en prenant aux Républicains leur thème favori — l'anticommunisme —, il a enfourché un dragon qu'il ne peut contrôler et qui va même le désarçonner. Quant à ses amis démocrates, ils vont tomber, en apprentis sorciers, dans le piège qu'il ont eux-mêmes façonné.

1947 : la *House Un-American Activities Committee* (HUAC) entame ses auditions sur la pénétration communiste à Hollywood. On eût pu croire que la capitale du cinéma n'était pas le lieu de tous les dangers — mais y porter le soupçon, c'est se faire, et faire à la cause, une énorme publicité. Le manque de courage des directeurs de studio va permettre le développement de l'inquisition.

1948 : grâce à la persistance du représentant Richard Nixon qui convainc ses collègues qu'il y a une affaire Hiss et que ce haut fonctionnaire a trahi, les politiques (notamment les hommes du *New Deal* et les Démocrates en général) sont dorénavant dans la ligne de mire. On peut s'étonner, dès lors, que la chasse aux sorcières s'appelle « maccarthysme » et non « nixonisme ». Mais Richard Nixon, quelles que soient ses méthodes, n'est pas un démagogue : plus que la popularité vulgaire que lui donnerait l'anticommunisme, il vise déjà le pouvoir et veut laisser sa marque dans l'histoire américaine.

1950 : la guerre froide bat son plein, et la peur, encore diffuse, d'une subversion communiste généralisée s'empare des Américains. Dans ce climat, un obscur sénateur du Wisconsin, politicien roublard et menteur, se fait le champion d'un anticommunisme démagogique et parvient à provoquer un large mouvement d'opinion qui portera son nom : le maccarthysme. Car, si Joseph McCarthy n'a pas « inventé » la chasse aux sorcières, c'est à coup sûr lui qui l'a exacerbée.

Paradoxalement, le parti communiste américain à ce moment ne compte qu'un nombre insignifiant de membres. On redoute pourtant l'influence exercée par le parti et ses sympathisants. Dès lors, n'importe qui peut être suspecté : le libéral devient un progressiste, lequel est considéré comme communiste, et par conséquent devient aux yeux de l'inquisition un espion à la solde de Moscou. En octobre 1949, une douzaine de dirigeants du PC américain seront condamnés à quelque cinq ans de prison pour « conspiration » [11]. Mais deux grands procès vont marquer l'époque et traumatiser l'opinion publique :

11. La peur d'un parti communiste américain dont le nombre de membres ne dépassera jamais quelques dizaines de milliers poussera le corps politique à des extrémités aussi exagérées que le *McCarran Internal Security Act* (23 septembre 1950), adoptée malgré le veto présidentiel. Elle a un côté kafkaesque en ce que être communiste n'est ni illégal ni criminel alors que, en revanche, adhérer au parti communiste (qui n'est pas une organisation illégale) est criminel sinon illégal : *damned if you do, and damned if you don't*. La loi prévoyait aussi des centres de détention où, en cas de proclamation de l'état d'urgence, le ministre de la justice pouvait enfermer, sans autre forme de procès, les saboteurs possibles. Notons que cette clause sera proposée par les « libéraux » (c'est-à-dire la gauche libérale) dont Hubert Humphrey, Paul Douglas et Estes Kefauver, qui ne veulent surtout pas être pris en défaut de vigilance antisubversive. Cette portion de la loi ne sera abolie qu'en 1971.

JULIUS AND ETHEL ROSENBERG CONDAMNÉS...

Quarante ans après leur exécution, l'exacte culpabilité des Rosenberg demeure en doute et la manière dont ils furent jugés et exécutés reste un scandale. Arrêtés en 1950 en pleine hystérie anticommuniste, leur inculpation est un chef-d'œuvre d'hypocrisie : ne disposant pas de pièces à conviction et d'un seul témoin (le propre beau-frère des Rosenberg, David Greenglass), l'accusation en est réduite à une inculpation pour « conspiration en vue d'espionner » à l'avantage de l'URSS (nation alors alliée des États-Unis...). En fait, ils seront condamnés à mort pour avoir, selon la sentence du juge Kaufman (rendue le 9 avril 1951), « remis la bombe A entre les mains des Russes des années avant qu'ils puissent la réaliser [et] vous avez, d'après moi, causé par votre conduite l'agression communiste en Corée dont il a résulté des pertes excédant 50 000 morts. Qui sait si des millions d'innocents ne paieront pas le prix de votre trahison. De fait, par votre traîtrise, vous avez altéré le cours de l'histoire aux dépens de notre pays ». Les Rosenberg proclameront toujours leur innocence. Malgré une campagne de protestations mondiale (même Pie XII appelle à la clémence), ils sont exécutés le 19 juin 1953.

LE PROCÈS D'ALGER HISS (20 janvier 1950)

L'affaire est très peu connue en France, bien moins que celle des Rosenberg. Pourtant, elle fit l'objet de débats acharnés aux États-Unis, plus en un sens que le cas Rosenberg. Car il semblait évident que les Rosenberg étaient communistes et, en conséquence logique, aptes à préférer l'URSS à leur propre pays. Alger Hiss était un de ces grands bourgeois — patriciens plus nombreux qu'on ne le croit —, diplômé des meilleures universités, grand commis de l'État et lié à tout ce qui compte à Washington et à New York. Sa trahison (on l'accusait d'avoir communiqué des documents à l'URSS) semblait incroyable. S'il l'eût admise, la justifiant par l'idéalisme ou pour servir le pays en guerre, alors c'eût été compréhensible. Mais là, avec les accusations volubiles d'un pauvre hère, Whittaker Chambers, et l'acharnement d'un homme aussi peu sympathique que Richard Nixon, cela semblait impossible, faute de raison à sa supposée trahison. Mais l'homme, qui de plus se défend mal, fait un bouc émissaire idéal : son rooseveltisme sera sa perte, et le 20 janvier 1950 il est condamné à cinq ans de prison (pour faux témoignage !) lors d'un procès déplaisant où les preuves semblent bien fragiles.

De 1950 à 1954, le climat de suspicion et de délation se développe. Le mouvement s'accélère, se gonfle : de commissions en sous-commissions, les enquêtes prolifèrent, le soupçon devient général. En quelques mois, l'épidémie atteint un nombre incalculable de citoyens. D'interminables listes noires circulent. Ceux qui y figurent seront lourdement touchés : emplois perdus, carrières brisées, vies gâchées, honneur bafoué... Tous les domaines sont visés : la Commission de l'énergie atomique (procès Oppenheimer [12]) comme l'enseignement (notamment supérieur) ; la radio et la télévision mais aussi le cinéma (Charlie Chaplin, Joseph Losey) ; les syndicats ou les milieux intellectuels (autodafés d'œuvres littéraires). Il fallut que McCarthy s'attaque à l'armée pour que ses excès deviennent apparents : le Sénat finira par voter contre lui, le 2 décembre 1954, une motion de blâme qui marque la fin du « maccarthysme », à tout le moins dans ses aspects les plus virulents. Ses effets resteront, pour longtemps, sensibles dans la société américaine.

Condamné par le Sénat, McCarthy ne peut se résoudre à s'incliner : une fois encore, il explique son combat et accuse de connivence avec les communistes les plus hauts responsables, dont le président Eisenhower. C'est en fait son dernier sursaut. McCarthy n'aura plus jamais la même importance. Il a gardé des partisans dans l'opinion, il est toujours sénateur et eût pu continuer à semer le vent. Mais les hommes politiques et la presse font soudainement preuve d'une grande rigueur, qui leur a pourtant manqué dans le moment où McCarthy semblait tout puissant. Dorénavant, il est littéralement ostracisé et n'est même plus reçu à la Maison-Blanche. Il sombre dans un anonymat qui le sur-

---

12. Robert Oppenheimer, un des physiciens les plus brillants de sa génération, paiera aussi son tribut au maccarthysme. Ayant contribué à la théorie des quanta avec Max Born, il verra ce dernier obtenir le prix Nobel de physique en 1954 alors qu'il est lui-même en butte à toutes les persécutions. Il avait pourtant dirigé à Los Alamos, de 1942 à 1945, avec les meilleurs physiciens de l'époque (Fermi, Bohr, etc.), le projet ultra-secret de bombe atomique. Après son utilisation contre le Japon, il a le malheur, comme président du comité consultatif auprès de l'*Atomic Energy Commission* (de 1946 à 1952) de prendre position en faveur de l'utilisation civile et d'un contrôle international de l'énergie nucléaire et de s'opposer (1949) à la mise au point de la bombe H. Il a aussi de mauvaises fréquentations : il reconnaît avoir été un « compagnon de route » et même avoir donné de l'argent au PC. C'en est trop. En 1953, il est suspendu puis, en 1954, écarté de la Commission. Lors de son procès (29 juin 1954), Oppenheimer n'est aucunement accusé de trahison ni même d'indiscrétion ou de « déloyauté », mais mis en cause uniquement pour ses « fréquentations ». La décision sera vivement critiquée... dans les milieux scientifiques.

prend autant qu'il l'abat. La publicité, bien plus qu'une quelconque philosophie visionnaire, l'avait fait vivre. Sa disparition de la scène politique le fera mourir. Il est souvent malade, boit de plus en plus. Il meurt le 2 mai 1957, à l'âge de 49 ans, d'une « infection hépatique aiguë », selon les déclarations de l'hôpital.

LA POLITIQUE ÉCONOMIQUE : DU RÔLE DE L'ÉTAT

Il était loin d'être évident de reconvertir une économie totalement absorbée par l'effort de guerre en économie de paix satisfaisant les besoins et les exigences de la population, voire ceux des autres pays ruinés par la guerre — sans parler de la place de l'État dans un pays qui se veut le champion du libéralisme.

La reconversion semble devoir être d'autant plus difficile que la démobilisation est extraordinairement rapide : le nombre d'Américains sous les drapeaux passe de 12 à 3 millions entre 1945 et 1946, et à 1,5 million en 1947. Le retour sur le marché du travail de ces millions de soldats s'accompagne de la diminution brutale des commandes militaires (annulation de 35 milliards de dollars de commandes dans le mois qui suit la reddition du Japon) ; le dégel de l'énorme épargne accumulée durant la période de rationnement fouette littéralement la demande pour des produits qui n'existent pas ou sont rares. Le tout va provoquer chômage, goulots d'étranglement et tension sur les prix. La crise semble inévitable, mais l'État prend toutes ses responsabilités : ce n'est point tant le contrôle des prix et des salaires que Truman est obligé de lever *de facto* en 1946, que l'utilisation intelligente et généreuse du *GI Bill* de 1944 qui va permettre de soulager les tensions sur le marché de l'emploi et de canaliser l'utilisation de l'épargne (en favorisant la construction de logements et la création de petites entreprises). De plus, l'aide alimentaire à l'étranger stimule la production agricole. Et la puissance américaine s'adosse à un dollar qui, avec les accords de Bretton Woods de 1944, est devenu la seule monnaie de référence.

Dans ces conditions, la croissance ne tarde pas : symbole frappant, plus des 3/4 des automobiles qui roulent dans le monde en 1948 sont américaines. C'est le début de ce que l'on appellera plus tard les « trente [années] glorieuses ». Soutenue par de gros efforts de productivité (dans l'agricul-

LE *G.I. BILL OF RIGHTS* (22 juin 1944)

Se rappelant les désordres provoqués après la Première Guerre mondiale par des Anciens combattants pour l'essentiel laissés à leur triste sort, Roosevelt prépare l'avenir et fait adopter par le Congrès une loi de réinsertion (nom officiel : *Servicemen's Readjustment Act*) qui ne doit commencer à s'appliquer véritablement qu'à la fin de la Deuxième Guerre mondiale. En 1952, la loi fut étendue aux anciens combattants de Corée et en 1966 à ceux qui avaient servi plusieurs années : bien que la loi n'ait pas été étendue aux combattants du Viêtnam, certains en ont bénéficié par ce biais.

Les lois sociales américaines sont souvent perverses en ce que, loin de résoudre le problème considéré, elles l'aggravent en provoquant la jalousie de ceux qui n'en obtiennent pas les bénéfices (alors qu'ils en auraient besoin) au nom d'une vision cléricale du social qui n'en voit l'utilité que pour les paupers incapables de se prendre en charge : elles sont socialement inefficaces, mais financièrement exorbitantes, car champs de toutes les fraudes et de toutes les corruptions. L'une des seules qui fassent véritablement exception à cette règle semble être le *G.I. Bill of Rights.* Celui-ci permet la réinsertion *(readjustment)* des anciens combattants (hommes et femmes) en finançant leurs études supérieures (droits de scolarité, livres et frais de résidence), en garantissant les emprunts pour création d'entreprise ou reprise d'une exploitation agricole ou construction d'une maison. Mieux, elle leur fournit assurance-chômage (pour un an) et aide à l'emploi (conseils ou emplois publics réservés). Dans les faits, cette loi permettra que 2,2 millions d'anciens combattants fassent des études techniques ou universitaires : en 1947-1948, la moitié des étudiants américains poursuivent leurs études grâce aux subsides fédéraux et certains États (comme le New York) crée des universités d'État *(State Universities)* pour répondre aux besoins. Près de 6 millions de prêts à taux bonifié auraient été accordés et plus de 5 millions de logements auraient été acquis grâce à des emprunts garantis.

Au total, non seulement aucune critique, pourtant fréquente en matière de *welfare,* ne se fera entendre contre cette politique fort socialisante, mais la plupart des analystes estiment que son rôle fut essentiel pour faire redémarrer une économie en voie de « civilisation » : si les Américains ont réussi la reconversion d'une économie de guerre en économie de guerre, ils le doivent largement à l'État fédéral et au *G.I. Bill of Rights.*

ture comme dans l'industrie), par une innovation technologique constante et par une mécanisation croissante, la montée du PNB est impressionnante — et d'une extraordinaire stabilité. Entre 1945 et 1960, il passe de 212 à 504 milliards de dollars courants — une augmentation annuelle, en termes réels, de près de 3 %, malgré les courtes récessions de 1953-1954 après la guerre de Corée, et de 1959-1960, à la fin de la présidence Eisenhower.

La seule consommation individuelle, dans le même temps, passe de 120 (57 % du PNB) à 325 milliards de dollars courants (65 % du PNB) alors que les commandes publiques voient leur part fortement diminuer (de 39 % à 20 % du PNB) au profit de l'investissement privé (qui augmente de 5 % à 15 % du PNB). Déjà à cette époque, cependant, les Américains investissent moins que les autres pays industrialisés (Grande-Bretagne mise à part) qui connaissent dès lors des taux de croissance supérieurs à ceux des États-Unis. Les effets négatifs ne sont cependant pas encore sensibles : l'économie américaine reste dominante, voire hégémonique, sur le reste du monde. En 1955, les États-Unis, avec 6 % de la population, sont responsables de la moitié de la production mondiale ; la balance commerciale est largement excédentaire et, si la balance des paiements est chroniquement déficitaire, la raison en réside principalement dans les investissements à l'étranger auxquels procèdent les entreprises américaines, notamment pour la production de matières premières dans les pays en développement — mais aussi dans les pays développés pour tirer partie de l'expansion de leur marché intérieur.

Le dynamisme économique des États-Unis s'explique aussi par l'importance d'un grand marché intérieur : le *baby boom* est un phénomène durable, commencé avant même la fin de la guerre et qui se prolonge pendant vingt ans. La natalité moyenne des années cinquante atteint 24,5 ‰ et le taux moyen de fertilité se maintient au-dessus de 3,5 % jusqu'en 1962. Alors que le taux de mortalité n'évolue guère (9,6 ‰) et que les quotas d'immigration restent fermement limités (250 000 personnes par an), c'est donc la croissance naturelle (1,8 % par an dans les années 1950) qui explique pour l'essentiel l'accroissement de la population, qui passe de 140 millions en 1945 à 180 millions en 1960.

Il convient enfin de souligner, contrairement à l'idée reçue, le rôle moteur de l'État dans l'expansion nationale. Il oriente, réglemente, garantit le revenu des agriculteurs et fixe le salaire minimum, finance la moitié de la recherche-développement et la sécurité sociale (pour l'essentiel, retraites), fixe les taux d'intérêt et entreprend des grands travaux : c'est Dwight Eisenhower (qui avait pourtant voulu un désengagement progressif de l'État) qui obtint du Congrès, en 1954, les crédits nécessaires pour réaliser la navigabilité du Saint-Laurent et, en 1956, le financement d'un programme de 65 000 km d'autoroutes qui donnera un emploi à des millions de personnes. De 1950 (vraiment l'après-guerre) à 1960 seulement, la ponction qu'exercent sur le PNB, par leurs dépenses, les diverses entités publiques passe de 10 à 30 % : ce n'est qu'un début.

Les contradictions qui traversent alors les États-Unis — pays de tradition libérale, mais en passe de devenir « étatiste » malgré lui — éclatent à l'occasion du vote de certaines lois ou de certaines grandes mesures économiques.

Ainsi de la loi sur l'emploi *(Employment Act)* du 20 février 1946, laquelle constitue l'aboutissement du *New Deal* en ce qu'elle précise les responsabilités de l'État dans le domaine économique, notamment en matière de plein emploi. Mais on ne réforme pas par décret. Aussi cette loi restera-t-elle, pour l'essentiel, lettre morte, sauf en ce qui concerne la mise en place d'un *Council of Economic Advisers* qui publie chaque année le très utile et informatif *Economic Report to the President.* Même si les présidents ont inégalement utilisé le pouvoir que peut leur donner cette institution, il n'en demeure pas moins que la qualité de ses rapports permet à l'exécutif de ne pas totalement gouverner « à vue » en matière économique.

Mais libéralisme oblige, il faut laisser agir la « main invisible » : le marché s'auto-régulera. Sauf lorsque rien ne va plus et qu'il faut socialiser les pertes pour éviter la disparition d'un secteur aussi vital pour l'économie nationale que l'agriculture. Premier volet de l'aide à cette dernière : le soutien des prix et le stockage des excédents. L'État fédéral s'y emploie, le 10 juin 1948, grâce au *Commodity Credit Corporation Act* (C.C.C.). Que faire des surplus ? On créera par exemple les *School Lunch,* puis *School Milk Programs* pour les scolaires [13], puis en 1961 le *Food Stamp Program* pour les indigents. Ou l'on donnera des produits alimentaires aux pays européens en voie de reconstruction puis, ensuite, aux pays en voie de développement, notamment en cas de famine ou de catastrophes naturelles. Deuxième volet : la gestion par la C.C.C. des crédits publics destinés à

13. Institués en fait dès 1946.

aider l'exportation. Au total, selon le gouvernement américain, les agriculteurs américains ne sont pas pour autant des « assistés » : rappelons en effet qu'ils ne touchent, par tête, que le double des agriculteurs européens...

De toute éternité, l'État fédéral a participé, pris en charge, orienté, contribué au développement économique de la nation, notamment par les infrastructures. Le président Eisenhower, pourtant républicain, est donc dans la tradition (et la contradiction) américaine la plus authentique, de la présidence de George Washington lui-même à celle de Harding (loi de 1921 sur les routes fédérales) en proposant au Congrès, le 22 février 1955, un programme de construction d'un réseau d'autoroutes destiné à couvrir tout le territoire *(National Highway Program)*. Parmi les raisons invoquées, Eisenhower met en avant la sécurité nationale : peu avant la Deuxième Guerre mondiale, il aurait, dit-on, accompagné un jour un convoi militaire d'est en ouest qui aurait mis... 62 jours pour parcourir la distance ; il aurait aussi été impressionné par les *autobahns* hitlériennes. Le Président avait prévu qu'il faudrait 10 ans et 30 milliards de dollars pour réaliser son projet. Il aura fallu un demi-siècle (à la fin 1992, le système était achevé à 99,6 %) pour construire 68 684 km d'autoroute ; en revanche, les dépassements de crédits, pour une fois aux États-Unis, auront été modestes puisque, en dollars 1992, il en aura coûté 130 milliards de dollars à l'État fédéral.

Il y a eu des voix pour dire que ces grands travaux sur crédits publics étaient inutiles. Pourtant, le projet Eisenhower aura littéralement transformé les États-Unis. Outre les emplois qu'il aura créés, il a véritablement fait de ce pays immense et divers un territoire unique (« E pluribus unum »), sans parler de l'impulsion donnée à l'industrie automobile (voitures et camions), du développement des banlieues et, au total, de la modernisation du pays.

Depuis un quart de siècle, mais tout particulièrement depuis la présidence Reagan, la réduction des investissements publics a eu des effets très dépressifs sur l'état de l'économie : la chute de la productivité, des profits et de l'investissement privé en a été le résultat le plus immédiat. Comment, pour demain, conjuguer à nouveau économie de marché et intervention des pouvoirs (et de l'argent) publics ? C'est l'un des grands défis auxquels se trouve affronté, depuis janvier 1993, le président Clinton.

---

14. Voir les travaux de David A. Aschauer.

LA POLITIQUE SOCIALE :
DU CONSERVATISME PROGRESSISTE

De prime abord, Harry Truman semble peu enclin à ajouter d'autres bénéfices aux acquis sociaux de la période roosveltienne. Dans les premiers mois de sa présidence, il remplace six sur dix des ministres hérités de son prédécesseur par des hommes à lui, plus conservateurs ; ses propositions pour la Cour suprême (quatre, de 1946 à 1949) ne brillent pas par leur progressisme. La seule réforme qu'il propose, l'*Employment Act* adopté par le Congrès en février 1946 et qui stipule que l'État doit « assurer l'emploi, la production et le maximum de pouvoir d'achat », ne sera en fait jamais appliqué. Il faut dire que l'opinion (et Truman) s'exaspèrent des immenses grèves de 1945 à 1946 (100 millions de journées perdues en 1946 dont 23 millions pour février seulement) qui, secteur après secteur, paralysent le pays et semblent devoir ne jamais cesser : le pouvoir syndical, principalement incarné par le CIO [15], paraît d'au-

---

BRAS DE FER ENTRE TRUMAN ET LES SYNDICATS

Lorsque, après le pétrole, l'automobile, l'acier, puis les abattoirs, puis l'électricité, puis le charbon, les chemins de fer menacent de se mettre en grève, le président Truman, fou de rage, les accuse publiquement (déclarations des 17 et 24 mai 1946) d'un véritable Pearl Harbor intérieur et de « placer leurs intérêts privés au-dessus du bien-être national ». Aussitôt les cheminots reculent et retirent leur ordre de grève — ils obtiendront néanmoins l'essentiel de leurs revendications. A l'automne, John L. Lewis, responsable du syndicat des mineurs, qui n'avait levé le drapeau blanc que pour préparer le sursaut, relance l'action : le programme de Truman de contrôle des prix et des salaires n'existe plus ; John Lewis obtient même des grands patrons du charbon des concessions supérieures à celles obtenues par n'importe quel syndicat ouvrier : de Truman ou de Lewis, qui a gagné ?

---

15. Malgré les succès de la syndicalisation du CIO (6 millions d'adhérents en 1947), ce sont des années difficiles car bon nombre des fédérations du CIO sont alors contrôlées par les communistes, ce qui leur vaudra les foudres des chasseurs de sorcières. En 1949-1950, le CIO entreprend de purger ses rangs — et expulse 11 de ses fédérations, sans parler du nettoyage des fédérations qui restent au sein de l'organisation (comme celui auquel procède Walter Reuther au sein du syndicat de l'automobile). Les communistes se défendront mal : plutôt que de mettre en avant leur rôle déterminant dans les luttes sociales du dernier quart de siècle, ils préfèrent répondre sur la politique extérieure, prêtant ainsi le flanc à l'accusation, justifiée, d'inféodation à une puissance étrangère. En 1955, le CIO rejoindra l'AFL.

tant plus démesuré et incontrôlable, que les concessions conquises par les ouvriers ne sont pas négligeables.

Mais ces victoires ouvrières se paieront politiquement : le Congrès élu en 1946 est le plus conservateur élu depuis quinze ans — et va faire rendre gorge au monde du travail après les frustrations qui ont été celles des possédants devant les politiques sociales mises en place par Roosevelt : réforme fiscale qui avantage outrageusement les plus riches, loi anti-syndicale *(Taft-Hartley)* [16] et refus des propositions en matière de logement ou de sécurité sociale de Truman, dorénavant décidé à se concilier les bonnes grâces des salariés : les élections de 1948 approchent. La tactique est d'autant plus payante que les conservateurs ont interprété leur mandat comme la volonté de l'opinion de voir adopter des textes « réactionnaires », alors qu'elle ne veut aucunement un retour en arrière mais une simple pause des réformes. Truman, contre toute attente, est réélu et entraîne avec lui des majorités démocrates au Congrès. Il obtient alors le relèvement des prestations de sécurité sociale et

---

16. Au lendemain des grandes grèves de 1946 et après la victoire républicaine au Congrès (nov 1946), le patronat se sent suffisamment fort pour enfin affronter les syndicats et revenir sur les avancées acquises au temps de Roosevelt et qu'il abomine. La confédération patronale, la *National Association of Manufacturers*, sut trouver des alliés dans l'agrobusiness et dans le secteur bancaire et une oreille attentive et bienveillante dans la majorité républicaine fraîchement élue pour faire adopter une loi anti-syndicale qui revient sur les termes acquis sous Roosevelt (loi Wagner). Le *Labor Management Relations Act*, ou loi Taft-Hartley (du nom de ses promoteurs), prévoit ainsi que les syndicats doivent dorénavant fournir des rapports extrêmement précis et détaillés sur leur organisation, leur gestion, leurs adhérents et leurs activités sous peine de lourdes amendes, et leurs dirigeants doivent, sous serment, jurer qu'ils ne sont pas communistes. Ils ne peuvent soutenir financièrement ni les partis politiques ni les candidats à des élections politiques. Une grève en cours de contrat collectif peut aussi être sanctionnée lourdement par des amendes élevées. Le préavis de grève est dorénavant de 60 jours, et les grèves perlées sont interdites ; toute grève dont le président estime qu'elle met en danger « la santé ou la sécurité nationales » peut être retardée de 80 jours supplémentaires par ordre des tribunaux. Le *closed shop* (obligation de n'embaucher que des syndicats) est interdit, etc. La loi est adoptée le 28 juin 1947, contre le veto présidentiel. Mais Truman est ici quelque peu hypocrite : en janvier 1947, il avait lui-même appelé le Congrès à élaborer une législation anti-syndicale et avait pris les mesures nécessaires pour briser les grèves dans des secteurs qu'il considérait comme vitaux. Et, s'il avait promis, pour être réélu en 1948, de tenter de faire abolir la loi Taft-Hartley, il ne tiendra pas son engagement. Il est vrai que, curieusement et à quelques exceptions près (les typographes notamment), la réaction syndicale fut faible : certains syndicats, comme les *Teamsters*, étaient déjà corrompus jusqu'à l'os et de nombreux responsables syndicalistes virent dans la loi un moyen de satisfaire leur anticommunisme... et de se débarrasser de rivaux dangereux par leurs qualités militantes.

l'augmentation du nombre de bénéficiaires ainsi que celle du salaire minimum, et la construction de centaines de milliers de logements. Dans bien d'autres domaines, cependant, en matière de santé, d'éducation ou d'aides à l'agriculture ou à l'industrie par exemple, il échoue. Les conservateurs sont encore puissants, et Truman a bien besoin de leurs voix pour sa politique étrangère.

Eisenhower, plus encore que Truman, apparaît peu disposé à mener une politique sociale : n'est-il pas l'élu de Wall Street ? N'a-t-il pas comme ministre de la Défense l'ancien patron de *General Motors,* Charles Wilson, qui n'hésite pas à déclarer : « Ce qui est bon pour les États-Unis est bon pour *General Motors,* et vice versa » ? En fait, Eisenhower est un centriste qui prône le compromis : il se proclame sans aucune gêne « progressiste modéré », quand ce n'est pas « conservateur progressiste ». Il a compris que les Américains sont encore traumatisés par la crise de 1929 et qu'ils veulent par dessus tout stabilité et prospérité, pour tous. Il va la leur donner : comme Truman, il étend la sécurité sociale, augmente le salaire minimum, construit des logements sociaux, favorise l'emploi par une politique de grands travaux. Mais comme Truman, il échoue à obtenir la construction d'écoles en nombre suffisant pour satisfaire les conséquences du *baby boom*. Il réussit pourtant à soutirer au Congrès (qu'il soit républicain ou démocrate) les subventions nécessaires au bien-être des agriculteurs (électeurs qui votent alors, le plus souvent, républicain). Et il développe la bureaucratie que haïssent pourtant ses amis en créant en 1953 le *Department of Health, Education and Welfare* qu'il confie (pour la deuxième fois dans l'histoire des États-Unis, après Frances Perkins, choisie par Franklin Roosevelt) à une femme, Ovetta Culp Hobby.

L'Amérique, sans que les extrêmes ou les inégalités disparaissent, devient pourtant et de plus en plus, dans les années cinquante, une sorte d'immense classe moyenne, dont le niveau de vie double tous les vingt-cinq ans (il y faut, quarante ans plus tard, le double de temps) et où, à la fin de la décennie, 60 % des ménages possèdent leur logement, les trois-quarts une voiture et 90 % une télévision. Pourtant, pauvreté d'un côté et excès de richesses de l'autre demeurent irréductibles dans le contexte américain d'un égoïsme institué reposant sur une justification cléricalo-puritaine et sur ce credo partagé : pauvres comme riches ont ce qu'ils méritent, tout ce qu'ils méritent, rien que ce qu'ils méritent.

LA POLITIQUE RACIALE : DU PROGRÈS...
ET DE L'ÉCHEC

Sa participation à l'effort de guerre, tant au front qu'à l'arrière, délibérément assumée avec un total patriotisme et sans exigence aucune, et ce malgré le racisme dont elle avait été abreuvée depuis les origines, pouvait faire espérer à la communauté noire que ses mérites seraient enfin reconnus par l'égalité de statut et l'intégration. Malgré les efforts de Truman, les progrès seront rares : au nom de la protection des droits de la minorité contre la tyrannie majoritaire, les sudistes, minoritaires, réussissent à bloquer toute réforme législative en faveur de la minorité noire. Ils utilisent pour ce faire, avec une extrême virtuosité, la tactique au si joli nom de « flibuste », en fait obstruction systématique et réglementaire qui permet à la minorité sénatoriale d'interdire le vote sur un projet de loi, forme de veto parlementaire qui légitime le racisme déshumanisant au nom de la démocratie [17].

Truman fait ce qu'il peut : par décret présidentiel, cette étrange méthode de gouvernement qui permet au Président de décréter sans loi d'habilitation (c'est ainsi que Lincoln a proclamé, en 1862, l'émancipation des esclaves... et que Roosevelt décide, en 1942, l'envoi des citoyens américains d'origine japonaise en camps de détention), il établit en 1947 une commission sur les droits civiques et déclare, en 1948, l'intégration dans les forces armées et l'administration fédérale. Et puis... plus rien ne se passe.

Il faudra que les Noirs prennent leur sort en main et protestent de plus en plus vigoureusement (mais pacifiquement) pour que la situation commence enfin à se débloquer. On a souvent opposé la *National Association for the Advan-*

---

17. S'agissant des Indiens, c'est aussi au nom des grands principes que le Congrès décide d'abandonner les *native Americans* à leur triste sort. Il décrète l'égalité — « de privilèges et de responsabilités » — entre les Indiens et le reste de la population américaine (*Termination from Federal Supervision and Control Act,* 1ᵉʳ août 1953) : ils seront affranchis de la tutelle du *Bureau of Indian Affairs* — l'État fédéral se déchargeant ainsi de ses responsabilités, et des frais encourus, découlant de traités conclus au fil des ans avec les diverses tribus. Il n'y aura plus assistance ni tribale (logement, subventions à l'artisanat et à l'élevage), ni individuelle (éducation et aide sociale). De 1954 à 1960, 61 tribus ou communautés ont été ainsi « libérées », dans une impréparation totale, subissant des lois étatiques moins favorables que les lois fédérales et qui les paupérisent plus encore, s'il est possible. Devant les protestations indiennes, le secrétaire à l'Intérieur (responsable des Indiens) a promis en 1958 qu'aucune cessation de tutelle *(termination)* ne se ferait sans l'accord explicite des tribus concernées.

LE MESSAGE DE TRUMAN
SUR LES DROITS CIVIQUES (2 février 1948)

Le retour et le comportement des anciens combattants noirs, qui estiment avoir gagné sur les champs de bataille le plein accès à la totalité des droits civiques, va être l'occasion, notamment dans le sud, de violences de la part de ceux qui ne partagent pas ce point de vue. Le KKK veut imposer sa loi par la terreur et, à Columbia (Tenn.), par exemple, assassinera deux Noirs. Harry Truman, élevé puis élu dans un État encore pétri de racisme, sera cependant, lorsqu'il devient président, plus opposé à la ségrégation, plus fermement attaché à l'égalité entre races et, somme toute, beaucoup moins raciste que son prédécesseur et que son successeur. Mais un président, surtout de sensibilité sudiste, dépasse les perspectives étroites d'un élu local : dès décembre 1946, sur le conseil d'Eleonor Roosevelt, Truman nomme une Commission sur les droits civiques, composé d'éducateurs et de représentants des Églises. Celle-ci, dans son rapport *(To Secure These Rights)* remis un an plus tard, propose notamment d'améliorer l'accès à l'emploi, aux transports et aux urnes (suppression de la poll tax) et une administration plus équitable de la justice, en particulier par la lutte contre les lynchages.

Dans son message, qui concerne toutes les minorités contre lesquelles existent des procédés discriminatoires (y compris les Japonais-Américains, dont Truman rappelle pudiquement qu'ils ont été injustement traités et doivent obtenir compensation), le Président suggère au Congrès d'adopter les mesures proposées par la Commission. Il ne sera en rien entendu. Pour ce qui dépend de lui, il abolit la ségrégation dans les forces armées par décret présidentiel *(executive order* n° 9981 du 27 juillet 1948). Son courage lui coûte cher électoralement. Une bonne part des élus du Sud lui reproche ses « excès » : ces « dixiecrats » abandonnent le parti démocrate et présentent leur candidat Strom Thurmond (sous l'étiquette, comme on pouvait s'y attendre, des *states' rights*) pour l'élection de 1948 à laquelle il obtiendra 1 169 063 voix (sur 48,8 millions de suffrages exprimés) et les mandats électoraux de 4 États du Sud profond : Alabama, Caroline du Sud, Louisiane et Mississippi).

cement of Colored People (NAACP), trop élitiste et juricentriste, à d'autres organisations comme le *Southern Christian Leadership* (SCLC), fondée en 1957 par Martin Luther King, plus populaires et activistes. En fait les deux modes d'action — toujours non violents — visent le même but : contraindre l'État fédéral à agir par la pression unanime d'une seule communauté qui veut, enfin, l'égalité. Dans tous les cas, il y fallait un rare courage : on pouvait mourir de s'opposer à la ségrégation comme ce jeune soldat noir qui, avant Rosa Parks, en 1947, refusa de changer de compartiment dans le train. Le contrôleur n'hésita pas, sortit son revolver et abattit le jeune homme. Mieux encore : ayant plaidé la légitime défense, il fut acquitté.

BROWN vs. BOARD OF EDUCATION OF TOPEKA (1954)

Le 17 mai 1954, la Cour suprême rend une décision impatiemment attendue depuis de nombreuses années sur la ségrégation raciale dans les écoles. Bien que, dans l'affaire en question, quatre États seulement et Washington (D.C.) fussent visés, 17 États étaient en fait concernés puisqu'ils pratiquaient la ségrégation scolaire de jure et que quatre autres autorisaient leurs collectivités locales à la pratiquer. Dans ce qui constitue l'une des décisions les plus importantes de l'histoire des États-Unis, la Cour renverse le précédent de *Plessy vs. Ferguson* (1896) et déclare, en fonction d'études sociologiques et psychologiques auxquelles elle se réfère explicitement, que la séparation est en elle-même inégalitaire et qu'il faut y mettre fin. Elle précède ainsi à peine l'évolution de l'opinion au Congrès. Une majorité du Congrès, en effet, partageait son sentiment, mais ne parvenait pas à adopter des lois allant dans ce sens en raison de règles qui permettaient à la minorité sudiste de bloquer le processus législatif *(filibuster)*.

La Cour ne donne pas un ordre d'intégration immédiat (on notera qu'au mot « intégration » qui sonne comme un appel à la rébellion pour des oreilles sudistes [blanches] la Cour préfère le mot « déségrégation », plus neutre et moins provocant »). Comment, dès lors, faire disparaître la discrimination raciale dans les écoles publiques ? Après avoir réentendu toutes les parties concernées, la Cour donne en quelque sorte sa décision d'application un an plus tard dans *Brown vs. Board of Education* (dit *Brown II*, 1955) : il faut tenir compte des conditions locales et ne pas forcer le rythme de l'intégration : « with all deliberate speed » (avec toute la rapidité voulue). *Deliberate speed* sera en fait compris comme voulant dire *deliberate slowness* (toute la lenteur voulue) : la déségrégation scolaire sera fort lente. Mais la Cour n'a pas d'autre choix. En effet, les juges sont largement impuissants à faire appliquer leurs décisions s'ils n'ont pas le soutien de l'exécutif. Comme le dit justement Hamilton dans *le Fédéraliste* n° 78 : ils n'ont que « le pouvoir de persuader : la bourse et l'épée sont dans d'autres mains ».

Depuis sa création en 1909, la NAACP, dans sa lutte pour les droits des Noirs, a préféré la stratégie judiciaire, car la voie législative semblait bloquée par les élus du Sud : dès 1915, elle commence la longue marche de ses victoires devant la Cour suprême lorsque celle-ci déclare inconstitutionnelle, dans *Guinn & Beal vs. United States,* la « Grandfather Clause » [18]. Mais ce n'est qu'après la Deuxième Guerre mondiale que des progrès significatifs seront faits devant la Cour : logement, système scolaire, parcs et golfs, etc., la plus importante des décisions, celle aussi qui provoque le plus de remous, étant *Brown vs. Board of Education of Topeka* (1954). Mais ces batailles sont longues, onéreuses et si elles font peu à peu reculer la ségrégation *de jure,* les progrès réels semblent effroyablement lents : en 1957, moins de 1 % des enfants noirs fréquentaient des écoles intégrées dans le Sud.

L'exaspération de la communauté, qui se manifeste plus visiblement, suffira-t-elle à attirer l'attention des responsables politiques ? En 1955, une couturière (militante de la NAACP), plus toute jeune, fatiguée, s'assoit à l'avant d'un autobus à Montgomery (Alabama) et refuse de bouger malgré les insultes du conducteur. Elle s'appelle Rosa Parks. Elle est arrêtée, ce qui déclenche un mouvement de boycott des Noirs. Un an après, la ville, condamnée par la Cour suprême, annule l'ordonnance de ségrégation. Grèves, boycotts, *sit-ins, freedom rides,* marches, pétitions : tout l'arsenal (non violent) de la protestation se met en place. Certains résultats sont obtenus (loi sur les droits civiques de 1957, intervention fédérale pour permettre l'intégration scolaire de Little Rock, en 1957 aussi [19]) mais il faudra attendre les

---

18. Cette petite merveille d'hypocrisie ne discriminait pas contre les Noirs puisque la loi, adoptée dans maints États du Sud, prévoyait qu'étaient automatiquement inscrites sur les listes électorales toutes les personnes qui avaient voté avant 1865 et leurs descendants : avant 1865, à peu près aucun Noir ne votait dans le Sud...

19. Eisenhower; qui n'approuvait pas fondamentalement la décision *Brown,* se décide tardivement à l'appliquer Pendant trois ans, alors que la déségrégation se poursuit à un rythme excessivement lent, Dwight Eisenhower reste au-dessus de la bataille. Ce n'est que contraint et forcé par la rébellion ouverte du gouvernement Faubus de l'Arkansas qu'il se décide à intervenir. La garde de l'État *(national guard)* est fédéralisée et il lui est ordonné de rétablir l'ordre à Little Rock, à l'automne 1957, pour que neuf enfants noirs puissent aller à l'école. C'est la seule fois où le président Eisenhower soutiendra fermement et ouvertement la décision de la Cour suprême. Les baïonnettes de Little Rock servirent plus à mettre en évidence la supériorité de l'autorité fédérale qu'à éradiquer la ségrégation scolaire : dix ans après *Brown,* dans les onze États de la Confédération, 1,1 % seulement des enfants noirs étaient éduqués dans des écoles intégrées.

présidences démocrates de Kennedy et de Johnson pour que soit véritablement achevée la réforme entreprise par la Cour suprême. Les grandes lois de 1964 (droits civiques) et de 1965 (droit de vote) réalisent l'égalité de droit. L'égalité de fait reste encore largement à réaliser.

LA COUR SUPRÊME :
FONDATRICE DES LIBERTÉS

La Cour suprême, sous l'influence d'Earl Warren, l'un des plus grands présidents qu'elle ait eu (après, sans doute, John Marshall mais avant tous les autres), va doter le pays, en quelques années, des droits et des libertés qui ne lui avaient jusqu'alors été accordés qu'avec une extrême parcimonie : elle va « incorporer » dans la constitution, et par conséquent contraindre les États à respecter, l'ensemble des principes fondamentaux de la démocratie et des droits de la personne : droit de vote, droits du justiciable, liberté d'expression, liberté religieuse, démocratie sociale et économique, égalité des chances. L'influence libertaire d'Earl Warren sera la clé du progressisme, unique, de la Cour pendant un quart de siècle. L'homme, pourtant, ne passait pas pour particulièrement progressiste : comme procureur de l'État de Californie il fut un magistrat intègre mais sévère, voire dur même si, comme gouverneur de cet État, il assouplit sa vision politique.

En 1952, il brigue la présidence contre Dwight Eisenhower. On ne manquera pas de dire qu'il ne s'est retiré que contre la promesse d'un siège à la Cour suprême. Quoi qu'il en soit, lorsque le président Eisenhower le nomme à la tête de la Cour suprême, en 1953, le chef de l'exécutif obtient tout autre chose que ce à quoi il s'était attendu. Au point que, lorsqu'on lui demandera, après son départ de la présidence, quelle était la plus grande erreur qu'il ait commise, il répondra : « Warren ». Il ajoutait d'ailleurs, lorsqu'on l'interrogeait sur la seconde : « Brennan », grand juge progressiste qu'il nomma en 1956 et qui figura, avec Hugo Black et William Douglas (nommés par Franklin Roosevelt), parmi les plus fidèles soutiens d'Earl Warren.

Earl Warren n'était pas un grand juriste, au sens, par exemple, de Joseph Story, d'Oliver Wendell Holmes ou de Robert Jackson dont l'esprit juridique et le bonheur de plume restent sans égaux. Mais il était convaincu de la justesse et de la justice de son combat pour les droits — et saura en convaincre non seulement ses collègues mais les autres institutions politiques, au point que l'on peut dire que, dans une certaine mesure, le Congrès deviendra, grâce à lui, dans la période suivante, le co-défenseur des droits, notamment avec les grandes lois de 1964 (qui interdit la discrimination sexuelle et raciale en matière d'emploi, de logement, d'éducation, etc.) et de 1965 (qui fait de même en matière de votation).

Certains analystes conservateurs écriront ultérieurement que les décisions majeures de la Cour Warren étaient trop « radicales ». Ou bien, estimaient-ils, les décisions de la Cour ne pourraient être appliquées en raison de l'opposition des autres institutions, et l'autorité même de la Cour s'en trouverait par là même ébranlée ; ou bien elles seraient appliquées mais alors l'équilibre même du système, trop instable pour être impunément modifié, serait ébranlé. Le verdict était trop pessimiste, comme le démontre le passage du temps : les arrêts de la Cour Warren, qui pourtant étaient radicaux en ce qu'ils fondaient enfin les principes démocratiques au sein du système seront, au total, appliqués. Mieux, ils finiront par obtenir le soutien massif de l'opinion : nul n'ose, dorénavant, remettre en cause le principe de l'égalité juridique des Noirs avec les Blancs.

Défendre les libertés fondamentales contre les chasseurs de sorcières est d'autant plus inacceptable pour les conservateurs que, dans le même temps, les juges attaquent frontalement le racisme et la ségrégation raciale (*Brown*, voir section prédédente), la confusion du religieux et de l'État (*McCollum*), et les monopoles industriels (*Du Pont*).

VERS UNE PLUS GRANDE LAÏCITÉ : *McCOLLUM vs. BOARD OF EDUCATION* (1948)

Les États-Unis restent une société étonnamment cléricale, malgré le premier amendement de la constitution : « Le Congrès ne pourra faire aucune loi ayant pour objet l'établissement d'une religion ou interdisant son libre exercice. » Mais si Jefferson, comme le rappelle Black dans *McÇollum*, érigeait « un mur de séparation entre l'Église et l'État », d'autres exégètes du *Bill of Rights*, généralement conservateurs, ne voient dans l'interdiction d'établir une religion que défense pour l'État de préférer une religion aux autres, et point interdiction faite à la puissance publique de les aider, toutes et équitablement. Hugo Black lui-même note que « l'hostilité » gouvernementale à l'égard de la religion irait « à l'encontre » *(at war)* de la « tradition », laquelle garantit « son libre exercice ».

La laïcité (l'équivalent exact n'existe d'ailleurs pas en anglais), comprise au sens de séparation de l'Église, de l'État et de la société civile, semble aujourd'hui d'implantation plus difficile dans les pays à majorité protestante que dans les pays à majorité catholique. Les droits des individus, pris isolément ou en société, les mœurs, la famille, l'éducation, le logement, la vie professionnelle ou sociale, sont strictement encadrés et limités au nom d'une morale largement définie par les Églises. Les années cinquante sont un moment où Dieu est fortement invoqué dans la lutte contre le communisme athée, dans le serment au drapeau (1954) et dans la devise nationale (1956).

On croit souvent que la devise nationale est celle, laïque, qui apparaît sur le grand sceau des États-Unis, reproduit sur le billet de un dollar, et qui date de 1782 : *E pluribus unum.* Il n'en est rien, comme le souligne très nettement le rapport de la Chambre en 1956 : « At present the United States has no national motto ». C'est donc en cette année de grâce et de chasse aux sorcières que le Congrès fait de la formule cléricale, « In God we trust », la devise nationale des États-Unis. Celle-ci figure notamment sur tous les billets et toutes les pièces américains.

Il n'y a qu'à l'école que, grâce à la Cour suprême, « le mur de séparation » ne deviendra pas poreux. Sans doute peut-on se demander si, depuis les origines d'ailleurs, l'école publique n'était pas laïque qu'en apparence et en fait pétrie de protestantisme, de Bible et de prière. D'ailleurs, quand la Cour suprême interdira la prière du matin à l'école publique, quelques années plus tard (*Engel vs. Vitale*, 1962), elle sera abominablement critiquée — et la querelle se poursuit. De plus, le « mur de séparation » interdisait l'aide à l'école privée, mais surtout à l'école catholique : aujourd'hui encore, les catholiques restent méprisés d'une façon surprenante par la majorité protestante.

UNITED STATES vs. E.I. DU PONT [20] (1957)

Il s'agit d'une des décisions économiques les plus importantes de la Cour suprême : *Du Pont* et *General Motors,* deux des plus importantes compagnies américaines, chacune quasi-monopole dans sa branche (Chimie, fibres synthétiques et peinture d'une part et automobile d'autre part) étaient-elles, de par l'acquisition d'actions *GM* par *Du Pont* (en 1917 !) en situation monopolistique ? Invoquant la loi Sherman (1890) et

---

20. Décision acquise par une majorité de 4 à 2, trois juges ayant souhaité ne pas se prononcer — sans doute parce qu'ils possédaient des actions des sociétés en cause.

surtout la loi Clayton (1914) qui renforce les armes de l'Etat contre les *trusts*, la Cour ne peut cependant pas se contenter de démontrer la puissance économique des entreprises en cause mais doit prouver qu'il y a volonté et pratique anti-concurrentielles. L'arrêt est contre *Du Pont*, qui doit donc rompre les liens financiers qui l'unissent à *General Motors*. L'éventualité de secousses dramatiques à la Bourse ou pour *General Motors* en raison de ventes massives d'actions *GM* (*Du Pont* possédait 23 % du total) contraindra la Cour à prendre un second arrêt (*U.S. vs. Du Pont*, 1961) pour préciser les conditions du désinvestissement — et le Congrès adoptera une loi ad hoc pour régler le problème fiscal.

Si les décisions de la Cour en matière de *trusts* ont empêché la constitution de trusts gigantesques, elles n'ont aucunement gêné la concentration de l'industrie américaine, toutes branches confondues, notamment par la procédure des « représentations croisées » *(interlocking directorates)* au sein des conseils d'administration.

La Cour suprême devient rapidement l'objet d'attaques qui visent à la fois son rôle constitutionnel et son loyalisme. Le mécontentement parlementaire aboutit à l'adoption par la Chambre des représentants de plusieurs propositions limitant les pouvoirs de la Cour, mais l'aile progressiste du Sénat, avec l'aide du parfait stratège qu'est le leader de la majorité, Lyndon Johnson, réussit à contenir le flot des attaques — et des propositions de loi qui veulent brider le pouvoir des juges. D'extrême justesse, il est vrai, puisque le vote le plus crucial est acquis en août 1958 par 41 voix contre 40, en faveur de la Cour suprême.

La Cour a senti passer le vent du boulet et bat quelque peu en retraite : dans le *Barenblatt vs. United States* (1959), la Cour impose des limites procédurales moins strictes aux commissions parlementaires en matière d'interrogatoire des témoins.

La réticence à s'engager, la prudence des décisions, le fait de ne juger que sur la procédure et très rarement sur le fond, la conscience aiguë du moment où il faut savoir progresser... et de celui où il est prudent de reculer sont symptomatiques des contraintes réelles devant lesquelles les juges doivent savoir s'incliner sous peine de casser un système politique intrinsèquement fragile. Le judiciaire, le législatif et l'exécutif sont en apparence en perpétuelle concurrence. Dans la réalité, ils sont contraints à la solidarité car chacun sait qu'il est impossible à quiconque de trop s'écarter de l'idéologie dominante et du rôle constitutionnellement imparti sans encourir les représailles des deux autres pouvoirs.

Lors du maccarthysme, les deux problèmes fondamentaux auxquels elle se trouve alors confrontée sont celui des limites de la liberté d'expression face à une menace, vécue comme réelle, contre l'intégrité nationale et celui de l'ampleur du contrôle qu'elle est en droit d'exercer sur l'exécutif et le législatif. La Cour, sur les deux points, se refusera toujours à se prononcer *au fond*. Sur la liberté d'expression parce qu'elle est profondément divisée. Sur le contrôle du législatif et de l'exécutif, parce qu'elle se refuse à empiéter sur les prérogatives des autres branches, prenant le plus grand soin de n'en même pas donner l'apparence : équilibre des pouvoirs oblige.

9

LES ANNÉES SOIXANTE (1961-1974)

Certains saluaient une seconde révolution américaine. D'autres déploraient une « dépression nerveuse nationale ». Utopie ou apocalypse ? En tout cas, un des grands moments de l'histoire des États-Unis. Entre le moment où John F. Kennedy entra à la Maison-Blanche et le moment où Richard M. Nixon en sortit (en sortit de lui-même pour éviter d'en être chassé), entre janvier 1961 et août 1974, s'est déroulée une période courte mais intense. Parmi les événements et les idées qui s'y sont bousculés, il en est qui manifestaient des tendances du siècle, comme l'accroissement du pouvoir fédéral ou l'émancipation des femmes ; d'autres signalaient le réveil de vieux idéaux, comme la démocratie de participation ; et d'autres enfin l'émergence de traits nouveaux, comme le pluralisme désormais admis dans un nombre croissant de domaines.

1961-1974 : au cours de ces années, déplaisantes autant qu'exaltantes, les contradictions de l'américanisme sont apparues plus vigoureusement que jamais auparavant. *From Camelot to Watergate :* ces années, bien perçues comme une ère de révolutions, ne laissent personne indifférent. Il n'en est pas d'autre au XXe siècle qui inspirent une nostalgie, ou une rage pareille.

LES TROIS PILIERS : ÉCONOMIE, DÉMOGRAPHIE, TECHNOLOGIE

La Deuxième Guerre mondiale mit fin à la Grande Dépression, tant dans l'agriculture que dans l'industrie. Ensuite les États-Unis jouirent de l'hégémonie militaire (brièvement) et économique. Les années 50, sous l'égide du vieil et souriant Eisenhower, furent marquées à l'extérieur par la « guerre froide », certes, mais surtout par la paix ; et à l'intérieur par la croissance économique, la consommation de masse et la confiance dans le destin de l'Amérique. Les revenus des familles augmentèrent de 40 % (en dollars constants). On oubliait les privations de la crise et de la guerre. Les intellectuels (comme Galbraith, Mills, Riesman ou Whyte) dénonçaient les tares d'une société matérialiste à outrance. Dans la foulée, la décennie suivante fut une période de prospérité exceptionnelle.

Entamée à l'ombre d'une récession, la période s'acheva sur une grave accélération de l'inflation, et la brutale crise du pétrole. Mais entre-temps les États-Unis connurent, de fait, la plus vive expansion de leur histoire, de 1961 à 1966 en particulier, quand le taux d'inflation devint très bas et le chômage minimal (3,3 %) : en moyenne annuelle, l'augmentation du PNB était alors de 3,8 % (avec une poussée au-dessus des 5 % entre 1965 et 1969).

Le pays semblait inépuisablement prospère. Cette richesse de la société d'abondance *(affluent society)* suscita des espoirs fous et de grandes réalisations. Elle est une explication de la renaissance du progressisme et de cette prolifération de réformes qui, malgré certains aspects négatifs, illustre mieux la décennie que tout autre phénomène. Lyndon B. Johnson en vint à croire que son avalanche de lois sociales était compatible avec l'escalade militaire au Viêt-nam — et cela sans augmentation des impôts. Le revenu moyen d'une famille était passé (en dollars 1984) de 19 711 en 1960 à 28 167 en 1973 (à la suite de quoi il déclina) : la majorité crut alors qu'on pouvait, sans la démunir elle-même, donner aux minorités sous-privilégiées. Ses enfants, c'est-à-dire les étudiants, s'adonnaient, eux, à des contestations et délectations diverses sans s'inquiéter de leur avenir.

Si l'expansion caractérisa la période, si la récession qui l'ouvrit fut légère, celles qui la cloturèrent furent graves. La première contribua à la défaite de Nixon devant Kennedy : le vice-président sortant souffrait d'un double handicap, celui d'être républicain et au pouvoir. La deuxième, caractérisée par une conjonction d'inflation et de stagnation, résulta de la guerre du Viêt-nam et contribua à l'acceptation de la défaite. Peu après, la troisième, due aux crises du Watergate et du Moyen-Orient, sembla amorcer le déclin général des Etats-Unis. L'indice Dow Jones passa le seuil des 1 000 points pour la première fois en juin 1972 : l'économie prospérait depuis deux ans ; la paix semblait proche au Viêt-nam et Nixon venait d'être réélu triomphalement. Mais, dès janvier, l'indice se mit à décliner pour tomber jusqu'à 577 à la fin de 1974.

Depuis Jefferson et Jackson, les Démocrates sont considérés comme défenseurs des humbles ; et, depuis le *New Deal*, comme des *liberals*, c'est-à-dire des progressistes ou réformistes keynesiens partisans de l'intervention gouvernementale dans l'activité économique — par le biais de la fiscalité et de la monnaie. Les Républicains, eux, sont vus comme des agents du *Big Business* nordiste, hostiles à toute réglementation étatique. Nixon, né dans une famille humble, avait été lancé en politique par des hommes d'affaires, et ses plus proches amis étaient des milliardaires. Rien d'étonnant qu'une fois à la Maison-Blanche, il ait respecté une vieille tradition républicaine, définie par Gore Vidal comme « la libre entreprise pour les pauvres et le socialisme pour les riches ». Reste qu'il se retrouva aux prises avec une « stagflation » (stagnation + inflation) qui décontenançait les économistes. Quand, en août 1971, pour la première fois depuis 1888, la balance des paiements devint déficitaire et que l'étranger se rua sur le dollar, Nixon prit des mesures spectaculaires : fin de la garantie-or du dollar ; dévaluation de la monnaie ; et, pour combattre l'inflation, il décréta le gel des prix et des salaires. Une embellie s'ensuivit : le choc pétrolier de 1973 n'en fut que plus dur.

Les Américains étaient depuis longtemps célèbres pour le gaspillage de leurs ressources naturelles, de l'énergie en particulier : le symbole en était leurs voitures à huit cylindres très gourmandes en essence. Un signal d'alarme retentit en novembre 1965 : une énorme panne d'électricité plongea tout le Nord-Est dans le noir pendant des heures. Au sein de la contestation, les écologistes annonçaient des catastrophes. La pénurie d'énergie se manifesta avant même la guerre israélo-arabe du Kippour (octobre-novembre 1973) et la crise pétrolière mondiale qui en résulta. Les États-Unis avaient, certes, d'immenses réserves d'hydrocarbures (gisements d'Alaska découverts en 1968), de charbon et de schistes bitumineux, mais ils consommaient un tiers du pétrole mondial et importaient un tiers de leur consommation (plus de 6 millions de barils par jour). Ils se trouvaient ainsi soumis aux intérêts de leurs transnationales pétrolières. Tandis que les pays arabes frappaient les États-Unis d'un embargo pétrolier (d'octobre 1973 à mars 1974), tandis que les files d'attente s'allongeaient devant les stations-services, le prix du brut quadrupla. Toutes les économies, tant de l'Occident que du Tiers-Monde, allaient en être obérées pendant quelque dix ans.

Cette période fut aussi celle où la génération issue de la vague démographique de l'après-guerre atteignit l'adolescence. Cette génération entendit, plus que celle qui l'avait précédée, améliorer et transformer l'Amérique. Il semblait alors possible de supprimer les inégalités et d'élever la qualité de la vie, d'aller à grands pas vers la réalisation du rêve américain.

UNE VAGUE DÉFERLANTE : LA JEUNESSE SUR LES CAMPUS

Deuxième grand facteur dans le phénomène des *Sixties* : la jeunesse. L'après-guerre avait vu naître, chaque année, un million d'enfants de plus que la normale. En 1960, l'âge moyen de la population baissa pour la première fois dans l'histoire, passant en dessous de 30 ans. Les jeunes gens des classes moyennes atteignaient l'adolescence nourris des grands principes de l'américanisme et mal préparés à les voir bafoués dans le monde réel. Ils n'avaient connu ni la Grande Dépression, ni la guerre mondiale. L'expansion des sciences et des techniques provoquant celle de l'enseignement supérieur, faire des études supérieures devint, pour eux, comme un droit. Le nombre d'étudiants passa de 432 000 en 1950 à 6 millions en 1968. Parce qu'ils étaient, non des immigrants sortis d'une Europe rétrograde et porteurs d'idéologies dangereuses, non quelques *beatniks* ou militants de groupuscules comme à la fin des années 50, mais une masse juvénile de plusieurs millions d'individus, ils eurent une influence profonde. Ils permirent au pays d'affronter avec plus de vigueur de vieux et graves problèmes, comme le sort des Noirs, des pauvres ou de l'environnement.

La technologie était, elle aussi, au rendez-vous du progrès : sous l'effet d'inventions et découvertes multiples, la société commença de se métamorphoser, et les États-Unis firent leur entrée dans l'ère post-industrielle. Les États-Unis n'avaient, scientifiquement, nul besoin d'envoyer des hommes dans la lune. Leur aventure lunaire (du premier vol spatial d'un Américain, Alan Shepard, le 5 mai 1960, à l'alunissage de Neil Armstrong et Edwin Aldrin le 20 juillet 1969) fut avant tout une suite de dramatiques télévisées, le plus stupéfiant spectacle de tous les temps. En lançant l'entreprise — en réponse à l'humiliation représentée par les *Spoutniks* soviétiques —, Kennedy avait voulu démontrer la supériorité des États-Unis. L'alunissage avait pour but d'afficher une effective maîtrise scientifique et technologique dans tous les secteurs [1].

C'est au début des années 60 qu'on se mit à utiliser l'énergie nucléaire, le laser, les satellites (de météo et de communication). Grâce aux microprocesseurs, les ordinateurs se multiplièrent : IBM remplaça la *General Motors* comme symbole de la puissance américaine. En biologie, le code génétique fut décrypté (1961). En médecine furent créés les vaccins de la polio (1961), de la rubéole (1969) — et mises au point les pilules contraceptives. Dans la vie quotidienne se généralisèrent les tissus synthétiques, les collants, les objets en plastique, la télévision en couleur. On vit apparaître, les couches jetables, les bombes aérosols, les radios et les calculatrices de poche, les téléphones à boutons, la machine à écrire à boule, les fours à micro-ondes, etc. Mais, tandis que science et technologie résolvaient de vieux problèmes, elles en posaient de nouveaux, notamment en matière de pollution. Vers la fin de la décennie, elles avaient perdu de leur attrait aux yeux de nombreux jeunes.

Dans les années 50, la pénétration de la télévision était passée de 12 à 87 % des foyers. Les États-Unis avaient quitté la galaxie Gutenberg pour celle de Marconi : un des gourous des *Sixties* fut Marshall McLuhan. Les trois grands *networks* étaient devenus le divertisseur n° 1. La télévision devint aussi l'informateur n° 1, à partir de 1963, quand ses journaux passèrent de 15 à 30 minutes. Walter Cronkite, de CBS, dominait alors le journalisme télévisé. De l'enterrement de JFK aux séances de la commission sénatoriale d'enquête sur le Watergate, les grands spectacles se succédèrent sur le petit écran. Au Viêt-nam se déroula la première guerre télévisée au monde, parfois en direct grâce aux satellites. Et aux États-Unis les luttes des Noirs et des étudiants durent leur ampleur à la télévision. Celle-ci devint l'outil politique n° 1 : on lui attribue le mythe Kennedy, l'abandon de Johnson et les chutes de Nixon en 1960 et en 1973-74.

JOHN FITZGERALD KENNEDY

Il était le plus jeune des présidents jamais élus. Il était beau, énergique, brillant, sûr de lui ; il semblait courageux

---

1. Entre 1961 et 1974, 45 Américains ont obtenu un prix Nobel scientifique.

et progressiste. Il incarnait superbement ce que les *Sixties* voulaient être et pas seulement la jeunesse universitaire. Son assassinat, en revanche, symbolise la face hideuse des *Sixties,* celle de la criminalité urbaine et des tueries en Asie. Premier président catholique et irlandais, il illustrait l'intégration des humbles non-WASPs de la grande vague d'immigration du tournant du siècle. Mais, diplômé de Harvard, JFK se joignit à sa femme Jackie pour redonner à la Maison-Blanche des airs de raffinement et de luxe. Dressé par son père milliardaire, ce fauve de la politique, capitaine héroïque de la vedette PT-109, de la *US Navy,* avait été élu député en 1946, sénateur en 1952. En 2 ans et 10 mois de présidence, il sut, par l'utilisation des médias, de la télévision surtout (conférences de presse en direct) créer un mythe Kennedy, dont ont profité ses frères Robert et Edward. Il s'entoura de remarquables technocrates : on vit en eux les chevaliers du roi Arthur à sa cour de Camelot.

La victoire de Kennedy sur Nixon en 1960 avait tenu à quelques milliers de voix. Le Congrès ne le prit pas au sérieux et les milieux d'affaire se méfièrent de lui, surtout après son affrontement de 1962 avec la sidérurgie. Bien qu'il existât un vaste consensus de l'opinion contre le communisme et pour la libre entreprise, bien que fussent acceptés le rôle économique du gouvernement fédéral, les droits des minorités et des syndicats, et bien que la prééminence du président en politique étrangère et intérieure fût désormais admise par tous, le bilan de JFK est très maigre. Sa mort tragique le fait souvent oublier. Paradoxalement, c'est le traumatisme qu'elle engendra qui permit l'adoption de tous les projets qu'il avait été incapable de faire accepter par le Congrès.

Avant l'ère Kennedy, Eisenhower avait donné l'impression de baigner béatement dans l'ordre établi : l'Amérique reprenait son souffle après la Grande Dépression et des guerres diverses. Or c'est le vice-président d'Eisenhower qu'en 1960 Kennedy affronta dans la course au pouvoir, avec ses célèbres slogans modernistes : « Remettre l'Amérique en mouvement » ou explorer une « Nouvelle Frontière ». Entouré de remarquables conseillers, il avait une conscience assez claire des problèmes, mais comme une majorité d'Américains, il les croyait faciles à résoudre. Pour ce faire, il manqua d'abord de temps. Et il manqua de crédit auprès du Congrès. C'est Johnson, peu populaire mais fort efficace, qui après sa mort fit entrer son programme dans la réalité. Mais c'est Kennedy qui avait fourni l'indispensable *moral leadership* qui est l'apanage de tous les grands présidents : il avait indiqué les nobles buts à atteindre et enflammé l'idéalisme de ses concitoyens.

En matière de politique extérieure, la courte présidence de Kennedy fut, pour l'essentiel, marquée par deux événements très regrettables (la première crise cubaine et l'assassinat de Diem au Viêt-nam) et deux succès (la seconde crise cubaine et l'accord sur les essais nucléaires).

Au moins depuis la fin du XIXe siècle, les États-Unis avaient considéré l'Amérique centrale et les Caraïbes comme une chasse gardée, et pendant longtemps ils n'eurent aucun scrupule à y expédier leurs *marines*. De toutes les îles caraïbes, Cuba est la plus proche du continent américain. Elle avait été en 1898 le prétexte de leur guerre, brève et très profitable, contre l'Espagne. Et les Américains n'avaient pas apprécié qu'après avoir renversé le dictateur Batista soutenu par eux, Fidel Castro ait remplacé leur semi-protectorat par un autre, russe celui-là. A peine arrivé à la Maison-Blanche, Kennedy avait dû endosser l'échec rapide du débarquement dans la Baie des cochons (avril 1961) — débarquement décidé par Eisenhower, avalisé du bout des lèvres par le nouveau président et mise en œuvre par des réfugiés anticastristes qu'une CIA mal informée sur l'état d'esprit de l'opinion cubaine avait spécialement entraînés et équipés. Avec cette première mésaventure, condamnée par de nombreux pays, y compris en Amérique latine, Kennedy ne pouvait pas plus mal entamer son mandat.

La seconde crise cubaine, déclenchée par des rumeurs concernant l'existence de bases de missiles soviétiques sur le territoire cubain, rumeurs que vinrent confirmer les photos d'un avion-espion, fit sérieusement craindre une troisième guerre mondiale. Elle se termina à l'avantage de Kennedy. En position politique médiocre, quelques semaines avant des élections législatives, il ne pouvait se montrer faible. Le 22 octobre 1962, il annonça la mise en place immédiate d'un blocus naval de l'île. Son attitude très ferme (mais risquée) fit impression. Il y avait eu de la part de l'URSS une rupture d'équilibre inexcusable : renonçant à forcer le blocus de l'US Navy, Krouchtchev se résigna à retirer ses fusées, ce qui devait, deux ans plus tard, conduire à son remplacement par une direction moins portée à la déstalinisation et à la détente. Ce premier succès allait en entraîner un autre : la signature du traité sur l'arrêt des essais atomiques.

S'agissant du Viêt-nam, les premiers actes, mal inspirés et maladroits, de l'administration Kennedy eurent à terme

LE TRAITÉ SUR LES ESSAIS NUCLÉAIRES
(5 août 1963)

Du fiasco de la Baie des cochons à la peu glorieuse évacuation du Viêt-nam, la période Kennedy-Johnson semble placée sous le signe du conflit avec l'hégémonie rivale, communiste. Et sous le signe de l'échec. C'est alors pourtant que les États-Unis passèrent du *brinkmanship*, c'est-à-dire du flirt avec l'affrontement, pratiqué par John Foster Dulles sous Eisenhower et par Kennedy lors de la deuxième crise urbaine, à la *détente* qui allait être cultivée par Henry Kissinger sous Nixon. La préoccupation majeure des Américains était alors de maintenir la paix avec l'URSS. Après la crise des missiles à Cuba, les ventes d'abris anti-atomiques montèrent en flèche. Ayant prouvé sa force dans cette crise, le président américain se trouva en bonne position pour obtenir la signature et la ratification du traité interdisant les essais atomiques dans l'atmosphère et sous l'eau. Ce traité est souvent considéré comme le meilleur héritage qu'ait laissé Kennedy, d'un point de vue aussi bien politique qu'écologique : les deux blocs convenaient enfin de restreindre la course aux armements. A quoi s'ajoute que le même mois (août 1963) fut mis en place le célèbre « téléphone rouge », téléscripteur d'urgence entre Washington et Moscou. Signé par les États-Unis, la Grande-Bretagne et l'URSS, le traité sur l'interdiction des essais fut accepté par plus de cent pays. Parmi ceux qui refusèrent d'y souscrire, la France et la Chine, qui venaient tout juste de se doter de l'armé atomique.

de tragiques conséquences. Après la défaite japonaise de 1945, les Français avaient dû combattre pour rétablir leur pouvoir sur l'Indochine. Cernés à Dien Bien Phu (mai 1954), ne recevant pas l'aide espérée des États-Unis, ils subirent un désastre et durent abandonner leurs colonies indochinoises (juillet 1954). L'ensemble Tonkin-Annam-Cochinchine fut coupé en deux par une zone démilitarisée. Le nord du Viêt-nam était entre les mains des communistes, et le sud sous la férule de l'empereur Bao Dai. Ce dernier fut déposé en 1955 par son Premier ministre (catholique du Nord) Ngo Dinh Diem, dont le régime autoritaire fut alors soutenu par les États-Unis (500 millions de dollars en 1963). Leurs conseillers (2 000 en 1961, 15 000 en 1963) vinrent organiser l'armée du Sud, l'ARVN. Diem put écraser diverses sectes politico-religieuses et même un coup d'État nationaliste en 1960 — mais pas le Viêt-cong communiste constitué en 1960, qui l'emportait peu à peu sur une ARVN mal entraînée, démoralisée, corrompue ; et pas davantage les bouddhistes, dont les bonzes commencèrent à s'immoler par le feu. Les envoyés militaires et civils américains chantaient la réussite de Diem — mais pas certains correspondants de presse, comme celui du *New York Times*. Par le biais de Henry Cabot Lodge, son nouvel ambassadeur, Kennedy exigea des changements, dont l'arrêt de l'offensive antibouddhiste, laquelle prenait de plus en plus le pas sur la lutte anti-Viêt-cong. C'est alors que les militaires sud-vietnamiens passèrent à l'action : le 1er novembre 1963, le général sud-vietnamien Duong Van Minh renversa Diem et l'exécuta peu après. Dans les cinq années qui suivirent, neuf gouvernements allaient se succéder : pareille instabilité ne pouvait que faire le jeu des ennemis du Nord. Le gouvernement de Duong Van Minh fut promptement reconnu par Washington, mais Kennedy, assassiné le 22 novembre, n'eut pas le temps de constater les effets contreproductifs de son soutien à la « cause » sud-vietnamienne.

Catholique d'une métropole du Nord-Est, réputé progressiste, Kennedy, entreprit, fin 1963, de s'assurer le soutien du Sud pour sa réélection en 1964 ; d'où son voyage fatal à Dallas. Le très impopulaire Harding, le très malade Franklin D. Roosevelt étaient morts pendant leur mandat ; Theodore Roosevelt et Truman avaient été la cible d'attentats — mais aucun président n'avait été tué depuis McKinley en 1901. Et la présidence, depuis lors, avait acquis des responsabilités bien plus vastes. Le choc fut d'autant plus brutal qu'il s'agissait d'un personnage jeune et séduisant qui, avant d'avoir pu faire ses preuves, était fauché par un fou, Lee Harvey Oswald (et, d'après Earl Warren et sa commission d'enquête, par un fou isolé, ce dont beaucoup doutent encore). Le choc fut, par ailleurs, d'autant plus intense que 175 millions d'Américains suivirent et vécurent chaque seconde des funérailles, les *networks* ayant annulé toutes leurs émissions commerciales. Ainsi y eut-il canonisation immédiate. Cet assassinat (lui-même lié à celui de l'assassin, filmé en direct deux jours plus tard) est, avec la marche sur la lune en 1969, l'événement des années 60 qui s'est le plus profondément gravé dans la mémoire des Américains.

LA COALITION ARC-EN-CIEL

Parce qu'ils formaient la plus nombreuse et la plus mal traitée des minorités raciales, ce sont les Noirs (19 millions en 1960 — 10,6 % de la population) qui avaient engagé la lutte ouverte après la condamnation de la ségrégation scolaire par la Cour suprême en 1954. Ce sont eux qui inaugurèrent certaines méthodes d'action : boycott, occupation pacifique, campagne d'inscription sur les listes électorales, défilés de masse. Et ce sont eux qui remportèrent les premiers succès — par exemple, la grande publicité donnée au *sit-in* de février 1960 dans des cafétérias de Greenboro (Caroline du Nord). Bientôt cependant les divers « Bruns » hispaniques (9 millions en 1970) suivirent leurs traces, puis les « Peaux-Rouges » (500 000 en 1960), puis, beaucoup plus discrètement, les Jaunes (700 000 en 1960). Ces groupes différaient par leur histoire, leur situation, leurs revendications, et ils s'affrontèrent parfois. Mais tous, inspirés par les idéaux américains et par la décolonisation du Tiers-Monde (16 nations africaines étant devenues indépendantes en 1960), exigeaient une égalité de droits que, par racisme ou indifférence, la majorité blanche leur refusait. Tous leurs mouvements étaient progressistes. Sous prétexte de la brutalité de quelques incidents et de certains groupuscules, les contestataires furent présentés comme des révolutionnaires — d'où la répression qui les frappa. En fait, avec un minimum de violence, en s'imposant aux médias, ils atteignirent leur but : être admis à s'intégrer peu à peu.

Ainsi, la coalition arc-en-ciel fut un facteur d'atmosphère et un moteur de changement. Après la suspension des quotas en 1964, l'immigration vint surtout du Sud et du Pacifique : Cubains, Haïtiens, Coréens, Philippins, Chinois (dont le nombre doubla), etc. Il s'ensuivit une diversité croissante de la coalition. Son militantisme et ses succès dans les années soixante marquèrent la multiracialité grandissante des États-Unis. Dans l'action, les minorités de couleur prirent conscience de leurs forces. Sous l'effet (amplifié par les médias) des manifestations, l'opinion publique se mobilisa. Des lois fondamentales furent votées pour éliminer la discrimination raciale ; décisions de tribunaux et précédents s'accumulèrent. Quant au progrès économique et à l'intégration sociale, ils allaient être atteints différemment, vite pour les Asiatiques, lentement pour les Afro-Américains.

La lutte pour l'égalité raciale fut, au départ, conjointement menée par Noirs et Blancs dans le Sud, où le racisme sévissait ouvertement et où la ségrégation était non seulement pratiquée mais légale. S'il est un homme qui a incarné ce combat, ce fut Martin Luther King. S'il est un champ de bataille qui le symbolise, c'est Selma (Alabama, 1965) —

plutôt que Montgomery, capitale de l'État, où en 1955 la contestation non-violente de la ségrégation dans les autobus l'avait emporté pacifiquement. A Selma, elle se heurta à la brutalité du racisme sudiste. Ce dernier remporta une victoire — mais une victoire à la Pyrrhus, car tout se déroula sous les yeux de la presse. L'objectif des activistes était d'obtenir que les Noirs puissent voter : les affrontements violents de Selma engendrèrent dans le Nord et l'Ouest une indignation qui, pour une large part, conduisit à l'adoption du *Voting Rights Act* de 1965. C'est à cette occasion que Johnson, président sudiste, prononça son célèbre discours du 15 mars, ponctué par « We shall overcome » (Nous vaincrons), le slogan des Noirs. Selma a marqué l'apogée d'une décennie de lutte non-violente où les objectifs, les héros, les succès étaient sans ambiguïté. Il allait en être autrement par la suite.

MARTIN LUTHER KING : « J'AI FAIT UN RÊVE... »

Le pasteur Martin L. King a été le plus célèbre et le plus respecté des Noirs américains — témoin le prix Nobel de la paix reçu en 1964. Son courage paisible et son éloquence en firent une très efficace vedette des médias. Entre la NAACP *(National Association for the Advancement of Colored People)* qui depuis 1909 luttait pour l'égalité par des voies essentiellement judiciaires et quelques groupes radicaux, voire séparatistes comme les *Black Muslims* (Musulmans noirs), King menait une contestation non violente, multiraciale, apolitique, populaire et d'inspiration très largement chrétienne. A côté de sa *Southern Christian Leadership Conference* (SCLC, 1957) s'activaient des organisations comme la *National Urban League* (1910), le *Congress of Racial Equality* (1943) et (au moins au début) le récent *Student Nonviolent Coordinating Committee* (SNCC, 1960). Les racistes du Sud et réactionnaires du Nord (dont le FBI) virent en King un communiste et le harcelèrent. Au contraire, les extrémistes noirs voyaient en lui un collaborateur des Blancs, un Oncle Tom. En effet il était attaché au « rêve américain » et il voulait que celui-ci se réalise pour les Noirs. Du boycott de Montgomery en 1955-1956 à l'énorme rassemblement de Washington (août 1963) où il prononça son fameux discours *(« I have a dream... »),* aux défilés de Selma en 1965 et jusqu'à son assassinat à Memphis en 1968, il ne cessa de combattre les injustices racistes, dans le Sud surtout. C'est à lui plus qu'à tout autre que sont dues les lois passées en 1964-1965. Mais ces gains ne firent qu'aviver l'impatience des Noirs, dans le Nord surtout.

Dans les années 1950 et 1960, il paraissait encore normal aux Sudistes de s'opposer à l'égalité civique des Noirs et aux agitateurs nordistes qui les soutenaient. Cependant, alors que dans le Nord on oubliait les Noirs dans leurs ghettos infâmes, dans le Sud (à condition qu'ils restent séparés et inférieurs) on leur avait toujours reconnu certains droits et manifesté une certaine sympathie. D'où la révulsion que provoqua dans ce *Deep South* évangélique l'assassinat, en septembre 1963, de quatre petites filles dans un lieu de culte. Même pour les Sudistes, c'en était trop : si l'on devait en arriver à cela, mieux valait renoncer à l'ordre ancien. Cet attentat fut l'un des actes de violence imbécile qui, répercutés par les médias, convertirent l'Amérique à l'intégration — comme, en mai 1963, ces chiens que « Bull » Connor, chef de la police de Birmingham (Alabama) avait lancés sur un défilé d'enfants noirs ou, dans le Mississippi, l'assassinat du leader noir Medgar Evers en juin 1963, et en 1964 celui de trois militants de la campagne pour l'inscription sur les listes électorales.

L'un des phénomènes clefs du XXe siècle américain a été la migration des Noirs du Sud rural vers les grandes villes, surtout celles des grands États industriels du Nord, ou celles de la Californie, pour y trouver argent et liberté. Ce mouvement s'est accéléré entre 1940 et 1970 : 4,5 millions ont alors migré. Dans les années 60, la moitié des Noirs habitaient le Nord et les trois quarts étaient citadins. Dans le centre des métropoles, la proportion de Noirs augmenta de 48 %. Les paysans montant du Sud n'eurent ni l'idée, ni les moyens d'entretenir des quartiers abandonnés par la classe moyenne au profit des banlieues — et qui, aujourd'hui, semblent parfois avoir été sinistrés par une guerre, comme le South Bronx à New York. Aucun autre pays développé n'a des centres de ville aussi décomposés et pauvres que les ghettos noirs et bruns des États-Unis : dans les années 60, on découvrit là une sous-classe illettrée, inemployable, miséreuse, vivant d'allocations ou de délits divers, droguée — dangereuse donc et apparemment irrécupérable. Un nombre important de Noirs étaient arrivé dans le Nord au moment où l'industrie déclinait et où se développait un secteur tertiaire exigeant une formation poussée — d'où le chômage. Certes, les classes moyennes noires ne cessaient de s'accroître, mais elle fuyaient ces quartiers. La frustation désespérée des prisonniers des ghettos, exacerbée par le constant spectacle télévisé de la surconsommation, allait exploser en émeutes, comme celles de Watts à Los Angeles.

Les Noirs du Nord, pauvres, inadaptés à la vie urbaine, déçus dans leurs espoirs de progrès, ostracisés, prirent au milieu des années 60 le relais du Sud dans la lutte pour l'égalité — mais de façon trop souvent inorganisée, autodestructrice. A la non-violence succédait la violence, et aux pasteurs succédaient des radicaux comme les *Black Panthers*. Pendant les étés de 1965, 1966 et 1967 les ghettos furent la proie de pillards et d'incendiaires qui, dans leur majorité, n'étaient pas de jeunes chômeurs miséreux. Pour éteindre l'émeute, née le plus souvent d'un conflit avec la police, il fallait faire intervenir la Garde nationale, voire les parachutistes. Après la grande première inattendue de Watts, sur la côte ouest (août 1965) — qui se solda par 34 morts, plus de 1000 blessés et 44 millions de dollars de dégâts —, il se produisit d'autres émeutes — en 1966 à Chicago, Cleveland, Brooklyn ; en 1967 à Newark, Spanish Harlem, Rochester (NY), Birmingham et surtout Detroit (40 morts) ; en 1968 à Washington (DC), Chicago, Cleveland, etc. Par la suite, et bien que l'environnement n'ait pas été amélioré, l'atmosphère se calma ; mais les émeutes avaient eu l'avantage d'attirer l'attention des médias, toujours friands de drame et de couleur, et elles forcèrent le grand public à voir les méfaits de la ségrégation, non plus légale et aisément corrigible comme dans le *Deep South,* mais résidentielle.

On a pu soutenir qu'après la fin de l'esclavage le sort des Noirs avait plutôt empiré. Ce qui est sûr, c'est que dans la première moitié du XXe siècle leurs progrès furent insignifiants. Ils furent étonnants après les grandes victoires de la période 1954-1964 — et néanmoins très insuffisants. Il allait falloir des générations pour que soient éliminés les obstacles majeurs : le racisme des Blancs, la culture de misère dans laquelle beaucoup de Noirs étaient enfermés. A la fin des années 60, l'importance des changements, surtout dans le Sud, pouvait rendre optimiste. Le retard persistant des Noirs, surtout dans le Nord, avait de quoi engendrer le pessimisme. Vingt ans plus tard, si l'on trouvait des Noirs à tous les rangs de la société (super-vedette de télévision, généraux, ambassadeurs, candidat à la présidence, par exemple), l'écart entre leur revenu moyen et celui des Blancs avait empiré (pour une part du fait que la moitié d'entre eux habitait toujours le Sud). Et dans les ghettos urbains, la caste des exilés de l'intérieur, qu'ils fussent pitoyables ou dangereux, continuait de se reproduire. A eux la révolte des Sixties n'avait rien apporté.

Mais les Noirs n'étaient pas les seuls à se sentir exclus ou marginalisés. Dans les années 60, les *Latinos,* bien que plus discrets, formaient, eux aussi, une communauté de sous-privilégiés. Ils étaient dispersés en groupes divers et peu solidaires : dans le Sud-Ouest, des colons d'avant l'arrivée des *Anglos* et, dans le Sud ou sur la côte ouest, des immigrés ou descendants d'immigrés mexicains (440 000 entrés légalement dans les années 1960) — représentant 60 % du total des Hispaniques ; à New York, un million de Portoricains venus surtout depuis la Seconde Guerre mondiale et socialement situés plus bas que les Noirs eux-mêmes — 15 % du total ; en Floride, des Cubains aisés ayant fui le castrisme — 6 % ; et enfin des immigrés de toute l'Amérique latine éparpillés sur l'ensemble du territoire — 21 %. Les premiers à entamer le combat pour leurs droits, en 1965, furent des chicanos de Californie, organisés par Cesar Chavez en un syndicat influent, les *United Farm Workers.* Les lois du *New Deal* ne protégeaient pas les ouvriers des champs, et les grosses entreprises agricoles avaient les moyens de se défendre contre une grève — surtout contre des immigrés clandestins. Pourtant, la non-violence triompha, grâce à l'appui apporté à la *huelga* [2] par les Américains de gauche (les *liberals*) qui boycottèrent les raisins, la salade et même certains vins — et grâce à un coup de pouce de l'Église catholique. En 1970, 75 % des producteurs de raisin de table acceptèrent de négocier. Cette victoire des pauvres, plus la réussite économique des réfugiés politiques cubains, marqua un tournant pour les Hispaniques. Et leur nombre croissant (+ 65 % dans les années 1960) devrait à terme en faire la principale minorité ethnique.

Quant aux Indiens, jadis venus d'Asie, ils avaient été repoussés d'Est en Ouest par les colons d'Europe, dupés par leurs traités, tués par leurs maladies et leur alcool quand ils n'étaient pas massacrés. Depuis le début du XXᵉ siècle, ils étaient l'objet d'une double politique : isolement dans leurs réserves (d'ordinaire miséreuses mais au sous-sol souvent très riche) ou assimilation (tous ayant été faits citoyens américains en 1924). Bien que celle-ci fût assez avancée — ou précisément à cause de cela —, il se produisit à la fin des *Sixties* une renaissance de la culture indienne. Le nombre des Indiens augmenta (523 000 en 1960, 791 000 en 1970 et 1 362 000 en 1980), tandis que s'accroissaient leur conscience ethnique et leur colère. Ils prirent exemple sur les Noirs et

---

2. Mouvement de grève.

les Hispaniques, surtout après la formation en 1968 de l'*American Indian Movement* (AIM). Par des actions spectaculaires comme l'occupation d'Alcatraz, île de la baie de San Francisco, ou celle du Bureau des affaires indiennes à Washington en 1972 et de longues confrontations (71 jours) comme en 1973 à Wounded Knee dans une réserve du Dakota du Sud, les Indiens attirèrent l'attention des médias sur le *Red Power,* sur leurs objectifs religieux, culturels et surtout politiques, tandis que leurs revendications économiques, fondées sur des traités anciens, étaient, elles, poursuivies devant les tribunaux.

LYNDON BAINES JOHNSON - LBJ

Kennedy inaugura brillamment, mais brièvement les *Sixties,* et Nixon les conclut lamentablement : le chef de l'État qui domina la période fut Johnson. Malgré sa mégalomanie, sa brutalité, son obstination, son manque d'assurance et de vergogne, le grand Texan, force de la nature, formidable politicien, premier président venu du Sud depuis la guerre de Sécession, est maintenant considéré comme l'un des meilleurs présidents du XXe siècle : son bilan (hormis la guerre au Viêt-nam) est exceptionnel.

Né en 1908, député en 1937, sénateur en 1948, il était devenu chef de la majorité démocrate en 1953. Battu par Kennedy dans la course à l'investiture, LBJ avait été choisi par lui comme colistier pour le contraste qu'il offrait. Il enviait d'ailleurs terriblement l'élégance et la popularité des Kennedy. Président par accident en 1963, il fut élu triomphalement en 1964 contre le très conservateur Goldwater — mais en 1968 refusa de se représenter.

Au début de sa présidence surtout, lois et décisions de justice s'accumulèrent qui modifièrent le visage du pays : avec l'assentiment du public, le gouvernement fédéral accrut ses responsabilités (dans l'enseignement et les arts, par exemple) et la protection sociale fut prodigieusement élargie. Ensuite Johnson, obnubilé par le Viêt-nam, s'attira une contestation multidirectionnelle. Sa décision fatidique date de 1965 : inauguration de la « Grande société », plus « escalade » de la guerre — sans augmentation des impôts. Déficit et inflation étaient inévitables : en 12 ans la guerre devait coûter 150 milliards de dollars, tandis que le montant des aides fédérales faisait plus que tripler. Mis à part l'Indochine, Johnson s'intéressa peu aux affaires étrangères, beaucoup moins en tout cas que ses prédécesseurs et successeurs.

Les présidents progressistes américains, à commencer par Theodore Roosevelt, ont toujours cherché à donner à leur programme un titre accrocheur : Johnson avait débuté au service du *New Deal* et il venait de servir la *New Frontier* de JFK. Comme président, il les prolongea par son propre rêve intitulé *The Great Society*. Il fit adopter la législation sociale la plus impressionnante depuis Franklin Roosevelt grâce au choc dû à la mort de JFK, à l'exceptionnelle prospérité des États-Unis, mais surtout grâce à sa longue expérience du Congrès et à son habileté manœuvrière. Il ne s'agissait pas de démagogie. LBJ était sincèrement adversaire du racisme, de l'injustice, de la pauvreté, de la pollution, du pourrissement des métropoles et champion d'une meilleure qualité de la vie, tout particulièrement par l'enseignement : son *Education Act* de 1965 offrit pour la première fois une aide fédérale massive aux écoles. On a dit que précipitation, simplisme, ignorance, résistances et obstacles économiques — causèrent l'échec de LBJ. Quelque trente ans plus tard, cependant, il est clair que la « Grande société », bien que rognée, a été intégrée au « système » américain, du moins dans ses deux grands principes ou objectifs : la lutte contre la pauvreté, la mise en œuvre de l'égalité raciale.

Quoi en effet de plus choquant que la pauvreté dans la démocratie la plus riche du monde, et en période d'expansion surtout quand on s'aperçoit qu'elle n'est pas provisoire, qu'elle ne frappe pas l'immigrant récent seulement ou le chômeur ou le clochard ? Le président Johnson, issu lui-même d'une famille modeste, se donna l'ambition de gagner « la guerre contre la pauvreté ». Seul le Président et son gouvernement pouvaient aider les millions de pauvres, blancs et noirs, vieux et très jeunes, malades et handicapés, dans le Sud, les Appalaches et les métropoles. A la façon des *New Dealers*, les technocrates enthousiastes qui l'entouraient lancèrent une multitude de programmes pour nourrir, secourir et briser le cercle vicieux en éduquant et donnant des emplois. La proportion des familles se trouvant au-dessous du seuil officiel de pauvreté baissa de 22 % en 1959 à 12 % en 1969. Peu d'Américains aujourd'hui voudraient revenir au statu quo ante se passer notamment de *Medicare* et de *Medicaid*, assurances sociales pour les personnes âgées et les indigents. Cependant le coût devenu énorme du *welfare*, les gaspillages et la survivance de la pauvreté donnèrent alors des arguments aux darwinistes et contribuèrent finalement à l'élection de Nixon, puis de Reagan.

L'action de Johnson contre l'inégalité raciale fut, quant à elle, spectaculairement illustrée par le *Civil Rights Act* :

LA LOI SUR LES DROITS CIVIQUES (1964)

La « déclaration d'émancipation » des esclaves par Lincoln date de 1863. Mais après la guerre civile, malgré les lois de Reconstruction et les 13e, 14e et 15e amendements à la Constitution, les Blancs du Sud avaient eu tôt fait de rétablir leur pouvoir en privant les Noirs de droits civiques. La Cour suprême avait même approuvé la ségrégation raciale en 1896. Au cours du demi-siècle suivant, des émeutes, un vaste mouvement de population vers le Nord, avaient exprimé l'insatisfaction des Noirs. Ils avaient des Églises, des journaux, des écoles : ils se dotèrent d'organisations revendicatives *(NAACP, Urban League)*. Truman s'attaqua à la ségrégation dans l'armée et des percées se firent dans le domaine des sports. Toutefois les succès furent rares avant la célèbre condamnation de la ségrégation scolaire par la Cour suprême en 1954 — qu'un Eisenhower réticent dut faire respecter en envoyant l'armée à Little Rock (Ark.). Dix ans plus tard, après bien des affrontements, et grâce à l'initiative de Johnson comme à la pression des grandes Églises libérales, le Congrès consacra enfin l'égalité légale de tous les citoyens, quelle que fût leur couleur. La démocratie américaine pouvait dès lors commencer à éliminer une tare abominable.

Dans un pays comme les États-Unis, protestant et de droit surtout jurisprudentiel, les interprètes des lois votées, c'est-à-dire les tribunaux, jouent un rôle exceptionnellement important, les juges fondant leurs arrêts sur la Constitution plutôt que sur la législation. La Cour d'appel suprême est très tôt devenue une cour constitutionnelle et l'une des trois branches indépendantes du gouvernement central.

Pendant cent cinquante ans au moins, cette Cour avait, dans l'ensemble, été une force conservatrice. Elle avait même utilisé le 14e Amendement (1868) pour protéger non les Noirs pour lesquels il avait été fait, mais les milieux d'affaires ; et jugé, en 1935-1936, que les réformes du *New Deal* n'étaient pas constitutionnelles. Sous la présidence d'Earl Warren, ancien gouverneur conservateur de Californie nommé par Eisenhower, elle prit, au contraire, des décisions progressistes que ni l'exécutif, ni le législatif n'osaient prendre, par crainte de représailles électorales. Elle refléta excellemment l'idéalisme des *Sixties*. Johnson y nomma le premier Noir en 1967. Nixon, lui, ne cessa d'y nommer des juges conservateurs ce qui n'empêcha pas la Cour, dans les affaires des « Dossiers du Pentagone » et du « Watergate », de s'opposer franchement à lui. Elle autorisa en outre le *busing* (déplacement d'écoliers par bus pour assurer l'équilibre racial) en 1971 ; puis l'avortement en 1973 et elle condamna la peine de mort en 1972. L'une de ses décisions les plus contestées fut l'interdiction (en 1962-1963) de la prière à l'école en vertu de la séparation de l'Église et de l'État. Enfin la Cour, par son arrêt *New York Times vs. Sullivan* (1964), accorda aux médias — au-delà de leur fonction traditionnelle de *muckraking* (journalisme d'enquête agressif) — une garantie inouïe dans leur rôle de chien de garde de la démocratie : un homme public diffamé par la presse dans le cadre de son activité publique ne pouvait désormais obtenir réparation que s'il prouvait que la diffamation, loin d'être une simple erreur, était due à la « malveillance » [3].

LA GUERRE DU VIETNAM

Ce conflit lointain domine la seconde partie de la période. Ce fut de loin la guerre la plus longue de l'histoire américaine, la guerre la plus impopulaire aussi (en partie parce que la première à être télévisée tous les soirs), et la seule guerre dont les Américains ne soient pas sortis vainqueurs. Sur la scène internationale, les États-Unis perdirent prestige et sympathie. Sur la scène intérieure, la guerre détourna les ressources nécessaires aux réformes, nourrit la passion des contestataires et provoqua le ressentiment de la *Middle America*.

Il y avait longtemps que marchands et missionnaires américains étaient fascinés par l'Extrême-Orient, mais en 1949 le protégé des États-Unis, Tchang Kaï Chek, avait été

---

3. Plus conservatrice sous la présidence de Warren Burger, la Cour devait, après le Watergate, restreindre la portée de cette décision : les médias à la fois plus mercantiles et plus arrogants ne méritaient pas de privilège. Pourtant, en 1980, elle réaffirma sa décision de 1964 : sur les questions d'intérêt public, les médias avaient le droit à l'erreur pourvu qu'elle ne soit pas due à la malveillance. Toujours pour défendre la liberté d'expression, mais très différemment, la Cour avait confirmé en 1969 la *Fairness Doctrine* qui imposait aux radiodiffuseurs de faire entendre des opinions opposées.

expulsé de Chine. Puis les Américains avaient dû admettre le match nul en Corée après une guerre très dure (1950-1953). Pouvaient-ils laisser basculer le domino vietnamien ? En Corée, ils s'étaient rués à la bataille : c'est de façon progressive qu'ils s'enfoncèrent dans le bourbier indochinois. Truman n'avait fourni que peu d'aide aux Français. Eisenhower, ancien général, sut mieux résister aux bellicistes que ses trois successeurs. Kennedy expédia jusqu'à 15 000 conseillers militaires. Puis l'accélération se produisit, en août 1964, quand Johnson obtint du Congrès la *Tonkin Gulf Resolution*, à la suite d'une prétendue attaque nord-vietnamienne sur un navire de l'US Navy : il obtenait carte blanche pour mener la guerre.

Fin 1965, 184 000 soldats américains combattaient en Indochine. En avril 1969, ils étaient 543 000, le maximum — plus qu'en Corée. L'année suivante, Nixon commença à les retirer tandis que la guerre était « vietnamisée », puis il accentua les bombardements sur le Nord. En janvier 1973, enfin, la paix était signée à Paris. Mais en 1975 les combats reprenaient et les communistes s'emparaient du pouvoir dans le Sud. Des centaines de milliers de morts, des dégâts terribles (plus de bombes avaient été lâchées que durant la Seconde Guerre mondiale), des dépenses énormes — et les Vietnamiens, dont le patriotisme et le courage avaient impressionné, étaient à peine débarrassés des derniers intrus qu'eux-mêmes envahissaient le Cambodge et en faisaient une colonie.

La guerre du Viêt-nam empoisonna la vie politique américaine. A la belle assurance du début succéda bientôt l'ère du soupçon. C'est ainsi qu'en 1971 le *New York Times* publia un rapport secret sur les origines de l'engagement américain au Viêt-nam, commandé en 1967 par le ministre de la Défense, Robert McNamara. Nixon voulut imposer la censure, mais la Cour suprême, saisie, l'en empêcha. Les *Dossiers du Pentagone* révélaient, entre autres choses, que le gouvernement et les militaires avaient trompé le Congrès et l'opinion publique afin d'obtenir toujours plus de fonds et de troupes en renfort. Il apparaissait que McNamara, ancien président de la Ford, un des « petits génies » *(whiz kids)* attirés a Washington par JFK, avait dès 1966 une vue extrêmement lucide et très pessimiste de la guerre, tant en ce qui concerne les bombardements du Nord que les combats contre la guérilla dans le Sud — et aussi du régime en place à Saigon. Il recommandait des négociations entre les quatre parties en cause. Cela se passait sept ans avant que les accords de Paris ne permettent un cessez-le-feu. Cette publication de documents volés fit d'autant plus scandale qu'ils justifaient les critiques du mouvement de contestation *(Movement)* contre les autorités.

Au total, 2,7 millions d'Américains servirent au Viêt-nam pendant la guerre. Aux États-Unis, on présentait les *G.I.* tantôt comme des chevaliers de la démocratie arcboutés contre le péril rouge, tantôt comme les massacreurs de petits guerriers libérant leur patrie. En fait, il s'agissait, pour l'essentiel, de jeunes gens épuisés, effrayés, écœurés, qui ne comprenaient ni pourquoi ils étaient là, ni pourquoi on semblait les haïr au Viêt-nam comme aux États-Unis. Toutes les guerres américaines avaient suscité des protestations, mais aucune n'avait engagé des conscrits si longtemps avec si peu de justification et de succès. C'est pour ne pas mourir dans les rizières que les étudiants se soulevèrent, certains préférant s'exiler. Au combat se retrouvaient mêlés, mais en nombre disproportionné, des jeunes des milieux populaires, incapables de se faire exempter, *rednecks* du Sud, *blue collar ethnics* et *Noirs*. Ce fut un long cauchemar, diversement et superbement rendu par des films comme *Apocalypse Now* et *Platoon*, et qui souvent menait à la drogue, au sadisme, à la

---

LE MASSACRE DE MY LAI

La guerre était lointaine. Pendant longtemps, ceux qui n'y avaient pas un parent ou un ami y prêtèrent peu attention. Les médias reproduisaient les statistiques optimistes (et parfois falsifées) de l'armée sur ce combat que les États-Unis menaient contre le totalitarisme. Les *body counts* quotidiens, chiffres des morts ennemis, prouvaient le succès. L'Amérique avait mis en œuvre sa technologie : napalm et défoliants, hélicoptères et blindés, et les B-52 qui bombardaient de très haut. Au ras du sol, le massacre était moins acceptable. La nouvelle de celui de My Laï, ou *Pinkville*, fut connu avec dix-huit mois de retard. L'auteur des photos en couleurs eut du mal à les faire publier, mais leur impact fut grand. Soudain, bien mieux que dans les journaux télévisés, on découvrait les horreurs de la contre-guerilla. Avec ses 600 morts, My Lai devint un symbole. Des *G.I.* commettaient certains « crimes de guerre » qu'on associait à la barbarie nazie. Une partie de l'opinion réagit avec cynisme : le lieutenant Calley (condamné à la prison à vie en 1971 et bientôt relâché) et ses hommes obéissaient aux ordres, tuaient des ennemis, des petits gnomes méprisables. D'autres Américains eurent, eux, la conviction que cette guerre devait cesser, sans conditions.

---

dépression. Ce n'est qu'au début des années 80, auprès du mur du souvenir érigé à Washington pour les 58 000 morts américains, que bien des *Viet vets* (anciens combattants du Viêt-nam) se débarrassèrent enfin de leurs frustrations en brisant l'oubli où l'opinion les avait rejetés.

Pendant des années, les états-majors ne cessèrent d'annoncer la victoire des forces américaines, sous-estimant celles du Viet Cong et des Nord-Vietnamiens infiltrés dans le Sud par la piste Ho Chi Minh. Quand ceux-ci, lors de la fête du Têt, lancèrent une vaste offensive (30 janvier 1968), le choc fut profond. Les communistes avaient déjà plusieurs fois pris le risque de passer de la guérilla à la guerre ouverte, mais jamais sur une pareille échelle. Comme d'ordinaire, face à la puissance de feu américaine, ils furent massacrés — et il leur fallut deux ans pour reconstituer leurs forces. Mais ils remportèrent une grande victoire psychologique : aux États-Unis on prit soudain conscience de leur force. Il en résulta un tournant dans le déroulement de la guerre ; une grande majorité d'Américains eut le sentiment d'avoir été trompée et qu'une victoire, pour autant qu'elle fût désirable, était désormais impossible. Les deux adversaires, étant l'un et l'autre affaiblis, pouvaient négocier. Fin 1968, après que LBJ eut arrêté les bombardements du Nord Viêt-nam, les pourparlers commencèrent à Paris. Mais les Nord-Vietnamiens allaient longtemps refuser de laisser les États-Unis sauver la face.

Quant au président Johnson, après son triomphe électoral de 1964, il aurait voulu devenir le Roosevelt des années 60, à la fois grand réformateur social et vainqueur militaire. Il crut y parvenir par l'accumulation de lois aux États-Unis, de bombes sur le Nord Viêt-nam et de troupes dans le Sud. Mais après le Têt, l'économie se mit à fléchir ; on semblait rendre le Président responsable tant des déboires militaires que de l'agitation dans les ghettos et sur les campus ; les médias que LBJ avait tant fait pour séduire, tromper, intimider, semblaient douter de toutes ses paroles (le *credibility gap*). Alors Johnson perdit courage. Dans la première élection primaire de la campagne de 1968, le gauchisant Eugene McCarthy se plaça à quelque 400 voix derrière lui, ce qui incita Robert Kennedy à se lancer dans la course. LBJ prit alors la décision de ne pas briguer un deuxième mandat. En l'annonçant immédiatement, le vieux renard commit une grave erreur politique, se condamnant à l'impuissance pour les sept mois qui le séparaient de l'élection, laquelle d'ailleurs devenait difficile pour tout candidat démocrate.

CONTESTATIONS ET CONTRE-CULTURE : LE « MOUVEMENT »

Les *Sixties* sont avant tout mémorables à cause de deux mouvements de jeunes : l'un critique du « système » sociopolitique, l'autre de la culture conventionnelle. Les *baby boomers* n'avaient connu ni la crise, ni la guerre. Aux enfants gâtés des banlieues riches, on avait inculqué beaucoup d'idéaux mais peu de fermeté et de discipline. Ils arrivèrent sur les campus universitaires, à mi-chemin du monde réel, au moment où la lutte des Afro-Américains atteignait son paroxysme et où s'amplifiait une sale guerre en Asie : ils furent choqués et se rebellèrent. Cela était bien dans la tradition américaine : d'une manière ou d'une autre, tous les immigrants ont été des dissidents et la nation est née d'une révolte contre la Grande-Bretagne. Au XIXᵉ siècle se sont succédé de vastes croisades contre l'esclavage, l'alcool, les trusts. Si les contestataires du début du XXᵉ siècle pouvaient être traités en métèques aux idéologies étranges (communiste, anarchiste), on ne pouvait en faire autant des jeunes des *Sixties*, issus de la bourgeoisie américaine. Parmi eux s'agitaient des militants de groupuscules gauchistes — et, à l'occasion, des foules ni jeunes, ni estudiantines se mêlèrent à eux — mais ce sont eux, les *kids*, qui menaient le train.

Éclos vers 1964, leur « Mouvement » éclipsa celui des Noirs vers 1967 et culmina en 1968-1970. Sa fin, en 1972, résulta d'une conjonction de facteurs : la conclusion de la guerre, la récession, la répression, le succès de certaines revendications et la lassitude. Au conformisme compassé, puritain, petit-bourgeois des *Fifties* et à leurs quelques *beatniks* intellectuels et moroses succédait un individualisme protestataire, vigoureux, décontracté, joyeux, tout à la fois hédoniste et idéaliste. Tout superficiels et naïfs qu'ils étaient, ces jeunes retrouvaient des valeurs protestantes anciennes comme le non-conformisme rebelle d'un Roger Williams (le baptiste du XVIIᵉ siècle) ou d'un Thoreau. Et ils y mêlaient des valeurs latines, comme la sensualité. Ce n'étaient pas des révolutionnaires : ils rêvaient simplement d'améliorer l'Amérique, d'y bâtir enfin l'utopie des fondateurs.

Leurs idées et leurs comportements furent d'abord vilipendés, surtout par les plus de trente ans, surtout en dehors des côtes ouest et est, surtout parmi les ouvriers et les ruraux. Mais bon nombre furent ensuite adoptés dans toutes les régions et dans toutes les couches sociales — au point que, paradoxalement, on parla de l'échec du *Movement* et de l'évanouissement de la contre-culture. Leurs effets sont indéniables pourtant. Certains furent lamentables, comme la quête généralisée du bonheur dans les drogues. D'autres furent mitigés, comme l'activisme des innombrables groupes de la *Rights Revolution* des années 70, plus soucieux de droits que de devoirs. Certains effets enfin furent très positifs, comme ce pluralisme qui s'instaura dans tous les domaines et qui implique richesse, diversité et tolérance accrues.

La vieille gauche américaine avait mal résisté à la Guerre froide : elle laissa un vide qu'une nouvelle génération de radicaux ne tarda pas à occuper. C'est la participation de jeunes Blancs (d'horizons différents) à la lutte des Noirs qui éveilla leur conscience socio-politique tout en leur fournissant des méthodes d'action. On parla bientôt de « *the student as nigger* » (l'étudiant comme nègre), puis de « *the woman as nigger* » (la femme comme nègre) ; à l'instar du *Black Power,* on allait aussi parler de *Reporter Power* (pouvoir du reporter) chez les journalistes et de *Grey Power* (pouvoir gris) dans la communauté des gens âgés. Néanmoins, au centre de la contestation se trouvaient des étudiants. Droits civiques et pacifisme étaient associés depuis longtemps (depuis les quakers des XVIIᵉ et XVIIIᵉ siècles) ; mais avant que les campus ne se mobilisent contre la guerre au Viêt-nam, certains étudiants dénonçaient déjà l'*Establishment,* « le Système », et particulièrement l'institution universitaire.

Le principal stimulateur de la Nouvelle gauche fut le SDS *(Students for a Democratic Society)* qui était gauchiste *(radical)* sans pour autant être marqué, sauf vers la fin, par une idéologie. Ainsi qu'il ressort de son manifeste de 1962 (le *Port Huron Statement*), le SDS s'inspirait de valeurs progressistes classiques : respect des droits individuels, anti-autoritarisme, autogestion, solidarité, etc., reflétées dans son maître-slogan : « la démocratie de participation ». Aux yeux de l'opinion, cependant, tout commença en fait à Berkeley (Université de Californie) par le *Free Speech Movement* (FSM), jaillissement spontané. La baie de San Francisco resta jusqu'au début des années 70 un pôle de la contestation et de la contre-culture.

La force, et la faiblesse, du *Movement* fut d'être inorganisé. De petits groupes — certains permanents et nationaux comme le SDS — servaient d'animateurs ; des centaines de journaux *underground* (comme le *Los Angeles Free Press* ou l'*East Village Other* de New York), et leurs agences (comme le *Liberation News Service*), assuraient la liaison : les grands médias et le bouche-à-oreille faisaient le reste. En réaction à un événement ou à une suggestion, de vastes manifestations se produisaient. La masse sans cesse renouvelée des étudiants était sensibilisée à toutes les causes progressistes : en 1968 une réaction antiraciste déclencha la prise de *Columbia University*, la plus spectaculaire des 3 000 manifestations de campus cette année-là. Mais la guerre en Indochine et le « complexe militaro-industriel » furent et demeurèrent l'objectif premier de la plus vaste campagne de protestation du XXᵉ siècle, qui décolla en 1965 avec des *teach-ins*, défilés, incinération de livrets militaires, suicides par le feu. C'est l'opposition à la guerre qui réunissait les foules les plus nombreuses, comme dans la capitale en novembre 1969, lorsque 250 000 personnes défilèrent (record historique) ou en mai 1971, encore à Washington, quand 12 000 arrestations furent opérées. Ces manifestations de masse séduisaient les caméras de télévision qui en centuplaient l'impact.

LA MUSIQUE AU CŒUR DU *MOVEMENT*

Selon le « yippie » Jerry Rubin [4] (leader, avec Abbie Hoffman, du YIP, le canularesque *Youth International Party*), à la source de l'explosion des Sixties se trouvaient Elvis Presley et le rock des *Fifties*. La musique en était venue à occuper une place centrale dans la culture des jeunes grâce au microsillon (1948), au transistor et à la multiplication des stations de radio (quadruplement entre 1945 et 1960). Pendant l'été 1964, la première tournée des Beatles aux États-Unis fit sensation. Jusqu'au début des années 70, il se produisit une floraison de talents en tous genres, noirs et blancs, individuels (Chubby Checker, Otis Redding, Janis Joplin, Simon & Garfunkel) ou collectifs *(The Beach Boys, The Temptations, The Jefferson Airplane, The Grateful Dead)*. Outre les influences britanniques, se mêlaient dans la musique populaire du temps des traditions multiples : cantiques protestants, chansons folkloriques, blues, etc. Certains interprètes étaient des mercantis. La majorité des artistes participaient à la définition de la contre-culture et dénonçaient une société américaine conformiste et répressive. Bon nombre mirent leur musique et leur renommée au service des grandes causes du moment selon une tradition américaine qu'avaient illustrée Joe Hill, Woody Guthrie et Pete Seeger, mais qui n'avait pas jusqu'alors eu accès aux médias. Dès

4. Auteur du célèbre *Do It !*, 1970.

1963, Joan Baez et surtout Bob Dylan rendaient célèbres des chansons de contestation, comme *Blowin' in the Wind.*

Quoi que la contre-culture ait produit avant et depuis, c'est *Woodstock* qui la symbolise le mieux. Il est frappant que ce festival ait eu lieu dans une région marquée au début du XIXᵉ siècle par une succession de réveils religieux : les pionniers éparpillés se réunissaient alors en *camp meetings* de plusieurs jours pour prier, chanter des hymnes, écouter des sermons et converser. Le mouvement des Sixties fut traditionnel tant par ses indignations morales que par ses aspirations quasi-religieuses. Même chez qui ne donnait pas dans le romantisme, Woodstock, diffusé par le disque et le film, provoqua une vaste prise de conscience. La culture *underground* devenait culture de masse. Le premier des *pop festivals* s'était déroulé à Monterey (Calif.) en 1967 ; bien des festivals devaient suivre, mais ils ne sortirent que brièvement de l'obscurité — même celui des Rolling Stones à Altamont (Calif.), en décembre 1969, où les *Hell's Angels,* des motards utilisés pour le service d'ordre, tuèrent un assistant. Là se révélait la face laide des *Sixties,* leur aspect factice, morbide, esbroufeur, rapace. Woodstock avait montré à l'Amérique moyenne une jeunesse étonnante : non pas dissolue, droguée, hargneuse ou subversive, mais décontractée, chaleureuse, indépendante, solidaire — et riche : en 1968, les 18-24 ans (23 millions de jeunes dont 8 faisaient ou venaient de faire des études supérieures) dépensèrent 40 milliards de dollars, un marché énorme.

Au-delà de la musique, les *Sixties* furent aussi une décennie du rire, avec des classiques de la télévision comme *The Beverly Hillbillies* ou le *Rowan & Martin's Laugh-In.* Au sein du mouvement étudiant, le *Youth International Party* (YIP) semblait viser la révolution par le ridicule : lors de la convention démocrate de Chicago (fin août 1968), ses représentants désignèrent un cochon comme candidat à la Maison-Blanche. Ils étaient non seulement drôles, mais experts à attirer les médias. En partie grâce à eux le *Movement* ne fut pas pris tout à fait au sérieux — et leur loufoquerie servit de contrepoint à la chute finale du SDS dans le dogmatisme et la violence (le terrorisme des *Weathermen*).

C'est à Chicago, où ils tenaient leur convention d'investiture, que les Démocrates perdirent l'élection (très serrée) de 1968. Une émeute dirigée contre la guerre y éclata et de violents affrontements opposèrent les jeunes contestataires à la police. Les hommes du maire démocrate, Richard Daley, se ruèrent contre les milliers de *radicals* qui avaient afflué dans la ville — et cela sous les yeux de nombreux journalistes particulièrement visés par les matraques. Ce triste spectacle (approuvé par une majorité d'Américains) fut suivi d'un autre : le grotesque procès (en 1969) des *Chicago 7,* dont Hoffman et Rubin, accusés d'avoir organisé l'émeute. Cela dit, il faut reconnaître que la répression du *Movement* fut douce au regard de celle qu'avaient subie les radicaux des temps anciens.

C'est dans les années soixante que les *baby boomers* de l'après-guerre étaient arrivés à l'adolescence, avec en poche une éducation et de l'argent, libérés de bien des interdits et des angoisses par la science et l'urbanisation. Certes, les *flower children,* comme les gauchistes du SDS, ne représentèrent pas numériquement une grande masse, mais rares furent les moins de 30 ans à rester totalement a l'écart de la contestation et de la contre-culture — même les *blue collars,* par exemple, qui, eux, ne laissèrent pousser leurs cheveux que dans la décennie suivante. Les jeunes des *Sixties* formèrent une classe à part comme les *Fifties* et les *Seventies* n'en ont pas connu — avec ses vêtements, ses rites, ses modes d'action, ses idoles, sa liberté de mœurs, ses slogans, etc.

Les années 60 furent, parallèlement au *Movement* ou en liaison avec lui, marquées par trois combats de grande importance : celui des féministes, celui des écologistes, celui enfin du consommateur critique.

Le mouvement féministe avait débuté à la convention de Seneca Falls (N.Y.) en 1848 par une « Déclaration des sentiments » calquée sur la Déclaration d'Indépendance de 1776. Après avoir participé à la croisade contre l'esclavage et tout en menant leur propre combat contre l'alcool, les femmes luttèrent pour leurs droits civiques. A l'issue de l'ère progressiste, en 1920, elles gagnèrent le droit de vote. Pendant le *jazz age* des années 20, bien des tabous tombèrent. Pendant la Seconde Guerre mondiale, on les rechercha pour tous les types d'emploi, même dans l'industrie. Mais lors de la démobilisation, elles furent renvoyées au foyer. Isolées dans leurs banlieues, elles firent alors beaucoup d'enfants (d'où le *baby boom*). Mais leur insatisfaction fut bientôt rallumée par la révolte des Noirs et surtout par celle des étudiants — tandis que la « pilule » (autorisée dès 1960) accroissait leur indépendance. Déclenchée à la fin des Sixties, l'action de groupes féministes comme *NOW (National Organization for Women,* 1966) connut de grands succès, tel le vote par le Congrès en 1972 de l'amendement constitutionnel sur l'égalité des droits — *Equal Rights Amendment (ERA)* —, même s'il fut impossible ensuite de faire avaliser ledit amendement par la majorité requise des États (38). Reste que la multiplication d'ouvrages (comme *Feminine Mystigue* de Betty Friedan, 1963), de manifestations, de périodiques ou de procès ont rendu le sexisme aussi suspect et répugnant que le racisme. Les femmes (51,3 % de la population en 1970) ont de plus en plus occupé d'emplois (35 % en 1960 ; 44 % en 1973) et ont progressé rapidement dans l'enseignement, les affaires et la politique. En 1970, Nixon n'hésita pas à nommer deux femmes au grade de général.

La protection de la nature devint aussi une préoccupation grandissante. Après la Guerre de Sécession était apparu le souci de préserver les ressources naturelles contre une exploitation débridée. Alors étaient nés des organismes comme le *Sierra Club*. C'est Theodore Roosevelt qui fut le premier président à avoir une politique de conservation, ajoutant, par exemple, 17 millions d'hectares aux « forêts nationales ». Mais il fallut attendre Rachel Carson (et son livre *Silent Spring,* 1962), et surtout qu'elle soit relayée par le *Movement,* pour que l'opinion publique devienne sensible à la pollution de l'eau, de l'air, de la terre et des paysages — pollution chimique, mais aussi sonore, thermique et même nucléaire. *Silent Spring* dénonçait les insecticides : 40 États en réglementèrent l'emploi. En 1964-1965, Johnson fit, entre autres, adopter les *Clean Air Act, Clean Water Act, Highway Beautification Act.* Dans une nation alors polarisée, l'écologie avait l'avantage d'unir tout le monde — des réactionnaires aux gauchistes — dans la défense d'*America the Beautiful* et de la santé de chacun. Mais l'« environnementalisme » dut attendre que les autres campagnes s'atténuent. En 1969 fut voté le *National Environmental Policy Act.* C'est du premier *Earth Day* (journée de la terre, 22 avril 1970, 20 millions de participants), que date l'essor du mouvement. Le Président et le Congrès allaient devoir forcer l'industrie à prendre en compte ses déchets et ses dégâts. On estimait alors qu'il en coûterait 71 milliards de dollars en 5 ans.

Un autre changement affecta la vie collective aux États-Unis : la protection du consommateur. Dans les années 60, grâce au réseau grandissant d'autoroutes fédérales, les Américains étaient plus que jamais passionnés de voiture. Ralph Nader, preux et puritain champion des consommateurs, fut superbement inspiré en accusant la General Motors de vendre une automobile dangereuse, la Corvair.

Son livre à succès (*Unsafe at Any Speed,* 1965) et sa victoire sur le titan de Detroit firent soudain de sa cause un mouvement dont il devint le guide. Au sein de la societé de consommation, l'usager avait plus que jamais besoin d'être défendu. Nader lança des commandos d'enquête, les jeunes *Nader Raiders,* dans des secteurs multiples. Ce consumérisme reçut le soutien de jeunes et de moins jeunes, de riches et de pauvres, de conservateurs et de progressistes. Il n'était plus « antiaméricain » de contester les produits et les services du *Big Business.* On s'organisa ; on devint actionnaire ; on manifesta ; on publia ; on poursuivit en justice et on gagna. C'est en vain qu'au départ les grosses sociétés, et les médias porteurs de leur publicité, usèrent du dédain, comme ils l'avaient toujours fait. Les législateurs écoutèrent. Des lois furent votées et des règles établies — contre les dangers du tabac ou les mensonges publicitaires. La *Federal Trade Commission* (créée en 1914) se réveilla. Bientôt le consommateur américain fut l'un des mieux protégés au monde. Il devint banal que 100 000 voitures ou cafetières électriques soient rappelées pour vice de conception.

L'AMÉRIQUE MOYENNE

Dans les années 60, les minorités raciales et les jeunes « radicaux » — et avec eux les *suburban liberals,* progressistes de banlieues aisées — se sont beaucoup fait entendre, à tel point qu'on en est venu à traiter de « majorité silencieuse » ceux qui n'étaient « ni jeunes, ni pauvres, ni de couleur », la *Middle America.* Elle se composait principalement de WASPs (et assimilés), principalement ceux des fermes et des petites villes, et d'*ethnics,* descendants des immigrants arrivés d'Irlande, puis d'Europe méridionale et centrale dans le demi-siècle précédant les restrictions de 1921-1924, et installés surtout dans les grandes cités du Nord. Et on peut leur ajouter les minorités qui avaient réussi aux États-Unis, comme les Japonais et les Cubains. Fermiers, commerçants, employés, fonctionnaires, ouvriers : toutes ces couches constituaient le corps puissant de l'Amérique. Les membres de ces vastes classes moyennes différaient les uns des autres par le niveau d'éducation, la profession et le revenu, mais tous étaient attachés à l'Amérique d'antan, car ils y avaient peiné et pensaient y avoir réussi ou en conservaient le rêve. Ils ne comprenaient pas que Noirs et hispaniques fussent en colère alors qu'ils étaient tant assistés financièrement, avec l'argent payé par eux, les contribuables, qui en leur temps n'avaient pas été aidés. Ils ne comprenaient pas que les privilégiés des campus s'insurgent contre une guerre anti-communiste, perturbent l'ordre public, s'adonnent à la drogue et surtout qu'ils vilipendent leur patrie, ses valeurs et le système économique et politique qui avait fait des États-Unis la première puissance du globe. Chez nombre d'entre eux, les élans populistes rejoignirent souvent la droite, celle d'un George Wallace. Et ils élirent Nixon par deux fois. Mais ils avaient fait un triomphe à Johnson en 1964. Loin d'être réactionnaires ou darwinistes, la grande majorité d'entre eux approuvaient l'égalité civique accordée aux Noirs, les secours donnés aux pauvres, aux vieux, aux handicapés, ainsi que la défense des consommateurs et de l'environnement.

La plupart des Américains moyens profitaient de la société de consommation. Ils firent alors le succès de la Ford Mustang, des *shopping centers* (12 500 en 1969, dont 8 500 construits depuis 1960), des *vending machines,* des McDonald's, du Pepsi et du Diet Pepsi, des poupées Barbie, des planches à roulettes et des *frisbees.* Ils entraient avec plaisir dans la civilisation des loisirs. La consommation hebdomadaire de télévision par foyer passa de 40 à 46 heures entre 1960 et 1970. Le sport, de participation et de spectacle, prit un essor extraordinaire. Le *network* ABC lança son *Wide World of Sports* en 1961. Le *Super Bowl* du « football » professionnel, inauguré en 1967 (et gagné en 1967 et 1968 par les mythiques *Green Bay Packers* de Vince Lombardi), devint un grand rite national. On vénérait les stars du sport, Joe Namath pour le « football » américain ou Cassius Clay/Muhammad Ali pour la boxe.

La violence ne régnait pas seulement sur les rings ou les terrains de sport ; dans les années 60, elle fut une constante de la société au sens large, présente dans la vie quotidienne (crimes de voyous) comme dans les médias (reportages sur le Viêt-nam). La répression policière des manifestations hors du Sud raciste était chose normale pour l'Américain moyen — même quand les victimes étaient pacifiques, comme à Chicago en 1968. Mais certains événements violents — tueries *(mass murders),* émeutes, bombes terroristes, mais surtout quelques assassinats spectaculaires — causèrent des chocs profonds. Les assassinats du président Kennedy (1963), de Malcolm X (1965), Martin Luther King et Robert Kennedy (1968), et l'attentat contre George Wallace (paralysé à vie, 1972), donnèrent à penser que les Etats-Unis sombraient dans l'anarchie. La violence, en fait, avait toujours été un trait de leur civilisation. Pour conquérir le continent, et pour abolir d'abord l'esclavage des Noirs, puis l'exploitation du prolétariat industriel, il avait fallu employer la violence. La religion puritaine la tolérait d'ailleurs bien mieux que l'érotisme. L'importance accordée aux droits individuels encourageait indéniablement au règlement personnel des conflits par la force. La tradition semblait y encourager, de même que les divertissements médiatiques (le football américain).

Liberté individuelle et progrès individuel : la foi qu'il porte à ces deux noyaux de son idéologie, l'Américain l'a toujours payée par une criminalité très élevée. Mais dans les années 60, les *baby boomers* arrivant à l'adolescence alors que s'accroissait l'incitation des publicitaires et des activistes à obtenir ou acquérir davantage, l'augmentation de la délinquance dépassa le seuil du tolérable. Cette criminalité coûtait certes beaucoup moins, en milliards de dollars, que le « criminalité en col blanc » ou les trafics des diverses mafias (jeux, usure, drogue, prostitution), mais elle faisait peur. Elle s'accompagnait en effet d'une violence souvent extrême, liée au ressentiment racial, à la démence du toxicomane ou à la simple folie sanguinaire. Entre 1960 et 1973, le nombre annuel de meurtres passa de 8 000 à 20 000 (10 fois le taux français). Ces crimes frappaient surtout les humbles, au sein des métropoles, mais s'étendaient vers les banlieues où les Blancs pensaient trouver refuge. Partout la police locale était inefficace. Le FBI d'Edgar Hoover s'occupait des « radicaux ». Tribunaux et prisons étaient surchargés. Alors le citadin barricadait sa maison, n'osait plus sortir la nuit ; en voiture il verrouillait les portières ; on avait peur. Un cas célèbre illustre bien cela : le 27 mars 1964, agressée dans une rue de New York, Cathy Genovese hurla longtemps avant de mourir sans qu'aucun des 38 témoins habitant alentour n'intervienne. Les adversaires de la vente libre des armes à feu étaient donc peu écoutés. En revanche, on écoutait davantage les champions « de la loi et de l'ordre » *(Law and Order)*, tels Wallace ou Nixon.

Les réactions de l'Américain moyen furent d'autant plus profondes qu'à la criminalité galopante vinrent s'ajouter, à ses yeux et parfois dans sa propre famille, les progrès de la « permissivité » sexuelle. De nombreux facteurs jouèrent dans ce sens : antibiotiques et pilule contraceptive, baisse de l'âge moyen de la population, hausse du niveau d'instruction et de revenus, avènement d'une société de consommation, contestations des féministes (notamment pour l'IVG) et des homosexuels. De plus en plus d'Américains changeaient d'attitude à l'égard de la sexualité et de comportement. Dès 1960, les tribunaux avaient jugé que l'*Amant de Lady Chatterley* n'était plus obscène — tandis qu'ouvrait le premier *Playboy Club*. Vers la fin de la décennie, une part de la prude Amérique semblait saisie par la débauche. Les bikinis se multiplièrent sur les plages ! La minijupe se généralisa dès 1967. La diffusion des magazines de nus, toujours plus polissons, tripla. En 1969 deux spectacles (étrangers) firent sensation : le film *I Am Curious (Yellow)* et la pièce *Oh ! Calcutta !* Au début des années 70, même le film pornographique connut un vif succès en salles (*Deep Throat*, 1972). Les pudibonds étaient loin de rendre les armes, mais la majorité semblait acquise à la sensualité, aux plaisirs gastronomiques, sportifs, artistiques et sexuels. Parmi les jeunes de la *Me Generation* des années 70, l'esprit de jouissance allait succéder à l'esprit militant.

Face au matérialisme, à la violence et à la permissivité de cette décennie, il fallait être étranger pour s'étonner de voir, en contrepoint, des *Jesus freaks* et des *Hare Krishnas* parmi les hippies, ou le succès à Broadway de *Jesus Christ Superstar*, opéra rock. Dans les années 60, les grandes Églises de la Réforme se sont pour la plupart adaptées. La Catholique aussi, finalement américanisée, et revivifiée par « Vatican II ». Elles ont milité pour le progrès social — sans l'appui unanime de leurs fidèles cependant : c'était surtout le clergé sans paroisse qui défilait dans le Sud à l'époque. On prêtait alors peu d'attention aux Églises « évangéliques », conservatrices, comme la *Southern Baptist Convention*, en tout 40 à 45 millions de fidèles. Le « réveil » piétiste de ces groupes fut alimenté dans l'après-guerre par les menaces soviétique et nucléaire et par la complexité croissante des affaires humaines. Il se trouva fortifié par les changements constants qui affectaient la société — et par de grands prédicateurs itinérants comme Billy Graham. Dans le Sud et le Midwest aussi, on recherchait des remèdes faciles aux angoisses, mais on s'efforçait de les trouver dans la religion à l'ancienne mode *(old-time religion)*, et non dans la drogue ou les cultes asiatiques. Les fondamentalista, perfectionnistes, pentecôtistes ou adventistes offraient des réponses simples et traditionnelles, et une stimulante ferveur, en même temps que le confort d'une discipline puritaine et d'une communauté de croyants. Leur mouvement prit son essor au tournant des années 70, en réaction pour une part à l'apparent déclin de la foi et aux innovations de la décennie, et pour une autre à la permissivité sexuelle.

NIXON ET LES AFFAIRES ÉTRANGÈRES

Depuis Theodore Roosevelt (et sauf dans les années 20), tous les présidents ont tenu un rôle important sur la scène internationale. Depuis 1945, ils y ont été très actifs, à la fois pour mener la lutte contre le bloc communiste et pour assurer l'accès des États-Unis aux matières premières et aux marchés de la planète. Et si la politique intérieure a toujours été intimement liée à l'action extérieure, c'est pour une raison simple et permanente : la Chambre, qui tient les cordons de la bourse, retourne devant les électeurs tous les deux ans. Une autre raison, après 1965, fut le Viêt-nam, où disparaissaient des milliers de jeunes Americains et des milliards de dollars.

En tant que vice-président déjà, Nixon avait été diplomate itinérant, en Afrique et en URSS. Une fois président, il voulut mettre fin à la guerre du Viêt-nam et restaurer l'influence des États-Unis. Il s'adjoignit les services de Henry Kissinger qui, publiquement ou secrètement, ne cessa

---

NIXON RECONNAÎT LA CHINE « ROUGE »

Nixon avait longtemps fait partie des opposants acharnés à la reconnaissance de la Chine, à son entrée à l'ONU et à l'abandon des « nationalistes » de Formose. Il était bien placé, paradoxalement, pour faire accepter la « détente » par des visites officielles à Pékin, puis à Moscou, les premières qu'aient jamais faites un président des États-Unis ! Cette politique fut engagée dès 1969. Le conseiller, puis Secrétaire d'État, Henry Kissinger en fut discrètement le maître d'œuvre. Il se rendit à Pékin en juillet 1971 ; en octobre la Chine était admise à l'ONU et au Conseil de sécurité. L'objectif américain était triple s'agissant de la Chine : renverser les alliances aux dépens de l'URSS ; accélérer les négociations avec les Vietnamiens ; pénétrer sur le marché chinois, après 20 ans de boycott. Les États-Unis suivaient avec un quart de siècle de retard, la recommandation du général George Marshall : s'entendre avec Mao Tsé-Toung plutôt que financer la dictature corrompue de Tchang Kaï-Chek. Ce faisant, ils encourageaient la Chine sur la voie d'une certaine libéralisation. Le couronnement de cette démarche fut le voyage de Nixon et Kissinger à Pékin en février 1972, et leur rencontre historique avec le président Mao.

DE L'INVASION DU CAMBODGE AU CESSEZ-LE-FEU EN INDOCHINE

Au contraire d'Eisenhower et à l'instar de Johnson, Nixon n'était pas assez sûr de lui pour renoncer à gagner. Aussi la guerre du Viêt-nam continua-t-elle pendant cinq ans après sa première élection (1968). Depuis juin 1969, et dans le cadre de la « vietnamisation » du conflit, les Etats-Unis réduisaient la présence et le nombre de leurs troupes de combat, tandis que les bombardements s'intensifiaient. En 1970, pour créer un environnement favorable au régime de Saigon, Nixon décida de détruire les sanctuaires du Viêt-cong au Cambodge. Cette attaque d'une nation tierce, non autorisée par le Congrès, marqua un tournant : d'abord par son rôle indirect dans l'avènement des Khmers rouges génocidaires ; ensuite parce qu'elle déclencha la dernière des grandes révulsions de l'opinion publique ainsi que l'adoption par le Congrès du *War Powers Act* (nov. 1973) limitant les pouvoirs du Président en matière d'envoi de troupes ; enfin parce qu'elle contribua à convaincre Nixon qu'aucune victoire n'était possible.

Venus au Viêt-nam comme « conseillers », les Américains avaient bientôt été presque seuls à se battre. Quand ils décidèrent de « vietnamiser » le conflit, il était clair qu'en fait ils abandonnaient le combat. Dès 1969, Nixon avait créé l'impression que pour les États-Unis la guerre finissait : en 1971, il n'y avait plus que 140 000 GIs au Viêt-nam. Cependant les négociations entamées en mai 1968 à Paris n'aboutissaient pas. A Pâques 1972, pour la troisième fois, les Nord-Vietnamiens lancèrent leurs forces à découvert sur la zone démilitarisée. Les Sud-Vietnamiens opposèrent une bonne résistance. Nixon ordonna alors (le 9 mai) le minage des ports du Nord et des bombardements massifs, et derechef à Noël afin de faire reprendre les négociations, qui cette fois aboutirent : signature des accords de cessez-le-feu le 27 janvier 1973 à Paris. En mars 1973, les dernières troupes US quittaient le Viêt-nam. Quand en août 1973 les bombardements américains sur le Cambodge cessèrent, c'est douze ans d'engagement militaire qui prenaient fin.

plus de sillonner le globe. De toute évidence, les États-Unis n'avaient plus les moyens de jouer les shérifs planétaires. Il fallait prendre en compte l'éveil du Tiers-Monde, ainsi que l'essor économique de l'Europe et du Japon (en 1970, les États-Unis ne produisaient que 30 % du PNB mondial contre 40 % en 1950). La *Nixon Doctrine*, nouvelle politique étrangère, mêlait pragmatisme, non-interventionnisme, flexibilité et fermeté.

L'équipe Nixon/Kissinger obtint des succès remarquables. Tandis que les tensions s'accroissaient entre les deux géants communistes, une détente sans précédent s'instaura entre eux et les États Unis.

Après que Nixon eut été reçu à Pékin, Moscou, craignant l'isolement, l'invita et signa avec lui (26 mai 1972) le traité SALT de limitation des armements ainsi que des accords commerciaux. Au Moyen-Orient Nixon et Kissinger surent tirer profit des affrontements mais ils se surent pas éviter la troisième guerre israélo-arabe et la crise pétrolière qui suivit. En Amérique latine, l'aide américaine aux adversaires du président chilien de gauche, Salvador Allende, avant et après son élection, et jusqu'à sa chute tragique (1973), valut peu de sympathie aux États-Unis. Et surtout, la paix se fit très longuement attendre au Viêt-nam.

On a dit que les succès de la diplomatie nixonienne feraient à terme oublier le *Watergate*. Avec le recul, ils paraissent moins impressionnants ; le scandale, lui, le reste tout autant.

NIXON ET LES AFFAIRES INTÉRIEURES

Étonnante carrière que celle de ce Californien de milieu modeste, obsédé par le succès, élu député puis sénateur de droite, pendant huit ans vice-président d'Eisenhower, qui le méprisait mais qu'il servit bien, battu en 1960 à l'élection présidentielle, incapable en 1962 de se faire élire gouverneur de Californie, mais qui ne cesse de besogner et qui entre à la Maison-Blanche en 1969, est réélu triomphalement en 1972, puis est forcé de démissionner en 1974.

En l'élisant en 1968, l'électorat aisé désirait réduire l'interventionnisme fédéral. Nixon lui proposa le *New Federalism* décentralisateur. Mais il devait affronter un Congrès démocrate, une crise économique et ses propres démons intérieurs. En fait, les dépenses fédérales augmentèrent de 50 % ; il y eut, pour la première fois en temps de paix, contrôle des prix et des salaires ; et les abus de pouvoir présidentiels causèrent un scandale sans précédent.

Politicien excellant à mener campagne, Nixon était un médiocre administrateur. Il s'entoura d'acolytes peu scrupuleux et malhabiles ; tenta de court-circuiter l'opposition démocrate, de museler les dissidents, d'intimider les médias ; multiplia les opérations clandestines ; concentra à la Maison-Blanche de plus en plus de pouvoir ; mena campagne contre les programmes sociaux de la *Great Society* (mais fut freiné par le Congrès et les tribunaux) — bref il constitua peu à peu une menace pour la démocratie.

L'AFFAIRE DU « WATERGATE »

Ce fut le pire scandale de l'histoire de la Présidence. Tout commença par la découverte d'un « mauvais coup » électoral, le cambriolage du QG démocrate (dans l'immeuble dit du *Watergate* à Washington) afin d'y installer des micros (juin 1972). Un suspect accusa des proches du Président (mars 1973). Deux de ceux-ci parlèrent, provoquant la démission de deux adjoints de Nixon. En juillet 1973, la Commission d'enquête du Sénat apprit que Nixon enregistrait toutes ses conversations. Le procureur spécial insista pour obtenir les bandes : il fut limogé (octobre 1973). La Chambre engagea alors la procédure d'*impeachment*, c'est-à-dire de mise en accusation du Président. En juillet 1974, la Cour suprême ordonna à Nixon de remettre les bandes. L'opiniâtreté absurde dont Nixon fit preuve afin d'étouffer l'affaire l'avait conduit à tant de mensonges et de bévues que l'opinion se retourna. Elle y fut aidée par la révélation d'affaires annexes dont la simple accumulation, sous l'œil de la télévision, fit office de réquisitoire.

Le Watergate est parfois présenté hors des États-Unis comme la victoire d'un journal progressiste, le *Washington Post*, exploitant des fautes commises par l'entourage d'un président conservateur. En fait, la crise a prouvé le bon fonctionnement d'un système politique fondé sur l'équilibre *(checks and balances)* entre les grandes institutions. Les abus de Nixon étaient devenus tels qu'alertés par le « quatrième pouvoir » (les médias), le pouvoir judiciaire (les tribunaux) d'abord, puis le pouvoir législatif (le Congrès) se dressèrent contre l'exécutif qui dut se démettre. Quelles qu'aient pu être les réussites de Nixon, sa carrière avait été marquée à la fois par l'arrivisme, les « coups douteux » et les échecs. Le Watergate en fut la tragique et naturelle conclusion. Davantage encore, ce fut un coup d'arrêt à l'expansion de la « Présidence impériale ». Pendant les crises précédentes — guerre de Sécession, guerres mondiales, dépression de 1929 — la Présidence avait accumulé des responsabilités immenses. En 1945, les États-Unis demeurant engagés sur la scène internationale, les présidents, dans la semi-crise permanente de la Guerre froide, conservèrent leurs pouvoirs et les accrurent, aux dépens surtout du Congrès : cette évolution était dangereuse.

Après avoir résisté deux ans et deux mois à la montée du scandale, Nixon se retira, laissant à son falot successeur une inflation galopante, une récession durable, une crise pétrolière mondiale — et une nation qui doutait gravement de la compétence et de l'honnêteté de ses dirigeants. On était loin des enthousiasmes de la *New Frontier*. Le rêve avait cédé la place au réalisme, l'idéalisme à un égoïsme narcissique. Pourtant, à croire les sondages plutôt que les commentateurs, au cours de ces tribulations les Américains ne perdirent jamais leur foi dans l'Amérique.

LA DÉMISSION DE NIXON (9 août 1974)

Avant Nixon, aucun président n'avait démissionné. Et Nixon ne s'y résolut qu'au moment où il devint clair qu'il allait être mis en accusation *(impeached)* par la Chambre — comme seul Andrew Johnson l'avait été — et qu'il serait chassé de la Maison-Blanche. Son vice-président, Spiro Agnew, venait lui aussi de démissionner, à la suite de malversations. Pour le remplacer, Nixon, faisant jouer pour la première fois le 25e Amendement (ratifié en 1967), avait vite fait confirmer par le Sénat son choix de Gerald Ford, chef de la minorité républicaine à la Chambre. Ford allait être le premier président à n'avoir pas été élu par le peuple. Ainsi Nixon évitait que ne lui succède un Démocrate (le vice-président du Sénat) et il s'assurait que son successeur lui éviterait la prison en l'amnistiant. Mais la terrible humiliation survivrait dans les livres d'histoire : l'opinion publique a jugé que ce châtiment suffisait.

LES ARTS ET LA CULTURE

Pendant les années 60, on vit s'amplifier de manière extraordinaire l'engouement du public pour les arts. Plus de deux tiers des Américains les considéraient comme un élément important de leur vie. Un tiers se livrait à des activités artistiques (35 millions de musiciens amateurs en 1969). Théâtres, opéras, salles de concert, galeries, musées connurent une remarquable prospérité. La technologie y contribua par des livres et des enregistrements à bas prix : en 1965, 65 000 titres furent publiés en livre de poche, 60 000 disques « 33 tours » et 100 000 « 45 tours ». Y contribua aussi le mécénat des entreprises et des gouvernements. Le *National Endowment for the Arts* commença à fonctionner en 1965 ; États et municipalités créèrent des *Arts Councils*.

Plus qu'à l'ordinaire aux États-Unis, la limite entre haute et basse culture s'estompa alors dans de nombreux domaines, sauf dans celui de la musique. Le jazz était alors en éclipse, le *free jazz* en ayant écarté le grand public. Dans le champ « classique », de grands anciens poursuivaient leur œuvre : Barber, Copland, Harris, Menotti, Piston, Schuman. Mais des avant-gardistes très divers tenaient le haut du pavé, des artistes chevronnés comme Babbitt, Cage, Carter, Schuller — et des jeunes qui perçaient, Crumb, Reich et Glass. Le public, assez conservateur, n'a pas fait de triomphe à ces innovateurs très divers. Par contre, il a permis que prospèrent quelque 1 500 ensembles symphoniques (trois fois plus en 1970 qu'en 1950) et 750 troupes d'opéras.

La littérature poursuivait sa brillante carrière. Parmi les nombreux dramaturges, Albee surtout s'illustra, mais la créativité vint principalement de troupes qui expérimentèrent « off » ou « off-off » Broadway, ou hors des théâtres par des *happenings,* avec le concours actif du public : ainsi le *Living Theater* de Julian Beck et Judith Malina, l'*Open Theater* de Chaikin, le *Bread & Puppet Theater* de Schumann.

Le roman connut alors une remarquable fécondité. Certains romanciers, qu'ils fussent sudistes (Styron), noirs (Baldwin), juifs (Bellow, Malamud, Roth), écrivaient dans la tradition des grands de l'entre-deux guerres. Et il y eut les novateurs : les uns faisaient dans le néo-journalisme (Capote, Mailer, Tom Wolfe) ; d'autres, les « postmodernes », avec l'insolence effervescente des *Sixties,* violaient allègrement les conventions, chacun à sa manière — notamment Barth, Brautigan, Cheever, Coover, Hawkes, Vonnegut.

Les arts plastiques manifestèrent une vitalité exceptionnelle. On essayait tout. Avec Dine, Johns, Lichtenstein, Rauschenberg, Rosenquist, Warhol, Wesselman, on vit le *pop art* réagir contre l'« expressionnisme abstrait » de l'après-guerre, et en prendre le relais (en 1962-1963), confirmant les États-Unis comme haut lieu de la peinture mondiale. D'autant qu'aux artistes *pop* venaient s'ajouter des abstraits (Kelly, Noland, Stella), des minimalistes (Olitski, Reinhardt), des hyperréalistes (Hanson, Pearlstein) — sans compter *l'op art, l'earth art,* etc. Outre des peintres travaillant souvent en trois dimensions, tel Oldenburg, divers sculpteurs atteignirent une renommée internationale — comme Keinholz, Lassaw, Marisol, Nevelson, Noguchi.

Les marchands stimulaient le renouvellement des avant-gardes et le public se prit de passion pour toutes.

En architecture, on travaillait dans le sillage de Mies van der Rohe, de Frank Lloyd Wright, du *New Formalism* (Johnson, Yamasaki), du *Neo-Expressionism* et du *Brutalism* (Rudolph). Et quelques grandes figures (Kahn, Saarinen, Venturi, Pei) poursuivaient leur œuvre sans qu'aucun style ne domine.

Même diversité dans l'art américain par excellence, qui s'adresse tant à la masse qu'à l'élite : le cinéma. La télévision libère Hollywood du public de masse. Le déclin de la fréquentation (40 millions d'entrées hebdomadaires en 1960 et 24 millions en 1969) et celui des grands studios se révèlent irrémédiables. On restructure et on change de méthodes. L'autocensure est abolie en 1968. Des réalisateurs anciens (Kramer, Minnelli, Preminger, Wilder) et nouveaux (Cassavetes, Frankenheimer, Penn, Pollack) produisent dans les genres classiques ou des styles inédits, sans jamais s'éloigner trop de la réalité contemporaine. On tourne des *blockbusters* — épopées ou musicals —, des films pour jeunes ou pour adultes, des westerns critiques, des films engagés, des films d'auteurs. Les réussites et les succès populaires se succèdent : *The Man Who Shot Liberty Valance* de Ford (1961), *West Side Story* (1962), *Cleopatra* (1963), *D' Strangelove* (1964), *The Sound of Music* (1965), *2001* (1966), *Bonnie and Clyde* (1967), *Rosemary's Baby* (1968), *Easy Rider* (1969), *M*A*S*H* (1970), *Little Big Man* (1971), *The Godfather* (1972), *American Graffiti* (1973) — et bien d'autres.

Tous comptes faits, les Sixties furent la décennie de la culture populaire américaine. Elle était de deux types. D'abord la culture dite *camp*, véhiculée surtout par la télévision : le surf, le twist, Batman, les *Monsters, Mission Impossible*. Puis la culture *underground* qui se manifestait dans la mode vestimentaire, les affiches (psychédéliques), les spectacles son et lumière, les BD (de Crumb, Shelton, etc.) — et surtout la musique. Elle qui était si anémiée avant 1960 fut ranimée par les Noirs et les jeunes qui y introduisirent sexe et rébellion. Aucune époque, semble-t-il, ne fut plus féconde : la musique *pop* américaine se répandit alors dans le monde entier et, trente ans plus tard, les airs et refrains des *Sixties* continuent partout de susciter la nostalgie.

10
UNE CRISE D'IDENTITÉ ? (1974-1993)

Le *Watergate* avait quelque peu occulté la vraie crise dans laquelle les États-Unis étaient en train d'entrer. Certes, les « horreurs de la Maison-Blanche » avaient traumatisé la nation. Mais à terme, l'érosion *relative* de sa performance économique et de son *leadership* allait porter des coups autrement plus meurtriers à sa conviction d'incarner un modèle pour l'humanité. La deuxième moitié des années 70 allait ainsi coïncider avec le sentiment d'un déclin du statut exceptionnel dont les États-Unis avaient bénéficié depuis 1945. Avant même 1974, ses bases s'étaient effritées. D'un côté — au printemps 1979 les queues aux stations services devaient le leur rappeler — les Américains n'avaient par le passé jamais autant dépendu du monde : alors qu'elles ne représentaient que 5 % du PNB au sortir des hostilités, les exportations atteignaient désormais 8,5 % et les importations 10 % ; bref, un Américain sur six dans l'industrie et, dans les terres cultivables, un hectare sur trois, produisaient pour l'étranger ; et les grandes compagnies y réalisaient jusqu'à un tiers de leurs profits. De l'autre, les États-Unis ne jouissaient plus que d'une influence limitée. En 1972, le traité SALT I *(Strategic Arms Limitation Talks)* avait sanctionné la parité stratégique avec l'Union soviétique. Le début de 1973 voyait la fin d'un engagement dans le Sud-Est asiatique qui avait cruellement flétri leur image idéologique. Deux dévaluations du dollar et le quadruplement des prix pétroliers avaient suggéré la nouvelle fragilité des deux piliers de leur rayonnement économique : une suprématie incontestée qui leur avait assuré des avantages compétitifs décisifs (contrôle du coût de l'énergie et des matières premières, avance technologique) ; une dynamique de la croissance qui avait conforté leur image de « terre d'abondance ». Une nouvelle ère était en train d'émerger où leur économie allait se révéler plus vulnérable à la concurrence de l'étranger et plus dépendante de ce dernier, une ère aussi où, entre les récifs d'une politique exclusivement préoccupée du bien-être national et ceux d'un « surengagement impérial », les États-Unis ne sembleraient disposer que d'un étroit chenal. Dans les années 80, même revigoré par le verbe d'un président magicien, conforté par la plus longue période d'expansion continue depuis la fin des hostilités et éclairé par la victoire idéologique sur le camp opposé, leur « rêve » allait paraître de plus en plus hanté par la litanie des déficits du commerce extérieur et du budget.

Ces derniers n'étaient, à tout bien peser, que le reflet de la limite des moyens dont l'Amérique disposait et de ses difficultés à financer de très importants programmes sociaux (les années Reagan ne feront qu'un peu ralentir leur accroissement) et d'impressionnantes forces armées. La deuxième moitié des années 70 voit, en effet, la fin de la tendance au désarmement impulsée par l'échec au Viêt-nam. En 1979, le deuxième « choc » pétrolier apparaît à beaucoup comme le prix à payer pour une trop longue indifférence au prix de la sécurité. La contestation directe du *leadership* américain par les alliés, de même que l'invasion soviétique de l'Afghanistan, viennent aussitôt donner une acuité extrême à cette anxiété. Un effort va être mené (de 1977 à 1986, le budget militaire repasse de 4,8 % à 6,5 % du PNB avant d'entamer un recul qui le ramènera à 5,5 % cinq ans après et à moins de 4 % en 1995) qui laissera l'autre camp épuisé, mais l'Amérique elle-même essoufflée.

Le défi a, en effet, été relevé alors même que l'économie américaine donnait déjà des signes de faiblesse face à la concurrence de l'étranger. Dans le cadre de la « troisième révolution industrielle », la croissance accélérée de la population active (de 88,67 millions en 1973 à 119,9 en 1987) dans ces années dites de « crise » ne peut s'effectuer qu'au prix d'une multiplication des emplois de services (dont nombre de *bad jobs)* qui pèsent sur la productivité. Parallèlement, les États-Unis se retrouvent parfois handicapés par des contraintes dont certains de leurs concurrents ne ressentent pas autant les effets : faible taux d'épargne résultant du niveau de consommation très élevé, infrastructures anciennes coûteuses à rentabiliser, tendance des chefs d'entreprises à accorder la priorité aux rendements à court terme au détriment de l'avenir, c'est-à-dire de l'investissement, salaires élevés.

Le terrain est ainsi préparé pour la désintégration d'une coalition réformiste *(liberal)* que l'élection de 1966 avait, déjà, lourdement entamée mais que le *Watergate* avait artificiellement requinquée. Les conservateurs ont désormais le vent en poupe. Inquiets, bousculés, désemparés, nombre d'Américains cherchent d'instinct dans le passé le remède à leur crise d'identité. Prédicateurs baptistes et tenants de l'« Évangile du marché » bénéficient d'une audience renforcée : à l'instar des *Twenties,* les années 80 sont un curieux cocktail de rapacité financière et de ferveur sincère, comme si l'émergence d'un monde plus matérialiste que jamais s'assortissait, en retour, d'un regain de religiosité. Réintroduction de Dieu dans la vie d'une cité « d'où il n'aurait jamais dû être chassé » et célébration des vertus inégalées de l'initiative privée : ne sont-ce pas là les thèmes sur lesquels Reagan assoiera son succès ?

La signification de ce dernier doit pourtant être nuancée. A n'en pas douter, le pays redoute au plus haut point le risque de voir l'« exceptionnalisme » des États-Unis emporté par leurs revers à l'étranger comme par les déficiences de leur propre société. Déjà, la tragédie vietnamienne et la vague de contestation tous azimuts qu'elle avait gonflée avaient semé le doute dans une nation jusqu'ici sûre et fière de sa destinée. Par la suite, les revers semblent s'accumuler. En 1979 et 1980, la « belle Amérique » vit dans la hantise de se voir reléguée au rang de « n° 2 » : derrière l'Union soviétique sur la scène stratégique et derrière le Japon dans l'arène économique. Après avoir stagné depuis 1973, le revenu médian réel des familles n'a-t-il pas reculé ? Et, depuis le premier « choc » pétrolier, les inégalités entre les plus riches et les plus pauvres n'ont-elles pas recommencé de se creuser ? Face au blocage auquel le rêve national semble se heurter, face au risque de « balkanisation » d'une Amérique atomisée en « minorités », face au spectre d'un déclin que d'aucuns se mettent à prophétiser, une majorité d'Américains est sans doute prête à rompre avec un « libéralisme » dont Carter s'est lui-même sensiblement éloigné. En même temps, le pays semble confusément deviner que la réponse à l'avenir ne peut procéder d'une démarche exclusivement tournée vers le passé, qu'une imposition autoritaire des valeurs traditionnelles diviserait plus qu'elle ne renforcerait une nation plus que jamais pluraliste, qu'un désengagement gouvernemental trop brutal laisserait le pouvoir incapable d'assumer une protection sociale à laquelle, à titre personnel, personne n'est prêt à renoncer.

Aussi le tournant de 1980 n'est-il pas sans ambiguïté. L'arrivée de Reagan sanctionne un nouveau sentiment que les queues aux stations-service ont commencé à répandre un an auparavant : si la prospérité peut pâtir d'un interventionnisme militaire imprudent, elle peut aussi souffrir d'un comportement trop peu vigilant. Elle marque la dislocation finale de la vieille coalition « libérale ». Elle reflète la détermination de la nation à rompre avec une décennie de traumatismes et d'humiliations, une décennie maculée par sa première défaite : la chute, en 1975, de Saigon. L'Amérique inaugure, après deux années de récession, une remarquable période d'expansion, bénéficie, dans le Tiers-Monde, d'une vague de démocratisation et trouve dans ce qui apparaît comme une fin victorieuse de la guerre froide une sorte de consécration. Mais le changement est-il aussi profond ? En venant souligner leur dépendance à nouveau prononcée des importations pour leurs approvisionnements pétroliers, en 1990 la crise du Golfe suggère bien, au contraire, une forte continuité : la tendance des États-Unis à vivre sur un train trop élevé. En fait, la politique républicaine se contente souvent d'amplifier des renversements déjà en gestation, tout en refusant de faire face à de vieilles contradictions. D'abord, c'est dès 1979 que, sous la pression de l'opinion, Carter a lui-même décidé un puissant effort militaire et octroyé la priorité à la lutte contre l'inflation. Ensuite, Reagan comme Carter se révèlent tout aussi peu préparés à arbitrer entre des fins qui, faute de moyens illimités, ne peuvent plus être simultanément recherchées.

A partir de 1981, les États-Unis se remettent à espérer : ils relèvent victorieusement le défi du réarmement et connaissent une période de prospérité d'une durée sans précédent. Le miracle a-t-il été réalisé pour autant ? Non, parce que, si les inégalités se sont encore creusées (il y a plus de riches et ils sont plus riches, et plus de pauvres, qui sont plus pauvres), en 1987 le revenu médian des familles, par rapport à 1973, n'a qu'à peine augmenté. Surtout, le pays s'est fortement endetté. Les Démocrates « imposaient » pour pouvoir « dépenser ». L'administration Reagan « emprunte » au même effet : de 1980 à 1987, c'est par 2,5 que la dette fédérale se voit multipliée ! Du coup, fin du XIXe siècle et années 80 ont en commun le même trait : un fort endettement à l'étranger. En 1985, les États-Unis redeviennent *débiteurs nets* face à ce dernier après avoir été, depuis 1917, son créancier. Mais, alors que, à l'ère du « capitalisme sauvage », ces emprunts avaient financé un effort d'investissement, ils ont surtout permis au pays de vivre à crédit, de consommer plus qu'il n'a produit.

Dans ces années, alors que, du fait de la démographie comme de l'immigration, leurs équilibres ethniques semblent en pleine mutation, alors qu'ils vont devoir mettre l'accent, dans une approche économique jusqu'ici dominée par la consommation et l'endettement, sur l'épargne et l'investissement, alors qu'avec la fin de la guerre froide les bases idéologiques de leur politique impériale se dérobent sous leurs pieds, les États-Unis donnent l'impression de vivre une crise d'identité. D'un côté, leur victoire dans le golfe persique a consacré leur statut d'unique superpuissance géopolitique après l'effondrement de l'empire soviétique ; de l'autre, les « dividendes de la paix » que la fin de la Guerre froide peut engendrer seront loin de constituer une panacée face à l'ampleur de difficultés économiques et sociales dont l'impact semble d'autant plus accusé qu'il a été trop longtemps occulté ou différé. Tandis qu'à la hantise d'une suprématie militaire soviétique s'est substituée l'appréhension d'un « déclin » économique, nombre d'Américains ont commencé à douter de la capacité de leur pays à assurer un sort toujours meilleur à chaque nouvelle génération. Aussi l'espoir d'un « nouveau départ » n'a-t-il pu chasser la peur de voir le « siècle » ou même le « rêve » américains prendre fin.

LES MUTATIONS ÉCONOMIQUES : UNE « DRÔLE DE CRISE » ?

L'évolution économique de la période est à la fois logique et déroutante. Logique, elle l'est puisqu'à tout prendre elle correspond à l'aboutissement d'une mutation entamée dès les années 20 : celle des États-Unis en une société post-industrielle reposant en priorité sur la connaissance scientifique, l'information et les systèmes de communication, une société où les services se sont rapidement assuré une indéniable primauté. Dès 1956, une étape est franchie quand, pour la première fois, le nombre des employés de bureaux, les « cols blancs », dépasse celui des ouvriers affectés aux travaux manuels, les « cols bleus ». Loin de s'atténuer, cette évolution s'accélère quand l'informatique et les « nouvelles technologies » succèdent à la taylorisation, puis à l'automation.

Dans la production industrielle (dont la part fluctue entre 19 % et 23 % du PNB), *en chiffres absolus* l'emploi se maintient à peu près. Pourtant, *proportionnellement*, il ne cesse de régresser, avec 35 % de l'ensemble des salariés non agricoles autour de 1950, contre 18 % en 1988. Inversement, un Américain sur quatre enseigne, soigne ou administre. Plus généralement, les services occupent 70 % de la population active. Ce sont eux (commerce de gros et de détail ; santé, éducation, tourisme ; gestion des stocks, études des marchés, publicité ; assurances et secteur financier) qui vont fournir l'essentiel des nouveaux emplois créés pendant ces années. A la fin de la décennie 80, il est vrai, le phénomène tend à s'atténuer. L'impression commence à se diffuser selon laquelle, du fait des difficultés éprouvées par certains secteurs (par exemple commercial et financier) ou de l'accroissement (sous l'effet de l'informatique) de la productivité, les emplois du tertiaire vont au devant d'une période aussi tumultueuse que celle que le secondaire a essuyée. Il n'empêche ! Les services dominent l'activité. McDonald's compte désormais plus d'employés que l'US Steel.

En même temps, la période coïncide avec un paradoxe déroutant. D'un côté, jamais sans doute dans l'histoire de l'humanité autant d'emplois n'ont été créés : 20 millions dans les années 1970-1980 dont 9 à 10 durant les seules années Carter (janvier 1977-janvier 1981) et plus de 12 autres sous les deux mandats de Reagan (janvier 1981-janvier 1989) ; et à partir de 1983, les États-Unis ont connu (jusqu'en juillet 1990 où une récession a commencé) une période de croissance continue qui aura été d'une durée sans égale depuis la fin de la deuxième guerre mondiale. Pourtant, la situation économique n'a cessé, à l'exception des premières années de la « renaissance reaganienne », de susciter l'anxiété.

Le paradoxe commence à s'atténuer si on distingue la performance conjoncturelle (les États-Unis ont réussi à édifier une économie de services à taux d'emploi élevé) de divers grippages structurels maintes fois notés. Dans une nation incapable de recouvrer les taux élevés de croissance (3,8 % l'an) qui avaient caractérisé les années 60, les revenus ont tendu à progresser beaucoup moins vite que par le passé, voire à stagner. Peut-être, en grande partie, parce que les États-Unis ont dû absorber une main-d'œuvre brutalement gonflée par la tendance toujours plus prononcée des femmes à travailler et par le déferlement sur le marché du travail d'une vague démographique sans précédent, la masse des *baby boomers* (75 millions d'Américains nés entre 1946 et 1964). Du coup, alors même que la « troisième révolution industrielle » avait, au moins dans un premier temps, plus tendance à supprimer des emplois qu'à en créer, la priorité accordée à l'emploi n'a pu être respectée, jusqu'en 1979, qu'au prix d'une inflation de plus en plus échevelée, puis, à partir des années 80, d'un déficit budgétaire sans précédent, dont le corollaire a été un endettement toujours plus fort, y compris à l'étranger. Bref, la « prospérité » semble avoir été payée d'une dépendance croissante à l'égard de l'extérieur et d'un avenir « hypothéqué » que les difficultés du début des années 90 paraissent préfigurer. Longtemps, l'économie américaine avait dominé le monde entier. A partir de ces années, elle ne peut se soustraire aux contraintes qu'elle s'est progressivement créées.

L'Amérique doit alors faire face à deux grands défis (d'ailleurs liés entre eux) : la mondialisation de l'économie, la montée du Japon (et de l'Europe).

En effet, si la réalité politique reste sans doute prioritairement nationale, la réalité économique, elle, s'est d'une certaine manière mondialisée. Grâce à toute une série de *Rounds* douaniers, l'économie nationale moyenne est deux fois plus ouverte que dans les années 50. Mues par la quête d'une division internationale optimale du travail, les grandes sociétés américaines ont appris, voici déjà longtemps, à se « multinationaliser ». Dès la fin des années 60, la puissance des flux financiers jouant pour ou contre telle ou telle monnaie a démontré la fluidité des capitaux dans des économies de marché.

« Internationalisation des affaires », « mondialisation des flux financiers », « globalisation des stratégies » des sociétés : toutes ces tendances n'ont pu être qu'accélérées et renforcées par la révolution de l'information et celle des communications. Comment, dès lors, ne pas comprendre les tensions et conflits d'intérêts provoqués par les heurts de la politique nationale et de la vision « globale » (c'est-à-dire planétaire) des grandes sociétés, par le choc de leur stratégie internationale et des inquiétudes de leurs salariés ?

LE JAPON EST-IL SEUL COUPABLE ?

L'ouverture des frontières doit, en principe, stimuler la recherche, la compétitivité — et donc la prospérité. Le plus souvent, elle le fait. Mais, pour les secteurs les plus vulnérables, ses effets peuvent se révéler dangereux. A la fin des années 70, c'est un véritable cri d'alarme que nombre d'experts américains croient devoir lancer : 25 % des automobiles vendues aux États-Unis sont fabriquées à l'étranger, notamment au Japon.

D'autres revers conduisent aussi l'opinion à se sensibiliser aux risques d'une perte relative de compétitivité, volontiers associée au ralentissement du taux de croissance de la productivité (3 % par an dans les années 60 contre 1,2 % dans les années 70 et 1,6 % de 1981 à 1987). De ce ralentissement, nombre d'explications seront avancées : d'abord la propension des dirigeants d'entreprises à gonfler les profits au détriment des investissements , ensuite, le poids d'une réglementation pointilleuse ; une politique longtemps compréhensive, du fait des considérations stratégiques, à l'égard des exportations technologiques ; un dollar un temps (1981-1986) surévalué ; un système d'enseignement déficient. Un rôle essentiel doit peut-être se voir attribuer à la dégradation, depuis 1973, des perspectives économiques — dégradation qui freine l'adoption des innovations — et à la priorité accordée à l'emploi. Ainsi se sont multipliés les « OS en blouse blanche », les *bad jobs*, pour lesquels les investissements sont inexistants ou très légers. Inversement, l'idée d'une érosion de l'« éthique du travail » ne correspondrait guère à la réalité : selon une étude, les Américains auraient vu leur temps de travail augmenter de l'équivalent d'un mois par an au cours des deux dernières décennies. Jamais, depuis 1945, leur temps de loisir n'aurait été aussi compté.

Quoi qu'il en soit, le temps est passé où la suprématie de la production américaine n'était guère discutée : dans les années 50, 5 % des biens produits aux États-Unis se voyaient concurrencés sur leur propre marché. Dans les années 90, cette proportion devrait être de l'ordre de 75 %. Comment s'étonner si le creusement accéléré du déficit commercial a incité nombre d'Américains à s'interroger sur les « pratiques déloyales » de l'étranger, sur l'opportunité de l'approche officielle, mais aussi sur les leçons à tirer des expériences les plus couronnées de succès ?

D'où la fascination et l'irritation qu'a pu susciter, dans les années 80, la formidable ascension du Japon. Alors que la guerre froide semblait s'estomper, ce pays a été perçu, en dépit des difficultés qu'il rencontrait depuis quelques années, comme le plus dangereux rival, en même temps que le partenaire le plus crucial. Mais, aujourd'hui, c'est avec la Chine que les États-Unis enregistrent leur deuxième déficit commercial. Et la probable apparition de l'« euro » risque d'encore aiguiser la compétition entre démocraties occidentales.

UNE DÉMOGRAPHIE MOINS DYNAMIQUE

Deux siècles durant, l'expérience américaine s'est identifiée à une population en constant et rapide accroissement : 4 millions au recensement de 1790, 65 en 1890, 140 millions en 1940, 180 en 1960. Le recensement de 1990 a confirmé la présence de 248,7 millions de résidents sur le territoire national. Mais si la population continue d'augmenter, elle le fait surtout sur sa lancée (la génération du *baby boom* est si nombreuse que même un taux de naissance faible pèse positivement, à court terme, du fait d'une mortalité peu élevée) et grâce à la nouvelle vigueur d'une immigration qui désormais représente au moins un tiers (voire 40 %) de l'accroissement.

Quelque peu en retrait dans les années 30 et durant l'immédiat après-guerre, l'immigration s'assure à nouveau un rôle essentiel à partir des années 70 et 80, décennie durant laquelle 7 à 9 millions de nouveaux arrivants seraient entrés sur le sol américain.

Depuis 1968, il est vrai, les origines de l'immigration ont été bouleversées. L'entrée en vigueur de la grande loi de 1965 qui substitue au vieux système discriminatoire des quotas un dispositif de préférences (à 20 % en fonction des besoins de l'économie et à 74 % pour la réunification des familles), a coïncidé avec une chute dramatique des arrivées en provenance des alliés atlantiques et le déferlement de vagues d'Asiatiques (6 % du total en 1965 mais 40 % en 1987) et d'Hispaniques (40 % en 1987).

Avec quelque 8 % de la population dès 1988, les Hispaniques (63 % de Mexicains, 11 % de Portoricains et 5 % de Cubains) sont une minorité en pleine expansion ; ils pourraient ravir aux Noirs leur statut de « minorité la plus importante » autour de 2010. Mais certains se demandent s'ils ne vont pas constituer une « nation dans la nation ». Ils éprouvent, en effet, des hésitations à choisir entre la préservation de leur identité (quoique 90 % des Hispaniques nés aux États-Unis parlent couramment l'anglais) et leur intégration au sein d'une société beaucoup plus ouverte à leur apport culturel que par le passé. Inversement l'extraordinaire aptitude de nombre d'Asiatiques à se couler dans leur nouvelle communauté a étonné bien des Américains.

Plus que jamais, l'immigration est un enjeu dans le débat sur l'avenir économique et culturel de l'Amérique. Ainsi, la querelle fait rage entre ceux qui reprochent aux immigrants d'être une source de chômage et ceux qui voient en eux un formidable contrepoids aux problèmes issus du vieillissement (celui du financement des retraites notamment). A l'automne 1990, ceux-ci ont marqué un point important, avec le vote d'une loi élevant de 540 000 à 700 000 le nombre d'immigrants admis chaque année officiellement, l'essentiel de l'accroissement profitant aux candidats aptes à exercer une qualification recherchée.

En même temps, depuis la fin des années 70, les États-Unis ont été sensibilisés aux problèmes inhérents à la persistance d'une immigration « illégale » (il y aurait 3 à 5 millions de ces *undocumented aliens* sur le territoire américain). Elle constitue pour le Mexique, qui en fournit l'écrasante majorité, une soupape de sécurité, mais elle entraîne pour les États-Unis un flux de plusieurs centaines de milliers de « bras » durement exploités chaque année. En 1986, le Congrès a fini par voter un texte (loi Simpson-Rodino) en discussion depuis de longues années : il accorde un statut légal aux étrangers capables de prouver leur présence aux États-Unis depuis 1982. Mais la frontière sud reste difficile à surveiller, les faux papiers (dont les employeurs n'ont pas à vérifier l'authenticité) tendent à proliférer, et l'amélioration du statut juridique est loin d'avoir résolu toutes les difficultés de ces travailleurs mal payés.

Si donc globalement la population continue de s'accroître, en revanche le taux de natalité (stabilisé autour de 15,5 pour mille) et le taux de fertilité (autour de 1,85 — très en deçà des 2,11 qui permettraient d'assurer le renouvellement) ont stagné jusqu'à ces toutes dernières années où ils semblent se relever. A ce ralentissement, les explications n'ont pas manqué : diffusion du contrôle des naissances (55 % des femmes américaines en âge de procréer l'utilisent, parmi lesquelles un tiers choisissent de se faire stériliser) ; large libéralisation depuis 1973 *(Roe vs. Wade)* de l'avortement (425 IVG pour 1 000 naissances en 1985) ; substitution de perspectives plus sombres au vigoureux optimisme des années 60. Mais c'est probablement ailleurs qu'il faut chercher la cause essentielle du recul de la natalité : dans la généralisation du travail des femmes (elles sont plus de 50 % aujourd'hui à exercer un métier hors de leur foyer) qui les incite à se marier plus tard, à reculer l'âge de leur première grossesse, à avoir moins d'enfants, le coût économique de ceux-ci leur paraissant beaucoup plus élevé.

Les conséquences de cette évolution ne sauraient être sous-estimées. D'abord, phénomène peut-être le plus visible, la famille nombreuse devient un souvenir du passé. En 1980, chaque famille américaine ne compte plus que 1,6 enfant en moyenne (contre 3 dans les années 50). Dans plus de la moitié des foyers, on ne dénombre qu'une ou deux personnes. Ensuite, la distribution ethnique et raciale de la population tend à se modifier : les minorités les moins intégrées (Noirs et Hispaniques) ou longtemps strictement contingentées (les Asiatiques) connaissent du fait de leur dynamisme démographique ou de l'immigration les taux de croissance les plus forts. Enfin, l'Amérique est en train de vieillir.

LE VIEILLISSEMENT DU PAYS
ET SES CONSÉQUENCES

Le taux de natalité a baissé. Celui de la mortalité est aussi légèrement tombé (de 9,4 à 8,7 pour mille de 1973 à 1987) et l'espérance de vie a augmenté (74,8 ans pour les Américains nés en 1986). Chirurgie à cœur ouvert, transplantations d'organes artificiels ou greffés, diagnostic précoce de nombreuses maladies grâce aux scanners, fibres optiques, appareils à résonance magnétique, traitements au laser, mais aussi regain d'intérêt pour l'exercice physique et la diététique : les progrès de certains secteurs de la médecine sont sans doute l'une des plus grandes conquêtes de l'ère moderne. D'autres perspectives, en particulier celles ouvertes par la manipulation génétique, pourraient leur donner une dimension encore plus spectaculaire

Conséquence inéluctable : le pays vieillit. L'âge médian était de 27,9 ans en 1970, de 30 ans en 1980 et de 32,1 ans en 1987. D'un côté, ce vieillissement a sans doute favorisé le glissement vers le conservatisme qui caractérise ces années : bien des *teens,* enfants-fleurs et contestataires des *Sixties* se sont assagis, tels Jerry Rubin qui a fait une entrée remarquée à *Wall Street* En sens inverse, il risque de rendre inéluctable l'instauration d'un système national de santé et, déjà, il a puissamment pesé en faveur de la préservation d'un système de pensions-retraites, cher non seulement à ceux qui y ont accédé, mais aussi à une génération de *baby boomers* qui ne tient pas à avoir à charge ses parents âgés. En 1985, Reagan n'a-t-il pas lui-même célébré la « Sécurité sociale » comme l'un « des programmes les plus réussis et les plus populaires jamais établis par le gouvernement fédéral [1] » ?

Le vieillissement et l'immigration ont engendré une ultime conséquence : la modification en profondeur, au profit des régions ensoleillées, de la répartition géographique des populations. « Décennie de l'immigration », les années 70 ont aussi été la « décennie de la *Sunbelt* ». C'est d'ailleurs dans celle-ci que les immigrants ont majoritairement afflué. En fait, souvent exalté par la suite comme le pur produit de l'initiative privée, l'épanouissement de ces

---

1. La « Sécurité sociale » américaine ne comporte actuellement que deux programmes limités d'assurance-maladie : le *Medicare* (couvrant les Américains âgés de plus de 65 ans) et le *Medicaid* (destiné aux plus démunis). C'est pourquoi l'extension d'une couverture universelle à l'ensemble des Américains sera, sous l'Administration Clinton, au centre des discussions.

régions a aussi largement procédé d'une aide gouvernementale délibérée : d'abord certains programmes du *New Deal*, puis les commandes militaires à partir de la deuxième guerre mondiale.

Par la suite, le processus continue sur sa lancée. La *Sunbelt* voit affluer une nouvelle catégorie du citoyens que le *Welfare State* va multiplier : celle des retraités. Surtout, la « troisième révolution industrielle » assure aux entrepreneurs une extrême mobilité : celle-ci leur permet de déplacer leurs activités vers des régions ensoleillées. En 1976, le centre de gravité démographique du pays se situe, pour la première fois, à l'ouest du Mississippi.

L'ampleur de l'évolution ne doit pas être exagérée. Bien qu'en retrait, le Nord-Est conserve encore la primauté, avec 40 % de la population et la moitié de la capacité de production industrielle. Et l'expansion de la *Sunbelt* a souvent valu à celle-ci l'apparition des difficultés (embouteillages, pollution, hausse de la criminalité) associées au Nord-Est. A quoi s'ajoute qu'aujourd'hui, durement touchée par la réduction des commandes militaires, l'économie californienne, la huitième du monde, est empêtrée dans les difficultés. Il n'empêche : le Sud et l'Ouest ont le vent en poupe, avec 48 % de la population en 1970, 52 % en 1980 et au moins 55 % en 1990 (la Californie, le Texas et la Floride étant les principaux gagnants). Évidemment, les grands équilibres traditionnels — politiques, économiques (la *Sunbelt* est souvent à la pointe du progrès technologique), géographiques et ethniques (la Californie pourrait être dans une dizaine d'années le premier État américain à population majoritairement « tiers-mondiste ») — s'en trouvent disloqués.

LA « NOUVELLE POLITIQUE »

Parce que, dès le début du XXe siècle, le rôle des partis y avait été institutionnellement affaibli, mais peut-être aussi parce que Hollywood en avait fait le centre cinématographique des États-Unis, la Californie a vu, la première, émerger un système où le principal atout des candidats n'était pas leur identification à un parti, mais leur notoriété, leur image, leur personnalité, bref, une sorte de *star system* où politique et spectacle tendaient inexorablement à interférer, un système où, évidemment, les médias jouaient un rôle clé.

LA MÉDIATISATION DU POLITIQUE

Déclin des partis, prouesses de l'informatique et règne des médias : la scène est dressée pour une « politique spectacle » aussi décriée qu'unanimement pratiquée. Sous Reagan, la « présidence électronique » inaugurée par Kennedy est à son apogée. Pour le Président et ses conseillers, a écrit l'un de ces derniers, « la réalité se manifestait une fois par jour, lors des journaux télévisés de la soirée ». Dans les premières années, l'équipe de la Maison-Blanche s'efforcera, non sans succès, de transformer des médias en principe rétifs en dociles relais. Cette dérive est à la fois la cause et l'effet du système de « campagne permanente » dans lequel les États-Unis sont en train de s'installer. Évidemment, le phénomène est exacerbé par la multiplication des primaires qui sont autant d'occasions pour des candidats « médiatiques » d'en appeler directement au public contre les appareils des partis politiques.

Cette évolution soulève maintes objections. D'abord, la « médiatisation » tend à privilégier les slogans et la gesticulation. L'ultime expression en est la généralisation du recours aux *spots* de 30 secondes à la télévision, plus adaptés à la mise en pièces de l'adversaire qu'à l'analyse sérieuse d'une grande question. De plus, le système peut avantager des hommes habiles à briller au détriment de ceux qui sont aguerris à gouverner. Enfin, il favorise l'émergence d'une présidence « plébiscitaire » encline à diffuser une image magnifiée, mais dont la crédibilité se voit rudement secouée quand l'hologramme ainsi projeté entre en conflit trop ouvert avec la réalité.

L'ascension météorique de la télévision a permis l'extension de ce modèle à l'ensemble de la nation. Mais d'autres facteurs n'en ont pas moins joué : la mobilité tant sociale que démographique a érodé les vieilles loyautés partisanes des « blocs ethniques » ; le mariage des sondages et de l'ordinateur a offert de nouvelles perspectives à la manipulation des opinions publiques ; la révolte de la fin des années 60 contre tout ce qui faisait figure de pouvoir établi a abouti à l'affaiblissement des hommes d'appareil ; et la revendication d'un plus grand contrôle populaire a débouché sur la multiplication des primaires, terreau favorable aux campagnes plébiscitaires. Mieux, les lois votées dans la foulée du *Watergate* pour limiter le rôle exorbitant ainsi dévolu à l'argent ont indirectement renforcé l'emprise de ce dernier : tout en instaurant une transparence inconnue par le passé, elles ont indirectement affaibli les partis, surenchéri le coût des campagnes et exacerbé l'influence des *PACs (Political*

Action Committees) dont la marge de manœuvre s'est vue paradoxalement élargie (arrêt *Buckley vs. Valeo* de la Cour suprême en 1976).

Plus que jamais, les quotidiens *(New York Times, Washington Post* et, à partir de ces années, le *Wall Street Journal)* et hebdomadaires *(Time, Newsweek, US News and World Report)* d'envergure nationale, l'agence *Associated Press* et les journalistes des trois grands réseaux de télévision (CBS, NBC, ABC, auxquels il convient désormais d'ajouter CNN), font figure de « médiacratie », véritable « quatrième pouvoir » non élu. La puissance des journalistes apparaît dès lors souvent trop étendue pour ne pas leur valoir des sentiments ambigus. Comment, en tout cas, minimiser, à l'heure du « village planétaire », l'influence d'une télévision dont les Américains reconnaissent tirer le plus clair de leurs informations ? Comment ignorer l'impact d'une « révolution des communications » qui permet à l'ayatollah Khomeiny comme à Saddam Hussein de s'adresser presque à volonté à l'opinion américaine ? Comment occulter le rôle des médias dans une vie électorale dont ils fixent l'agenda ?

Plus que jamais aussi, l'indépendance des élus face aux partis est confortée par le « désalignement » des électeurs toujours plus nombreux à se dire « indépendants » — comme par la réorganisation du Congrès qui multiplie, avec les vice-présidences de commissions, les sources de féodalités. Cette fragmentation de l'autorité est encore renforcée par la réaffirmation, surtout au début de notre période, des prérogatives du législatif face à une présidence désarçonnée. Dès lors, la cacophonie n'a pas toujours pu être évitée, ni, apparemment, un certain désenchantement qui se traduit par un taux d'abstention très élevé (62,87 % de votants en 1960 mais 50,27 % seulement en 1988). Certains sont même allés jusqu'à se demander si, conçue essentiellement pour éviter les abus d'autorité, la Constitution ne favorisait pas, en cette ère de fragmentation du pouvoir, une dangereuse passivité face aux défis que la fin du siècle paraît multiplier.

LA FRAGMENTATION DE L'ÉLECTORAT

Les grands réalignements instaurant l'ascendant de tel ou tel parti sont longtemps apparus comme un trait dominant de la vie politique des États-Unis. En 1896, la victoire de McKinley avait marqué le début d'une sorte de « règne » du *GOP*[2] auquel, à partir de 1932, une indéniable domination démocrate avait succédé. En 1966, le « coup de fouet en retour » provoqué par la « Grande Société » avait pu être interprété comme l'annonce d'un nouveau renversement. L'élection de 1968, et plus encore, celle de 1972, avaient paru le confirmer.

Pourtant, ce sont les « indépendants » qui apparaissent comme les grands gagnants. A partir de 1964, en effet, ils voient leurs troupes augmenter : de 22 % à 36 % en 1976. Déjà, certains avaient remarqué que le raz-de-marée nixonien de 1972 ne s'était pas assorti de la reconquête par le GOP d'aucune des Chambres du Congrès. Du moins la percée du Président auprès des classes moyennes du Sud et de nombreuses ethnies blanches (surtout catholiques) du Nord-Est et du *Middle West* permettait-elle aux républicains d'espérer un réalignement au bout de quelques années. Mais le *Watergate* est venu briser, si elles existaient, les dernières chances de ce dernier, et le regain républicain des années 80 ne semble pas les avoir réssuscitées : en 1986, le *GOP* n'a-t-il pas perdu un Sénat qu'il n'a regagné qu'en 1994 ? (Le scrutin présidentiel de 1992, marqué par la percée de Ross Perot, ne fera que confirmer la forte poussée de l'électorat non aligné).

ÉPUISEMENT DU « LIBÉRALISME »
OU RÉVOLUTION CONSERVATRICE ?

Le *Watergate* a un temps paru enrayer le « coup de fouet en retour » conservateur qui, dès 1966, s'était dessiné. Pourtant, après l'indignation soulevée par les « horreurs de la Maison-Blanche », la majorité de l'opinion ressent à nouveau la lassitude face à une croisade interventionniste dont l'efficacité apparaît inversement proportionnelle à l'ampleur des fonds engagés. Elle renoue avec l'irritation face à une contestation que la fin de la guerre du Viêt-nam prive de sa vitalité et les *Boat People* de sa crédibilité. Dès 1976, la célébration du bicentenaire de la guerre d'Indépendance symbolise le retour à une certaine sérénité. Mais elle coïncide aussi avec un regain de nostalgie pour les valeurs du passé. Certes, l'expression de « révolution conservatrice » est plus qu'à nuancer, les sondages suggérant que, sur bien des questions clés, l'opinion n'a que peu évolué. Mais elle n'en traduit pas moins deux importantes réalités. D'abord,

---

2. « Grand Old Party », nom donné au Parti républicain depuis 1880.

les bases de « nouvel État industriel » sont en train d'évoluer : si elles suscitent, dans le public, la même méfiance, ou presque, que par le passé, les grandes firmes organisent efficacement la défense de leurs intérêts ; inversement, les syndicats sont sur la défensive et le gouvernement se retrouve souvent au banc des accusés.

A partir des années 70, l'influence des syndicats ne cesse de reculer. A preuve, le succès que se taille Reagan quand, en août 1981, il licencie d'un seul coup quelque 12 000 aiguilleurs du ciel du syndicat P.A.T.C.O., coupables d'avoir déclenché une grève que leur statut leur interdisait. Leurs déboires illustrent l'affaiblissement d'un mouvement dont les troupes ne cessent de se rétracter : 27,4 % de la population active non agricole en 1970 contre 23,1 % en 1978 et à peine plus de 17 % autour de 1988. De cette rapide érosion, divers facteurs se partagent la responsabilité : l'incapacité des dirigeants ouvriers à organiser de vastes campagnes de recrutement ; les mutations technologiques qui touchent en priorité les secteurs (sidérurgie, automobile) et régions (Nord-Est, Grands Lacs) où les syndicats étaient le mieux implantés, au profit d'un tertiaire et d'une *Sunbelt* où leur influence a toujours été beaucoup plus limitée ; mais aussi le recul du prestige du *Big Government* à l'ombre duquel, à partir des années 30, ils avaient prospéré. Inaugurée en 1975 pour les firmes de courtage, mais surtout impulsée par Carter qui l'étend aux transports aériens, puis aux chemins de fer et aux transports routiers, la « dérégulation » les frappe de plein fouet. Cette évolution n'est elle-même que le reflet d'un autre phénomène qui exacerbe leur vulnérabilité : la nouvelle pugnacité d'un patronat bien décidé à réaffirmer son influence et son autorité. Dans le débat des idées aussi, les rapports de forces se sont inversés : en lieu et place des économistes keynésiens, des gourous de la contre-culture, des chantres de la sexualité, ce sont d'autres écoles intellectuelles qui désormais ont le vent en poupe.

MONTÉE DE LA « NOUVELLE DROITE »

La « nébuleuse » conservatrice compte en son sein des groupes variés. Parmi eux, les « néo-conservateurs » sont d'anciens « libéraux » ulcérés par les excès dans lesquels, à leurs yeux, leur ancienne mouvance intellectuelle a sombré : l'*affirmative action* et une « *culture de l'appeasement* » qui laisse les États-Unis sans réaction face à l'expansionnisme du camp opposé. En fait ils sont peu nombreux, essentiellement concentrés dans des milieux *intellectuels juifs et catholiques*, presque toujours *new yorkais*. Mais leur aura intellectuelle, la qualité de leurs magazines *(Commentary, The Public Interest)* et leur passé démocrate donnent une indispensable respectabilité à l'offensive qu'une droite plus radicale ou populaire est en train de mener.

Désemparés devant les difficultés, bien des Américains ont, en effet, tendance à les imputer aux coups que les vieilles bases économiques (le marché) et surtout morales (éthique puritaine et association étroite entre religion et société) se sont vu porter. Ce qui va faire la force de ces nostalgiques, ce sera leur recours aux technologies les plus sophistiquées : des médias électroniques au courrier informatisé.

A la différence de la « vieille droite » exclusivement préoccupée des questions militaires ou économiques, la « nouvelle droite » dénonce l'effondrement du niveau scolaire, la montée de la criminalité, l'hédonisme ou son corollaire, la chute du patriotisme. C'est qu'elle trouve l'essentiel de sa masse de manœuvre dans une autre force, la droite religieuse, en plein renouveau au cours de ces années. La remise en cause, dans la nouvelle conjoncture économique, de l'« humanisme laïc » coïncide, en effet, avec un essor des confessions les moins sécularisées, en particulier les Églises — baptistes, évangéliques, voire fondamentalistes (un tiers des Américains souscriraient à leur interprétation littérale des Écritures) — de ce qu'on appelle la « ceinture de la Bible » (Sud et Sud-Ouest). A leurs yeux, l'État (dont elles veulent voir le rôle par ailleurs amputé) se doit d'intervenir pour imposer le respect de la volonté de Dieu.

Les réticences que depuis le procès Scopes (ou « procès du singe [3] » 1925) leurs leaders éprouvaient à se mêler directement de politique, vont se dissiper dès lors que, en 1962 et 1963, deux arrêts de la Cour suprême ont prohibé les prières, puis la lecture de la Bible, dans les écoles publiques. L'arrêt *Roe vs. Wade* qui libéralise l'avortement les mobilise définitivement. Déçus par Jimmy Carter qu'en 1976 ils avaient largement appuyé, ils se décident en 1979 à mettre sur pied, en étroite concertation avec les tenants de la « nouvelle droite », une organisation ultraconservatrice, la *Moral Majority*, présidée par le révérend Jerry Falwell.

Dans un pays où le souvenir de la crise tend à s'estomper, la « nouvelle droite » profite des revers du key-

---

3. Procès de John Scopes à Dayton (Tennessee), dit « procès du singe », car il contestait la théorie de l'évolution et son enseignement.

nésianisme pour lancer une offensive en faveur d'une « libération du marché ». Il est vrai que nombre de millionnaires ou d'hommes d'affaires apportent un soutien croissant à des fondations et à des « réservoirs à idées » *(Think Tanks)* comme la *Hoover Institution* (créée en 1919) ou la *Heritage Foundation* (1973) qui sont autant de bastions des adversaires de l'interventionnisme d'État.

Certains de ces derniers, tels l'économiste Murray Weidenbaum, s'en prennent à la *regulation*, c'est-à-dire à la réglementation de l'activité économique. D'autres sont surtout fascinés par le « monétarisme » de Milton Friedman, prix Nobel d'économie en 1976. Mais la révolte prend en priorité l'allure d'une double rébellion contre la fiscalité : d'un côté, un mouvement populiste de refus de l'impôt foncier (impôt régressif qui frappe de plein fouet des couches modestes qui se sont parfois imposé de durs sacrifices pour accéder à la propriété), mouvement qui débouche en 1978 sur l'adoption — bientôt largement imitée — de la fameuse « proposition 13 » par référendum en Californie [4] ; de l'autre, une remise en cause de la trop forte progressivité de l'impôt sur le revenu.

Les idées de cette « école de l'offre » *(supply-side economics)* inquiètent nombre d'économistes ainsi que les milieux financiers : ils doutent que la baisse de la fiscalité puisse être compensée, au niveau des rentrées, par l'augmentation de l'assiette induite de la relance de l'activité. Pourtant, dans l'atmosphère de désarroi où le pays est plongé, l'idée commence à se diffuser que l'Amérique n'a peut-être rien à perdre à essayer cette nouvelle « panacée ».

L'INTERMÈDE FORD (1974-1976)

Le 9 août 1974, signe du désarroi où une accumulation de traumatismes l'avait plongé, le pays se voyait dirigé pour la première fois de son histoire par un président non pas élu mais désigné (XXVe Amendement), à la suite de la démission de Spiro Agnew (1973), par Nixon en accord avec le Congrès. Le 20 août, Ford désignera son vice-président, Nelson Rockefeller, avec l'aval du Sénat.

Dans sa jeunesse, Gerald Ford avait été une vedette de football américain. Après avoir participé aux opérations du

---

4. Référendum du 6 juin 1978 illustrant, par une réduction de l'impôt foncier, le principe du « moins d'impôt, moins d'État ».

Pacifique, il s'était fait élire, en 1948, représentant du Michigan, dans un district très conservateur qui l'avait constamment réélu. En 1965, ses collègues de la Chambre lui avaient confié le poste envié de leader de la minorité.

A une époque aussi médiatisée, Ford, devenu président, allait souffrir de son image de « balourd » prompt à trébucher. Il ne manquait pourtant pas de qualités : une infatigable combativité, une réputation d'intégrité et une indéniable lucidité. Mais il ne put surmonter le contexte catastrophique de son arrivée et, plus encore, la décision, au demeurant lucide, qu'il prit dès septembre 1974 d'accorder à Nixon son « pardon », c'est-à-dire une totale immunité. Si elle évita au pays de s'enfoncer dans l'atmosphère délétère que le *Watergate* avait créée, elle lui valut une chute irrémédiable de popularité — et la défaite contre Jimmy Carter, le 2 novembre 1976.

En plus du *Watergate*, Ford hérite aussi d'une situation mondiale en pleine mutation, à laquelle il semble avoir eu de grandes difficultés à s'adapter.

L'embargo sur le pétrole décidé par les pays de l'O.P.E.P. (octobre 1973-mars 1974), puis le quadruplement des prix des produits pétroliers (décembre 1973), avaient souligné le recul de l'emprise économique des démocraties industrialisées. Le 1er mai 1974, la sixième Assemblée générale extraordinaire de l'O.N.U. approuva ainsi une « Déclaration sur l'établissement d'un nouvel ordre économique international ».

Évidemment, considérés comme les grands bénéficiaires de l'ordre passé, les Occidentaux firent l'objet d'une marée de revendications. Aussi, à partir de 1973, cherchèrent-ils à développer entre eux une coopération privilégiée, bientôt concrétisée dans la tenue annuelle de sommets. Le premier eut lieu en novembre 1975 à Rambouillet, Gerald Ford représentant les États-Unis d'Amérique.

Limités, mais réels dans les domaines monétaire et douanier, les bénéfices de cette concertation ont été beaucoup moins convaincants sur un troisième plan : la recherche d'une nouvelle donne, acceptable pour l'Occident, mais plus favorable aux pays en voie de développement. L'élaboration d'un tel système avait pourtant été un des objectifs majeurs de l'organisation privée, la Commission trilatérale, qui a sans doute le plus œuvré pour l'instaurer. Créée en septembre 1973 à Tokyo, elle reflétait l'inquiétude des élites américaines du Nord-Est devant l'« unilatéralisme » croissant de la politique de l'administration Nixon et la conviction que le Japon devait être étroitement associé à la solution des problèmes économiques de l'aire « atlantique ». De 1975 à 1976, Kissinger, Secrétaire d'État de Ford, parut à diverses reprises s'inspirer de ses idées. Sous Ford, Kissinger s'efforça aussi de poursuivre la *Realpolitik* de Nixon et se heurta, du coup, aux attaques conjuguées de ceux qui lui reprochaient son cynisme (sa politique ne s'accommodait-elle pas des violations des droits de l'homme chez les ennemis de l'Amérique comme chez ses alliés ?) et de ceux qui voyaient dans l'attitude de Washington une « voie à sens unique », exclusivement favorable à l'Union soviétique.

LA « PREMIÈRE » PRÉSIDENCE CARTER (1977-1979)

James Earl Carter est né en 1924 à Plains, une bourgade (600 habitants) de Géorgie, dans une famille de fermiers aisés. En 1942, il est admis à l'Académie navale d'Annapolis d'où il sort en 1946. Il participe, aux côtés de l'amiral Rickover, aux débuts de l'aventure du sous-marin à propulsion nucléaire.

En 1953, la mort de son père le convainc de retourner à la ferme familiale et à se métamorphoser en fermier-homme d'affaires *(agribusinessman)*. En 1962, il est élu sénateur de l'État. L'échec, en 1966, de sa campagne pour le poste de gouverneur va le transformer. D'un côté, il fait l'expérience d'une « nouvelle naissance dans le Christ » *(born again)*. De l'autre, il sort de ce revers déterminé à tout faire pour l'emporter quatre ans après, objectif qu'une campagne sans scrupule lui permet de concrétiser.

À Atlanta, il se révèle un gouverneur moraliste et éclairé, franchement opposé à la ségrégation, et se taille une image de gestionnaire anxieux de concilier sens de la compassion et souci de la frugalité. Dans une Amérique revenue de la « Grande Société », ce profil plaît. Plus généralement, sa personnalité ambiguë lui permet de séduire des groupes opposés : le populiste a noué d'excellentes relations avec les milieux dirigeants industriels et financiers (ses liens étroits avec la Commission trilatérale ont souvent été rappelés) ; le baptiste *born again* se double d'un *businessman* avisé et d'un ingénieur à même de maîtriser les technologies les plus sophistiquées. En 1976, il séduira le pays sur le thème d'un retour aux vertus anciennes, bref d'un gouvernement compétent, juste, généreux et honnête qui incite chaque Américain à donner « le meilleur de lui-même ».

Pourtant, quatre ans après, une majorité de ses concitoyens le répudiera, lui imputant le déclin où le pays paraît s'enfoncer. Par la suite, ils porteront un regard plus indulgent sur son bilan et sur ses deux grands succès (la ratification des accords sur le Canal de Panama et Camp David). Mais il aura été la victime du flou de son projet (les contraintes intérieures et extérieures vont le forcer à louvoyer entre les pressions contradictoires des groupes qu'il avait courtisés) et des défaillances de sa personnalité (il paraîtra souvent incapable de saisir l'incompatibilité entre deux politiques qui le séduisent). A partir de l'été 1979, la dégradation de la conjoncture le forcera à trancher dans le sens d'une politique à l'intérieur plus conservatrice et à l'extérieur plus musclée. Mais, s'il y perdra le soutien des minorités et autres groupes défavorisés, Carter ne gagnera, à ce changement, aucune crédibilité. Son image d'homme d'État incertain, ne sachant pas où aller, ne s'en trouvera que renforcée.

L'histoire du plan Carter sur l'énergie (1977) illustre l'impuissance du Président américain à imposer son *leadership*. Son échec doit, sans doute, être relativisé. Les efforts de ses prédécesseurs n'avaient guère été plus couronnés de succès. Et il fut sans doute la victime du scepticisme que le Viêt-nam et le Watergate avaient suscité envers toutes les tentatives présidentielles pour forcer les résistances au nom de la sécurité nationale menacée. Le plan comportait deux volets : convertir les Américains aux « économies » en haussant les prix du pétrole en particulier (pour les puits déjà exploités, l'alourdissement de la facture résulterait de celui de la fiscalité) ; provoquer, par un cocktail de taxes et de subventions, la reconversion des secteurs industriels vers d'autres sources que le pétrole, notamment le charbon. Ce programme équilibré ne devait pas moins se heurter au scepticisme des « libéraux » hostiles à l'augmentation des prix, comme à celui des compagnies, soucieuses de tirer le maximum de profit de celle-ci. Mais il devait surtout achopper sur l'indifférence du pays. En 1978, le Congrès n'en votait qu'une version très édulcorée. L'échec fut d'autant plus cuisant que Carter avait tout misé sur ce plan et qu'il démontra son incapacité à exercer un *leadership* sur les sénateurs et représentants. Il illustra la fragilité de l'approche « centriste » et équilibrée qu'il proposait (la dérégulation progressive des prix du pétrole — finalement imposée par le Président en avril 1980 — fut, dans l'immédiat, aussi bien combattue par les « libéraux », inquiets de son impact sur les plus défavorisés, que par les compagnies, agacées par la prétention de l'administration de limiter les profits qu'elles pourraient en tirer). L'échec symbolisa surtout le refus par les Américains des conséquences du nouveau contexte né du premier choc pétrolier et des sacrifices inhérents à leur statut de leader des démocraties industrialisées. La stratégie monétaire laxiste qui fut, dès lors, adoptée pour faciliter l'absorption du coût d'une consommation effrénée, favorisa l'éclatement du second choc pétrolier et fit de l'inflation le premier sujet d'anxiété.

Une certaine confusion marqua aussi les efforts, pourtant louables, de Carter en vue d'infléchir l'ordre du monde. Le réflexe de rejet que la *Realpolitik* de Nixon et Kissinger avait fini par provoquer dans l'opinion et au Congrès — comme le scepticisme que, depuis le Viêt-nam, le pouvoir militaire suscitait — convainquirent la nouvelle administration qu'elle devait s'attacher non plus à endiguer, mais à « accompagner » le changement dans un Tiers-Monde déstabilisé, et surtout à mettre l'accent sur les deux principaux atouts dont les États-Unis disposaient : leur efficacité économique et leur image de champion des libertés.

Pour afficher sa spécificité, elle allait ainsi célébrer deux thèmes privilégiés, symbole de sa nouvelle approche moins « Est-Ouest » et plus « globale » de la sécurité : les « droits de l'homme » et la non-prolifération nucléaire. Mais cette tentative pour transformer en atouts les difficultés que Nixon, Ford et Kissinger avaient rencontrées allait souffrir de l'inaptitude de Carter à définir une ligne claire face au camp opposé ou envers ses alliés. Le Président refusa longtemps de trancher entre ceux qui, à l'instar du Secrétaire d'État Cyrus Vance, voyaient dans les Soviétiques des hommes partageant leur souci de stabilité et ceux qui, avec à leur tête le conseiller spécial pour les affaires de sécurité, Zbigniew Brzezinski, étaient surtout sensibles à leur expansionnisme, quelque peu débordant durant cette période. Par ailleurs, l'Iran devait illustrer les apories de la nouvelle politique : d'un côté, les Américains crurent bon de décerner un satisfecit en matière de « droits de l'homme » à un Shah d'Iran qui ne les avait guère respectés ; de l'autre, le souverain sembla du coup hésiter à réprimer ses adversaires aussi durement que par le passé, ce qui contribua probablement à le déstabiliser. Le résultat fut sa chute en janvier 1979 et le déclenchement de la révolution islamique.

Beaucoup plus positive fut l'action de Carter au Moyen-Orient. Les accords de Camp David préfigurèrent le rapprochement arabo-israélien qui allait être couronné quinze ans plus tard, en octobre 1993 à Washington, par la poignée de main historique entre Yasser Arafat (chef de l'Organisation de Libération de la Palestine) et le Premier ministre d'Israël, Yitzhak Rabin.

LES ACCORDS DE CAMP DAVID
(17 septembre 1978)

Jusqu'au début des années 70, les États-Unis poursuivent au Moyen-Orient deux priorités : la survie de l'État d'Israël auquel nombre de Juifs américains sont émotionnellement attachés et dont la disparition signifierait l'effondrement de l'ordre international ; le maintien de bonnes relations avec les États arabes modérés, condition essentielle d'une politique qui entend fermer le plus possible une région aussi vitale pour les démocraties industrielles aux ambitions du camp opposé, protéger les intérêts des trusts pétroliers et garantir les approvisionnements énergétiques des alliés.

La guerre d'octobre 1973 et le premier choc pétrolier donnent une nouvelle acuité à cette dernière priorité : alors que l'accès à l'« or noir » se révèle plus vital que jamais, s'installe un climat d'instabilité que l'U.R.S.S. pourrait être tentée d'exploiter. Bref, de plus en plus, le Moyen-Orient fait figure de « nouveaux Balkans » où le jeu des alliances pourrait enclencher une confrontation apocalyptique entre les Super-Grands.

Kissinger esquisse d'abord une politique des « petits pas » qui permet un premier désengagement. Pourtant, après d'indéniables succès, cette approche donne l'impression de piétiner. Aussi, encouragé par la volonté de paix d'Anouar el-Sadate, Carter décide-t-il d'impulser une recherche plus « globale » des pourparlers. Tel est l'objectif des entretiens qu'il organise, en septembre 1978, à Camp David, résidence de villégiature des présidents américains. Les accords qui y sont signés et qui déboucheront sur le traité israélo-égyptien de mars 1979 sont incomplets, et la colère qu'ils provoquent chez les Saoudiens a sans doute contribué à l'exacerbation du second choc pétrolier. Pourtant, Carter n'en a pas moins remporté un remarquable succès : la conclusion, entre Tel-Aviv et le Caire, d'un premier « traité de paix ».

L'année 1978 fut également marquée par un événement intérieur de grande portée : la décision de la Cour suprême dans l'affaire *Bakke*. Dans certains milieux, l'idée s'était accréditée selon laquelle les Noirs étaient désormais outrageusement favorisés par la politique dite d'*affirmative action* (intégration active à base de traitement préférentiel). Ce ressentiment, surtout sensible dans la petite bourgeoisie et les couches ouvrières blanches — persuadées d'être les principales victimes d'un « libéralisme » qui ne coûte guère aux classes aisées — vise particulièrement ces programmes de promotion ethnique : le *busing* et les quotas (par exemple à l'entrée des stages d'apprentissage ou des universités).

C'est sur ce problème qu'en 1978, la Cour suprême rend un jugement plutôt embarrassé. Confirmant la décision de son homologue de Californie, elle ordonne, par 5 voix contre 4, à l'université de cet État d'accepter un étudiant en médecine, Allen Bakke, qui avait vu sa candidature rejetée au profit d'autres postulants moins bien notés mais admis au titre des dix places « réservées » aux « étudiants désavantagés » (Noirs, Chicanos, Indiens, Asiatiques).

Quoique chaque partie pût y trouver matière à triompher (le droit des universités à utiliser la race comme critère *non exclusif* d'admission y était affirmé), l'arrêt démontra à quel point l'humeur nationale avait changé. Carter semble, quant à lui, avoir hésité avant de laisser son administration s'engager derrière une position qui rejetait l'idée d'une « inconstitutionnalité a priori » des programmes d'*affirmative action* et affirmait son intention de poursuivre la mise en œuvre de ceux que le gouvernement avait lancés.

LE TOURNANT DE 1979-1980

Réel à n'en pas douter, le changement de cap opéré en janvier 1981 ne doit pas être surestimé. Dès l'été 1979, la colère et le désarroi suscités par le second « choc » pétrolier (on vit des Américains s'empoigner dans les queues devant les stations-service), l'obsession croissante de l'opinion pour l'inflation et la chute de sa popularité ont conduit Carter à procéder à un retournement prononcé.

D'emblée, les contraintes auxquelles il s'est vu confronté l'ont acculé à dessiner un chemin sinueux entre sa volonté de soutenir au maximum l'activité et son souci de ne pas laisser l'inflation dépasser un seuil dangereux pour sa crédibilité. En 1979, très critiqué (sa politique monétaire laxiste se voit partiellement imputer la responsabilité du second choc pétrolier), son bilan est loin d'être entièrement mauvais : sous son mandat, une dizaine de millions d'emplois seront créés. Mais quand, à l'automne 1979, la lutte contre la « Grande Inflation » — alors en train de se déchaîner — se voit privilégiée, il ne dispose plus de la marge de manœuvre nécessaire pour concilier les aspirations des dirigeants des grandes sociétés ou des classes moyennes et celles des minorités. Les premières souhaitent voir avant tout la crédibilité monétaire et militaire des États-Unis restaurée. Aux yeux des secondes, la préservation des dépenses sociales reste la priorité.

Le sénateur Edward Kennedy (du Massachusetts) va chercher à exploiter leur mécontentement, exacerbé par certaines des décisions de Carter (en particulier la dérégulation progressive des prix pétroliers). En fait, le Président dispose de trop d'atouts (surtout un pouvoir de patronage dans la manipulation duquel il excelle) pour se laisser déborder. Mais l'offensive de Kennedy contribue à affaiblir sa popularité et ses attaques fourniront nombre de munitions à Reagan tout au long de l'année.

S'il louvoie, Carter n'en essaie pas moins de rectifier sa ligne d'action. Ainsi, la nomination, en août 1979, à la tête du *Federal Reserve Board* de Paul Volcker est le prélude à une inflexion capitale (le 6 octobre suivant) de la politique monétaire : l'accent étant désormais placé sur un contrôle sévère de l'émission de monnaie, les taux d'intérêt vont se mettre à monter, avantageant très nettement les créanciers et attirant les capitaux privés de l'étranger. Le 12 décembre, le Président annonce un vigoureux programme de réarmement dans l'espoir de rallier une partie des opposants au traité SALT II signé en juin avec l'autre camp. Quelques jours plus tard, l'invasion soviétique de l'Afghanistan le persuade de tirer un trait sur la politique modérée qu'il avait suivie face à ce dernier. Pourtant, il ne peut éviter ni le fiasco de ses efforts, d'abord diplomatiques puis militaires, pour arracher la libération des otages détenus par l'Iran, ni la persistance d'une inflation galvanisée par le deuxième « choc » pétrolier, ni la démobilisation de ses militants qui lui reprochent d'avoir trop cédé aux pressions des milieux financiers. Tous ces déboires affaiblissent un peu plus une popularité déjà largement entamée et contribuent à sa défaite, à la fin de l'année.

UNE HUMILIATION NATIONALE : LES OTAGES DE TÉHÉRAN

En 1953, les États-Unis avaient été à même d'organiser un coup d'État pour restaurer le Shah. En 1979, l'administration

Carter s'est révélée impuissante à sauver un régime qui, depuis 1970, était l'un des deux piliers (avec l'Arabie saoudite) de sa politique de sécurité dans le golfe persique. L'ombre jetée par cet échec sur sa crédibilité s'intensifie quand, en riposte à l'accueil de l'ancien souverain (gravement malade) sur le territoire américain, des « étudiants » islamiques prennent en otages 65 membres du personnel de l'ambassade à Téhéran (4 novembre 1979).

Carter bénéficie d'abord du sursaut de sympathie que, traditionnellement, une telle crise provoque dans le pays. Il entame des pourparlers. Mais ceux-ci semblent piétiner et l'opinion ne tarde pas à se lasser. Sont-ce des considérations électorales ou la conviction intime que la vie des otages pourrait être en danger qui convainquent le Président de recourir à la force armée ? En tout cas, le 24 avril 1980, l'opération *Desert One* est lancée ; mais quelques heures seulement après, de tragiques incidents techniques (plusieurs soldats sont tués) contraignent la Maison-Blanche à l'annuler. Le fiasco jette le doute sur la capacité des États-Unis à appliquer la « doctrine » que, face à l'agression soviétique en Afghanistan, Carter avait énoncée le 23 janvier : « Toute tentative faite par une force extérieure pour s'assurer la maîtrise de la région du Golfe persique sera [...] repoussée par tous les moyens nécessaires, y compris l'usage de la force armée. » Après la chute de Saigon, le revers fait figure d'« humiliation nationale » — handicap majeur pour Carter à l'approche de l'élection.

L'Administration pâtit aussi, il est vrai, de la frustration des espoirs, qu'elle ne sait contenir, de voir la libération des otages résulter de ses efforts de négociation.

LES ANNÉES REAGAN (JANVIER 1981-JANVIER 1989)

Né le 6 février 1911 à Tampico, une petite bourgade de l'Illinois dans une famille modeste, Ronald Wilson Reagan entame, à sa sortie du *College* d'Eureka, une carrière à succès comme reporter et annonceur de radio dans l'Iowa (1933-1937). A l'été 1937, il part pour Hollywood où il tournera dans quelque 53 films — pour la plupart (mais pas tous) de série B. Président de la Guilde des Acteurs, la *SAG*, de 1947 à 1954, il est à la pointe des purges anticommunistes, mais garde une image de démocrate progressiste. Cependant son second mariage avec l'actrice Nancy Davis, son admiration pour la *General Electric* (dont de 1954 à 1962 il présentera chaque dimanche soir les téléfilms) et sa fureur non rentrée contre la progressivité de la fiscalité le poussent de plus en plus vers le conservatisme et le *GOP* — auquel, en 1962, il finit par adhérer.

En 1964, il devient, à la suite d'un discours télévisé, le héros de la droite radicale de ce parti. Son charisme lui permet d'être élu et réélu gouverneur de Californie (en 1966 et 1970), puis président des États-Unis.

Consacrant le mariage de Hollywood et de Washington, ce succès est la meilleure mesure de son talent de « Grand Communicateur ». Celui-ci tient à sa maîtrise de tous les grands moyens médiatiques, mais aussi à son imprégnation profonde dans les valeurs (religion, sport, mythes historiques et cinématographiques) de l'Amérique.

Gaffes, ignorance des dossiers, absence de curiosité intellectuelle, tendance à laisser l'astrologue de sa femme fixer son calendrier, persistance entêtée dans des politiques risquées : à un degré ou à un autre, le Président a incarné les défauts que ses critiques se sont complus à dénoncer. Mais, avec l'aide d'une équipe de relations publiques d'une formidable efficacité, l'homme a su, au moins durant ses premières années, incarner l'image d'un leader authentique et déterminé et s'ériger en prophète assez inspiré pour rendre à un pays en désarroi sa foi dans sa destinée.

Son plus grand succès aura sans doute été d'assister et même, peut-être, de contribuer indirectement, par sa relance victorieuse de la course aux armements, aux premiers craquements alarmants d'un empire soviétique dont il avait été depuis des décennies l'un des pourfendeurs les plus véhéments. Son plus grand échec, d'avoir le plus souvent abouti à des résultats opposés, en matière économique, à ceux qu'il avait annoncés : un budget au déficit quasi structurel et inégalé, des paiements de transfert plus importants (du fait de l'augmentation des dépenses de Sécurité sociale et de l'opposition du Congrès au démantèlement radical de la « Grande Société ») en proportion des revenus personnels qu'à son arrivée, une balance commerciale déficitaire et, surtout, un endettement net, à partir de 1987, des États-Unis face à l'étranger.

Économie, éducation, rapports avec l'U.R.S.S. : c'est essentiellement dans ces trois domaines que le reaganisme aura marqué son temps.

L'ampleur des difficultés (inflation à son sommet, taux d'intérêt si élevés qu'une récession paraissait inévitable), les contraintes du système politique (sa « lune de miel » avec le Congrès serait fatalement de courte durée) et les impératifs de « relations publiques » : tout incitait Reagan à une stratégie de rupture spectaculaire dans le domaine économique.

Ses conseillers, toutefois, ne s'entendaient que sur une seule idée que le président devait fort bien résumer : « Le gouvernement n'est pas la solution au problème. Le gouvernement est le problème. » Sur le reste, leurs priorités divergeaient. Reagan chercha à les conjuguer. L'apparente sérénité avec laquelle, le 18 février 1981, il vint présenter ses propositions devant une session conjointe du Congrès, comme l'élan de sympathie provoqué par l'attentat au pistolet dont il fut l'objet (30 mars), lui permirent de faire approuver l'essentiel de son programme quelques mois après : « Ce plan vise à réduire les dépenses gouvernementales [d'environ 98 milliards de dollars] et la fiscalité, et à éliminer les réglementations non nécessaires, improductives ou contreproductives ainsi qu'à encourager une politique monétaire cohérente ayant pour but le maintien de la valeur de la monnaie. »

Mais, bientôt, les objectifs commencent à s'entrechoquer. D'abord, la politique monétaire très sévère aboutit à un fort ralentissement de l'activité qui vaut au pays sa récession la plus grave depuis la fin des hostilités. Puis quand, après la « banqueroute » du Mexique (été 1982), cette politique est quelque peu relâchée, le retour de la prospérité coïncide avec un creusement sans précédent du déficit budgétaire (128 milliards pour l'année fiscale 1982 ; 207,8 en 1983 ; 185,3 en 1984, etc.). L'« économie vaudou » (*Voodoo Economics*) que, durant la campagne, le futur vice-président Bush avait reproché à Reagan de vouloir instaurer, n'a qu'à moitié fonctionné. Le ralentissement limité de la croissance des dépenses sociales n'a pu compenser l'effet conjugué d'une baisse brutale de la fiscalité et d'une augmentation rapide du budget des armées.

Dans le domaine des affaires, les dinosaures du secteur manufacturier, handicapés par la hausse du dollar, s'empressent de « moderniser » et de « dégraisser », s'assurant une avance en matière de productivité dont on pourra mesurer l'ampleur dans les années 1990. Parallèlement, quelque 600 000 petites et moyennes entreprises (*Small Business*) se créent chaque année. Les plus en pointe (une minorité) rapportent des profits fabuleux aux champions du « capitalisme » (*Venture Capital*) prêts à jouer gros jeu. Surtout les fusions ne cessent de se multiplier. Pourtant, la logique prioritaire de ces fusions, à savoir la recherche d'un profit financier, comme leurs retombées sur la vie des salariés ou l'endettement des sociétés, suscitent des interrogations grandissantes chez nombre d'observateurs.

Par ailleurs, la baisse de la fiscalité a rendu incontournable une amputation des programmes sociaux. Si le

Congrès réduit les économies proposées par l'Administration de moitié, il épargne largement les droits *(entitlements)* — notamment les pensions de retraites — chers aux classes moyennes, mais mutile une myriade de programmes destinés aux plus déshérités (traditionnellement moins enclins à voter). La condition de ces derniers va d'autant plus se dégrader qu'ils ont été les premiers affectés par le ralentissement de la croissance depuis 1973 et qu'ils ne profitent guère de la reprise qui, dès 1983, se dessine. La population des pauvres (calculée sans tenir compte des aides en nature, il est vrai) tend ainsi à augmenter : 13 % en 1980, 15 % en 1983, 14,4 % en 1984.

Si, satisfaite du retour de la prospérité, l'Amérique moyenne plébiscite Reagan en cette même année, les Noirs, principaux laissés pour compte de la « renaissance américaine », sont surtout sensibles au charisme du pasteur Jesse Jackson. Dès 1960, celui-ci a participé à la lutte pour les Droits civiques. En 1971, il a transformé l'opération *Breadbasket*, que Martin Luther King lui avait confiée, en une organisation nouvelle, *PUSH (People United to Save Humanity)*. En 1984, Jackson se lance dans la course à l'investiture avec l'espoir, vérifié, d'inciter ses frères de race à s'inscrire sur les listes électorales. Sa campagne est néanmoins ternie par son refus de se désolidariser des propos antisémites du leader noir musulman, Louis Farakhan. Mais son discours devant la convention démocrate de San Francisco lui vaut un vibrant succès. Une très bonne prestation dans les primaires de 1988 viendra confirmer sa popularité. Inversement, en 1992, son refus de se démarquer des appels d'une chanteuse de *rap* noire à la violence contre la population blanche a de nouveau entamé sa crédibilité.

Aux difficultés économiques rencontrées (ou suscitées) par le président Reagan vinrent s'ajouter celles du système éducatif. Le 26 avril 1983, la publication de *A Nation at Risk*, rapport alarmiste de la *National Commission on Educational Excellence*, fit de l'éducation un des enjeux les plus discutés de la vie politique. Elle provoqua une manœuvre de relations publiques dont le brio, sinon l'objet, force le respect. Alors que la politique de désengagement gouvernemental se voyait indirectement critiquée, les démiurges de l'audiovisuel dont Reagan était entouré s'arrangèrent pour projeter l'image d'un Président obnubilé par les problèmes de l'enseignement. Le chef de l'exécutif réussit assez largement à placer le débat sur les retombées du système de promotion des professeurs à l'ancienneté (et non au mérite) que les syndicats prônaient. Il faisait ainsi écho aux passages les plus virulents du rapport concernant la baisse de niveau de l'enseignement : « Les fondements éducatifs de notre société sont actuellement érodés par une vague montante de médiocrité. » Reagan renonça cependant à démanteler le ministère de l'Éducation comme il l'avait projeté.

Bien que de 1981 à 1989 les dépenses globales pour l'éducation aient augmenté, les problèmes évoqués par le rapport restent d'actualité. En 1988, George Bush a cru bon de se présenter en futur « Président de l'Éducation », question à laquelle il a consacré, en septembre 1989, un « sommet » avec les gouverneurs. Surtout, les entreprises, qui dépensent déjà 40 milliards de dollars pour la formation de leurs salariés, se plaignent de la déficience de l'enseignement des mathématiques et des sciences en particulier, déficiences que, déjà, le rapport dénonçait.

En politique extérieure, la politique du Président américain fluctue entre deux visions contradictoires de l'Union soviétique : celle d'un partenaire et celle d'une incarnation du mal, la première l'emportant peu à peu sur la seconde. En 1981, Reagan proclame sa volonté de ne discuter qu'en position de force avec une U.R.S.S. qui « se réserve le droit de commettre n'importe quel crime, de mentir, de tricher ». Pourtant, à partir de 1985 et avec l'arrivée de Gorbatchev, la tension commence à retomber. Dès décembre 1987, un accord partiel de désarmement (« option double zéro ») a pu être signé. En juin 1988, Reagan pourra aller prêcher l'évangile de la démocratie sur le territoire soviétique.

Le Président a-t-il changé ? A l'approche de l'élection de 1984, il s'est laissé persuader qu'un relâchement des tensions renforcerait ses chances de succès, mais aussi que le peuple soviétique était fait d'hommes et de femmes partageant en ultime analyse les soucis des habitants des États-Unis. Mais, d'un autre côté, sa politique n'est pas sans continuité : il n'avait jamais fait mystère que l'U.R.S.S. était un géant épuisé — acculé, il est vrai, à une fuite en avant dans l'expansionnisme et le réarmement. Et, quand, fin 1983, sa rhétorique commence à se modifier, sa stratégie (« réarmer avant de parlementer ») a été couronnée de succès : après le déploiement des euromissiles et le lancement de l'Initiative de Défense Stratégique (I.D.S.) — projet assez utopique d'un bouclier global anti-atomique — le Kremlin est sur la défensive. En 1985, son nouveau leader, Mikhail Gorbatchev, n'a d'autre choix que tirer les leçons du fiasco de l'expérience communiste.

En 1981, la rhétorique de l'Administration prend rapidement, auprès des opinions angoissées, une résonance belliciste et le réarmement nourrit, dans une conjoncture de crise économique, un mouvement pacifiste non négligeable. Chez les Américains, la peur d'une guerre nucléaire le dispute désormais à la méfiance ou à l'hostilité envers le camp opposé. Pour parer au danger, l'équipe présidentielle rend un hommage réticent au contrôle des armements. Mais, la publication, le 30 mai 1982, dans le *New York Times* d'un document secret qui appelle les États-Unis à se doter de forces nucléaires capables de leur permettre « de l'emporter *(prevail)* [...] même dans le cadre d'une guerre prolongée » porte à son comble cette anxiété. Bientôt, relayé par la presse, la télévision et la radio, le débat domine l'actualité. Bref, la rhétorique reaganienne donne un essor inespéré à un projet, celui du « gel » *(freeze)* dont les partisans peuvent rassembler 700 000 personnes (record historique) le 22 juin 1982 à New York. Dès mars, une résolution en faveur du projet a été déposée au Congrès.

Avec la reprise économique, le lancement de l'I.D.S. et le nouvel activisme de l'Administration en faveur du contrôle des armements, le *Freeze* perd de son ascendant. Mais la hantise populaire de la guerre nucléaire reste un élément déterminant : prévenir une telle catastrophe fera de plus en plus figure de priorité pour Reagan.

UN NOUVEAU WATERGATE ?
(novembre 1986)

A partir de l'automne 1986, le sort semble s'acharner sur un Président qu'il avait jusqu'ici paru protéger. En novembre, les démocrates reconquièrent le Sénat. Surtout, la crédibilité de Reagan est durement secouée quand, stupéfait et consterné, le pays apprend quelques jours après que, en contradiction totale avec ses positions publiques, son Président a en secret autorisé des envois d'armes américaines à l'Iran : d'abord sans doute dans l'espoir de nouer des liens avec des Iraniens modérés mais bientôt, exclusivement ou presque, pour obtenir la libération des otages américains détenus par des groupes terroristes libanais.

C'est alors qu'une autre révélation déchaîne la colère cette fois du Congrès : une partie des profits tirés de ces livraisons a servi à financer toute une infrastructure paramilitaire privée créée pour permettre à l'Exécutif d'ignorer la volonté du Congrès, en particulier l'amendement Boland qui, voté en octobre 1984, interdisait tout soutien aux *contras* luttant contre le gouvernement sandiniste du Nicaragua.

Un temps, on peut croire qu'un Watergate bis est en train de se dessiner et que cet accident de la « présidence impériale » va déchaîner une réaction implacable du Congrès. Ce dernier fustigera ces errements de la Maison-Blanche en effet et des poursuites seront lancées, entre autres contre d'anciens fonctionnaires du Conseil national de sécurité, l'amiral Poindexter et le colonel North en particulier. Mais aucune procédure d'*impeachment* ne sera pour autant entamée à la suite de cet *Iran-Contragate*. D'abord, le Président est beaucoup plus aimé que Nixon ne l'était. Ensuite, même si, dans sa majorité, l'opinion publique refuse de l'accepter, sa version (il n'a jamais été informé de la « diversion ») n'a pu jusqu'à aujourd'hui être réfutée. Enfin, chez beaucoup, l'idée ne tarde pas à s'imposer qu'un nouveau Watergate serait plus que le pays ne pourrait supporter.

L'HÉRITAGE DE REAGAN ET LES ANNÉES BUSH

La tempête de l'*Iran-Contragate* à peine passée, **Reagan** subit deux nouveaux chocs de plein fouet. Le 19 octobre 1987, le monde boursier paraît s'effondrer : le *Dow Jones* perd 508 points en une seule journée. Quelques jours après, le Sénat rejette la candidature de Robert Bork, juge brillant mais ultra conservateur, qu'il avait proposé pour la Cour suprême.

A partir de la fin 1987, pourtant, le réchauffement des relations avec l'U.R.S.S. et le maintien, au prix d'un fort déficit des échanges et du budget, d'une indéniable prospérité lui assurent une « sortie en beauté » : si, indice que toute anxiété n'est pas dissipée, le pays s'obstine à refuser aux Républicains la majorité dans les deux Chambres du Congrès, pour la première fois depuis 1836, il élit un vice-président en exercice, George Bush, qui fait figure d'héritier.

Celui-ci est loin, il est vrai, d'être la « copie conforme » d'un Reagan dont il avait été, en 1980, le principal concurrent au sein du *GOP*. Quoique, jeune, il ait mis son point d'honneur à aller chercher fortune sur les franges occidentales les plus sauvages du Texas, il n'en était pas moins apparu comme le candidat de l'*Establishment*. En fait, le nouveau président n'est pas seulement le rejeton d'une famille riche ou le produit de l'enseignement élitiste mais exigeant de l'Est ; son *aura* personnelle (sinon intellectuelle) durant ses études, ses prouesses athlétiques, ses exploits d'aviateur pendant la guerre, suggèrent d'indéniables qualités que sa carrière ultérieure, d'abord dans le privé (l'industrie des forages pétroliers), puis dans le service public a confirmées. Élu représentant du Texas en 1966, il fut nommé ambassadeur des États-Unis auprès de l'O.N.U. par Nixon (1970) qui lui confia, début 1973, la présidence d'un parti républicain que la tempête du *Watergate* allait secouer. Nommé par Ford chef du bureau de liaison des États-Unis en Chine (septembre 1974), il se vit rappelé pour prendre la tête (janvier 1976) d'une C.I.A. démoralisée.

Son expérience personnelle contribue sans doute à éclairer une image non dénuée d'ambiguïté qui, dès la fin 1990, lui a valu d'être le premier personnage jamais désigné par l'hebdomadaire *Time* « homme de l'année » *à la fois* pour l'ampleur de ses échecs (en politique intérieure) et de ses succès (à l'étranger). Rompu aux arcanes de la scène internationale, le nouveau Président a su, dans l'ensemble, remarquablement conjuguer prudence (dans son attitude face à l'effondrement de l'empire soviétique) et — après des années d'*appeasement* à son égard, il est vrai — fermeté face à l'agressivité de l'Irak, symbole des dictatures surarmées du monde sous-développé et menace pour la stabilité des approvisionnements pétroliers. Écartelé entre ses réflexes de patricien du Nord-Est et ses efforts pour se faire accepter, d'abord au Texas puis à Washington, par l'aile droite du *GOP*, Bush n'a guère réussi à se dégager des contraintes que lui a imposées l'essoufflement d'une économie jusqu'ici artificiellement dopée et des « menottes » qu'ont constituées le surendettement du pays, le déficit du budget et la domination de l'opposition au Congrès. Il n'a pu surmonter — comme début 1992 la campagne du populiste Patrick Buchanan l'a rappelé — toutes les contradictions qui peuvent opposer, sur des questions comme les droits civiques, l'aide aux chômeurs de longue durée ou l'IVG, les diverses sensibilités de son parti ou de sa majorité. Il n'a pu respecter l'engagement qu'il avait contracté de ne pas hausser la fiscalité, sans réussir, pour autant, à empêcher le déficit budgétaire de s'aggraver. Après les émeutes qui ont vu, au printemps 1992, le centre de Los Angeles dévasté par des Noirs et, plus encore, des Hispaniques dévoyés ou désespérés, il lui a été difficile de continuer à minimiser les carences d'une politique sociale qui a laissé les inégalités, aussi bien entre les races qu'entre les classes, s'exacerber.

Apte à forger une formidable coalition internationale et un large consensus quand Saddam Hussein l'a défié, il est apparu comme désarmé face à la contraction, à partir de l'été 1990, de l'activité. Faute sans doute d'une marge fiscale suffisante, il n'est pas parvenu à neutraliser l'impact douloureux, pour les cadres et les cols blancs (et non plus pour les cols bleus seulement), de la restructuration des sociétés de services acculées, sous l'effet de leur surextension et de la concurrence de l'étranger, à d'importants licenciements, contrecoups d'un recours beaucoup plus systématique à l'informatique et d'une quête plus appuyée de la productivité.

Une question majeure s'est posée à lui : comment définir, en cette fin de guerre froide où la « menace extérieure » est plus difficile à identifier, une priorité entre, d'une part, un engagement international vital pour la sécurité des États-Unis comme pour leur prospérité et, d'autre part, un redressement intérieur sans lequel les bases de leur influence mondiale ne tarderaient pas à s'effriter ?

VERS UN NOUVEL ORDRE WILSONIEN...

Retombée légitime de sa lucidité ? Fruit d'une chance qu'il a toujours courtisée ? Reagan, en tout cas, a tout lieu de se réjouir du bilan de ses relations avec le camp opposé : son départ de la présidence n'a-t-il pas coïncidé avec d'abord de formidables (quoique fragiles) progrès de la « démocratie » dans le monde sous-développé (Argentine, Brésil, Philippines, Corée du Sud...), puis avec ce qui fait figure de victoire historique sur l'idéologie communiste ?

Mais la « fin de la guerre froide » ne signifie pas, loin de là, celle de tous les dangers. A la fin de la guerre froide, le pouvoir militaire semble se diffuser tandis que les armes de destruction massive menacent de proliférer. La crise déclenchée, le 2 août 1990, par l'agression de Saddam Hussein sur le Koweit illustre bien à la fois les nouveaux périls et les nouvelles opportunités. D'un côté, du fait de la nouvelle attitude soviétique, les États-Unis ont pu, à la tête d'une impressionnante coalition, voler au secours de l'ordre international bafoué sans redouter un affrontement avec le camp opposé, contraindre l'Irak à se retirer, bref faire enfin pleinement fonctionner le système de sécurité que, dès 1945, l'O.N.U. était censée instaurer : sous cet aspect, la politique d'« endiguement » adoptée en 1947 par les États-Unis a été couronnée de succès et leur suprématie géopolitique portée à son apogée. Inversement, leur incapacité à financer eux-mêmes les opérations sans l'aide substantielle de leurs alliés semble alors suggérer les limites que le déclin relatif de leur puissance économique, leur statut de puissance la plus endettée face à l'étranger et les graves problèmes auxquels leur société

---

se voit de plus en plus confrontée, risquaient d'imposer à leur faculté ou à leur volonté de jouer les pompiers dans un monde où la fin de la guerre froide et la disparition de l'U.R.S.S. ont de fortes chances d'engendrer un regain d'instabilité.

Apparu à la fin des années 70, exorcisé au début des années 80 par les incantations d'un président magicien, le spectre du déclin recommence, à la fin de la décennie, à hanter les Américains. Témoin le formidable succès du livre de Paul Kennedy : *The Rise and Fall of Great Powers.*

Le recul des États-Unis relève davantage du fantasme que de la réalité – la deuxième moitié des années 90 le suggère –, et nombre d'auteurs, tels Joseph Nye ou Henry Nau, ont mis leurs lecteurs en garde contre tout défaitisme injustifié. Comme à la fin du XIX⁰ siècle, en effet, les États-Unis restent les premiers. Avec la chute de l'U.R.S.S., leur prédominance militaire est plus écrasante que jamais. Depuis le milieu des années 60, leur part de l'économie mondiale a assez bien résisté. L'efficacité de leur agriculture et de certains de leurs services les incitent à réclamer, dans les négociations du G.A.T.T. *(Uruguay Round)*, une ouverture beaucoup plus large de ces marché. Tout au long des années 80, leur productivité industrielle n'a cessé de s'aiguiser. Enfin et surtout, ils sont aujourd'hui les seuls à disposer de *tous* les attributs (économiques, militaires, scientifiques, démographiques, territoriaux) d'une grande puissance.

Mais au sortir de la guerre froide, leur domination n'en paraît pas moins fragilisée. En dépit de sa rhétorique libre-échangiste, l'équipe Reagan a multiplié les restrictions sur les importations. Surtout, à la fin des année 80, le pays s'inquiète de l'ampleur des investissements étrangers, notamment nippons. Bref, en mars 1988, 59 % des Américains estimaient que la plus grande menace provenait moins « d'adversaires militaires comme l'Union soviétique » que de concurrents économiques comme le Japon.

Sur le plan intérieur, l'héritage laissé à George Bush par son prédécesseur comporte une bombe à retardement : les effets du désengagement de l'État. Sous Reagan, en effet, l'évolution conservatrice qui se dessinait s'est accentuée. Le concept de *workfare* (imposant un certain travail à la plupart des personnes assistées) a connu une très large popularité, sanctionnée par une loi votée en 1988 par le Congrès. Mais en même temps, et de façon paradoxale, la crédibilité et la nécessité de l'action **gouvernementale se** sont trouvées renforcées. Par exemple, **dès 1987, 85 % des** Américains souhaitaient voir la lutte contre la pollution intensifiée. Le

Congrès se voit par ailleurs contraint de consacrer des sommes exorbitantes (plusieurs centaines de milliards de dollars) pour corriger les errements rendus possibles par le « désengagement » reaganien : dégradation de l'infrastructure (routes, aéroports, ponts) et fragilisation de l'ensemble du système financier de la nation. Enfin, affectant sévèrement une économie surendettée, la récession (apparue en juillet 1990) a multiplié les appels en faveur d'une action gouvernementale plus appuyée : pour limiter l'impact du chômage (Bush s'est résigné à signer une loi prolongeant la durée des allocations, limitée au début des années 80 à 26 semaines), pour améliorer la couverture des soins de santé et pour relancer l'activité.

Les années 80 ont légué un creusement des inégalités. Impulsé par le ralentissement de la croissance consécutif au premier choc pétrolier, le phénomène a été accéléré par la récession sévère de 1981-1982. Divers facteurs semblent l'avoir suscité : la stagnation ou le recul des salaires les moins élevés, la réduction des aides gouvernementales (prestations sociales ou allocation chômage) aux plus défavorisés, l'augmentation des plus-values financières à la portée des familles les plus aisées, la multiplication des foyers dirigés par une femme et la combinaison d'une progressivité moins forte de la pression fiscale et d'une hausse des cotisations de sécurité sociale. Au milieu des années 90, les 2,5 millions d'Américains les plus riches disposent d'un revenu presque aussi élevé que les 100 millions les moins aisés.

Le risque de voir « deux nations », selon l'expression de Disraeli, aller leur chemin séparé peut d'autant moins être ignoré que la pauvreté est très inégalement distribuée (en 1987, elle frappe 11 % des Blancs — qui représentent néanmoins 2/3 des pauvres —, 28,2 % des Hispaniques et 31,1 % des Noirs) et qu'après avoir reculé durant sept années, à partir de 1989, elle a de nouveau tendu à progresser (de 12,8 % à 13,5 % en 1990 et près de 15 % en 1992). Le chiffre de 37 millions de pauvres généralement avancé (en 1992) doit sans doute être sensiblement diminué si l'on tient compte des prestations en nature telles les coupons alimentaires, les subventions au logement, l'assistance médicale (encore qu'en 1990 14 % des Américains se soient retrouvés sans assurance-maladie). Mais, alors même qu'avec la récession et les difficultés budgétaires croissantes des États, comtés et municipalités, les errements du *welfare* sont volontiers vilipendés, la pauvreté reste comme une plaie qui refuse de se fermer sur le corps même de la société.

De plus, elle frappe désormais les enfants de plein fouet : 20 % d'entre eux en 1987 (et même 25 % en 1994) — souvent victimes de la désintégration de la famille (dans la communauté noire en particulier où 61 % des enfants naissent hors du mariage) mais aussi des failles du « filet de sécurité ».

Sous Reagan, puis sous Bush, le conservatisme a étendu son champ au domaine de la justice. Sensible au rôle du pouvoir judiciaire, Reagan s'est efforcé de nommer aux sièges fédéraux (50 %) dont il disposait des juges ne considérant pas les tribunaux « comme des véhicules de l'action politique et de l'expérimentation raciale ».

Évidemment, le Président a apporté un soin particulier à choisir des candidats sûrs pour les postes qui se sont libérés à la Cour suprême : Sandra O'Connor (première femme jamais nommée), Antonin Scalia, appelé en remplacement de William Rehnquist propulsé, au départ de Warren Burger (1986), *Chief Justice*, et, après le double rejet des juges Bork et Ginsburg par le Sénat, Anthony Kennedy. En 1989, divers arrêts (en matière de droit criminel et d'affirmative action en particulier) ont conduit les observateurs à se demander si la majorité de la Cour n'avait pas définitivement basculé — incitant du même coup la majorité démocrate du Congrès à imposer à Bush (automne 1991) une loi renforçant l'interdiction de la discrimination dans l'emploi. Plus spécifiquement, l'arrêt *Webster vs. Reproductive Health Services* (1989), autorisant les États à refuser de financer les services pratiquant l'IVG, a sans doute été ressenti comme un grave revers par les partisans de ce dernier. Mais sa signification ne doit pas être exagérée : dès 1977 la Cour avait reconnu aux États le droit de refuser de financer celle-ci et, le 29 juin 1992, elle a, par 5 voix contre 4, maintenu l'essentiel de *Roe vs. Wade* (1973, sur l'élargissement à l'avortement du droit à l'intimité), tout en concédant aux États le droit de réglementer l'IVG dans des limites raisonnables.

La question d'une évolution plus radicale de la Cour suprême a, en tout cas, resurgi avec une nouvelle acuité dès lors que le départ des deux juges, l'un modéré (William Brennan) et l'autre libéral (Thurgood Marshall) semble avoir permis à Bush de parachever, avec les nominations de David Souter et de Clarence Thomas, l'œuvre que Reagan avait entamée. Il n'en est rien en réalité puisque, dans les deux années qui ont suivi son arrivée, son successeur démocrate a été en mesure de nommer deux juges modérés même si son second mandat ne lui permettra pas de totalement recentrer la majorité.

Au cours de la première moitié des années 90, en effet, la vie politique américaine semble avant tout caractérisée par une extrême volatilité. En novembre 1992, William Jefferson Clinton l'emporte contre un George Bush qui a pu paraître invincible un an auparavant. En 1994, l'arrivée d'une majorité républicaine au Congrès inflige pourtant un camouflet cinglant au nouveau président. Mais, moins d'un an après, l'Amérique lui fait déjà plus confiance qu'au Congrès. En 1996, elle ne les reconduit pas moins tous deux sans désemparer.

Ces oscillations traduisent, à n'en pas douter, la crise d'identité économique et sociale que l'Amérique vient de subir au cours des dernières années. Mais elles reflètent probablement aussi ses interrogations face à l'émergence d'une nouvelle donne, plus positive, en réalité : son accession, la guerre froide achevée, au rang de puissance hégémonique incontestée dans un monde largement globalisé selon ses souhaits.

11

UNE « RENAISSANCE » AMÉRICAINE ?
(1993-2000)

La fin de la guerre froide s'identifie à la victoire stratégique des États-Unis sur l'Union soviétique. Mais elle incarne aussi le triomphe de leur modèle idéologique et, du coup, accélère la diffusion de leurs credos économiques. Sur le moment, peu d'Américains sont sensibles à cette réalité. En 1992, ils réservent à un livre intitulé *America : What Went Wrong ?* un étonnant succès et, fin 1995 encore, c'est à leur « déprime » (*funk*) que Clinton croit devoir s'attaquer. Mais, en 1996, l'élection se fait sous le signe de la prospérité retrouvée. Et le monde découvre subitement alors le poids de ce que certains appellent la « nouvelle économie », une économie dominée par la révolution des communications et caractérisée par l'avance que les États-Unis s'y sont assurée. Leurs difficultés apparaissent alors avant tout comme les retombées d'une restructuration qui a fait d'eux les pionniers d'une nouvelle révolution, celle de la globalisation et de l'information.

Subitement requinquée, l'Amérique oublie son anxiété pour renouer, selon un de ces coups de balancier un peu brutaux qui l'ont souvent caractérisée, avec un optimisme quelque peu altier. « Je suis fier, lance Clinton en février 1997, de dire qu'aujourd'hui, en matière de compétitivité et d'exportations, les États-Unis occupent une fois de plus le premier rang mondial ». Quelques mois après, un de ses adjoints offre la Clintonomie, « une stratégie de réduction du déficit, de promotion des exportations et d'investissement dans la population », en modèle aux autres nations. Si ce regain de confiance irrite quelque peu certains de leurs partenaires, et en particulier Paris, rares sont ceux qui s'étonnent quand Clinton parle de « Renaissance » à propos de leur économie. Bien au contraire, c'est le patron du Quai d'Orsay qui qualifie lui-même d'« hyperpuissance » les États-Unis. Combinant une suprématie militaire inégalée, une avance technologique qui laisse loin derrière leurs concurrents étrangers, une situation en pointe dans le nouveau monde « *internetionalisé* », une culture populaire diffusée dans le monde entier et une image de terre des libertés, ceux-ci jouissent, à partir du milieu de la décennie, d'une prééminence sans égale par le passé.

Pourtant, l'optimisme que le retour de la prospérité ne manque pas de restaurer, ne trouve pas son pendant ni dans la vie politique que les querelles partisanes enveniment plus que jamais, ni dans la réaffirmation d'un *leadership* incontesté à l'étranger. En dépit d'indéniables succès, leur hégémonie est souvent ressentie ou contestée. Surtout, lors de l'élection de 2000, l'Amérique apparaît ainsi paradoxalement *à la fois* centriste *et* divisée.

« IT'S THE NEW ECONOMY, STUPID »

La fin de la guerre froide libère l'Amérique non pas, comme nous le verrons, de toute préoccupation géostratégique, mais de la menace massive et obsédante qu'avait longtemps constituée l'Union soviétique. Elle sanctionne surtout l'avènement de ce monde économiquement ouvert qui avait été, au sortir de la Deuxième Guerre mondiale, son objectif prioritaire. Non seulement, en effet, le système communiste est discrédité, mais le prestige du système capitaliste sort, de cette rivalité, si renforcé qu'il brise les résistances auxquelles il s'était jusque-là heurté. La démocratie de marché, affirme Francis Fukuyama dans *La Fin de l'Histoire* (1989) s'est affirmée le seul modèle possible pour l'avenir de l'humanité. Si, pour la démocratie, la prophétie apparaît quelque peu prématurée, elle semble bientôt se concrétiser pour le marché. « Le monde entier est notre maison » : ce que les étudiants de 1968 avaient rêvé, les dirigeants des grands ensembles industriels et les leaders des plus importants groupes financiers semblent bien l'avoir réalisé.

LE MONDE SELON L'AMÉRIQUE

L'Amérique des années 1990 domine le monde, à n'en pas douter. Dire qu'elle le dirige serait sans doute exagéré. Il n'est, pour s'en persuader, que de se rappeler les nombreux revers qu'elle a enregistrés : Saddam Hussein est toujours au pouvoir près de dix ans après avoir été défait, la Corée du Nord a pu lui faire chèrement payer les quelques concessions qu'elle a fini par octroyer, les États-Unis ont été impuissants à empêcher l'Inde et le Pakistan de procéder à des essais nucléaires, le Japon a toujours su efficacement résister aux pressions commerciales de Washington. Surtout, au Moyen-Orient, en dépit d'efforts insistants, Clinton n'a pu mettre un terme aux affrontements.

Bref, en dépit de leur écrasante suprématie militaire, les Américains voient souvent leur hégémonie buter sur la méfiance, la jalousie et la résistance de leurs anciens alliés ou adversaires. Pourtant, dans ce nouveau monde « uni-multipolaire » (Samuel Huntington), leur puissance reste iné-galée. Sur le plan militaire, la tragédie de l'ex-Yougoslavie viendra le rappeler, sans eux, rien ou presque ne peut être fait. Sur les plans économique et financier, le monde ouvert et largement interconnecté en train d'émerger répond largement à leur perception traditionnelle de leurs intérêts.

La globalisation économique qui s'affirme dans ces années est sans doute, en priorité, le produit de la révolution des com-munications qui, avec les fax, les modems, les satellites mais aussi les fibres optiques et la diffusion des systèmes informa-tiques, connaît dans les années 1990, avec l'avènement du cyberworld, une accélération dramatique. Elle est aussi l'effet de l'impulsion décisive que la fin de la guerre froide assure aux forces du marché, désormais dotées d'une nouvelle légitimité et perçues dans le monde entier comme le meilleur et même l'unique moteur de la prospérité. Mais l'avènement d'un sys-tème économique mondialisé est tout autant le résultat d'efforts appuyés et opiniâtres des États-Unis qui, depuis la fin de la Deuxième Guerre mondiale, n'ont cessé d'y travailler.

Sous leur impulsion, en effet, les marchés se sont inlassablement ouverts et intégrés. Pour commencer, les divers rounds douaniers que le GATT a organisés ont fait tomber le taux moyen des tarifs douaniers entre pays industrialisés de 40 % à 5 % entre 1946 et 1990. En 1994, la ratification de l'Uruguay Round (lancé en 1986 sous l'administration Reagan) sanc-tionne la naissance de l'Organisation mondiale du commerce, l'OMC, pourvue de pouvoirs beaucoup plus importants que ceux dont le GATT était doté et ouvre la voie à l'inclusion des services dans les futurs pourparlers. Dès 1995, le commerce international représente ainsi 15 % du PNB mondial. Parallèlement, l'administration Clinton se consacre avec ténacité à l'ouverture effective des marchés financiers et boursiers, étendant des efforts jusque-là confinés au Japon à l'ensemble de l'Asie. Davantage encore que les échanges com-merciaux, les flux mondiaux d'investissements directs à l'étranger ne cessent de se gonfler : entre 1980 et 1995, leur valeur s'envole de 500 à 2 700 milliards de dollars et, en 1996, les ventes des multinationales dépassent largement (11 000 milliards de dollars) les exportations mondiales (7 000 milliards). Ces mouvements de restructuration s'accompagnent d'une formidable vague de fusions qui crée d'énormes ensembles économiques dotés des fonds nécessaires pour assurer leur compétitivité dans une lutte de plus en plus planétaire. En même temps, la dynamique d'homogénéisation qu'entraîne cette mutation favorise l'adhésion croissante de pays toujours plus nombreux aux mots d'ordre du capitalisme anglo-saxon : libéralisation, privatisation, dérégulation.

L'économie « globale » où le monde est en train d'entrer n'est pas américaine à strictement parler. Avant tout, elle reflète une évolution technologique – la révolution des communications – et idéologique – le triomphe du marché – qui touche le monde entier : nombre de groupes multinationaux de premier plan sont européens ou japonais. Mieux ! Les Américains voient eux aussi certaines de leurs grandes firmes rachetées par leurs concurrents étrangers. D'ailleurs la globalisation suscite une réelle anxiété dans les classes moyennes américaines dont les emplois se sont trouvés frappés de précarité et, plus encore, chez les salariés les moins qualifiés qui vivent toujours sous la menace de voir leurs tâches exportées dans des pays où la main d'œuvre est nettement meilleur marché.

Malgré tout, aux yeux du reste du monde, la globalisation est américaine en priorité. D'abord, elle s'identifie largement à la diffusion de leur culture et de leur société. Comme un journaliste l'a fait remarquer, elle porte les oreilles de Mickey, boit des Coca-Cola, mange des Big Mac, travaille sur des PC IBM ou Apple avec des logiciels Microsoft et des processeurs Pentium II d'Intel. Ensuite, elle assure un rôle encore plus important à leur avance technologique (les produits américains représentent 75 % des ventes mondiales de software) comme à l'influence financière que leur assurent leur poids au sein du FMI mais aussi l'attrait de leur économie : le dollar intervient dans 80 % des opérations de change mondiales, il représente 63 % des réserves des grandes banques centrales et sert de référence à 50 % des transactions commerciales. Enfin et surtout, la globalisation est dominée par les grandes firmes américaines qui, si les États-Unis représentent moins du quart (entre 22 % et 23 %) du PNB mondial, constituent presque la moitié des grandes firmes globales et plus de la moitié de leur capitalisation boursière totale. Elles sont dans ces années les premières à profiter d'une métamorphose à laquelle elles se sont depuis longtemps préparées.

Une Amérique à nouveau « numéro un »

En 1992, le romancier Michael Crichton se taille un beau succès avec son livre *Rising Sun* qui annonce la conquête prochaine des États-Unis par les hommes d'affaires japonais. Quelques années après, pourtant, c'est de *Rising Sam* que ne cessent de parler ces derniers pour évoquer une Amérique dont l'avance tend à toujours plus s'affirmer. Si elle ne prend son plein essor qu'à partir de 1996, l'économie américaine accomplit une performance « phénoménale » (Alan Greenspan, président de la Fed) presque continûment dans les années 1990, où elle connaît la phase d'expansion ininterrompue la plus longue de son histoire. Entre 1991 et 1999, le PNB a augmenté de 37 %, avec un rythme annuel, à partir de 1996, de plus de 4 %. Les États-Unis parviennent à combiner un taux de croissance élevé avec un taux d'inflation bas, un taux de chômage très limité (autour de 4 % en 2000), des taux de profit rarement égalés et des cours boursiers qui se sont envolés : entre 1981 et 1996, le principal indice de Wall Street, le Dow Jones, a sextuplé, ce qui ne l'a pas empêché de continuer à fortement augmenter jusqu'en 2000, date à laquelle il a commencé à reculer.

Ce bilan – ce recul mais aussi la chute, au second semestre 2000, du NASDAQ, l'indice des valeurs de haute technologie qui avait atteint en mars de la même année d'incroyables sommets, viennent le suggérer – n'est pas sans vulnérabilités. Il n'en reste pas moins exceptionnel et ses fondements méritent d'être analysés. En fait, comme toujours dans un tel cas, il semble résulter de facteurs variés, à commencer peut-être par la victoire dans la guerre froide et les « dividendes de la paix » qu'elle a dégagés : grâce à eux, les Américains ont pu limiter leurs dépenses militaires et transformer en quelques années un budget fortement déficitaire en un exercice largement excédentaire. Ensuite, dans la nouvelle économie globalisée, ils ont profité de trois atouts clés : une situation géographique privilégiée (ouverture sur deux grandes façades maritimes, Atlantique et Pacifique, et proximité de l'Amérique latine), un anglais qui s'affirme la *lingua franca* du monde de l'Internet et des PC, enfin un marché interne qui, comme par le passé, s'est révélé particulièrement adapté aux innovations technologiques et à la quête de la compétitivité.

Les employeurs américains ont avant tout profité d'un marché de l'emploi d'une rare flexibilité. Leur marge de manœuvre exceptionnelle face à leurs salariés leur a permis de cumuler, avec le minimum d'entraves et le maximum d'efficacité, les gains de productivité que la révolution informatique mais aussi le recours à des méthodes de gestion drastiques (le *consulting*) leur laissaient espérer. Profitant de l'affaiblissement des syndicats (moins de 14 % de la population active et même moins de 10 % dans le privé) et de la dérégulation de l'État, ils ont pu accélérer les restructurations et mutations de leurs activités sans se préoccuper du coût social qui en résultait. Confrontées, à partir des années 1970, à une concurrence toujours plus affûtée, les firmes américaines se sont efforcées, tout d'abord, de s'assurer une main d'œuvre meilleur marché : en « délocalisant » la production vers des pays étrangers ou vers des usines non syndiquées où les rémunérations et les prestations sociales sont plus étriquées. Elles se sont encore davantage employées à « dégraisser », à réduire au maximum le nombre de leurs salariés : elles ont su, en particulier, recourir aux prodiges de l'informatique dont, au bout de quelques années, l'impact ne s'est plus fait seulement sentir sur les seuls secteurs manufacturiers mais s'est rapidement étendu aux assurances, à la banque, à la finance, *via* la bureautique.

Dans ce délicat effort d'adaptation et de restructuration, les États-Unis ont enfin continué de bénéficier de certains des traits culturels qui, dans le passé, lors des premières révolutions industrielles, les avaient déjà avantagés. Leur ouverture à l'immigration leur a permis de bénéficier de l'arrivée de chercheurs, entrepreneurs ou techniciens étrangers désireux de travailler dans un pays réputé pour son attachement à la liberté d'entreprendre. L'indulgence de leur système juridique à l'endroit des faillites (considérées comme une expérience parfois nécessaire) a encouragé les initiatives pionnières les plus susceptibles de déboucher sur des percées en matière de productivité et de dégager des fonds pour de nouvelles avancées. Leur faible fiscalité (et, à partir du milieu de la décennie, leur politique du « dollar fort ») a attiré les capitaux étrangers en quête de placements à rendements élevés. Et la forte propension de leur population à consommer a assuré un marché suffisant pour rentabiliser de coûteux investissements.

On l'aura noté, ce dynamisme créateur a bénéficié de la vitalité et de l'allant des entrepreneurs (en 1998, sur la liste des vingt-cinq firmes américaines les plus importantes, quatre seulement y avaient figuré dès 1960) mais aussi de la volonté consciente d'un État qui l'a impulsé ou appuyé. La politique de déréglementation et d'ouverture des marchés des administrations Reagan puis Bush a sans doute eu de douloureuses conséquences pour les salariés. Pourtant, en dépit des dégraissages brutaux des grandes sociétés, globalement beaucoup plus d'emplois (qui sont loin de correspondre tous à des postes subalternes, pénibles ou mal payés), ont été créés qu'il n'en a été supprimé (quelque 20 millions pour les seules années Clinton). Bref, l'Amérique a déclenché le processus de « destruction créatrice » dont Schumpeter parlait : les gains de productivité réalisés dans les secteurs traditionnels ont dégagé les moyens nécessaires au développement d'activités nouvelles. Par le biais de comptes individuels ou de fonds de pension, des encouragements sans précédent ont été donnés à l'entrée des Américains sur le marché boursier (sur lequel quelque 50 % d'entre eux sont, à des degrés très divers il est vrai, engagés). En même temps, tout en veillant à prévenir ou éliminer (comme dans l'affaire Microsoft) des situations de monopole dangereuses pour l'ensemble de la communauté, l'administration Clinton a encouragé les fusions dès lors qu'elles paraissaient constituer un gage de compétitivité : d'un montant de 3 500 milliards de dollars de 1981 à 1992, leur total est passé à près de 10 000 milliards dans les années 1993-1999. Surtout, l'équipe démocrate s'est efforcée de remédier à l'un des legs les plus lourds que l'administration Reagan avait laissés : le déficit du budget qu'elle a d'abord, non sans courage, réussi à atténuer (1993) puis, en coopération avec le Congrès républicain, fini par totalement supprimer (1997).

En dépit des efforts tous azimuts qu'elle a déployés, cette équipe n'a pas su, il est vrai, résoudre l'autre grand problème dont elle avait hérité : le déficit du commerce extérieur. Ce dernier a même eu tendance, à partir de 1997, avec l'impact de la crise asiatique, à se gonfler jusqu'à atteindre des niveaux jusqu'ici inégalés (il dépassera sans doute les 300 milliards en 2000). Cet échec est sans doute le meilleur reflet de la santé économique de l'Amérique mais aussi de ses limites. D'un côté, il a un temps traduit une vitalité bien supérieure à celle des autres démocraties industrialisées, qui a incité les États-Unis à importer alors que leurs partenaires avaient plutôt tendance à restreindre leurs achats à l'étranger : ils ont ainsi parfois paru jouer le rôle « d'acheteur de dernier ressort » dans une économie mondiale anémiée qu'ils ont contribué à raviver. Il convient d'ailleurs de le relativiser : 33 % à 40 % des transactions commerciales des États-Unis constituent des échanges entre leurs firmes mères et leurs filiales à l'étranger ! De l'autre, il trahit aussi la relative fragilité de leur étonnante prospérité. Le taux d'épargne des familles et des firmes n'a cessé de se rétracter et leur taux d'endettement de se gonfler : plus de 100 % du revenu personnel disponible pour les foyers en 2000 (plus de 7 500 milliards) soit presque 25 % de plus qu'en 1990, plus de 10 000 milliards pour les sociétés ! Bref, avec un déficit des comptes courants qui tourne désormais autour de 4 % du PNB, le pays n'a cessé d'emprunter à l'étranger des sommes toujours plus élevées et son activité dépend toujours plus de sa capacité à séduire les investisseurs extérieurs, seuls à même de financer le niveau élevé de la consommation privée et les besoins en capitaux des sociétés. Cette situation n'est évidemment pas sans danger : en cas de ralentissement prolongé de l'activité, les responsables américains pourraient être conduits à opérer un arbitrage risqué entre accroître leurs taux d'intérêt (pour continuer d'attirer les capitaux étrangers) ou les baisser pour « relancer ».

Un tel dilemme finira-t-il par émerger ? L'économie américaine bénéficie, à n'en pas douter, de progrès importants en matière de productivité : longtemps confinée, entre 1970 et 1990, à un accroissement annuel de l'ordre de 1 %, celle-ci a crû selon un rythme de 2 % à partir de 1990 et même de 3 % dans la deuxième moitié de la décennie. Ces progrès expliquent sans doute comment, contrairement à tout ce que l'école classique affirmait, elle a pu combiner un chômage inférieur à 6 % et une inflation muselée. Mais dans quelle mesure ce succès n'a-t-il pas été surtout le résultat du faible coût des importations, et en particulier des prix pétroliers et survivra-t-il à la hausse récente mais brutale de ces derniers ? Dans quelle mesure les performances de la productivité dans les services n'ont-elles pas été surestimées du fait d'une sous-évaluation probable des heures réellement ouvrées ? Surtout, depuis quelques années, la croissance américaine a paru dopée par des stimulants artificiels dont la préservation n'est pas assurée. L'envol de la Bourse semble, en particulier, avoir davantage nourri la vitalité de l'économie que l'avoir reflétée. Or, une correction quelque peu appuyée – que l'évolution de l'été et de l'automne 2000 a peut-être amorcée – pourrait avoir un impact d'autant plus grand que nombre de détenteurs d'actions ont emprunté pour les acheter ou les ont utilisées en gage de crédits qu'ils contractaient.

Bref, à la fin des années 1990, il semble de moins en moins sûr que les États-Unis soient entrés, comme certains analystes n'ont pas hésité à l'affirmer, dans un cycle vertueux, dans une « nouvelle économie » où la conjugaison de la haute technologie, de la globalisation et des progrès de la productivité écarte tout retournement de l'activité. Ils pourraient avoir été moins à l'aube d'une prospérité perpétuelle qu'au sommet d'un cycle somme toute assez proche de ceux du passé, où des innovations technologiques favorisent, outre une forte impulsion de l'activité, l'émergence d'une bulle financière qui rend, à un moment, une phase de correction nécessaire. Si tel est bien le cas, celle-ci prendra-t-elle la forme d'un atterrissage en douceur (*soft landing*) ou d'une secousse beaucoup plus sévère (*rough landing*) ?

DES RETOMBÉES SOCIALES TRÈS INÉGALES

Alors qu'elle entre dans un nouveau millénaire, l'Amérique est sans doute rassérénée. S'ils sont loin d'avoir disparu, nombre des maux sociaux qui nourrissaient son anxiété depuis des années se sont atténués. Cela est vrai tant du taux de criminalité qui, depuis 1991, n'a cessé de baisser, que de celui des grossesses parmi les adolescentes, des avortements, mais aussi de la pauvreté qui, en 1999, est tombé à moins de 12 %. Corollaire que Clinton a souvent cité : fin 1999, le nombre des gens inscrits au *welfare* (l'assistance sociale si décriée) n'avait jamais été aussi peu élevé depuis trente-cinq ans. Entre 1992 et 1999, le pourcentage des foyers qui en bénéficiaient a baissé de moitié.

Les pauvres représentent plus de 32 millions de personnes cependant et 40 % d'entre eux (soit un Américain sur vingt) doivent subsister avec moins de la moitié du revenu considéré comme suffisant pour assurer un niveau de vie décent alors qu'ils n'étaient que 30 % dans ce cas voilà vingt-cinq ans. De plus, la pauvreté touche proportionnellement davantage les minorités et les enfants. Depuis longtemps, en effet, les inégalités n'ont pas été aussi prononcées. Alors qu'avant 1973 les revenus des plus défavorisés tendaient à croître plus vite que celui des plus aisés, l'évolution s'est inversée. En 1979, les 1 % les plus riches détenaient 22 % de la richesse nationale, leur part est désormais de 35 %. Ils percevaient alors 12 % du revenu des familles, ils en reçoivent 15 % aujourd'hui. Sans doute le fossé a-t-il eu tendance à se creuser plus lentement au cours des dernières années. Il n'empêche. Depuis plus de deux décennies, sous l'effet de l'impact très sélectif de la globalisation sur les diverses couches de salariés comme d'une politique économique et fiscale favorable aux détenteurs de capitaux et aux revenus les plus aisés (entre 1996 et 1998, les profits des sociétés ont augmenté de 23,5 %, leurs impôts de 7,7 % seulement), la stratification sociale des États-Unis a tendu à s'accentuer. Tandis que les plus riches s'enrichissaient et que les plus démunis voyaient leur sort se dégrader, la situation des classes moyennes – dont le nombre a tendance à se rétracter – a essentiellement stagné [1].

Cette évolution n'a pas été sans d'importantes retombées. Elle a pu exacerber le sentiment d'injustice chez des minorités raciales qui, tels les Afro-Américains (où le taux de pauvreté est

---

1. De 1970 à 1993, si les Américains disposant de revenus supérieurs à 60 000 dollars (de 1993) sont passés de 20,1 % à 25,2 %, et si ceux aux revenus inférieurs à 20 000 dollars ont connu à peu près la même progression (de 20,3 % à 24,5 %), les revenus intermédiaires étaient, eux, en diminution : de 59,1 % à 50,3 %.

« tombé » à 28 %) ou les Hispaniques, n'ont que peu bénéficié de la prospérité parfois ostentatoire qui les défiait. Perceptible dans la population des établissements pénitentiaires qui n'ont jamais compté autant de prisonniers (2 millions), la corrélation constatée entre pauvreté et criminalité souligne la fracture ethnique et raciale qui a tendu à s'aggraver. De même chez nombre de salariés la redistribution inégale des fruits de la prospérité a probablement quelque peu contrarié la satisfaction ou l'optimisme que, par ailleurs, la reprise inspirait. Si, dans la seconde moitié des années 1990, ils ont vu en effet leur situation s'améliorer sur un marché de l'emploi où la main d'œuvre menace de manquer, les progrès sont restés jusqu'ici assez limités. En 1999, le revenu médian des familles a dépassé les 47 000 dollars : c'est 12,7 % de plus qu'en 1993 mais 4,5 % de plus qu'en 1989 seulement. C'est peu au regard de l'augmentation du PNB. Surtout, pour préserver ou améliorer leur niveau de vie, la plupart des foyers américains ont dû recourir à un deuxième salaire, et parfois même faire nombre d'heures supplémentaires. Pour la première fois de l'histoire du pays, dans une majorité (51 %) des couples ayant des enfants, les époux sont deux à travailler (au moins à temps partiel) : ils n'étaient que 33 % à le faire en 1976.

Le creusement des inégalités s'est accompagné de trois autres évolutions de la société. Tout d'abord, sa composition démographique a continué de changer. A la fin du XXᵉ siècle, les États-Unis paraissent un peu dans la situation où ils se trouvaient à la fin du XIXᵉ. Tout d'abord, ils viennent de voir déferler la deuxième grande vague d'immigration de leur histoire (en gros, un million de nouvelles entrées par an deux décennies durant). Dès 1994, la population née à l'étranger atteignait, avec 22,6 millions de personnes, près de 9 % du total, son pourcentage le plus élevé depuis la fin de la Deuxième Guerre mondiale. Sa part dans l'emploi est aujourd'hui de 12 %. Du fait de la combinaison d'une forte immigration où Hispaniques et Asiatiques (40 % chacun) s'assurent une très nette domination et du dynamisme de la natalité des Noirs et autres minorités, les équilibres ethniques sont directement affectés. En 2000, pour la première fois, en Californie, les Blancs (non hispaniques) se sont retrouvés en minorité. Cela avait déjà été le cas de Hawaii et du nouveau Mexique dans le passé. Mais cette évolution de l'État le plus peuplé de l'Union semble préfigurer ce que beaucoup considèrent comme un développement à terme inexorable : le « brunissement » (*browning*) de la population nationale.

Cette première mutation se conjugue avec une seconde évolution : sa répartition spatiale reflète toujours plus fidèlement les inégalités sociales de la nation. Tandis qu'une partie des plus riches ont choisi de s'installer dans des enclaves férocement gardées (*gated cities*) et que les plus déshérités ont continué à se concentrer dans les centres villes et leurs ghettos sinistrés, les classes moyennes ont poursuivi l'exode hors des cités qui s'était dessinée depuis plusieurs années. A l'orée du XXIe siècle, 75 % de la population américaine (281 millions en 2000, dont 74 % de Blancs, 12 % de Noirs, 10 % d'Hispaniques et 3 % d'Asiatiques) vit dans les agglomérations urbaines et les deux tiers d'entre eux résident dans des banlieues.

Cette situation engendre toutes sortes de débats et de questions, en particulier en matière de lutte contre la criminalité et d'éducation. Il est d'abord difficile d'ignorer la sévérité particulière dont les Afro-Américains font l'objet de la part des forces policières et de la machine judiciaire : avec quelque 12 % de la population, ils représentent 50 % des détenus des pénitenciers et des prisons et une tout aussi forte proportion (ou plutôt disproportion) des statistiques des condamnés à mort et des exécutions (ce qui contribue à semer le doute sur l'application d'une peine capitale qui n'en continue pas moins de bénéficier de l'appui majoritaire, quoique en baisse, de l'opinion). Plus généralement, les minorités défavorisées (Noirs, Hispaniques), semblent ne pas bénéficier de chances égales en matière d'instruction. Leur principale revendication a été une réforme de l'enseignement de certaines disciplines marquées, selon elles, par un excessif eurocentrisme. Mais, en allant parfois trop loin dans cette direction, elles ont pris le risque d'exacerber ce qui apparaît, et de loin, un problème autrement plus grave. Si l'enseignement public rassemble la très grande majorité des enfants (autour de 90 %), l'écart entre la qualité des établissements reste criant : très satisfaisants dans les banlieues aisées, ils n'offrent, faute de moyens, qu'une éducation de faible qualité dans les quartiers les plus défavorisés où ils sont confrontés, de plus, à de réels problèmes de sécurité (dont la tragédie de Columbine High School au Colorado a donné, en 1999, un reflet exacerbé). Ce sont autant de raisons qui poussent certains militants ou experts à prôner, outre la multiplication d'écoles plus à l'écoute des besoins de leur communauté (*Charter Schools*), la mise en place d'un système de « bons » (*vouchers*) permettant aux parents d'inscrire leurs enfants dans des établissements privés, formule qui a la faveur du GOP mais à laquelle les syndicats d'enseignants et les démocrates restent très opposés.

Enfin, la société semble toujours plus marquée par l'effritement du sens de la communauté et par le débordement de l'esprit de compétition de la vie professionnelle vers la vie privée. Cette tendance est, entre autres, dénoncée par la droite religieuse qui y voit une retombée de l'hédonisme et du refus de l'État d'imposer les « valeurs » qui avaient fait la grandeur du pays par le passé. Ceux qui, comme le conservateur Paul Weyrich, voient dans l'issue de l'affaire Lewinsky la preuve de l'influence perverse de Marx et Marcuse sur le pays restent sans doute une minorité. Mais plus nombreux sont ceux qui s'inquiètent, en cette ère de sacralisation de l'individualisme et du marché, de l'érosion des vieilles solidarités : famille, voisinage, communauté. Longtemps singularisée par un dévouement exceptionnel (à travers d'innombrables associations de volontaires) à la vie communautaire, la population américaine semble se désintéresser de cette dernière. Les habitants des banlieues semblent toujours plus accaparés par leurs activités professionnelles, la pratique des sports et des loisirs individuels, et les émissions de télévision. Ils continuent à donner autant d'argent aux œuvres associatives que par le passé, mais le temps qu'ils leur dédient est beaucoup plus compté. Du coup, ce que certains ont appelé le « capital social » des États-Unis, la disponibilité de leurs citoyens à consacrer de l'énergie à l'organisation et à l'amélioration de la société, semble se rétracter. Cela est vrai en particulier d'une vie politique qui semble laisser les citoyens toujours plus indifférents ou sceptiques.

Une démocratie altérée : « just win, baby »

Indices de la dégradation que la vie politique a enregistrée : en 1966, alors qu'au Viêt-nam les combats faisaient rage et que des émeutes embrasaient plusieurs cités, 66 % des Américains *rejetaient* l'idée que « les gens qui dirigent le pays ne se préoccupent pas de ce qui vous arrive » mais, en décembre 1997, au milieu de la plus longue période de paix et de prospérité, 57 % des Américains l'*embrassaient ;* au début des années 1970, une personne sur seize travaillait pour un parti, une sur trente seulement à la fin des années 1990. Cette désaffection croissante s'est traduite par la persistance d'un taux d'abstention très élevé (plus de 50 % en 1996 et sans doute à peine moins en 2000), et d'un nombre très important d'électeurs qui se disent « indépendants ».

Trois développements ont en effet accentué ces tendances que l'émergence de la « Nouvelle Politique » (voir p. 309-312) avait favorisées. Tout d'abord, le champ de compétence du politique, et du pouvoir fédéral en particulier, a inexorablement reculé. D'un côté, la menace massive incarnée par l'Union soviétique une fois évaporée, il est devenu impossible à Washington d'asseoir son autorité sur des impératifs de sécurité autant que par le passé. De l'autre, la globalisation mais aussi les évolutions corollaires qui l'ont accompagnée – dérégulation, privatisation, exaltation du marché et coupes dans le budget – ont largement affaibli l'État face aux forces du marché et réduit l'influence dont il disposait. S'il garde un rôle essentiel comme gestionnaire des « filets de sécurité » auxquels la grande majorité des Américains reste malgré tout très attachée, il exerce un ascendant diminué sur l'économie et la société.

Deuxième facteur qui explique le désenchantement du public : alors que l'érosion quasi naturelle de son prestige ou de son ascendant l'affaiblissait, le pouvoir central s'est lui-même porté des coups dont il a jusqu'ici du mal à se relever. Pour commencer, il a été la principale victime du tour que les campagnes prenaient. Tout d'abord, la compétition entre les médias, leur obsession du profit a débouché sur un affaiblissement de la démocratie : leur polarisation sur les « affaires » ou sur la vie privée des candidats et hommes d'État a débouché sur un appauvrissement du débat. Ensuite, la multiplication des campagnes négatives n'a pu que démobiliser une opinion toujours plus sceptique face aux politiques : à l'instigation de leurs stratèges ès-communication, les candidats ont souvent donné l'impression de ne reculer devant aucun coup bas pour remporter l'élection, de n'avoir d'autre critère que la victoire dans la compétition. Enfin et surtout, le coût croissant des campagnes et le rôle, dès lors, toujours plus important de l'argent ont eu sur les électeurs un impact toujours plus perturbant. A chaque fois, un record jugé stupéfiant s'est vu pulvérisé lors du scrutin suivant. En 2000, c'est à 4 milliards de dollars que les factures se seraient élevées, dont 3 pour les seules campagnes pour la Maison-Blanche et pour le Congrès. Du coup, la démocratie paraît à beaucoup sinon confisquée, du moins régentée par les intérêts des plus nantis et les plus gros lobbies, à même de s'assurer, à travers leurs contributions, accès et influence auprès des élus du pays. La vie politique, a remarqué en 1999 le sénateur républicain conservateur John McCain, évoque « un système de trafic d'influence où les deux partis se battent pour rester en place en vendant le pays au plus offrant ». Une « démocratie à double vitesse » semble s'être développée. Elle respecte l'égalité des citoyens lors du scrutin. Mais elle permet à ceux qui en ont les moyens de se faire entendre beaucoup plus par l'ensemble des Américains.

Troisième facteur : face à cette évolution, la réponse des politiques a été le développement d'un centrisme taillé à la mesure des habitants des banlieues qui représentent la moitié de la population et donc le principal enjeu lors des élections. D'un côté, elles éprouvent une certaine anxiété envers un système économique toujours plus sous l'emprise du marché et elles souhaitent voir l'État préserver une capacité limitée de les protéger contre les aléas de l'âge (les retraites) et de la santé (notamment contre les décisions des grands organismes de distribution de soins, les Health Maintenance Organizations, HMO, dont elles dépendent dans leur grande majorité). De l'autre, à leurs yeux, la vieille frontière entre Wall Street et Main Street s'est émoussée : impressionnées par une période d'expansion inégalée et toujours plus nombreuses à disposer de placements boursiers, elles tendent à identifier leur prospérité au jeu du marché et restent favorables à des baisses de la fiscalité.

Dans un tel contexte, les candidats ont souvent hésité à adopter des attitudes vraiment tranchées sur ces dossiers et préféré faire glisser l'accent sur des questions très éloignées des problèmes quotidiens de la grande majorité de leurs concitoyens. Les débats sur ces derniers (la situation de l'enseignement public, l'accessibilité des soins de santé dans un pays où, en 2000, 43 millions de personnes ne sont pas assurées, l'avenir des pensions retraites, le contrôle des armes à feu largement responsables d'un taux d'homicides étonnamment élevé) ont longtemps paru négligés au profit de philippiques sur des sujets comme l'IVG ou, plus encore, d'attaques d'ordre personnel, voire de mises en cause des vies privées. Certes, Clinton a su habilement s'intéresser à certains des soucis quotidiens auxquels ses concitoyens étaient confrontés, ceux de la vie familiale en particulier : crèches, écoles, lutte contre le tabagisme chez les jeunes gens ou en faveur d'un plus grand contrôle des parents sur ce que voient les enfants sur les petits écrans. Mais le pouvoir fédéral est souvent apparu moins enclin à chercher des solutions aux problèmes les plus importants qu'à se complaire dans des combats aussi stériles que partisans. C'est en tout cas ce qu'a suggéré l'attitude mitigée du pays lors de l'affaire Lewinsky où il a réprouvé le comportement privé du président mais été encore plus révulsé par l'acharnement de ses ennemis. Son désenchantement face à ce qu'il a toujours plus perçu à partir des années 1970 comme un monde à part, coupé (« Inside the Beltway ») par le périphérique qui ceint Washington de l'Amérique profonde et de ses priorités, n'a pu être que renforcé par le « grippage » (*gridlock*) qui, après l'*impeachment*, a caractérisé les relations entre l'exécutif et le Congrès. Inversement, son approbation de l'une et de l'autre instances s'était largement renforcée lorsque, entre 1996 et 1997, la Maison-Blanche et le Capitole avaient su coopérer sur d'importants dossiers, du relèvement du salaire minimal à la réforme du *welfare* et, par dessus tout, au rééquilibrage du budget. Aussi ne faut-il pas s'étonner si Clinton, tout au long de ces années mais aussi, en 2000, nombre de républicains du Congrès, se sont efforcés de présenter une image ouverte et modérée.

BILL CLINTON, GRAND « SYNTHÉTISEUR » OU PRÉSIDENT « MODULAIRE » ?

En 1992, George Bush est en partie victime de son succès. Sans doute un slogan comme « la guerre froide est finie, l'Allemagne et le Japon l'ont gagnée » est-il, la suite va amplement le montrer, prématuré. Il n'en paraît pas moins à nombre d'Américains refléter une désagréable réalité. Le pays reproche au président son impuissance à le sortir de la récession où depuis 1990 il est enfoncé (en réalité, la reprise a bien commencé mais le chômage, lui, continue d'augmenter). Il s'inquiète du « double déficit » (du commerce extérieur et du budget). Le vainqueur de la guerre du Golfe a surtout perdu la confiance d'une partie de ceux qui l'avaient porté, en 1988, aux responsabilités. Les couches modestes révoltées contre la « Grande Société » sont exaspérées : n'a-t-il pas acquiescé, en 1990, à une hausse de la fiscalité après avoir juré en 1988 qu'il ne la relèverait jamais ? Mais les républicains modérés, les femmes en particulier, ont aussi été consternés de voir la convention du GOP dominée par des « fondamentalistes » décidés à lancer une « guerre sainte » contre la permissivité, l'homosexualité et l'IVG.

Aussi les adversaires de Bush s'empressent-ils de l'attaquer. Au sein même du GOP, le populiste Patrick Buchanan lui reproche un élitisme indifférent au sort des salariés et un libéralisme douanier qui fait le jeu des concurrents étrangers. Candidat indépendant, le milliardaire texan Ross Perot dénonce le règne d'une « cupidité » qui ronge les bases mêmes de la société et tend à la déchirer. Quant à Bill Clinton, son rival démocrate, il promet de mettre l'intégration de l'Amérique dans l'économie globale au service de l'intérêt national grâce à plus d'agressivité dans les négociations commerciales. Il a beau jeu de souligner que l'expérience de Bush (la politique étrangère) le qualifie pour un passé (la guerre froide) qui n'est plus d'actualité, de promettre de se concentrer comme un « rayon laser » sur les problèmes économiques érigés en ardente priorité, et de travailler à instaurer un système national d'assurance santé – promesse populaire à une époque où près de 15 % des Américains ne sont pas protégés. Ancien président du *Democratic Leadership Council* créé au milieu des années 80 pour recentrer un parti trop identifié à un « libéralisme » discrédité, il sait récupérer certains des thèmes les plus populaires du GOP. En novembre, le pays l'élit sans pour autant lui accorder la majorité.

Né en 1946, le nouveau président peut prétendre parler au nom de la génération du *baby boom* parvenue à maturité. Son enfance est loin, il est vrai, d'incarner les « valeurs familiales » dont il saura enlever le monopole au GOP. Son père, déjà plusieurs fois marié et divorcé, meurt avant qu'il soit né. Le jeune Bill est élevé d'abord par ses grands parents puis par sa mère remariée à un alcoolique qui la bat et dont elle divorcera avant de le réépouser ! Mais ces conditions difficiles l'encouragent, bien loin de l'en empêcher, à s'imposer aussi bien au lycée (il est sélectionné pour rencontrer Kennedy à Washington) qu'à l'Université (il sera deux ans durant boursier Rhodes à Oxford avant d'être diplômé de droit à Yale). Ce représentant de la génération des *Sixties*, qui s'oppose à la guerre du Viêt-nam, réussit à se faire élire dès 1978 gouverneur de l'Arkansas.

À son arrivée à la Maison-Blanche, personne ne peut lui enlever une évidente qualité : le nouveau président est un politicien né. Non seulement, il a démontré, après sa première défaite électorale en Arkansas (1980), sa capacité à tirer la leçon de ses errements : il parvient à se faire réélire dès 1982 et est reconduit sans interruption désormais. Mais il est aussi doué d'une rare aptitude à saisir les tensions des aspirations, souvent contradictoires, de la nation, à louvoyer entre la gauche et la droite, à élaborer une « synthèse » moderniste des idées « libérales » (défense de l'environnement, soutien au droit à l'avortement, contrôle des armes à feu) et conservatrices (réforme du *welfare*, lutte sans pitié contre la criminalité, défense des « Américains oubliés » contre la cupidité des plus riches et la paresse des assistés). Son attitude à l'égard de l'État est ainsi d'une réelle ambiguïté : il ne cache guère qu'il y voit un indispensable adjuvant au marché mais souscrit au vœu des conservateurs qui veulent le « dégraisser ». C'est un legs qu'en 2000, le candidat républicain George W. Bush, le fil de l'ancien président, saura ne pas oublier, quitte à accomplir un chemin inverse pour se positionner sur un centre décidément très convoité.

D'autres traits valent à Clinton une certaine vulnérabilité. Tout d'abord, il est plus enclin à suivre l'opinion qu'à la diriger. La nature « modulaire » de sa pensée le condamne à ne jamais s'identifier à des convictions bien ancrées et l'expose à paraître dangereusement « libéral » ou hypocritement conservateur à ceux qui n'en saisissent ni la subtilité ni l'ambiguïté. Incapable de susciter une adhésion profonde à des idées qui ne marquent guère par leur spécificité, il est contraint, pour s'imposer, d'obtenir des résultats concrets ou de s'ériger, comme il le fera à partir de 1995 face au GOP, en ultime rempart de programmes chers à la majorité. Il y est d'autant plus acculé qu'il lui faut sans cesse surmonter les difficultés que lui valent sa propension à vivre « sur le fil du rasoir » dans sa vie publique comme privée et son association à toutes sortes de scandales où son nom, mais aussi celui de sa femme, une avocate brillante mais jugée longtemps trop « libérale » pour une majorité, sont, à tort ou à raison, cités. En sorte que l'on ne sait trop ce que l'histoire considérera comme son legs : le stigmate du procès pour *impeachment* que lui ont valu sa liaison avec une jeune stagiaire et la haine de ses adversaires ou le retour à l'équilibre budgétaire d'une Amérique insolemment prospère.

L'APPRENTISSAGE DE LA PRÉSIDENCE : 1993-1995

Les deux premières années de Clinton constituent un paradoxe étonnant. Le bilan en est acceptable, même s'il n'est pas étincelant. En 1994, le pays le désavoue pourtant sévèrement.

L'après-guerre froide : « Les affaires étrangères des États-Unis sont... les affaires »

Les valses-hésitations de sa politique étrangère n'ont guère dû jouer dans ce réflexe de rejet. Elles n'en ont pas moins été souvent relevées. Elles tiennent d'abord au fait que, durant la campagne, Clinton n'a guère hésité à prendre des engagements auxquels il doit rapidement renoncer : accueillir les *Boat People* en provenance d'Haïti aux États-Unis ; lier l'octroi à la Chine d'un traitement commercial non discriminatoire par Washington à son respect des droits de l'homme ; répliquer à l'agression serbe en Bosnie par des frappes aériennes des États-Unis, renforcer l'influence de l'organisation des Nations unies.

L'internationalisme wilsonien dont l'administration affirme s'inspirer ne constitue guère, il est vrai, une panacée dans un monde où, la guerre froide achevée, les conflits résultent plus souvent de haines religieuses, raciales ou ethniques que de querelles interétatiques. L'*enlargement* que l'administration prétend substituer à un endiguement désormais dépassé fait de la promotion de la démocratie et de l'économie de marché le meilleur garant de la paix et de la prospérité : « la libéralisation du commerce, proclame Clinton, c'est la paix » ; « la croissance économique, surenchérit son secrétaire au Commerce, est le seul chemin efficace vers la stabilité politique ». Mais cet optimisme ne se révèle pas toujours justifié. Tout d'abord, la Chine est là pour en témoigner, la libéralisation de la vie économique n'entraîne pas fatalement, au moins à court terme, celle de la vie politique. Ensuite, dans la mesure où elle promeut des élections qui aiguisent les divisions, la démocratisation peut, comme en Bosnie, favoriser l'éclatement de conflits dans les pays où elle se produit. Enfin, cette approche tend à négliger le rôle des grands équilibres géostratégiques, seuls gages d'un minimum de stabilité, hors lequel ni la paix ni la prospérité ne sont jamais assurées. Cela est particulièrement vrai en Asie, où l'Amérique semble un temps s'aliéner aussi bien les Chinois que les Japonais, et où elle se révèle impuissante à empêcher Moscou et Pékin de se rapprocher. Mais ce l'est aussi, jusqu'à un certain point, en Bosnie où elle hésite à affirmer son *leadership*, refuse de dégager les moyens de sa politique (l'envoi de troupes au sol seules à même d'imposer un règlement conforme à ses souhaits) mais ne se résigne pas à la politique de ses moyens (un règlement sanctionnant l'agression serbe, comme le prônent certains Européens).

Enfin, l'Amérique ne paraît guère disposée à assurer le coût qu'une politique effective d'*enlargement* impliquerait. D'emblée, Clinton a décidé de n'accorder qu'un intérêt subalterne aux relations avec l'étranger. Il redoute en effet le sort que Bush, accusé de « jouer les Jules César de par le monde mais les Néron dans une Amérique en flammes », s'est vu réserver. Ses conseillers ont, dès lors, pour mission de lui éviter des décisions impopulaires qui pourraient mettre sa grande priorité, le redressement économique, en danger. Le premier corollaire de cette anxiété est le refus des interventions risquées dans les conflits localisés. A l'automne 1993, la mort de quelque douze soldats américains en Somalie semble tétaniser le pays et désarçonner l'exécutif. Celui-ci prend brutalement ses distances avec les Nations unies qu'il désigne en bouc émissaire au pays. Et quelques jours après, échaudé, il fait faire marche arrière à un de ses navires devant une bande de voyous qui s'opposent à son accostage à Haïti. Comble de l'ironie, ces reculs irritent le pays : au printemps 1994, le pays reproche à Clinton l'insuffisance de son *leadership*.

Celui-ci s'exerce pourtant déjà sur un autre plan, de loin le plus important à ses yeux : la conquête des marchés étrangers. Là, le président n'hésite jamais à s'impliquer. C'est que les choses ont bien changé depuis que, dans les années 1920, Henry Ford considérait des salaires élevés comme le meilleur gage d'une forte activité : désormais, c'est plutôt dans la quête d'un surcroît de compétitivité et de commandes des riches clients étrangers que les États-Unis décèlent la clé de la prospérité. Le département du Commerce établit ainsi une véritable *war room* où les experts travaillent sans arrêt à identifier les plus gros contrats de travaux publics et d'infrastructure dans les *Big Emerging Markets* et veillent à ce que les hommes d'affaires américains y bénéficient d'une place privilégiée. Clinton multiplie aussi les pressions sur les Japonais à qui il réclame, sans grand succès, la réalisation d'objectifs chiffrés en matière d'ouverture de leur marché. Il intervient directement, fin 1993, pour débloquer les négociations multilatérales (*Uruguay Round*) qui traînent au GATT depuis des années et parvient un an plus tard à en arracher l'approbation par le Congrès. A cette époque, il a déjà remporté son plus grand succès : n'hésitant pas à s'allier à une majorité d'élus du GOP contre la plupart des représentants de son parti, il obtient à l'automne 1993 la ratification de l'ALENA (Association de libre échange nord-américaine) qui étend au Mexique la zone de libre échange déjà instaurée, sous Bush, avec le Canada.

Il voit, il est vrai, dans la constitution de blocs régionaux puissants un levier sans pareil pour contraindre ses partenaires à négocier. Dès l'automne 1993, lors du sommet de Seattle, il a ainsi lancé l'idée d'une communauté Asie-Pacifique dont il se sert pour faire pression sur ses alliés atlantiques. Quitte à s'appuyer sur ces derniers pour bousculer ses interlocuteurs asiatiques.

La géoéconomie paraît ainsi souvent dicter ses choix diplomatiques. Bien évidemment, la défense militante des droits de l'homme semble surtout confinée à des pays qui ne représentent, économiquement ou stratégiquement, qu'un enjeu limité. Mais les objectifs géopolitiques se voient eux-mêmes parfois subordonnés : soucieuse de ne pas se barrer l'accès à son marché, l'Amérique ferme ainsi les yeux sur certaines exportations de la Chine qui sapent sa politique de non-prolifération atomique ; d'incessantes disputes commerciales avec le Japon fragilisent une alliance militaire pourtant cruciale pour la stabilité de la région ; les querelles douanières se multiplient avec les vieilles nations. Surtout si, réflexe sécuritaire oblige, les dépenses militaires ne sont que prudemment rognées, les coupes effectuées au nom d'un équilibrage du budget érigé en absolue priorité sapent dangereusement la présence et l'influence des États-Unis à l'étranger [2]. L'Amérique est ainsi impuissante à parer au réflexe de rejet qu'en Russie, l'échec de la « thérapie de choc » capitaliste ne manque pas de provoquer, et à éviter la montée, dans la politique extérieure russe, d'un nationalisme toujours plus musclé.

Du moins peut-elle assez vite se targuer d'un relatif succès dans ce qui est, avec la conquête des marchés, son autre grande

---

2. Entre 1984 et 1996, les fonds sont, en termes réels, diminués de moitié : de 37 milliards à 19 milliards de dollars (de 1996).

priorité : prévenir une prolifération nucléaire qui, l'URSS disparue, constitue la menace la plus meurtrière. Elle conclut un accord avec la Corée du Nord (1994), convainc l'Ukraine d'adhérer au NPT [3] et arrache, en 1995, le renouvellement illimité de ce dernier ainsi que, en 1996, la signature d'un traité d'interdiction totale des essais (Comprehensive Test Ban Treaty ou CTBT). Pourtant, en dépit de l'appui qu'il a ostensiblement apporté au rapprochement entamé dès 1993 (accords d'Oslo) entre Israël et l'OLP, d'une intervention tardive mais globalement réussie à Haïti, et de la rapidité de sa réplique à la crise financière du Mexique, le bilan de Clinton est, au printemps 1995, durement décrié alors même qu'il se retrouve face à un Congrès dominé par ses adversaires du GOP.

Le camouflet de novembre 1994 : la Maison-Blanche sanctionnée

D'emblée, en effet, Clinton a estimé que c'était sur l'économie que tout, ou presque, se jouerait. Dans un certain sens, dès 1994, son pari est gagné : à l'été, à l'approche des élections partielles au Congrès, la croissance est à son zénith (4 %) depuis une dizaine d'années et l'inflation à son nadir (3 %) depuis trois décennies. Sans grand effet puisque le pays envoie pour la première fois depuis 1952 une majorité républicaine dans les *deux* chambres du Congrès.

Ce vote sanctionne la déception, voire l'agacement, de l'opinion face au bilan du président. Ce dernier n'a pas su éviter, en particulier, de projeter une image qui dessert ses intérêts. Tout d'abord, il se révèle incapable de tenir nombre de promesses qu'il avait contractées. Il s'est, il est vrai, engagé à réaliser un ensemble de réformes qui évoque, par leur ampleur sinon par leur objet, la « Grande Société » alors qu'il ne dispose que d'une majorité étriquée et, qui plus est, divisée. De plus, l'annonce, avant même son arrivée, d'une aggravation du déficit du budget pulvérise son espoir de combiner une réduction de ce dernier avec les puissants investissements en faveur de la compétitivité que, durant la campagne, il avait prônés. En août, il remporte néanmoins un très grand succès quand, suivant l'avis d'Alan Greenspan et de ses deux principaux conseillers économiques, Lloyd Bentsen et Robert Rubin, il réussit à faire ratifier un plan incluant quelque 250 milliards de dollars de réductions de dépenses et presque autant de hausse de la fiscalité tout en accroissant l'impôt négatif [4] dont bénéficient les salariés les moins payés. Las ! sa victoire ne lui vaut guère de popularité ni auprès des plus aisés dont les impôts sont

---

3. Traité de Non-Prolifération Nucléaire conclu en 1968.
4. Earned Income Tax Credit ou EITC.

relevés ni des classes moyennes dont, en dépit de ses promesses, ils ne sont pas abaissés. L'impression prévaut qu'il est un de ces « *tax and spend liberals* » dont la plupart des Américains ont assez.

L'énergie qu'il déploie pour imposer un traitement moins discriminatoire (*Don't Ask, Don't Tell*) envers les homosexuels dans l'Armée, son insistance à respecter dans ses principales nominations une « diversité » assurant une représentation satisfaisante aux femmes et aux minorités, son manque d'empressement à promouvoir une réforme du *welfare* qu'il avait érigée en priorité ont alors, il est vrai, déjà projeté cette image de « centriste dans ses propos et de 'libéral' dans ses actions » que les républicains s'empressent de populariser. Pour ne rien arranger, l'obligation où il se trouve, s'il veut voir ses projets concrétisés, de travailler avec les caciques du Congrès l'incite à renoncer à une autre de ses promesses clés : celle d'une réforme de grande portée du système de financement des campagnes à laquelle nombre des membres de son propre parti sont opposés. C'est évidemment le meilleur moyen d'ulcérer tous ceux qui étaient attachés à une mesure dont chaque jour démontre un peu plus la nécessité.

A l'automne 1993, pourtant, Clinton redresse sa cote de popularité en obtenant la ratification de l'ALENA déjà mentionnée, en appuyant le programme REGO (*Reinventing Government*) qui vise, sous l'autorité du vice-président Al Gore, à « dégraisser » un État volontiers considéré comme hypertrophié et en soumettant, comme il s'y était engagé, une réforme du système de santé visant à assurer à *tous* les Américains des soins de qualité. Mais il va durement pâtir de l'échec de ce projet.

Celui-ci souffre tout d'abord de la décision que Clinton a prise d'en confier la responsabilité à sa femme dont le « libéralisme » le rend suspect, de l'inextricable complexité de ses clauses qui cherchent à concilier garanties gouvernementales et dynamisme du secteur privé, mais aussi de l'anxiété que suscite l'ampleur excessive – il le reconnaîtra lui-même deux ans après – des réformes qu'il veut instaurer. Il est dès lors extrêmement vulnérable aux attaques des républicains qui n'entendent pas laisser leur rival bénéficier d'un succès sur un dossier d'une telle portée, mais aussi de tous ceux dont le projet lèse les intérêts : les petites compagnies d'assurances, les grands groupes pharmaceutiques, une majorité des médecins, les Américains les mieux assurés, les PME que la réforme contraindrait à assurer leurs salariés. Parallèlement, depuis la fin 1993, le président est de plus en plus égratigné par le Whitewater, un scandale financier auquel son nom est mêlé et pour lequel un procureur spécial est bientôt désigné. Dès le printemps 1994, l'élan est brisé : un *blitz* de spots télévisés persuade une majorité d'Américains qu'ils ont plus à perdre qu'à gagner à la concrétisation du projet. D'abord très favorables à ce dernier, les grandes entreprises éprouvent elles aussi des arrière-pensées.

L'enterrement de la réforme n'en jette pas moins l'opprobre sur le président – incapable de concrétiser une promesse qu'il avait contractée – et sur les démocrates du Congrès – jugés partiellement responsables du « grippage » paralysant entre l'exécutif et le parlement. L'approbation, quelque temps avant l'élection, d'un texte réprimant sévèrement la criminalité n'est, du coup, d'aucun secours ni pour les seconds ni pour le premier. Tous deux sont sanctionnés par un public exaspéré en dépit d'une embellie économique difficile à nier. Pourtant, deux ans après, le président est réélu sans difficulté, moins peut-être parce qu'il a su susciter un élan pour ses idées que parce qu'il a su se poser en rempart contre certains des projets les plus extrêmes du GOP. C'est aussi parce qu'il a su, une fois de plus, tirer la leçon de l'avertissement que le désastre de 1994 constituait, et se « recentrer », conformément à ce qu'attend de lui la majorité.

CLINTON : LE RETOUR

Au début de 1995, Clinton paraît marginalisé. A la fin de l'année, il a très largement repris la main sur le Congrès. Ce retour aux commandes, il le doit en partie à la nouvelle détermination dont il fait preuve à l'étranger, en Bosnie en particulier. Mais il se l'assure avant tout en prenant à contre-pied ses adversaires du GOP. Avec l'aide de son éminence grise, Dick Morris, il a élaboré une stratégie de « triangulation », visant à le recentrer et à projeter une image d'extrémisme sur les républicains du Congrès. En même temps, il est vrai, il a su transformer sa politique étrangère de handicap en atout pour sa crédibilité.

La « triangulation » : « L'ère du tout-État appartient au passé »

L'histoire des relations entre Clinton et le 104e Congrès apparaît, en effet, au moins au premier abord, comme celle d'une confrontation qui se termine à l'avantage du premier. Sous la houlette de Newt Gingrich, le nouveau Speaker de la Chambre, les élus républicains déçoivent rapidement leurs concitoyens. Tout d'abord, ils surestiment le mandat qui leur a été accordé : après tout ils n'ont recueilli que 52 % des voix de la minorité (39 %) des Américains qui s'est déplacée. Ensuite, ils bafouent ouvertement une promesse qu'ils avaient eux-mêmes vertement reproché au président d'avoir oubliée : loin de réformer un système de financement de la vie politique qui paraît, à nombre d'Américains, menacer l'idéal démocratique, ils s'empressent, non sans succès, mais aussi sans vergogne, de l'exploiter. Enfin, ils prétendent gouverner le pays à partir du Congrès ce qui, depuis la Reconstruction, ne s'est jamais fait. Ils prennent ainsi le risque de souligner leur impuissance à concrétiser les plus importants de leurs projets, en butte soit au scepticisme d'une partie de leur propre majorité, soit à l'opposition entre une Chambre plus radicale et un Sénat plus modéré, soit au veto du président qu'ils sont dans l'impossibilité de surmonter.

L'erreur fondamentale des leaders républicains est peut-être avant tout de mal interpréter le vote qui leur a assuré la majorité : celui-ci constitue probablement moins un rejet radical du *Big Government* que la dénonciation du *Bad Government*, moins une condamnation de l'interventionnisme étatique que la sanction de ses dérives et excès bureaucratiques. La preuve en est assenée quand ils prennent le risque d'affronter le président sur le budget, en cherchant à lui imposer, à travers des lois d'appropriation, nombre de mesures auxquelles il s'empresse de s'opposer. Sans doute espèrent-ils le contraindre à choisir entre sacrifier des idées auxquelles il se dit attaché et se voir reprocher la paralysie dans laquelle, faute de budget, l'État se retrouvera plongé. C'est prendre en réalité un pari risqué. Certes, dans les premiers mois, le président a paru paralysé : il est AWOL (*absent without leadership*), ironisent les élus du GOP. Mais en se ralliant partiellement en juin, puis définitivement en octobre, à l'objectif républicain d'un budget équilibré sur sept années, Clinton a neutralisé l'avantage dont, initialement, ses adversaires bénéficiaient. Dès lors, il lui est facile de les identifier aux mesures impopulaires à travers lesquelles ils prétendent parvenir à l'équilibre budgétaire : d'un côté, réduction des fonds pour le Medicare (l'assurance-santé des personnes âgées), pour la protection de l'environnement dont la gestion semble abandonnée aux porte-parole des industriels polluants, pour l'éducation et l'intégration des Américains les plus défavorisés, de l'autre baisse sensible des impôts pour les plus fortunés !

Aussi n'éprouve-t-il guère de difficulté à sortir vainqueur de l'épreuve de force que constitue la fermeture partielle du gouvernement (trois jours en novembre 1995, mais quelque trois semaines à partir du 16 décembre). Contrairement à ce que Gingrich avait escompté, le public a fait largement retomber le blâme de l'impasse et de la fermeture (partielle) du gouvernement sur le Congrès et non sur le président. Ce sont les républicains qui doivent céder. Certes, le compromis auquel l'on parvient, au printemps 1996, n'est pas très éloigné des objectifs qu'ils s'étaient fixés. Mais, politiquement, leur échec est complet. Pour eux, la pente est d'autant plus difficile à remonter que, dès janvier, dans son message sur l'état de l'Union, le président n'a pas hésité à répéter que « l'ère du tout-État appartient au passé » et qu'il excelle à « trianguler », c'est-à-dire à se situer à la fois au sommet et à équidistance d'un triangle dont démocrates libéraux et républicains radicaux constitueraient les deux extrémités. En fait, il franchit l'ultime obstacle sur lequel il pourrait trébucher quand, à l'été 1996, il se résout à signer une réforme sévère du *welfare,* qui supprime un des filets de sécurité fédéraux les plus importants que le New Deal avait instaurés et en confie la responsabilité aux États fédérés. Quelques mois après, il défait largement Bob Dole, le sénateur du Kansas, que ses adversaires ont choisi pour l'affronter.

Pourtant, dans la nouvelle triangulaire où Ross Perot fait un score plus étriqué, le président ne parvient pas à s'assurer les 50 % des voix qu'il espérait et le retour d'une majorité républicaine au Congrès suggère les limites de son succès. Peut-être le pays entend-il saluer les efforts que, dans les mois qui suivent la confrontation sur le budget, la Maison-Blanche et le Capitole n'ont pas ménagés pour coopérer et aboutir à des résultats concrets : octroi, à partir du 1ᵉʳ janvier 1997, pour huit ans d'un veto par article au président (invalidé par la Cour suprême par la suite), loi de répression du terrorisme (proposée après l'attentat meurtrier qui fait, en avril 1995, plus de deux cents morts à Oklahoma City), texte renforçant la lutte contre l'immigration clandestine, relèvement du salaire minimum horaire de 90 cents. Sans doute aussi tient-il à manifester son soulagement devant une situation économique qui continue de s'améliorer (« l'indice de la misère, a proclamé Clinton, n'a jamais été aussi peu élevé ») et sa volonté de voir se poursuivre la coopération entre la présidence et le Congrès.

Celle-ci trouve son apogée quelque six mois après quand, en juillet 1997, est définitivement approuvée une loi qui organise le rééquilibrage du budget dans un délai relativement rapproché. En fait, cet objectif, qui paraissait encore hors de portée quelques années auparavant est, grâce à la croissance que le pays connaît, réalisé moins d'un an après. Mais c'est là le plus loin où, durant les années Clinton, ira la coopération entre les parlementaires et le président, si l'on excepte la ratification de l'expansion de l'OTAN au printemps suivant.

Le leadership mondial retrouvé

A l'été 1995, en même temps qu'il s'efforce de réaffirmer son autorité, Clinton s'attache à afficher une nouvelle détermination et à dissiper les doutes que sa politique extérieure suscite aux États-Unis comme à l'étranger. Il se résout à s'impliquer plus directement dans le conflit en Bosnie, dont le pourrissement nuit au *leadership* des États-Unis. Depuis 1993, en effet, face à la politique serbe de « purification ethnique », ceux-ci n'ont guère fait plus qu'afficher une révulsion platonique. Hormis quelques frappes aériennes au début de 1994, leurs principales initiatives ont consisté à promouvoir une fragile fédération entre la Bosnie et la Croatie et à fermer les yeux sur des livraisons d'armes de l'Iran au gouvernement musulman, au risque de permettre à un pays, souvent dénoncé comme leur pire ennemi, de s'insinuer dans les Balkans. A l'été 1995, à la fois bousculé et servi par les événements, Clinton se résout à intervenir plus énergiquement et finit par arracher une amorce de règlement (accords de Dayton : novembre 1995). Entre-temps, il a pu présider à la signature d'un second accord entre Israël et l'OLP et effectuer un voyage triomphal en Irlande où il est acclamé pour avoir assuré au Sinn Fein un début de légitimité. Au printemps 1996, après avoir affiché une indéniable fermeté à propos de Taiwan face à la RPC, il est aussi à même de resserrer avec le Japon des liens militaires qui avaient pu paraître de plus en plus précaires. Il connaît peut-être son plus grand succès quand, quelques mois après, le leader russe Boris Eltsine qu'il a toujours appuyé, remporte lors des présidentielles une victoire à laquelle, peu de temps auparavant, personne ou presque ne croyait.

Pourtant, lors de la campagne américaine, la politique étrangère sera peu évoquée. Pour les républicains, elle n'est plus le terrain privilégié que longtemps ils avaient cru y déceler. Inversement, le président préfère ne pas trop s'y hasarder : d'abord, sans doute, parce que les électeurs ne lui prêtent guère d'intérêt ; mais aussi parce qu'il est conscient des limites de ses succès. En dépit de la réélection d'Eltsine, la situation en Russie est loin d'être stabilisée ; par ailleurs, tout en engageant le dialogue avec les États-Unis, les Chinois dénoncent avec virulence leur goût de l'hégémonie ; enfin, l'arrivée du Likoud et de Benjamin Netanyahou au pouvoir remet en cause le processus de paix entre Israël et l'OLP. Surtout, des dangers plus diffus mais multiples ont pris le relais de la menace massive que l'URSS constituait : celui d'une prolifération des armes de destruction massive, susceptibles de doter d'un pouvoir effrayant des États mais aussi des groupes terroristes (qui frappent les États-Unis en 1993 à New York ou à Oklahoma City en 1995, mais aussi en Arabie saoudite) ; celui d'un trafic de drogue et d'une criminalité internationale toujours difficiles à endiguer, celui de la concurrence d'une main d'œuvre étrangère à peine rémunérée, celui de l'afflux d'une immigration clandestine qui suscite toujours plus d'hostilité. Autant de motifs d'anxiété que Clinton n'entend pas laisser assombrir le bilan économique depuis longtemps inégalé dont, en 1996, il peut se targuer.

En 1997, inversement, il affiche un activisme plus déterminé que traduit la substitution de Madeleine Albright à Warren Christopher à la tête du département d'État. Il confirme sa volonté d'« engager » une Chine qu'il entend intégrer dans la communauté des nations industrialisées (après avoir reçu Jiang Zemin en novembre 1997 aux États-Unis, il effectuera une longue visite en République populaire de Chine en juin 1998). Il conduit surtout jusqu'à son dénouement un développement auquel il travaille, en réalité, depuis plus de trois ans : ignorant l'opposition de la Russie, il procède à l'extension de l'OTAN à la Pologne, à la République tchèque et à la Hongrie. Mais quand, au printemps 1998, le Sénat la ratifie, la scène est accaparée par l'affaire Lewinsky.

1997-2000 : DÉCHIREMENTS PARTISANS ET *LEADERSHIP* RÉTICENT

« Du contrat avec l'Amérique » à un « contrat sur Bill Clinton » ?

Début 1998, Clinton s'apprête à impulser la réforme intérieure à laquelle il entend s'identifier, une réforme par petites touches des multiples facettes de la vie en société – l'éducation, les relations familiales et raciales, l'environnement, les pensions retraites, l'assurance santé – quand sa présidence est ébranlée. De janvier 1998 à février 1999, la vie politique aux États-Unis est secouée en effet par l'affaire Lewinsky. Alternant des temps morts où l'on peut la croire surmontée, avec des rebondissements où la survie politique du président apparaît menacée, le « Monicagate » porte à son paroxysme la lutte entre la Maison-Blanche et les républicains du Congrès.

« L'affaire » résulte de la conjonction de deux données : la haine que, dans certains milieux, Clinton a d'emblée suscitée et le goût – quasi irresponsable – du risque, « l'insoutenable légèreté de l'être » qui l'ont toujours caractérisé. Depuis 1994 en réalité, la Maison-Blanche vit dans une mentalité de ville assiégée, parant du mieux qu'elle le peut aux multiples investigations qu'un procureur spécial, la justice ou le Congrès conduisent sur certaines affaires où le président ou sa femme sont, à tort ou à raison, impliqués : le Whitewater, le Travelgate, le Filegate. « Dans le monde de Clinton, note l'un de ses plus proches conseillers, les bonnes nouvelles arrivaient rarement sans une compagne plus sombre. » La suspicion également engendrée par les conditions contestables du financement, en 1996, de la campagne démocrate, n'est pas encore totalement dissipée quand, le 18 janvier 1998, un site à ragots d'Internet (le *Drudge Report*) lance une information qui défraye l'actualité. L'affaire Lewinsky est, en réalité, une retombée d'une accusation de harcèlement sexuel (affaire Paula Jones) dont, en 1994, Clinton a fait l'objet et que ses adversaires les plus acharnés cherchent à exploiter. Interrogé sous serment par les avocats de la plaignante à ce sujet, le président nie avoir eu des relations sexuelles avec une jeune stagiaire, Monica Lewinsky. Or, dans des enregistrements effectués à son insu, celle-ci a pourtant affirmé avoir eu une liaison avec lui. Du coup, le président se fait piéger : il nie sous serment ce qu'elle a reconnu en privé. Peu après, il prend même le risque de déclarer devant le pays : « Je n'ai jamais eu de relation sexuelle avec cette femme, Mademoiselle Lewinsky. »

Aussitôt, les rumeurs les plus folles commencent à circuler tandis qu'une véritable épreuve de force s'engage entre la Maison-Blanche, d'un côté, et, de l'autre, le procureur spécial Kenneth Starr et les républicains du Congrès. Un temps, le président paraît désarçonné. Heureusement pour lui, en voulant contraindre Monica Lewinsky à déclarer, en échange de l'immunité, non seulement que la liaison a bien eu lieu – ce qu'elle a d'abord pris le risque de nier mais semble désormais prête à concéder –, mais aussi que Clinton l'a poussé à se parjurer – ce qu'elle dément avec opiniâtreté –, Starr se prive sans doute de la possibilité de porter au président un coup difficile à parer. Bientôt, Clinton contre-attaque en dénonçant le caractère partisan des poursuites auxquelles il est exposé. Mieux ! en cette ère de prospérité, sa cote d'approbation touche à des sommets.

C'est peut-être l'excès de confiance que ce contexte crée qui le conduit le 17 août à se mettre gravement en danger. Ce jour-là, en effet, il reconnaît devant un jury de mise en accusation avoir eu « des relations impropres » avec Monica Lewinsky mais il se parjure presque certainement quand il nie certains détails révélés par celle-ci. Le soir, s'adressant au pays, il ne se montre guère contrit, mais dénonce les manœuvres de ses ennemis. Sa situation est d'autant plus fragilisée que le bilan de « paix et de prospérité » qui lui servait jusqu'ici de bouclier semble se fissurer. La crise financière qui a éclaté, à l'automne 1997, en Asie, assombrit alors les perspectives économiques des États-Unis. En Irak, depuis la fin de 1997, Saddam Hussein ne cesse de tester la volonté d'une communauté internationale divisée tandis que, depuis l'élection de Benjamin Netanyahou, le processus de paix au Moyen-Orient est gelé. A Washington, le Congrès bloque les principales réformes qu'il lui a adressées. Surtout, des personnalités démocrates aussi respectées que les sénateurs Sam Nunn (Géorgie) et Joseph Lieberman (Connecticut) commencent à prendre leurs distances avec lui.

Pourtant, à peine sa situation paraît-elle désespérée que sa bonne étoile recommence à briller. Tout d'abord, ce sont ses adversaires qui accumulent les faux-pas désormais. Le 14 septembre, ils publient le rapport Starr, avec toutes sortes de détails graveleux, pour le discréditer. Bientôt, ils autorisent la diffusion de l'enregistrement de son témoignage devant le jury de mise en accusation. Cet acharnement persuade probablement une large partie de l'opinion que le président est peut-être bien, en effet, comme son épouse l'a d'emblée suggéré, la victime d'une conspiration, d'une forme légale de « coup d'État » de la part de l'opposition, d'un « contrat » que ses ennemis auraient passé sur lui auprès de détectives et d'avocats. De son côté, devinant que l'opinion ne souhaite rien moins que de voir une crise constitutionnelle se dessiner alors même que l'économie internationale est secouée, Clinton comprend que, pour lui, c'est le moment ou jamais d'offrir au pays une honorable porte de sortie. Se rappelant que la tradition protestante fait une large part à la rédemption, à partir de début septembre, il ne manque plus une occasion de demander pardon à sa femme, à sa fille, à ses amis, à Monica, à la nation. Le 11 de ce mois, il avoue « J'ai péché » en direct à la télévision.

Dès la fin septembre, la partie est largement gagnée et, en décidant de lancer une enquête en vue d'un *impeachment*, les républicains vont à l'encontre d'une opinion majoritairement hostile à un tel procès. Résultat : lors des partielles de novembre, leur majorité recule aussi bien au Sénat qu'à la Chambre. Non sans ironie, c'est Newt Gingrich, un des plus féroces ennemis du président, qui est contraint à la démission à la suite d'un échec auquel nombre de ses collègues l'associent. Les caciques du parti décident pourtant d'agir comme s'il fallait immuniser le pays contre l'immoralité qu'à leurs yeux le président est en train de lui inoculer : ils utilisent leurs voix à la Chambre pour l'inculper. Après Andrew Johnson, Clinton est donc le deuxième chef d'État de l'histoire du pays que le

Sénat soit appelé à juger. Mais aucun des chefs d'accusation (parjure, obstruction de la justice) que la Chambre a votés ne recueille une simple majorité. Le 12 février 1999, Clinton est acquitté. Soulagés, les partisans du président diront hésiter entre deux pièces de Shakespeare pour résumer ce qui s'est passé : « Beaucoup de bruit pour rien » et « Tout est bien qui finit bien ».

L'affaire disparaît très vite du devant de l'actualité, mais les cicatrices qu'elle laisse ne semblent pas facilement se refermer. Dans les deux années qui suivent la coopération est quasi impossible entre la Maison-Blanche et le Congrès. Mais, sur nombre des problèmes qui font figure, aux yeux du public, de priorité – la réforme du financement des campagnes, l'amélioration du système de santé, le contrôle des armes à feu, la préservation du Medicare et des pensions retraite –, le grippage paraît plus fort que jamais, l'une des deux Chambres du Congrès finissant toujours par rejeter les mesures que l'autre s'est éventuellement résolue à voter. Du moins, au printemps 1998, un programme très important de travaux publics (plus de 200 milliards pour les six prochaines années) est approuvé et, en novembre 1999, Clinton peut signer un texte important qui abroge les principales régulations du New Deal (loi Glass Steagall de 1933) sur le système bancaire et financier. De même, dans le cadre du « pat » auquel les deux institutions se retrouvent bientôt confrontées, des compromis conservatoires (plutôt favorables à Clinton dans l'ensemble) se dégagent sur le budget : en l'absence d'un consensus sur un accroissement substantiel des dépenses vers lequel penchent les démocrates ou d'une baisse radicale de la fiscalité, qui a la préférence du GOP, l'excédent (près de 250 milliards pour l'année fiscale 2000) sert en priorité à réduire la dette publique.

Le souffle de la guerre du Kosovo

Tout au long de 1998, l'affaire Lewinsky pèse évidemment sur la politique extérieure. Elle incite le président à multiplier ses déplacements à l'étranger où il troque son statut de politicien menacé pour celui de représentant du pays tout entier. Elle le pousse à rechercher des succès, tel l'accord (limité et mal appliqué) de Wye River qu'il arrache à la veille des partielles de 1998 à Netanyahou et Arafat. Elle l'encourage à se poser en ultime protecteur des États-Unis face à la crise qui, à partir de l'été 1997, ébranle les économies et structures financières de l'Asie avant de mettre à mal, en 1998, la Russie et de menacer le Brésil.

Mais elle le fragilise aussi et, en 1998, les revers se multiplient pour sa diplomatie. Tout d'abord, la dévaluation du rouble et la banqueroute de la Russie sanctionnent à l'été l'échec de la politique de « réformes » prônée par les États-Unis que nombre de Russes tiennent désormais pour responsables des malheurs de leur pays. Ensuite, dès mai, les explosions nucléaires de l'Inde puis du Pakistan ont constitué pour leurs efforts en faveur de la non-prolifération un revers cinglant. Surtout la marge de manœuvre de Clinton apparaît limitée par le syndrome « *Wag the Dog* » [5] qu'un film contemporain contribue à populariser : la propension du public à soupçonner dans un recours à la force armée une manœuvre de diversion face aux accusations auxquelles doit faire face le chef de l'administration.

Déjà, en février 1998, après avoir sérieusement envisagé de lancer une frappe aérienne contre Saddam Hussein, Clinton juge plus sage de se rallier à un compromis négocié par le secrétaire général des Nations unies. A l'automne suivant, quand l'accord est violé, le président donne à ses forces l'ordre de frapper mais l'annule au dernier moment quand le dictateur, inquiet, préfère reculer. Peu après, pourtant, l'Irakien croit le président si affaibli qu'il n'hésite pas à provoquer à nouveau les États-Unis, contraignant Clinton à déclencher une campagne de plusieurs jours de bombardements (*Desert Fox*) à la veille de l'examen, à la Chambre, de l'*impeachment*.

C'est néanmoins dans les Balkans que l'impact de l'affaire semble le plus affecter l'autorité du président. Elle a, en effet, à peine éclaté que le président serbe, Slobodan Milosevic, intensifie la répression qu'il conduit au Kosovo contre les Albanais ethniques, au mépris des multiples mises en garde que lui a adressées dès 1992 l'Amérique. Or, ainsi défiée, la diplomatie américaine se montre de longs mois durant hésitante et divisée, même si un regain de détermination lui permet d'arracher, en octobre, un accord que les deux parties s'empressent de violer.

Inversement, le spectre de l'*impeachment* dissipé, Washington affiche une plus grande fermeté. Quand Milosevic refuse de souscrire à l'accord élaboré par une conférence internationale réunie à Rambouillet, Clinton invoque l'aval (réticent) des Albanais ethniques pour l'imposer à travers une campagne de l'Alliance atlantique. Sur le plan militaire, la guerre est finalement un succès : les Américains réussissent une « première », une victoire obtenue sans pertes grâce à un recours exclusif à des frappes aériennes. A cette occasion, ils confirment la formidable supériorité de leurs forces armées et font la démonstration de leur avance technologique écrasante sur les vieilles nations.

---

5. Titre du film de Barry Levinson, 1998.

Politiquement, le résultat est plus mitigé. Tout d'abord, même si, à la fin, les buts de guerre américains ont été réalisés, les frappes de l'OTAN n'ont pas empêché Milosevic d'expulser des centaines de milliers d'Albanais qui n'ont pu rentrer chez eux qu'après la fin des hostilités. Ensuite, la suprématie que les États-Unis ont étalée provoque presque inévitablement un réflexe de résistance, voire, dans certains cas, de rejet, chez leurs anciens ennemis ou alliés. Elle pousse leurs partenaires comme leurs adversaires à appeler de leurs vœux l'avènement d'un « monde multipolaire ». Elle encourage les Européens à organiser davantage leur coopération militaire pour rendre leur dépendance moins sévère. Elle incite la Russie mais aussi la Chine (dont l'ambassade à Belgrade a été, de façon probablement accidentelle, bombardée) à dénoncer le droit que les Occidentaux se sont arrogé de recourir, sans aval spécifique de l'ONU, à la force armée. Elle exacerbe enfin la suspicion, voire la colère, de ceux que les retombées de la globalisation ou leur diplomatie exaspèrent, y compris des mouvements terroristes comme celui du musulman radical Oussama bin Laden qui a organisé contre eux des attentats spectaculaires.

L'an 2000 : « une élection feuilleton »

Aussi la dernière année de Clinton est-elle avant tout consacrée à restaurer et conforter une image positive aux États-Unis comme à l'étranger. « Jamais auparavant dans notre histoire, rappelle-t-il en janvier 2000 au Congrès, notre nation n'a bénéficié à la fois de tant de prospérité et de progrès social avec aussi peu de crises internes et des menaces extérieures aussi peu nombreuses ». Il sait que, sur le plan intérieur, aucun accord majeur ne sera possible avec le Congrès et se contente de se prononcer en faveur d'un État limité, mais plus actif, plus interventionniste, que celui souhaité par le GOP. En témoigne en particulier son soutien à certains projets en matière d'éducation, de contrôle des armes à feu ou d'assurance-santé, mais aussi la détermination avec laquelle l'administration cherche à briser le monopole que la firme Microsoft et Bill Gates, son propriétaire, se sont, à ses yeux, indûment assuré.

Mais, pour façonner le souvenir que l'histoire retiendra de lui, Clinton compte avant tout sur la diplomatie. Seulement, la suite va le suggérer, en dépit de toute la puissance dont les États-Unis sont dotés, sa tâche n'est pas aisée. Les querelles partisanes sont loin, en effet, d'épargner les questions de sécurité. A l'automne 1999, le Sénat rejette ainsi le projet de CTBT, redoutant que les États-Unis ne soient les perdants dans un processus où leurs adversaires n'hésiteraient pas à tricher. Cette décision traduit un scepticisme plus général face à la politique de non-prolifération et un attrait croissant pour des mesures destinées à neutraliser le danger plutôt qu'à l'empêcher d'émerger. Inquiets des progrès de certains pays, la Corée du Nord en particulier, dans le domaine des missiles à longue portée, nombre d'Américains sont désormais favorables au déploiement d'un système NMD (National Missile Defense) susceptible de servir au pays de « bouclier contre une attaque limitée ». Pourtant, convaincu que la technologie du système n'est pas encore maîtrisée et conscient de l'appréhension que le projet suscite à l'étranger, Clinton décide, au cours de l'été 2000, de reporter toute décision à ce sujet et de laisser à son successeur cette responsabilité. De même, déjà, lors du sommet de Seattle (novembre-décembre 1999), il a renoncé au lancement d'un nouveau grand round de négociations douanières de peur de provoquer, à un an des élections, la colère des syndiqués.

Aussi cherche-t-il en priorité à ressusciter l'image de « pacificateur en chef » à laquelle, à l'automne 1995, il a su s'identifier. Il effectuera ainsi, en novembre 2000, au Viêt-nam une visite destinée à montrer qu'une page douloureuse de l'histoire est tournée. Il est ovationné quand, en décembre, il se rend dans une Irlande où, si tout n'est pas réglé, les tensions se sont apaisées. Mais il s'est surtout lancé dans la quête d'un règlement final au Moyen-Orient. Pourtant son espoir de voir le travailliste Ehoud Barak achever le processus que Netanyahou a grippé se révèle peu fondé : les négociations butent lors du second sommet de Camp David (juillet 2000) sur les problèmes les plus épineux (celui du statut de Jérusalem en particulier) que jusqu'ici les États-Unis ont estimé, sans doute à tort, judicieux d'éluder. L'échec est d'autant plus cuisant que Washington a probablement cru en la possibilité d'un règlement et que les frustrations que ce grippage ne manque pas d'engendrer menacent d'exacerber la suspicion, voire la haine de Washington dans un monde arabe qui voit dans la globalisation un péril pour son identité. Aussi, en dépit des violences qui font plus de trois cents morts avant la fin de l'année, Clinton s'efforce-t-il, avec opiniâtreté, de relancer le processus de paix.

Non sans ironie, c'est donc à ses ennemis que Clinton devra, une fois de plus, l'ultime grand succès de sa diplomatie : en 2000, en effet, les républicains l'aident largement à faire voter le texte (octroi de la PNTR [6]) qui permet l'entrée de la Chine dans l'OMC. Dès novembre 1999, à peine les tensions engendrées par le Kosovo dissipées, il s'est empressé de signer un accord présenté comme historique à cet effet. C'est là un objectif auquel il est d'autant plus attaché qu'il y voit non seulement une promesse de débouchés mais aussi une source de démo-

6. Permanent Normal Trading Relation.

cratisation pour la RPC : à ses yeux, à terme, la révolution de l'information doit venir à bout des murs de la Cité interdite exactement comme les faisceaux hertziens – la radio et la télévision – avaient contribué à l'effondrement des murailles du Kremlin. En attendant, face à une faction « militaire » pour qui les États-Unis font inexorablement figure de futurs adversaires, il espère conforter un autre clan, plus préoccupé apparemment de croissance et plus enclin à voir dans l'Amérique un éventuel partenaire.

Autrement, tout au long de l'année, c'est la campagne présidentielle qui accapare le devant de l'actualité. La compétition apparaît très vite comme une revanche de celle de 1992 puisqu'elle oppose des « héritiers » de ceux qui s'y étaient affrontés. Elle s'annonce très indécise d'emblée. George W. Bush, le gouverneur du Texas et le fils de l'ancien président, surmonte le handicap que sa relative inexpérience et sa méconnaissance de l'étranger pourraient constituer en projetant une image de leader et en promettant de réunifier un pays divisé. De son côté, le vice-président Al Gore peut se targuer d'une expérience, voire d'une expertise, rarement égalée et de ses liens avec un président identifié à une indéniable prospérité. Mais il préfère tenir à l'écart ce dernier de peur d'aviver le souvenir des « scandales » auxquels la campagne semble appliquer la vieille formule « pensons-y toujours, n'en parlons (presque) jamais ». De plus, en dépit de prises de position nettes sur certains dossiers (la fiscalité et les pensions retraites en particulier), il éprouve des difficultés à se démarquer face à un adversaire qui a su redonner une tonalité centriste à un parti parfois handicapé par des positions extrémistes.

Cette division quasi parfaite explique le psychodrame sur lequel débouche l'élection. Elle se reflète dans toutes les institutions : les législatures d'État où la majorité est détenue, pour la moitié d'entre elles, par les démocrates, la moitié par le GOP [7], la Chambre des Représentants où les républicains ne préservent qu'une infime minorité (221 contre 212), le Sénat où les voix sont exactement partagés (50-50). Mais elle prend une dimension exacerbée dans la course à la présidence. Au lendemain du scrutin, Bush ne semble l'emporter sur Gore (qui recueille une légère majorité du vote populaire) que grâce à une infime avance en Floride (quelque 500 voix sur 6 millions) que son rival s'empresse de contester, le scrutin ayant été entaché de diverses irrégularités. S'ensuit une sorte de feuilleton à suspense, sinon de show politico-juridico-médiatique où les rebondissements se succèdent et où les Cours suprêmes,

---

7. Très exactement, dans 17 États, les deux chambres sont contrôlées par les républicains ; dans 16 par les démocrates. Dans les autres, chaque parti en détient une.

appelées à se prononcer, le font elles-mêmes, en Floride (4 contre 3) comme au niveau fédéral (5 contre 4), à une voix près. Finalement, le 12 décembre, la seconde tranche dans un arrêt dont la suite – c'est-à-dire le décompte post-électoral auquel procéderont sans doute les médias et d'autres organismes privés – démontrera s'il était ou non fondé. Trente-cinq jours après la tenue du scrutin, George W. Bush est assuré de devenir le 43e président américain (par 49,82 millions de voix contre 50,16 mais 271 Grands Électeurs contre 267).

L'élection illustre, à n'en pas douter, à la fois la force (la population reste sereine) et les limites (la méfiance et l'amertume sont apparues aiguës chez les candidats, leurs proches supporters et leurs conseillers) de l'idéal démocratique en Amérique. Elle reflète en réalité la perplexité d'une nation à la fois centriste et divisée. Divisé, le pays l'est sous de multiples aspects : entre ceux qui considèrent que l'État fédéral doit assurer un minimum de justice, de protection et de services et que les États-Unis ont une mission à remplir à l'étranger et ceux qui redoutent les empiétements du pouvoir fédéral sur le marché et pensent que les États-Unis n'ont aucun devoir à l'extérieur, seulement des intérêts ; entre les femmes, favorables à Gore et les hommes qui ont voté Bush dans leur majorité ; entre les grandes villes et centres de haute technologie, qui ont rallié les démocrates et les zones rurales et les petites communautés qui ont fait figure de bastions pour le GOP ; entre les habitants des banlieues qui se sont presque également partagés. Il semble surtout l'avoir été entre ceux qui ont pensé que Gore était le plus à même d'assurer la continuité, c'est-à-dire la prospérité et ceux qui ont estimé que Bush, seul, pourrait incarner le changement que huit années de conflits partisans et de scandales imposait.

Comme cette dernière notation tend à le suggérer, l'impression d'un pays gravement déchiré déforme autant qu'elle la reflète la réalité. Le rappellent les efforts que Bush comme Gore ont tous deux déployés pour projeter une image centriste et modérée et les assauts d'amabilité auxquels ils se sont livrés, une fois le résultat tombé. Ils traduisent une conviction, que les sondages ne manquent pas de conforter : dans leur grande majorité, les Américains sont en gros satisfaits de la gestion économique des dernières années et, sur bien des questions, ils sont eux-mêmes partagés : entre leur croyance que les valeurs traditionnelles sont un idéal à ne jamais oublier et leur constatation que, dans un monde que la technologie et le marché ne cessent de renouveler, elles doivent être adaptées ; entre leur foi dans un certain nombre de principes jugés cruciaux pour l'avenir de la nation et pour son identité (l'éthique du travail en particulier) et leur conviction que nombre de sujets relèvent d'abord des choix privés (tel l'avortement qu'ils condamnent dans leur majorité mais dont ils reconnaissent aux seules femmes concernées le droit de décider) ; entre le sentiment qu'un individualisme forcené peut finir par saper la cohésion de la société et celui qu'il ne leur appartient pas de juger, que seul l'esprit de tolérance peut fonder le consensus nécessaire à la vie en communauté.

UNE HISTOIRE SANS FIN

Alors qu'elle vient de célébrer successivement le bicentenaire de la déclaration d'Indépendance (1976) et de la Constitution (1987), l'Amérique peut se pencher avec fierté sur son passé. A bien des égards, l'expérience qu'elle entendait incarner s'est révélée un remarquable succès. L'indice le plus convaincant en reste peut-être l'attrait qu'elle continue d'exercer sur des millions de candidats immigrants. Le reflet le plus brillant en est sa victoire idéologique sur l'Union soviétique. L'impact le plus marquant, l'exceptionnalisme persistant de ses habitants : en 1989, 80 % d'entre eux se disaient fiers d'être Américains, le chiffre correspondant étant de 38 % pour l'ensemble des pays européens.

Mais qu'est-ce qu'être américain aujourd'hui ? La fin de la guerre froide, on l'a noté, avait porté à son paroxysme la crise d'identité que les années post-Viêt-nam avaient provoquée. « Dans quoi diable suis-je censé croire maintenant ? s'exclamait un personnage de la bande dessinée *Doonesbury*. Ma tasse de thé, c'était l'anti-communisme.... Et avec une guerre froide qui a disparu, je n'existe plus ! Je ne suis plus personne ». L'effondrement de la maison que Lénine avait édifiée a dans un premier temps polarisé les États-Unis sur la montée des problèmes internes de leur société : les ravages de la drogue et de la criminalité, le creusement des inégalités, la ghettoïsation des centres de leurs cités et, surtout, l'anxiété face à un environnement qui n'en finit pas de changer puis sur les problèmes de leur vie quotidienne (l'enseignement, le système de santé) que n'avait pas résolus la seule prospérité.

Celle-ci leur a largement rendu confiance dans leur destinée. Comme on l'a noté, la « déprime » de la première moitié des années 1990 s'est dissipée. Mais l'anxiété face à l'avenir que réserve une économie globalisée pourrait bien resurgir si la croissance se ralentissait. Et même dans cette vrombissante prospérité, les Américains ne paraissent pas totalement rassérénés. Tout d'abord, sans doute, ils redoutent la volatilité des marchés à laquelle – les déboires du peso et la crise asiatique l'ont démontré – la globalisation est associée : en tout cas, alors que l'économie nationale donnait tous les signes de bonne santé, redoutant un camouflet, le président a renoncé en 1997 à arracher au Congrès la législation *fast track* sans laquelle il ne peut pas négocier d'important accord douanier. Ensuite, le pays s'inquiète de la pente morale sur laquelle le pays est engagé. Si ceux qui pensent comme le juge Robert Bork qu'il « glisse sur la pente de Gomorrhe » ne sont sans doute pas une majorité, plus nombreux sont ceux qui pensent que « même dans toute sa splendeur, le marché ne crée que de la valeur, non des valeurs ». Enfin, bien des Américains s'interrogent sur leur capacité à réconcilier les deux piliers idéologiques sur lesquels leur histoire s'est articulée : la démocratie et le marché. Historiquement, plus que dans aucune autre nation, les deux y ont été inséparablement liés, bien que leur solidarité se soit toujours mâtinée d'une irrépressible rivalité. Dans la foulée de la fin de la guerre froide et du rejet de la « Grande Société », le marché s'est vu sacralisé. Mais son poids ne laisse plus au politique, c'est-à-dire à la volonté du « peuple » sur laquelle l'Amérique a été fondée, qu'une marge de manœuvre étriquée. Ce faisant, il contribue à un peu plus anémier une démocratie déjà handicapée par une médiatisation forcenée et l'influence que l'argent s'y est progressivement taillé. Alors même qu'elles jouent à plein dans un monde sans murs désormais, les forces du premier engendrent de formidables entités que les États-nations éprouvent toujours plus de mal à contrôler. Les gouvernements semblent, en effet, souvent impuissants face aux mouvements frénétiques d'enthousiasme et de panique de ces « supermarchés boursiers », authentiques « troupeaux électroniques ». Restaurer une relation plus équilibrée entre la démocratie et le marché, en commençant par une réforme d'un système de financement des campagnes dont tout le monde, ou presque, dénonce les dérives et les excès, comme d'un mode de scrutin qui vient de démontrer ses défectuosités, sera sans doute la première priorité.

De même, l'Amérique ne pourra sans doute pas éluder trois autres questions clés. Tout d'abord, elle devra convaincre les autres pays du caractère bénéfique de la globalisation qu'elle entend impulser. Saura-t-elle trouver un juste équilibre entre son refus de consentir d'importants sacrifices à la défense de ses intérêts et ses réticences à redistribuer une partie de son pouvoir entre ses alliés ? réconcilier l'interventionnisme actif sur lequel ses leaders semblent théoriquement s'accorder avec l'indifférence croissante du pays face à l'étranger et l'attrait de certains élus pour une politique du type *America Only* ? harmoniser un discours selon lequel l'Amérique est la nation dont on ne peut se passer (*indispensable nation*) et la tendance à ne concevoir le *leadership* qu'à bon marché (*on the cheap),* avec moins de 4 % du PNB consacrés aux relations avec l'étranger ? comprendre qu'il est difficile de vanter les mérites d'un monde toujours plus intégré tout en pratiquant une défense fondamentaliste et crispée de sa propre souveraineté ?

En deuxième lieu, elle devra s'efforcer de réconcilier sa quête inéluctable de l'efficacité avec l'arrêt de ce qui a paru son corollaire, l'accroissement des inégalités. Celles-ci se creusent constamment entre pays riches et pays en développement. Mais elles s'aggravent à l'intérieur des premiers également, et aux États-Unis notamment. Le risque existe de voir, dans ce que le premier secrétaire au Travail de Bill Clinton, Robert Reich, a qualifié de société « économiquement la plus stratifiée » du monde industrialisé, une nouvelle sécession se développer, les plus aisés se réfugiant dans des communautés retranchées, les plus pauvres s'agglutinant dans des ghettos plus ou moins fermés, avec des classes moyennes oscillant entre la crainte des seconds et l'envie des premiers. Offrir l'espoir de l'inclusion à ses minorités, en particulier aux Noirs qui, au printemps 1996 encore, désespéraient de voir leur sort jamais s'améliorer et celui de l'ascension à des classes moyennes qui ont un temps redouté de voir le « rêve américain » se dissiper : voilà sans aucun doute l'un des défis les plus importants que les États-Unis devront relever surtout si la conjoncture devait changer.

Enfin, alors que les vieilles valeurs WASP se sont largement effacées devant le culte d'un individualisme sacralisé et les forces du marché, alors que la république « euro-américaine » s'est vue contestée par les revendications des minorités injustement oubliées, l'Amérique se doit, sinon d'élaborer une nouvelle philosophie du bien commun digne de la « première nation universelle » qu'elle entend incarner, du moins de définir une nouvelle identité qui lui permette d'affronter l'avenir en tirant les leçons du passé. Bref, si la disparition de la guerre froide a peut-être marqué la fin de l'histoire au sens hégélien, l'histoire, elle, continue de défier les Américains. A eux de montrer, au XXIe siècle, qu'ils ont toujours « rendez-vous avec le destin ».

GEORGE W. BUSH

Né le 6 juillet 1946 à New Haven (Connecticut), George W. Bush apparaît avant tout comme un héritier. A un Clinton issu de la méritocratie semble en effet succéder un homme dont la carrière suggère l'existence, aux États-Unis, d'une forme discrète mais puissante d'aristocratie.

Petit-fils d'un sénateur du Connecticut, fils de l'ancien président George Bush, « George W. » a pu, en dépit d'études médiocres, entrer d'abord dans la prestigieuse Phillips Academy d'Andover, puis dans la non moins prestigieuse université Yale, institutions par lesquelles son père était passé. Après des études à la Harvard Business School, il échappe au Viêt-nam en se faisant admettre dans la garde nationale du Texas, où il devient pilote – là encore comme son père –, avant de se lancer, comme lui, dans cet État, dans les affaires pétrolières. Il commence sa carrière de topographe à Midland, où il avait passé une partie de son enfance, et fonde bientôt une première société d'exploitation, Arbusto, qui connaît un premier revers quand, en 1982, il cherche à la transformer en société anonyme. Par la suite, sa fortune connaît des hauts et des bas et, à plusieurs reprises, il n'est renfloué que par l'intervention d'amis et de relations.

Au printemps 1989, il convainc un certain nombre d'entre eux de se joindre à lui pour racheter une équipe de base-ball, les Texas Rangers, en train de battre de l'aile. Sous son égide, elle renoue avec le succès. Il persuade de plus la municipalité d'Arlington, où elle est implantée, de lui construire un stade qui double sa valeur et lui permet de réaliser un stupéfiant bénéfice quand il revend ses parts huit ans après.

A cette date, en effet, il a embrassé une carrière politique. Déjà, il avait fait une campagne malheureuse pour un poste de représentant en 1978 et avait participé à celle – victorieuse – de son père en 1988. En 1994, il réussit un exploit en battant le gouverneur sortant du Texas, la démocrate Ann Richards. Dans son nouveau poste, il fait preuve à la fois de détermination (il avait déjà prouvé celle-ci en renonçant, en 1986, à l'alcool, dont il avait parfois fait un usage immodéré) et d'habileté. Il s'empresse d'établir une collaboration étroite avec les leaders démocrates – au demeurant très conservateurs – de l'assemblée texane et poursuit avec efficacité un certain nombre de priorités : amélioration de l'éducation (en particulier alphabétisation des enfants des minorités), baisse de la fiscalité, lutte sans merci contre la criminalité (le Texas est aujourd'hui célèbre pour son record de condamnés à mort exécutés). Si la droite morale le juge malgré tout trop modéré (elle parlera de « Gore-Clinton light » à son sujet), il se présente en « conservateur à visage humain » désireux d'associer le plus possible les institutions religieuses et caritatives à la quête de solutions aux maux de la société. Mais il fait surtout figure de champion incontesté des intérêts des entreprises privées, soutenant des lois pour limiter leur responsabilité financière, déployant ses efforts pour les protéger des réglementations environnementales (le Texas est l'État du pays le plus pollué) et limitant au maximum les bénéfices du *welfare* (y compris, selon certains, l'accès des enfants pauvres aux soins de santé). Il se décrit comme un « réformateur avec des résultats » qui a promulgué plus de quatre mille lois.

En 1999, soucieux de ne pas laisser une nouvelle fois la présidence leur échapper, les principaux dirigeants et soutiens financiers du GOP font bloc derrière un homme qui leur paraît pouvoir l'emporter. Élu dans des conditions discutées, le futur président semble vouloir compenser le handicap que son expérience limitée du pouvoir pourrait constituer en déléguant à des collaborateurs loyaux et chevronnés la mise en œuvre des grandes orientations qu'il aura déterminées. Mais son mandat peut paraître étriqué et il lui faudra surmonter les difficultés qu'il rencontrera probablement dans ses rapports avec un Congrès très partagé.

ANNEXES

LA DÉCLARATION D'INDÉPENDANCE
(« Déclaration unanime des treize États-Unis d'Amérique »)

Lorsque, dans le cours des événements humains, un peuple se voit dans la nécessité de rompre les liens politiques qui l'unissent à un autre, et de prendre parmi les puissances de la terre le rang égal et distinct auquel les lois de la nature et du Dieu de la nature lui donnent droit, un juste respect de l'opinion des hommes exige qu'il déclare les causes qui l'ont poussé à cette séparation.

Nous tenons ces vérités pour évidentes en elles-mêmes : que tous les hommes sont créés égaux ; que leur Créateur les a dotés de certains droits inaliénables, parmi lesquels la vie, la liberté et la recherche du bonheur ; que, pour garantir ces droits, les hommes instituent entre eux des gouvernements, qui tirent leurs justes pouvoirs du consentement des gouvernés ; que, chaque fois qu'un gouvernement, quelle qu'en soit la forme, menace ces fins dans leur existence même, c'est le droit du peuple que de le modifier ou de l'abolir, et d'en instituer un nouveau qu'il fondera sur les principes, et dont il organisera les pouvoirs selon les formes, qui lui paraîtront les plus propres à assurer sa sécurité et son bonheur. La prudence recommande sans doute de ne pas renverser, pour des causes légères et passagères, des gouvernements établis depuis longtemps ; aussi a-t-on toujours vu les hommes plus disposés à souffrir des maux supportables qu'à se faire justice en abolissant les formes auxquelles ils étaient accoutumés. Mais lorsqu'une longue suite d'abus et d'usurpations, invariablement tendus vers le même but, marque le dessein de les soumettre à un despotisme absolu, il est de leur droit, il est de leur devoir de renverser le gouvernement qui s'en rend coupable, et de rechercher de nouvelles sauvegardes pour leur sécurité future. Telle fut la longue patience de ces colonies, et telle est aujourd'hui la nécessité qui les contraint à changer leur ancien système de gouvernement. L'histoire de celui qui règne aujourd'hui sur la Grande-Bretagne est une histoire d'injustices et d'usurpations répétées ayant toutes pour direct objet l'établissement d'une tyrannie absolue sur nos États. Pour en apporter la preuve, il suffit de soumettre les faits au jugement d'un monde impartial.

Il a refusé son assentiment aux lois les plus salutaires et les plus nécessaires au bien public.

Il a interdit à ses gouverneurs d'édicter des lois d'un intérêt immédiat et urgent, sauf à différer leur application jusqu'à ce qu'on obtienne son assentiment ; les ayant ainsi différées, il a entièrement négligé de s'y intéresser.

Il a refusé d'édicter d'autres lois utiles à certaines circonscriptions importantes, à moins que la population ne renonce à son droit de représentation dans le corps législatif, droit inestimable et que seuls les tyrans redoutent.

Il a convoqué des assemblées en des lieux peu usuels, inconfortables et loin de l'endroit où leurs documents étaient en dépôt, dans le seul but de les contraindre à se plier, de guerre lasse, à ses mesures.

Il a dissout en plusieurs occasions, des chambres qui s'étaient prononcées avec fermeté contre ses atteintes aux droits du peuple.

Il a refusé pendant longtemps, après de semblables dissolutions, de faire élire d'autres corps législatifs, de sorte que l'exercice des pouvoirs législatifs. par nature indestructible, est retourné au peuple ; dans le même temps l'État demeurait exposé à tous les dangers d'envahissement de l'extérieur et de perturbation à l'intérieur.

Il a résolument empêché l'accroissement de la population de nos États, faisant obstacle dans ce but aux lois sur la naturalisation des étrangers, refusant d'en adopter d'autres qui auraient encouragé l'immigration, multipliant les obstacles à l'appropriation des terres nouvelles.

Il a entravé l'administration de la Justice en refusant sa sanction à des lois visant à établir des pouvoirs judiciaires.

Il a soumis les juges à sa seule volonté pour ce qui concerne la durée de leurs charges, le montant et le mode de paiement de leurs traitements.

Il a créé une multitude d'emplois nouveaux et envoyé sur notre sol des hordes d'officiers qui harcèlent notre peuple et dévorent ses biens.

Il a maintenu chez nous, en temps de paix, des armées permanentes, sans le consentement de nos législatures.

Il a prétendu rendre le pouvoir militaire indépendant et supérieur au pouvoir civil.

Il s'est joint à d'autres pour nous soumettre à une juridiction étrangère à notre Constitution et non reconnue par nos lois, donnant son assentiment à leurs prétendus actes de législation qui :

— autorisent le cantonnement sur notre sol de troupes en nombre important ;

— leur épargnent, par des simulacres de procès, toute punition pour les meurtres qu'elles pourraient commettre parmi les habitants de nos États ;

— étouffent notre commerce avec toutes les parties du monde ;

— nous imposent des taxes sans notre consentement ;

— nous privent, dans beaucoup de cas, des garanties du jugement par jury ;

— permettent de nous faire transférer outre-mer, et de nous y faire juger pour de prétendus délits ;

— abolissent le libre système des lois anglaises dans une province voisine, établissant un gouvernement arbitraire, repoussant les frontières de ladite province de façon à en faire un exemple aussi bien qu'un instrument destiné à introduire dans nos colonies le même régime despotique ;

— suppriment nos chartes, abolissent nos lois les plus précieuses et modifient dans leurs principes fondamentaux la forme de nos gouvernements ;

— suspendent nos propres Assemblées et leur permettent de se déclarer investis du pouvoir de légiférer à notre place dans quelque cas que ce soit.

Il a abdiqué le droit qu'il avait de nous gouverner, en nous déclarant hors de sa protection et en faisant la guerre contre nous.

Il a pillé nos mers, dévasté nos côtes, brûlé nos villes et anéanti la vie de notre peuple.

Il achemine présentement des armées importantes de mercenaires étrangers pour achever son œuvre de mort, de désolation et de tyrannie, qui a débuté dans des circonstances de cruauté et de perfidie à peine égalées aux âges barbares, et totalement indignes du chef d'un État civilisé.

Il a contraint nos compatriotes capturés en pleine mer à porter les armes contre leur pays, à devenir les bourreaux de leurs amis et de leurs frères, ou à tomber eux-mêmes sous leurs coups.

Il a provoqué des révoltes intestines et tâché de soulever contre les habitants de nos frontières les sauvages et impitoyables Indiens dont la règle de guerre bien connue est de détruire sans distinction les êtres de tous âges, sexes et conditions.

A chaque étape de l'oppression. nous avons réclamé justice dans les termes les plus humbles ; à nos pétitions répétées, il ne fut répondu que par des injustices répétées. Un prince dont le caractère s'affirme ainsi, en des actes qui, tous, définissent un tyran. ne peut prétendre gouverner un peuple libre.

Nous n'avons pas davantage réussi à capter l'attention de nos frères britanniques. Nous leur avons représenté périodiquement que leur corps législatif tentait d'étendre illégalement sa juridiction jusqu'à nous. Nous leur avons rappelé les circonstances dans lesquelles nous avons émigré et fondé ici des colonies. Nous avons fait appel au sens inné de la justice et à la grandeur d'âme qui sont censés les habiter, et nous les avons conjurés au nom des liens de parenté qui nous unissent de désavouer ces usurpations qui conduiraient inévitablement à la rupture de nos liens et de nos rapports. Eux aussi sont restés sourds à la voix de la justice et de la consanguinité. Nous devons donc nous incliner devant la nécessité et proclamer la séparation. Nous devons, comme nous le faisons pour le reste de l'humanité, les considérer. dans la guerre comme des ennemis, dans la paix comme des amis.

En conséquence, nous, représentants des États-Unis d'Amérique, réunis en Congrès plénier. prenant le Juge suprême du monde à témoin de la droiture de nos intentions, au nom et par délégation du bon peuple de ces colonies, affirmons et déclarons solennellement :

Que ces colonies unies sont et doivent être en droit des États libres et indépendants ; qu'elles sont relevées de toute fidélité à l'égard de la Couronne britannique, et que tout lien entre elles et l'État de Grande-Bretagne est et doit être entièrement dissous ; et qu'elles ont, en tant qu'États libres et indépendants, plein pouvoir de faire la guerre, de conclure la paix, de contracter des alliances, d'établir des relations commerciales. d'agir et de faire toutes autres choses que les États indépendants sont fondés à faire. Et pour le soutien de cette Déclaration, mettant notre pleine confiance dans la protection de la divine providence, nous donnons en gage les uns et les autres nos vies, nos fortunes et notre honneur sacré.

LA CONSTITUTION FÉDÉRALE

Nous, le peuple des États-Unis, en vue de former une union plus parfaite, d'établir la justice, d'assurer la tranquillité intérieure, de pourvoir à la défense commune, de développer le bien-être général et d'assurer les bienfaits de la liberté à nous-mêmes et à nos descendants, ordonnons et établissons la présente Constitution pour les États-Unis d'Amérique.

ARTICLE I

SECTION 1. Tous les pouvoirs législatifs accordés par la présente Constitution seront attribués à un Congrès des États-Unis, qui sera composé d'un Sénat et d'une Chambre des représentants.

SECTION 2. La Chambre des représentants sera composée de membres choisis tous les deux ans par le peuple des divers États, et les électeurs dans chaque État satisferont aux conditions d'aptitude requises pour les électeurs de la branche la plus nombreuse de l'assemblée législative de l'État.

Nul ne sera représentant s'il n'a atteint l'âge de vingt-cinq ans, s'il n'est depuis sept ans citoyen des États-Unis, ni s'il n'habite, au moment de son élection, l'État où il est élu.

Les représentants et les taxes directes seront répartis entre les divers États qui pourront être compris dans l'Union, proportionnellement à leurs populations respectives, [lesquelles seront déterminées en ajoutant au nombre total des personnes libres, y compris les gens liés à service pour un certain nombre d'années et à l'exclusion des Indiens non imposés, les trois cinquièmes de toutes autres personnes] [1]. Le recensement sera fait dans les trois ans qui suivront la première réunion du Congrès des États-Unis, et tous les dix ans par la suite, de la manière que le Congrès aura prescrite par une loi. Le nombre des représentants ne sera pas supérieur à un par trente mille habitants, mais chaque État aura au moins un représentant, et, jusqu'à ce que le premier recensement ait été fait, l'État de New Hampshire aura droit à trois représentants, le Massachusetts à huit, le Rhode Island et les Plantations de Providence à un, le Connecticut à cinq, le New York à six, le New Jersey à quatre, la Pennsylvanie à huit, le Delaware à un, le Maryland à six, la Virginie à dix, la Caroline du Nord à cinq, la Caroline du Sud à cinq, la Géorgie à trois.

---

1. Annulé par le XIVᵉ amendement.

Quand des vacances viendront à se produire dans la représentation d'un État, l'autorité exécutive de celui-ci convoquera les électeurs pour y pourvoir.

La Chambre des représentants choisira son président *(speaker)* et les autres membres de son bureau. Elle aura seule le pouvoir de mise en accusation devant le Sénat *(impeachment)*.

SECTION 3. Le Sénat des États-Unis sera composé de deux sénateurs pour chaque État, [choisis] pour six ans [par l'assemblée législative de chacun] [2], et chaque sénateur aura droit à une voix.

Immédiatement après qu'ils seront assemblés à la suite de la première élection, les sénateurs seront divisés, aussi exactement que possible, en trois classes. Les sièges des sénateurs de la première classe deviendront vacants à l'expiration de la seconde année, de la seconde classe à l'expiration de la quatrième année, de la troisième classe à l'expiration de la sixième année, de telle sorte que le Sénat soit renouvelé par tiers tous les deux ans, [et si des vacances se produisent par démission ou autrement dans l'intervalle des sessions de l'assemblée législative d'un État, l'exécutif de cet État pourra procéder à des nominations provisoires jusqu'à la réunion suivante de ladite assemblée, qui pourvoira alors aux vacances] [3].

Nul ne sera sénateur s'il n'a atteint l'âge de trente ans, s'il n'est depuis neuf ans citoyen des États-Unis, ni s'il n'habite, au moment de son élection, l'État pour lequel il est élu.

Le vice-président des États-Unis sera président du Sénat, mais ne pourra voter qu'en cas de partage.

Le Sénat choisira les autres membres de son bureau, ainsi qu'un président *pro tempore* pour remplacer le vice-président en l'absence de celui-ci, ou quand il sera appelé à exercer les fonctions de président des États-Unis.

Le Sénat aura seul le pouvoir de juger les personnes mises en accusation par la Chambre des représentants. Quand il siégera à cet effet, ses membres seront soumis à serment ou à déclaration. En cas de jugement du président des États-Unis, le président de la Cour suprême des États-Unis présidera. Et nul ne sera condamné sans l'assentiment des deux tiers des membres présents.

Le jugement, en matière d'*impeachment,* ne pourra excéder la destitution et l'incapacité de tenir toute charge d'honneur, de confiance ou rémunérée relevant des États-Unis, mais la partie condamnée n'en sera pas moins sujette à accusation, procès, jugement et châtiment, selon les termes de la loi.

SECTION 4. Les époques, lieux et modes d'élection des sénateurs et des représentants seront fixés, dans chaque État, par l'autorité législative ; mais le Congrès pourra, à tout moment et par une loi, instituer ou modifier de tels règlements, sauf en ce qui concerne le lieu d'élection des sénateurs.

---

2. Annulé par le XVIIe amendement.

3. Annulé par le XVIIe amendement.

[Le Congrès s'assemblera au moins une fois l'an, et la réunion aura lieu le premier lundi de décembre, à moins que, par une loi, il ne fixe un jour différent] [4].

SECTION 5. Chaque chambre sera juge des élections, des résultats des élections et des qualifications de ses membres, et la présence de la majorité sera nécessaire dans chacune pour délibérer valablement ; mais tout membre inférieur pourra s'ajourner de jour en jour et être autorisé à exiger la présence des membres absents, de telle manière et selon telles pénalités que chaque chambre aura prescrites.

Chaque chambre pourra établir son règlement, punir ses membres pour conduite contraire au bon ordre et, à la majorité des deux tiers, prononcer l'expulsion de l'un d'entre eux.

Chaque chambre tiendra un procès-verbal de ses débats et le publiera périodiquement, à l'exception des parties qu'elle estimerait devoir tenir secrètes, et les oui et les non des membres de chacune sur toute question seront portés sur ce procès-verbal à la demande d'un cinquième des membres présents.

Pendant la session du Congrès, aucune des deux chambres ne pourra, sans le consentement de l'autre, s'ajourner à plus de trois jours, ni se transporter dans un lieu autre que celui où siégeront les deux chambres.

SECTION 6. Les sénateurs et représentants percevront une indemnité qui sera fixée par une loi et payée sur le Trésor des États-Unis. En aucun cas, sauf pour trahison, félonie et délit contre l'ordre public, ils ne pourront être mis en état d'arrestation pendant leur présence aux séances de leurs chambres respectives, ni pendant qu'ils s'y rendent ou qu'ils en reviennent, et, pour tout discours ou débat dans l'une ou l'autre chambre, ils ne pourront être interrogés en aucun autre lieu.

Nul sénateur ou représentant ne pourra, pendant la durée de son mandat, être nommé à un emploi civil, relevant des États-Unis, qui aurait été créé ou dont les émoluments auraient été augmentés durant cette période ; et nulle personne détenant une charge sous l'autorité des États-Unis ne pourra, tant qu'elle restera en fonction, devenir membre de l'une ou l'autre des chambres.

SECTION 7. Tous projets de lois comportant la levée d'impôts émaneront de la Chambre des représentants, mais le Sénat pourra proposer des amendements, comme pour les autres projets de loi.

Tout projet de loi adopté par la Chambre des représentants et par le Sénat devra, avant d'acquérir force de loi, être présenté au président de États-Unis. Si celui-ci l'approuve, il le signera ; sinon, il le renverra avec ses objections, à la chambre dont il émane, laquelle insérera le objections *in extenso* dans son procès-verbal et procédera à un nouvel examen du projet. Si, après ce nouvel examen, le projet de loi réunit en sa faveur les voix des deux tiers des membres de cette chambre, il sera transmis, avec les

---

4. Annulé par le XXe amendement.

objections qui l'accompagnaient, à l'autre chambre, qui l'examinera également à nouveau, et, si les deux tiers des membres de celle-ci l'approuvent, il aura force de loi. En pareil cas, les votes de deux chambres seront pris par oui et par non, et les noms des membres votant pour et contre le projet seront portés au procès-verbal de chaque chambre respectivement. Tout projet non renvoyé par le président dans les dix jours (dimanches non compris) qui suivront sa présentation deviendra loi comme si le président l'avait signé, à moins que le Congrès n'ait, par son ajournement, rendu le renvoi impossible, auquel cas le projet n'obtiendra pas force de loi.

Tous ordres, résolutions ou votes, pour l'adoption desquels l'accord du Sénat et de la Chambre des représentants serait nécessaire (sauf en matière d'ajournement), seront présentés au président des États-Unis. et, avant de devenir exécutoires, approuvés par lui, ou, en cas de dissentiment de sa part, adoptés de nouveau par les deux tiers du Sénat et de la Chambre des représentants, conformément aux règles et sous les réserves prescrites pour les projets de loi.

SECTION 8. Le Congrès aura le pouvoir :

De lever et percevoir des taxes, droits, impôts directs et indirects, de payer les dettes et de pourvoir à la défense commune et à la prospérité générale des États-Unis ; mais lesdits droits, impôts et taxes seront uniformes sur toute l'étendue des États-Unis ;

De faire des emprunts sur le crédit des États-Unis ;

De réglementer le commerce avec les nations étrangères, entre les divers États et avec les tribus indiennes ;

D'établir une règle uniforme de naturalisation et des lois uniformes en matière de faillite applicables dans toute l'étendue des États-Unis ;

De battre monnaie, d'en déterminer la valeur et celle des monnaies étrangères, et de fixer l'étalon des poids et mesures ;

D'assurer la répression de la contrefaçon des effets et de la monnaie en cours aux États-Unis ;

D'établir des bureaux et des routes de poste ;

De favoriser le progrès de la science et des arts utiles, en assurant, pour un temps limité, aux auteurs et inventeurs le droit exclusif à leurs écrits et découvertes respectifs ;

De constituer des tribunaux inférieurs à la Cour suprême ;

De définir et punir les pirateries et félonies commises en haute mer et les offenses contre le droit des nations ;

De déclarer la guerre, d'accorder des lettres de marque et de représailles, et d'établir des règlements concernant les prises sur terre et sur les eaux ;

De lever et d'entretenir des armées, mais aucune affectation de fonds à cet usage ne dépassera une durée supérieure à deux ans ;

De créer et d'entretenir une marine de guerre ;

D'établir des règlements pour l'administration et la réglementation des forces de terre et de mer ;

De pourvoir à la mobilisation de la milice pour assurer l'exécution des lois de l'Union, réprimer les insurrections et repousser les invasions ;

De pourvoir à l'organisation, l'armement et la discipline de la milice, et au gouvernement de telle partie de celle-ci qui serait employée au service des États-Unis, en réservant aux États respectivement la nomination des officiers et l'autorité nécessaire pour instruire la milice selon les règles de discipline prescrites par le Congrès. D'exercer le droit exclusif de législation, dans quelque cas que ce soit, sur tel district (d'une superficie n'excédant pas cent milles carrés) qui, par cession d'États particuliers et sur acceptation du Congrès, sera devenu le siège du gouvernement des États-Unis, et d'exercer semblable autorité sur tous lieux acquis, avec le consentement de l'assemblée législative de l'État dans lequel ils seront situés, pour l'érection de forts, magasins, arsenaux, chantiers et autres constructions nécessaires ;

Et de faire toutes les lois qui seront nécessaires et convenables pour mettre à exécution les pouvoirs ci-dessus mentionnés et tous autres pouvoirs conférés par la présente Constitution au gouvernement des États-Unis ou à l'un quelconque de ses départements ou de ses fonctionnaires.

SECTION 9. [L'immigration ou l'importation de telles personnes que l'un quelconque des États actuellement existants jugera convenable d'admettre ne pourra être prohibée par le Congrès avant l'année mil huit cent huit, mais un impôt ou un droit n'excédant pas dix dollars par tête pourra être levé sur cette importation] [5].

Le privilège de l'ordonnance de l'*habeas corpus* ne pourra être suspendu, sauf en cas de rébellion ou d'invasion, lorsque la sécurité publique l'exigera.

Aucun décret de confiscation de biens et de mort civile *(bill of attainder)*, ni aucune loi rétroactive *(ex post facto)* ne seront promulgués.

[Aucune capitation ni autre taxe directe ne seront levées, si ce n'est proportionnellement au recensement ou dénombrement ci-dessus ordonné] [6].

Ni taxes, ni droits ne seront levés sur les articles exportés d'un État quelconque. Aucune préférence ne sera accordée par un règlement commercial ou fiscal aux ports d'un État sur ceux d'un autre ; et nul navire à destination ou en provenance d'un État ne sera obligé d'entrer, de remplir les formalités de congé ou de payer des droits dans un autre.

Aucune somme ne sera tirée du Trésor, si ce n'est en vertu de crédits ouverts par une loi ; un état et un compte réguliers de toutes les recettes et dépenses des deniers publics seront publiés périodiquement.

---

5. Annulé par le XIIIe amendement.
6. Modifié par le XVIe amendement.

Aucun titre de noblesse ne sera conféré par les États-Unis, et aucune personne qui tiendra de ceux-ci une charge rémunérée ou de confiance ne pourra, sans le consentement du Congrès, accepter des présents, émoluments, places ou titres quelconques d'un roi, prince ou État étranger.

SECTION 10. Aucun État ne pourra conclure des traités ni former des alliances ou des confédérations ; délivrer des lettres de marque ou de représailles ; battre monnaie ; émettre du papier-monnaie ; donner cours légal, pour le paiement de dettes, à autre chose que la monnaie d'or ou d'argent ; promulguer des décrets de confiscation, des lois rétroactives ou qui porteraient atteinte aux obligations résultant de contrats, ni conférer des titres de noblesse.

Aucun État ne pourra, sans le consentement du Congrès, lever des impôts ou des droits sur les importations ou les exportations autres que ceux qui seront absolument nécessaires pour la mise en œuvre de ses lois d'inspection, et le produit net de tous les droits ou impôts levés par un État sur les importations ou les exportations sera affecté à l'usage de la Trésorerie des États-Unis ; et toutes lois portant imposition seront soumises à la révision et au contrôle du Congrès.

Aucun État ne pourra, sans le consentement du Congrès, lever des droits de tonnage, entretenir des troupes ou des navires de guerre en temps de paix, conclure des accords ou des pactes avec un autre État ou une puissance étrangère, ni entrer en guerre, à moins qu'il ne soit effectivement envahi ou en danger trop imminent pour permettre le moindre délai.

ARTICLE II

SECTION 1. Le pouvoir exécutif sera confié à un président des États-Unis d'Amérique. La durée du mandat du président sera de quatre ans. Le président et le vice-président, dont le mandat sera de même durée, seront élus de la manière suivante :

Chaque État désignera, de la manière prescrite par sa chambre législative, un nombre de grands électeurs égal au nombre total de sénateurs et de représentants auquel il a droit dans le Congrès, mais aucun sénateur ou représentant, ni aucune personne tenant des États-Unis une charge de confiance ou rémunérée, ne pourra être nommé électeur.

[Les grands électeurs se réuniront dans leurs États respectifs et voteront par bulletin pour deux personnes, dont l'une au moins n'habitera pas le même État qu'eux. Ils dresseront une liste de toutes les personnes qui auront recueilli des voix et du nombre de voix réunies par chacune d'elles. Ils signeront cette liste, la certifieront et la transmettront, scellée, au siège du gouvernement des États-Unis, à l'adresse du président du Sénat. Celui-ci, en présence du Sénat et de la Chambre des représentants, ouvrira tous les certificats, et les suffrages seront alors comptés. La personne qui aura obtenu le plus grand nombre de voix sera président, si ce nombre représente la majorité de tous les grands électeurs désignés. Si deux ou plusieurs personnes ont obtenu cette majorité et un nombre égal de voix, la Chambre des représentants, par bulletins, choisira immédiatement l'une d'entre elles comme président. Si aucune n'a obtenu la majorité nécessaire, la Chambre des représentants choisira alors le président, de la même manière, entre les cinq personnes sur la liste qui auront le plus grand nombre de voix. Mais, pour le choix du président, les votes seront recueillis par États, la représentation de chaque État ayant une voix. Le quorum nécessaire à cet effet sera constitué par la présence d'un ou de plusieurs représentants des deux tiers des États, et l'adhésion de la majorité de tous les États devra être acquise pour la validité du choix. Dans tous les cas, après l'élection du président, la personne qui aura obtenu après lui le plus grand nombre de suffrages des grands électeurs sera vice-président. Mais s'il reste deux ou plusieurs personnes ayant le même nombre de voix, le Sénat choisira le vice-président parmi elles par bulletins] [7].

Le Congrès pourra fixer l'époque où les grands électeurs seront désignés et le jour où ils devront voter — ce jour étant le même sur toute l'étendue des États-Unis.

Nul ne pourra être élu président s'il n'est citoyen de naissance, ou s'il n'est déjà citoyen des États-Unis au moment de l'adoption de la présente Constitution, s'il n'a trente-cinq ans révolus et ne réside sur le territoire des États-Unis depuis quatorze ans.

[En cas de destitution, de mort ou de démission du président, ou de son incapacité à exercer les pouvoirs et à remplir les devoirs de sa charge, ceux-ci seront dévolus au vice-président. Le Congrès pourra, par une loi, pourvoir au cas de destitution, de mort, de démission ou d'incapacité à la fois du président et du vice-président en désignant le fonctionnaire qui fera alors fonction de président, et ce fonctionnaire remplira ladite fonction jusqu'à cessation d'incapacité ou élection d'un président] [8].

Le président percevra, à échéances fixes, une indemnité qui ne sera ni augmentée ni diminuée pendant la période pour laquelle il aura été élu, et il ne recevra, pendant cette période, aucun autre émolument des États-Unis, ni d'aucun d'entre eux.

Avant d'entrer en fonctions, le président prêtera le serment ou prendra l'engagement suivant :

« Je jure (ou j'affirme) solennellement que je remplirai fidèlement les fonctions de président des États-Unis et que, dans toute la mesure de mes moyens, je sauvegarderai, protégerai et défendrai la Constitution des États-Unis. »

SECTION 2. Le président sera commandant en chef des armées de terre et de mer des États-Unis, et de la milice des divers États quand celle-ci sera appelée au service actif des États-Unis. Il pourra exiger l'opinion, par écrit, du principal fonctionnaire de chacun des départements exécutifs sur tout sujet relatif aux

---

7. Annulé par le XIIe amendement.

8. Modifié par le XXVe amendement.

devoirs de sa charge. Il aura le pouvoir d'accorder des sursis et des grâces pour offenses contre les États-Unis. sauf en cas d'*impeachment*.

Il aura le pouvoir, sur l'avis et avec le consentement du Sénat, de conclure des traités. sous réserve de l'approbation des deux tiers des sénateurs présents. Il proposera au Sénat et, sur l'avis et avec le consentement de ce dernier, nommera les ambassadeurs, les autres ministres publics et les consuls, les juges de la Cour suprême et tous les autres fonctionnaires des États-Unis dont la nomination n'aura pas autrement été prévue par la présente Constitution, et qui sera établie par une loi. Mais le Congrès pourra, lorsqu'il le jugera opportun, confier au président seul, aux cours de justice ou aux chefs des départements. la nomination de certains fonctionnaires de rang inférieur. Le président aura le pouvoir de remplir toutes vacances qui viendraient à se produire entre les sessions du Sénat, en accordant des mandats qui expireront à la fin de la session suivante.

SECTION 3. Le président informera périodiquement le Congrès sur l'état de l'Union, et recommandera à son attention telles mesures qu'il estimera nécessaires et expédientes. Il pourra, dans des circonstances extraordinaires. convoquer l'une ou l'autre des chambres ou les deux à la fois, et. en cas de désaccord entre elles en matière d'ajournement. il pourra les ajourner à tel moment qu'il jugera convenable. Il recevra les ambassadeurs et autres ministres publics. Il veillera à ce que les lois soient fidèlement exécutées, et mandatera tous les fonctionnaires des États-Unis.

SECTION 4. Le président. le vice-président et tous les fonctionnaires civils des États-Unis seront destitués de leurs charges sur mise en accusation (impeachment) et condamnation pour trahison, concussion ou autres crimes ou délits majeurs.

ARTICLE III

SECTION 1. Le pouvoir judiciaire des États-Unis sera confié à une Cour suprême et à telles cours inférieures que le Congrès pourra, à mesure des besoins, ordonner et établir. Les juges de la Cour suprême et des cours inférieures conserveront leur charge aussi longtemps qu'ils en seront dignes et percevront, à échéances fixes, une indemnité qui ne sera pas diminuée tant qu'ils resteront en fonction.

SECTION 2. Le pouvoir judiciaire s'étendra à tous les cas de droit et d'équité sous le régime de la présente Constitution, des lois des États-Unis, des traités déjà conclus, ou qui viendraient à l'être sous leur autorité ; à tous les cas concernant les ambassadeurs, les autres ministres publics et les consuls ; à tous les cas d'amirauté et de juridiction maritime ; aux différends dans lesquels les États-Unis seront partie ; aux différends entre deux ou plusieurs États, [entre un État et les citoyens d'un autre État] [9], entre citoyens de différents États, entre citoyens d'un même État

---

9. Modifié par le XIe amendement.

revendiquant des terres en vertu de concessions d'autres États, entre un État ou ses citoyens et des États, citoyens ou sujets étrangers.

Dans tous les cas concernant les ambassadeurs, les autres ministres publics et les consuls, et ceux dans lesquels un État sera partie, la Cour suprême aura juridiction de première instance. Dans tous les autres cas susmentionnés, elle aura juridiction d'appel, et pour le droit et pour le fait, sauf telles exceptions et conformément à tels règlements que le Congrès aura établis.

Tous les crimes, sauf le cas d'*impeachment*, seront jugés par un jury. Le procès aura lieu dans l'État où lesdits crimes auront été commis, et, quand ils ne l'auront été dans aucun, en tel lieu ou lieux que le Congrès aura fixés par une loi.

SECTION 3. La trahison envers les États-Unis ne consistera que dans l'acte de faire la guerre contre eux, ou celui de s'allier à leurs ennemis en leur donnant aide et secours. Nul ne sera condamné pour trahison, si ce n'est sur la déposition de deux témoins du même acte manifeste, ou suite à son propre aveu en audience publique.

Le Congrès aura le pouvoir de fixer la peine en matière de trahison, mais aucune condamnation de ce chef ne pourra entraîner la mort civile ou la confiscation des biens, sauf pendant la vie du condamné.

ARTICLE IV

SECTION 1. Pleine foi et crédit seront accordés, dans chaque État, aux actes publics, registres et procédures judiciaires de tous les autres États. Et le Congrès pourra, par des lois générales, prescrire la manière dont la validité de ces actes, registres et procédures sera établie, ainsi que leurs effets.

SECTION 2. [Les citoyens de chaque État auront droit à tous les privilèges et immunités dont jouissent les citoyens dans les divers États] [10].

Toute personne qui, accusée, dans un État, de trahison, félonie ou autre crime, se sera dérobée à la justice par la fuite et sera trouvée dans un autre État, devra, sur la demande de l'autorité exécutive de l'État d'où elle aura fui, être livrée pour être ramenée dans l'État ayant juridiction sur le crime.

[Une personne qui, tenue à un service ou travail dans un État en vertu des lois y existant, s'échapperait dans un autre, ne sera libérée de ce service ou travail en vertu d'aucune loi ou réglementation de cet autre État ; elle sera livrée sur la revendication de la partie à laquelle le service ou travail pourra être dû] [11].

SECTION 3. De nouveaux États peuvent être admis dans l'Union par le Congrès ; mais aucun nouvel État ne sera formé ou érigé sur le territoire soumis à la juridiction d'un autre État, ni aucun État formé par la jonction de deux ou plusieurs États, ou

---

10. Dispositions étendues par le XIVe amendement.

11. Annulé par le XIIIe amendement.

parties d'État, sans le consentement des assemblées législatives des États intéressés, aussi bien que du Congrès.

Le Congrès aura le pouvoir de disposer du territoire ou de toute autre propriété appartenant aux États-Unis, et de faire à leur égard toutes lois et tous règlements nécessaires ; et aucune disposition de la présente Constitution ne sera interprétée de manière à nuire aux revendications des États-Unis ou d'un État en particulier.

SECTION 4. Les États-Unis garantiront à chaque État de l'Union une forme républicaine de gouvernement, protégeront chacun d'eux contre l'invasion et, à la demande de l'assemblée législative ou de l'exécutif (quand l'assemblée ne pourra être réunie), contre toute violence intérieure.

ARTICLE V

Le Congrès, quand les deux tiers des deux chambres l'estimeront nécessaire, proposera des amendements à la présente Constitution ou, sur la demande des législatures des deux tiers des États, convoquera une convention pour en proposer. Dans l'un et l'autre cas, ces amendements seront valides à tous égards comme faisant partie intégrante de la présente Constitution, lorsqu'ils auront été ratifiés par les chambres législatives des trois quarts des États, ou par des conventions dans les trois quarts d'entre eux. selon que l'un ou l'autre mode de ratification aura été proposé par le Congrès — sous réserve que nul amendement qui serait adopté avant l'année mil huit cent huit ne puisse en aucune façon affecter la première et la quatrième clause de la neuvième section de l'article premier, et qu'aucun État ne soit, sans son consentement, privé de l'égalité de son suffrage au Sénat.

ARTICLE VI

Toutes dettes contractées et tous engagements pris avant l'adoption de la présente Constitution seront aussi valides pour les États-Unis sous l'empire de cette dernière que sous la Confédération.

La présente Constitution, ainsi que les lois des États-Unis qui en découleront, et tous les traités conclus, ou qui le seront, sous l'autorité des États-Unis, seront la loi suprême du pays et lieront les juges dans chaque État, nonobstant toute disposition contraire de la Constitution ou des lois de l'un quelconque des États.

Les sénateurs et représentants susmentionnés, les membres des diverses assemblées législatives d'État et tous les fonctionnaires exécutifs et judiciaires, tant des États-Unis que des divers États, seront tenus par serment ou engagement solennel de défendre la présente Constitution ; mais aucune profession de foi religieuse ne sera exigée comme condition d'aptitude aux fonctions ou charges publiques sous l'autorité des États-Unis.

ARTICLE VII

La ratification des conventions de neuf États sera suffisante pour l'établissement de la présente Constitution entre les États qui l'auront ainsi ratifiée.

Fait en Convention, par le consentement unanime des États présents, le dix-septième jour de septembre de l'an de grâce mil sept cent quatre-vingt-sept, an douze de l'indépendance des États-Unis. En foi de quoi, nous l'avons signée de nos noms [12].

George WASHINGTON
Président et délégué de la Virginie

LA DÉCLARATION DES DROITS
(BILL OF RIGHTS) [13]
et les amendements ultérieurs

ARTICLE I

Le Congrès ne fera aucune loi qui touche à l'établissement ou interdise le libre exercice d'une religion, ni qui restreigne la liberté d'expression, ou celle de la presse, ou le droit qu'a le peuple de s'assembler paisiblement et d'adresser des pétitions au gouvernement pour la réparation des torts subis.

ARTICLE II

Une milice bien ordonnée étant nécessaire à la sécurité d'un État libre, le droit qu'a le peuple de détenir et de porter des armes ne sera pas enfreint.

ARTICLE III

Aucun soldat ne sera, en temps de paix, logé dans une maison sans le consentement du propriétaire, ni en temps de guerre, si ce n'est de la manière prescrite par la loi.

ARTICLE IV

Le droit des citoyens d'être garantis dans leurs personne, domicile, papiers et effets, contre les perquisitions et saisies déraisonnables ne sera pas violé, et aucun mandat ne sera délivré, si ce n'est pour un motif plausible, corroboré par un serment ou une déclaration solennelle, ni sans qu'il décrive précisément le lieu à fouiller et les personnes ou les choses à saisir.

ARTICLE V

Nul ne sera mis en jugement pour un crime capital ou autrement infamant si ce n'est sur déclaration de mise en accusation *(presentment)* ou acte d'accusation *(indictment)* présentés par un grand jury, sauf en cas d'actes commis dans l'armée de terre ou de mer ou dans la milice, en temps de guerre ou de péril public. Nul ne pourra pour le même délit être deux fois menacé dans sa

---

13. Le *Bill of Rights* comprend les dix premiers amendements à la Constitution. Proposés en bloc le 25 septembre 1789, ces dix « articles » complémentaires entrèrent en vigueur (après ratification) le 15 décembre 1791.

vie ou dans sa personne. Nul ne sera tenu de témoigner contre lui-même dans une affaire criminelle. Nul ne sera privé de vie, de liberté ou de propriété sans procédure légale régulière (due process of law). Nulle propriété privée ne sera expropriée pour un usage public sans une juste indemnité.

ARTICLE VI

Dans toutes les poursuites criminelles, l'accusé aura le droit d'être jugé promptement et publiquement par un jury impartial de l'État et du district où le crime aura été commis — le district ayant été préalablement délimité par la loi —, d'être instruit de la nature et de la cause de l'accusation, d'être confronté avec les témoins à charge, d'exiger par des moyens légaux la comparution de témoins à décharge et d'être assisté d'un conseil pour sa défense.

ARTICLE VII

Dans les procès de *common law* [14] où la valeur en litige excédera vingt dollars, le droit au jugement par jury sera observé, et aucun fait jugé par un jury ne sera examiné de nouveau dans une cour des États-Unis autrement que selon les règles de la *common law.*

ARTICLE VIII

Des cautions excessives ne seront pas exigées, ni des amendes excessives imposées, ni des châtiments cruels et inusités infligés.

ARTICLE IX

L'énumération, dans la Constitution, de certains droits ne sera pas interprétée comme déniant ou dépréciant les autres droits que le peuple aurait gardés par-devers lui.

ARTICLE X

Les pouvoirs qui ne sont pas délégués aux États-Unis par la Constitution, ni refusés par elle aux États, demeurent l'apanage respectif des États, ou du peuple.

AMENDEMENT XI
(8 janvier 1798)

Le pouvoir judiciaire des États-Unis ne sera pas interprété comme s'étendant à un procès de droit ou d'équité entamé ou poursuivi contre l'un des États-Unis par des citoyens d'un autre État, ou par des citoyens ou sujets d'un État étranger.

---

14. Droit fondé non sur des textes exprimant la volonté du législateur, mais sur la coutume et la jurisprudence.

AMENDEMENT XII
(25 septembre 1804)

Les grands électeurs se réuniront dans leurs États respectifs et voteront au moyen de bulletins pour le président et le vice-président, dont l'un au moins n'habitera pas le même État qu'eux. Ils indiqueront sur des bulletins séparés le nom de la personne qu'ils désirent élire président et celle qu'ils désirent élire vice-président. Ils dresseront des listes distinctes de toutes les personnes qui auront obtenu des voix pour la présidence, de toutes celles qui en auront obtenu pour la vice-présidence et du nombre de voix recueillies par chacune d'elles. Ils signeront ces listes, les vérifieront et les transmettront, scellées, au siège du gouvernement des États-Unis. à l'adresse du président du Sénat. Celui-ci. en présence du Sénat et de la Chambre des représentants, ouvrira tous les certificats, et les suffrages seront alors comptés. La personne qui aura obtenu le plus grand nombre de voix pour la présidence sera président, si ce nombre représente la majorité de tous les grands électeurs désignés. Si aucune n'a obtenu la majorité nécessaire, la Chambre des représentants choisira immédiatement le président, par scrutin, entre trois personnes au plus, qui figureront sur la liste de celles ayant obtenu des voix pour la présidence et qui en auront réuni le plus grand nombre. Mais, pour le choix du président, les voix seront recueillies par État, la représentation de chacun ayant une voix. Le quorum nécessaire à cet effet sera constitué par la présence d'un ou de plusieurs membres des deux tiers des États, et l'adhésion de la majorité de tous les États devra être acquise pour la validité du choix. [Si la Chambre des représentants, quand le droit de choisir lui incombe, ne choisit pas le président avant le quatrième jour de mars suivant, le vice-président agira en qualité de président, comme en cas de décès ou d'autre incapacité constitutionnelle du président] [15]. [La personne qui réunira le plus grand nombre de voix pour la vice-présidence sera vice-président, si ce nombre représente la majorité de tous les grands électeurs désignés ; si aucune n'a obtenu la majorité nécessaire, le Sénat choisira alors le vice-président entre les deux personnes sur la liste qui auront le plus grand nombre de voix. Le quorum nécessaire à cet effet sera constitué par la présence des deux tiers du nombre total des sénateurs, et l'adhésion de la majorité de tous les sénateurs devra être acquise pour la validité du choix. Mais aucune personne inéligible, de par la Constitution, à la charge de président ne pourra être élue à celle de vice-président des État-Unis] [16].

AMENDEMENT XIII
(18 décembre 1865)

SECTION 1. Ni esclavage ni servitude involontaire, si ce n'est pour le châtiment d'un crime dont le coupable aura été dûment

---

15. Annulé et remplacé par le XXᵉ amendement.
16. Modifié par les XXᵉ et XXIIIᵉ amendements.

convaincu, n'existeront aux États-Unis, ni dans aucun des lieux soumis à leur juridiction.

SECTION 2. Le Congrès aura le pouvoir de donner effet au présent article par une législation appropriée.

AMENDEMENT XIV
(28 juillet 1868)

SECTION 1. Toute personne née ou naturalisée aux États-Unis et sujette à leur juridiction est citoyen des États-Unis et de l'État dans lequel elle réside. Aucun État ne pourra faire ou appliquer une loi qui limiterait les privilèges ou immunités des citoyens des États-Unis ; aucun État ne pourra priver une personne de sa vie, de sa liberté ou de sa propriété sans procédure légale régulière, ni refuser à quiconque relève de son pouvoir la protection égale des lois.

SECTION 2. Les représentants seront répartis entre les différents États proportionnellement à leur population, établie par le nombre total d'habitants, à l'exception des Indiens non imposés. Mais, lorsque des habitants [de sexe masculin] d'un État, [âgés de vingt et un ans] [17] et citoyens des États-Unis, se seront vu refuser ou limiter d'une manière quelconque, sans qu'il y ait là châtiment d'une rébellion ou d'un crime, le droit de prendre part à une élection pour choisir le président et le vice-président des États-Unis, les représentants au Congrès, les fonctionnaires de l'ordre exécutif ou judiciaire de leur État, ou les membres des législatures de leur État, la base de représentation de cet État sera réduite en proportion du nombre de ces habitants par rapport au nombre total d'habitants de sexe [masculin de plus de vingt et un ans] [18] de cet État.

SECTION 3. Nul ne sera sénateur ou représentant au Congrès, ou grand électeur des président et vice-président, ni ne tiendra aucune charge civile ou militaire du gouvernement des États-Unis ou de l'un quelconque des États, qui, après avoir prêté serment — comme membre du Congrès, ou fonctionnaire des États-Unis, ou membre d'une assemblée d'État, ou fonctionnaire exécutif ou judiciaire d'un État — de défendre la Constitution des États-Unis, aura pris part à une insurrection ou à une rébellion contre elle, ou donné aide ou secours à ses ennemis. Mais le Congrès pourra, par un vote des deux tiers de chaque chambre, lever cette incapacité.

SECTION 4. La validité de la dette publique des États-Unis, autorisée par la loi, y compris les engagements contractés pour le paiement de pensions et de primes pour services rendus lors de la répression d'insurrections ou de rébellions, ne sera pas mise en question. Mais ni les États-Unis, ni aucun État n'assumeront, ni ne paieront aucune dette ou obligation contractée pour assistance à une insurrection ou rébellion contre les États-Unis, ni aucune

---

17. Dispositions modifiées par les XIXe et XXVIe amendements.

18. *Idem.*

réclamation pour la perte ou l'émancipation d'esclaves, et toutes dettes, obligations et réclamations de cette nature seront considérées comme illégales et nulles.

SECTION 5. Le Congrès aura le pouvoir de donner effet aux dispositions du présent article par une législation appropriée.

AMENDEMENT XV
(30 mars 1870)

SECTION 1. Le droit de vote des citoyens des États-Unis ne sera refusé ou restreint ni par les États-Unis, ni par aucun État, pour cause de race, de couleur ou de condition antérieure de servitude.

SECTION 2. Le Congrès aura le pouvoir de donner effet au présent article par une législation appropriée.

AMENDEMENT XVI
(25 février 1913)

Le Congrès aura le pouvoir d'établir et de percevoir des impôts sur les revenus, de quelque source qu'ils proviennent, sans répartition entre les divers États, et indépendamment d'aucun recensement ou dénombrement.

AMENDEMENT XVII
(31 mai 1913)

Le Sénat des États-Unis sera composé de deux sénateurs pour chaque État, élus pour six ans par le peuple de cet État ; et chaque sénateur aura droit à une voix. Les électeurs de chaque État auront les qualités requises pour être électeurs de la chambre législative la plus nombreuse de l'État.

Quand des vacances se produiront dans la représentation d'un État au Sénat, l'autorité exécutive de cet État convoquera les électeurs pour y pourvoir, sous réserve que, dans chaque État, l'autorité législative puisse donner à l'exécutif le pouvoir de procéder à des nominations temporaires jusqu'à ce que le peuple ait pourvu aux vacances par les élections que la l'assemblée législative pourra ordonner.

Le présent amendement ne sera pas interprété comme affectant l'élection ou la durée du mandat de tout sénateur choisi avant que ledit amendement ait acquis force exécutoire et fasse partie intégrante de la Constitution.

AMENDEMENT XVIII
(29 janvier 1919)

[SECTION 1. Seront prohibés, un an après la ratification du présent article, la fabrication, la vente ou le transport des boissons alcoolisées, à l'intérieur du territoire des États-Unis et de tout territoire soumis à leur juridiction, ainsi que l'importation desdites boissons dans ces territoires ou leur exportation hors de ces territoires.

SECTION 2. Le Congrès et les divers États auront concurremment le pouvoir de donner effet au présent article par une législation appropriée.

SECTION 3. Le présent article sera inopérant s'il n'est ratifié comme amendement à la Constitution par les corps législatifs des divers États, de la manière prévue dans la Constitution, dans les sept années qui suivront la date de sa présentation aux États par le Congrès] [19].

AMENDEMENT XIX
(26 août 1920)

Le droit de vote des citoyens des États-Unis ne pourra être refusé ou restreint par les États-Unis ni l'un quelconque des États pour raison de sexe.

Le Congrès aura le pouvoir de donner effet au présent article par une législation appropriée.

AMENDEMENT XX
(6 février 1933)

SECTION 1. Les mandats du président et du vice-président prendront fin à midi, le vingtième jour de janvier, et les mandats des sénateurs et des représentants à midi, le troisième jour de janvier, des années au cours desquelles ces mandats auraient expiré si le présent article n'avait pas été ratifié ; et les mandats de leurs successeurs commenceront à partir de ce moment.

SECTION 2. Le Congrès s'assemblera au moins une fois l'an, et la réunion aura lieu à midi, le troisième jour de janvier, à moins que, par une loi, il ne fixe un jour différent.

SECTION 3. Si, à la date fixée pour l'entrée en fonction du président, le président élu est décédé, le vice-président élu deviendra président. Si un président n'a pas été choisi avant la date fixée pour le commencement de son mandat, ou si le président élu ne remplit pas les conditions requises, le vice-président élu fera alors fonction de président jusqu'à ce qu'un président remplisse les conditions requises ; et le Congrès pourra, par une loi, pourvoir au cas d'incapacité à la fois du président élu et du vice-président en désignant la personne qui devra alors faire fonction de président, ou en précisant la manière de la choisir, et ladite personne agira en cette qualité jusqu'à ce qu'un président ou un vice-président remplisse les conditions requises.

SECTION 4. Le Congrès pourvoira par une loi au cas de décès de l'une des personnes parmi lesquelles la Chambre des représentants peut choisir un président lorsque le droit de choisir lui incombe, et au cas de décès de l'une des personnes parmi lesquelles le Sénat peut choisir un vice-président lorsque le droit de choisir lui incombe.

SECTION 5. Les sections 1 et 2 entreront en vigueur le quinzième jour d'octobre qui suivra la ratification du présent article.

_____

19. Annulé par le XXIe amendement.

SECTION 6. Le présent article sera inopérant s'il n'est ratifié comme amendement à la Constitution par les corps législatifs des trois quarts des divers États, dans les sept années qui suivront la date de sa soumission.

AMENDEMENT XXI
(5 décembre 1933)

SECTION 1. Le dix-huitième amendement à la Constitution est abrogé.

SECTION 2. Le transport ou l'importation dans tout État, territoire ou possession des États-Unis, de boissons alcoolisées destinées à y être livrées ou consommées, en violation des lois y existant, sont interdits.

SECTION 3. Le présent article sera inopérant, s'il n'est ratifié comme amendement à la Constitution par les divers États assemblés en convention, ainsi qu'il est prévu dans la Constitution, dans les sept années qui suivront la date de sa soumission aux États par le Congrès.

AMENDEMENT XXII
(27 février 1951)

SECTION 1. Nul ne pourra être élu à la présidence plus de deux fois, et quiconque aura rempli la fonction de président, ou agi en tant que président, pendant plus de deux années du mandat pour lequel une autre personne aurait été élue président, ne pourra être élu à la fonction de président plus d'une fois. Mais cet article ne s'appliquera pas à quiconque remplit la fonction de président au moment où cet article a été proposé par le Congrès, et il n'empêchera pas quiconque pouvant remplir la fonction de président, ou agir en tant que président, durant le mandat au cours duquel cet article devient exécutoire, de remplir la fonction de président ou d'agir en tant que président durant le reste de ce mandat.

SECTION 2. Le présent article ne prendra effet qu'après sa ratification comme amendement à la Constitution par les législatures des trois quarts des différents États dans un délai de sept ans à date de sa présentation aux États par le Congrès.

AMENDEMENT XXIII
(29 mars 1961)

SECTION 1. Le district où se trouve établi le siège du gouvernement des États-Unis désignera, selon une procédure que pourra déterminer le Congrès, un nombre de grands électeurs du président et du vice-président équivalant au nombre total des sénateurs et représentants au Congrès auquel ce district aurait droit s'il était constitué en État ; ce nombre ne pourra dépasser en aucun cas celui des grands électeurs désignés par l'État le moins peuplé de l'Union ; ces électeurs se joindront à ceux désignés par les États et ils seront considérés, pour les besoins de l'élection du président et du vice-président, comme désignés par un État ; ils se réuniront sur le territoire du district et rempliront les devoirs spécifiés par le douzième amendement.

SECTION 2. Le Congrès aura le pouvoir de donner effet aux dispositions du présent article par une législation appropriée.

AMENDEMENT XXIV
(23 janvier 1964)

Le droit des citoyens des États-Unis de voter lors de toute élection primaire ou autre scrutin relatif au président et au vice-président, aux grands électeurs du président et du vice-président, ou aux sénateurs et représentants au Congrès, ne sera dénié ou restreint ni par les États-Unis, ni par aucun État, pour cause de non-paiement de la taxe électorale ou de tout autre impôt.

AMENDEMENT XXV
(10 février 1967)

1. En cas de destitution, décès ou démission du président, le vice-président deviendra président.

2. En cas de vacance du poste de vice-président, le président nommera un vice-président qui entrera en fonction dès que sa nomination aura été approuvée par un vote majoritaire des deux chambres du Congrès.

3. Si le président fait parvenir au président *pro tempore* du Sénat et au président de la Chambre des représentants une déclaration écrite leur faisant connaître son incapacité d'exercer les pouvoirs et de remplir les devoirs de sa charge, et jusqu'au moment où il les avisera par écrit du contraire, ces pouvoirs seront exercés et ces devoirs seront remplis par le vice-président en qualité de président par intérim.

4. Si le vice-président, ainsi qu'une majorité des principaux fonctionnaires des départements exécutifs ou de tel autre organisme désigné par une loi promulguée par le Congrès, font parvenir au président *pro tempore* du Sénat et au président de la Chambre des représentants une déclaration écrite les avisant que le président est dans l'incapacité d'exercer les pouvoirs et de remplir les devoirs de sa charge, le vice-président assumera immédiatement ces fonctions en qualité de président par intérim.

Par la suite, si le président fait parvenir au président *pro tempore* du Sénat et au président de la Chambre des représentants une déclaration écrite les informant qu'aucune incapacité n'existe, il reprendra ses fonctions, à moins que le vice-président et une majorité des principaux fonctionnaires des départements exécutifs ou de tel autre organisme désigné par une loi promulguée par le Congrès ne fassent parvenir dans les quatre jours au président *pro tempore* du Sénat et au président de la Chambre des représentants une déclaration écrite affirmant que le président est incapable d'exercer les pouvoirs et de remplir les devoirs de sa charge. Le Congrès devra alors prendre une décision ; s'il ne siège pas, il se réunira dans ce but dans un délai de 48 heures. Si, dans les 21 jours qui suivront la réception par le Congrès de cette déclaration écrite — ou dans les 21 jours qui suivront la date de la réunion du Congrès au cas où il ne serait pas alors en session —, ce dernier décide par un vote des deux tiers des deux Chambres que le président est incapable d'exercer les pouvoirs et de remplir les devoirs de sa charge, le vice-président continuera à exercer ces fonctions en qualité de président par intérim ; dans le cas contraire, le président reprendra l'exercice desdites fonctions.

AMENDEMENT XXVI
(5 juillet 1971)

SECTION 1. Le droit de vote des citoyens des États-Unis âgés de dix-huit ans ou plus ne pourra être dénié ou restreint ni par les États-Unis, ni par l'un quelconque des États pour des motifs liés à l'âge .

SECTION 2. Le Congrès aura le pouvoir de donner effet au présent article par une législation appropriée.

AMENDEMENT XXVII
(7 mai 1992)

Aucune loi modifiant la rémunération des services des sénateurs et des représentants n'entrera en vigueur avant qu'un renouvellement des représentants ne soit intervenu.

CARTES ET TABLEAUX

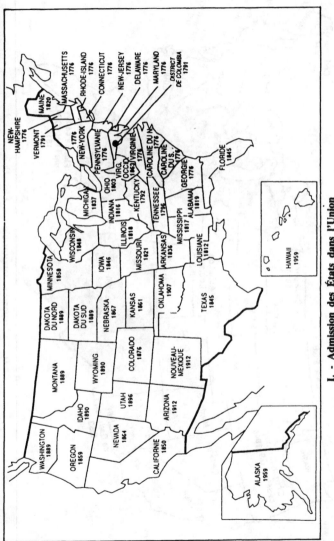

I. - Admission des États dans l'Union

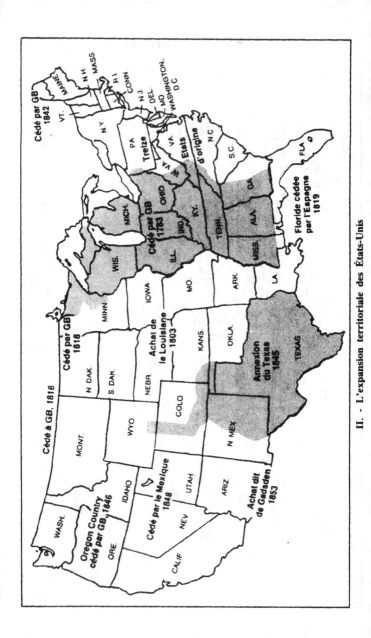

II. - L'expansion territoriale des États-Unis

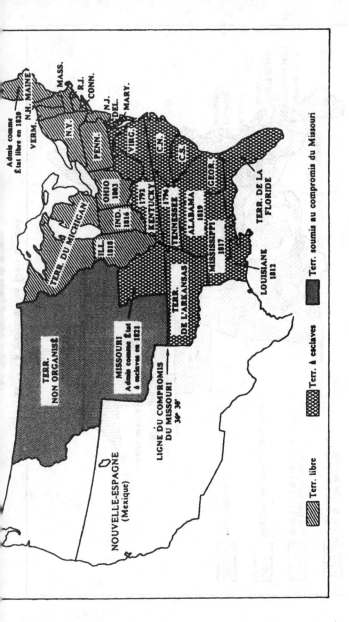

Admis comme État libre en 1820

VERM. N.H. MAINE
MASS.
R.I.
CONN.
N.Y.
N.J.
DEL.
MARY.
PENN.
OHIO 1803
IND. 1816
VIRG.
C.N.
KENTUCKY 1792
ILL. 1818
TENNESSEE 1796
ALABAMA 1819
GÉOR.
MISSISSIPPI 1817
LOUISIANE 1812
TERR. DU MICHIGAN
TERR. DE L'ARKANSAS
TERR. DE LA FLORIDE

TERR. NON ORGANISÉ

MISSOURI
Admis comme État à esclaves en 1821

LIGNE DU COMPROMIS DU MISSOURI
36° 30'

NOUVELLE-ESPAGNE
(Mexique)

Terr. libre

Terr. à esclaves

Terr. soumis au compromis du Missouri

IV. - La sécession des États du Sud

Les chiffres indiquent l'ordre de sécession

États ayant fait sécession avant la chute de Fort Sumter

États ayant fait sécession après la chute de Fort Sumter

États frontaliers n'ayant pas fait sécession

États de l'Union

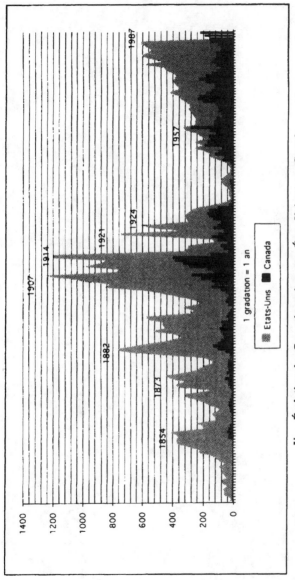

V. – Évolution des flux migratoires aux États-Unis et au Canada
(1830-1990)
(en milliers d'immigrants)

1 gradation = 1 an

■ Etats-Unis ■ Canada

CHRONOLOGIE

1607 Première colonie anglaise permanente à Jamestown (Virginie), après plusieurs tentatives infructueuses. John Smith capturé par Powhatan et sauvé grâce à l'intercession de la princesse Pocahontas.

1609 Henry Hudson (Compagnie hollandaise des Indes) explore la Baie du Chesapeake et du Delaware ; remonte le fleuve « Hudson » jusqu'à l'emplacement actuel d'Albany. Meurt en 1611.

1613 Intensification de la culture du tabac en Virginie. Fondation d'un comptoir hollandais à Manhattan.

1614 John Smith explore la côte de Nouvelle-Angleterre. Traité entre Powhatan et les colons de Jamestown. Mariage de Pocahontas et de John Rolfe.

1616 Pocahontas à Londres. Présentée à Jacques 1er. Meurt à Gravesend en mars 1617.

1619 La Chambre des Bourgeois se réunit à Jamestown. Un navire hollandais débarque les vingt premiers Africains à Jamestown. Église anglicane établie en Virginie.

1620 9 nov. : arrivée à Cape Cod (Mass.) des Pères pèlerins (101 ou 103 passagers), qui fondent New Plymouth ; avant de débarquer, 41 d'entre eux signent le contrat du Mayflower *(Mayflower Compact)*, se définissant comme un « corps politique civil » apte à se doter de « lois justes et égales ». Première Église congrégationaliste séparée de l'Église anglicane.

1621 William Bradford devient gouverneur de la colonie de Plymouth et signe un traité avec Massassoit, chef des Wampanoag.

1622 Les Powhatan et leur chef Opechancanough attaquent et déciment la colonie virginienne.

1624 Les Hollandais établissent la Nouvelle-Néerlande. La Virginie devient colonie de la Couronne.

1626 Fondation de la Nouvelle-Amsterdam dans l'île de Manhattan achetée aux Indiens 60 guilders.

1630 John Winthrop fonde Boston. La grande migration puritaine commence. Les colonies britanniques comptent environ 4 600 habitants.

1632 George Calvert, premier lord Baltimore, reçoit de Charles 1ᵉʳ le Maryland.

1634 Fondation d'une colonie catholique au Maryland par Leonard Calvert, fils de George Calvert.

1635 Fondation du New Hampshire par John Mason.

1636 Roger Williams, chassé du Massachusetts pour son refus de l'intolérance religieuse et son opposition à la spoliation des terres indiennes sans compensation, fonde le Rhode Island. Le Connecticut est fondé la même année. La colonie de Plymouth de dote d'un gouvernement autonome (assemblée et gouverneur). Fondation à Cambridge (Mass.) du collège Harvard (congrégationaliste).

1637 Guerre contre les Péquot.

1638 Bannissement d'Ann Hutchinson. Fin de la crise antinomienne. Fondation du Delaware.

1639 24 janv. : Lois fondamentales du Connecticut *(Fundamental Orders)*.

1640 Annexion du New Hampshire par le Massachusetts.

1642 Guerre contre les Narragansett.

1643 Adoption de la *Cambridge Platform.* La Confédération de la Nouvelle-Angleterre est créée (Conseil de huit commissaires).

1644 Roger Williams obtient une charte du Parlement. Deuxième attaque des Powhatan en Virginie. Mort d'Opechancanough.

1650 Abolition de l'interdiction de l'esclavage en Géorgie.

1651 Premier Acte de navigation.

1652 Annexion du Maine par le Massachusetts.

1653-54 Des Virginiens s'installent dans la future Caroline du Nord.

1660 Population des colonies : environ 75 000 habitants, dont 3 000 Noirs.

1661 Le Connecticut obtient une charte royale.

1663 Première conspiration importante d'esclaves noirs en Virginie.

1664 Prise de la Nouvelle-Amsterdam et de Fort Orange par les Anglais. Le duc d'York cède le New Jersey à sir William Berkeley et George Carteret : le New Jersey sera scindé en deux en 1676.

1673 Les Hollandais occupent à nouveau New York jusqu'au traité de Westminster (1674). Jacques Marquette explore la vallée du Mississippi.

1675-76 Guerre du roi Philippe, chef des Wampanoag de Nouvelle-Angleterre. Mai-oct. 1676 : *Bacon's Rebellion* en Virginie. La Virginie obtient une charte royale.

1680 Population des colonies : 150 000 habitants, dont 7 000 Noirs.

1681 William Penn rédige son *Frame of Government*. En Pennsylvanie commence alors la Sainte Expérience *(Holy Experiment)*, âge d'or du quakerisme américain.

1682 Ayant reçu une charte royale, William Penn fonde la Pennsylvanie ; traité avec les Delaware. Fondation de la Louisiane française. Les Espagnols s'installent au Texas.

1683 Mennonites et Amish s'installent en Pennsylvanie.

1684 Abolition de la charte du Massachusetts.

1685 Chassés par la révocation de l'édit de Nantes, nombre de Huguenots trouvent refuge en Amérique.

1686 Le Dominion de Nouvelle-Angleterre réunit sous le contrôle d'Edmund Andros les colonies de Nouvelle-Angleterre, New York et les Jerseys.

1688 Jacques II détrôné par Guillaume et Marie.

1689 La « Glorieuse Révolution » en Nouvelle-Angleterre : manifeste de Cotton Mather, arrestation du gouverneur, Edmund Andros. Guerre du roi Guillaume (ligue d'Augsbourg) opposant les Français aux Anglais dans la Baie du Hudson et, plus au nord, aux Iroquois.

1698-1702 Colonisation de la Louisiane par les Français.

1690 Expédition manquée contre Québec : Anglais repoussés par le gouverneur Frontenac.

1691 Reprise du contrôle de New York par l'armée. Une nouvelle charte est accordée au Massachusetts.

1692 Procès en sorcellerie à Salem (Mass.) : vingt exécutions. Schisme chez les quakers de Pennsylvanie, à l'initiative de George Keith. Le New Hampshire redevient indépendant.

1693 Fondation du collège William and Mary (anglican) à Williamsburg (Virg.).

1696 Création, à Londres, du *Board of Trade for the Plantations*.

1697 Paix de Ryswick retour au statu quo des possessions.

1700 Population des colonies : 250 000 habitants, dont 28 000 Noirs.

1701 Fondation de Yale (congrégationaliste) à New Haven (Conn.).

1702 Début de la guerre de la reine Anne (dite de la Succession d'Espagne) menant au traité d'Utrecht (1713). Le New Jersey devient colonie royale.

1703 William Penn accorde l'indépendance aux comtés du Delaware.

1704 Premier journal colonial : la *Boston Newsletter*.

1710 Une partie de l'Acadie devient la Nouvelle-Écosse.

1711 Guerre des Tuscarora en Caroline du Nord.

1712 Important soulèvement de Noirs à New York. Deux gouverneurs distincts pour les Carolines (celles-ci deviendront provinces royales en 1729).

1713 Traité d'Utrecht : la Grande-Bretagne acquiert la Baie d'Hudson, Terre-Neuve, et la Nouvelle-Écosse.

1715 Guerre contre les Yamassee en Caroline du Sud et en Géorgie.

1720 Importante révolte d'esclaves près de Charleston.

1726-1756 Grand Réveil religieux *(Great Awakening)* en Nouvelle-Angleterre, sous la conduite de Jonathan Edwards.

1732 James Oglethorpe reçoit une Charte royale pour fonder la Géorgie. Fondation de Savannah l'année suivante.

1739 Guerre de la Caroline du Sud et de la Géorgie contre la Floride espagnole.

1741 Complot d'esclaves à New York.

1742 En réaction au Grand Réveil, éclosion de l'unitarisme en Nouvelle-Angleterre. L'*American Philosophical Society* fondée un an plus tard.

1746 Fondation du collège de Princeton (presbytérien) dans le New Jersey.

1748 Le Traité d'Aix-la-Chapelle met fin à la guerre du roi George.

1749 La Compagnie de l'Ohio obtient une Charte royale et de vastes terres à la fourche de l'Ohio.

1751 Création de la future Université de Pennsylvanie (non rattachée à une confession).

1752 La Géorgie devient colonie royale. Expériences de Franklin sur l'électricité.

1754 Conférence d'Albany : Benjamin Franklin propose un « plan d'union » rejeté par les colons comme par la Couronne.

1755 Déportation des Acadiens. Les quakers ne peuvent plus avoir d'esclaves, sous peine d'exclusion de la secte.

1756 Début de la guerre de Sept ans *(French and Indian War)*.

1756 Guerre avec les Delaware en Pennsylvanie.

1758 1-8 juill., défaite des Anglais à Fort Ticonderoga ; 26 juill., prise de Louisbourg par les Britanniques. A Philadelphie, première école pour enfants noirs.

1759 Guerre avec les Cherokees en Caroline. Défaite française à Québec, mort des généraux Montcalm et Wolfe. La reddition de Montréal et de tout le Canada français interviendra le 8 sept. 1760.

1760 Agé de 22 ans, George III succède à George II. Population des colonies, 1 600 000 habitants, dont 325 000 Noirs.

1762 Cession de la Louisiane à l'Espagne à Fontainebleau.

1763 Traité de Paris. La France cède à la Grande-Bretagne le Canada et les territoires à l'est du Mississippi ; l'Espagne cède la Floride à la Grande-Bretagne. Lord Grenville Premier Ministre. Pour prévenir les conflits avec les Indiens, proclamation royale (7 oct.) interdisant, en principe, la colonisation à l'ouest des Appalaches. Déc., massacre d'Indiens conestoga par les *Paxton Boys* de Pennsylvanie.

1764 Avr., loi fiscale sur le sucre *(Sugar Act)* ; mai, James Otis invente le slogan « pas d'imposition sans représentation » *(No taxation without representation)*.

1765 Mars, loi sur le Timbre *(Stamp Act)* et loi sur le logement des troupes *(Quartering Act)* ; mai, *Virginia Resolutions* présentées par Patrick Henry ; été, création du réseau clandestin des *Sons of Liberty* pour résister au *Stamp Act* ; oct.-nov., New York, *Stamp Act Congress* et émeute populaire.

1766 18 mars, le même jour, abrogation de la loi sur le Timbre et vote de la loi déclaratoire *(Declaratory Act)*, assujettissant « en toutes circonstances » les colonies d'Amérique aux lois votées par le Parlement de Londres.

1767 Suspension de l'Assemblée de New York ; *Townshend Acts*, du nom du Chancelier de l'Échiquier (nouvelles taxes sur divers produits de base).

1768 11 févr., *Massachusetts Circular Letter* rédigée par Samuel Adams et envoyée au douze autres colonies pour contrer les lois Townshend.

1769 Dissolution de l'Assemblée de Virginie par le gouverneur.

1770 5 mars, *Boston Massacre* (5 manifestants tués) ; 12 avr., abrogation partielle des lois Townshend.

1771 Soulèvement des colons blancs dans l'arrière-pays de la Caroline du Nord.

1772 9 juin, incendie du *Gaspee*, navire des douanes, par des colons de Prividence ; nov., Samuel Adams crée, entre les assemblées coloniales, un réseau de « comités de correspondance ».

1773 10 mai, loi sur le thé *(Tea Act)* donnant un quasi-monopole à l'*East India Company* au détriment des négociants locaux court-circuités ; 16 déc., *Boston Tea Party* (déguisés en Indiens mohawk, des Bostoniens jettent à la mer la cargaison de thé de trois navires de l'*East India Company*).

1774 Mars-mai, lois « intolérables » *(Coercive Acts)* ; 5 sept.-26 oct., le premier Congrès continental se réunit à Philadelphie.

1775 Batailles de Lexington et Concord, 19 avr. ; 10 mai, prise de Ticonderoga (N.Y.) par les forces américaines et réunion du deuxième Congrès continental à Philadelphie ; George Washington nommé commandant suprême de l'armée continentale, 15 juin ; bataille de Bunker's Hill, 17 juin ; « Déclaration sur les causes et la nécessité du recours aux armes », 6 juill. ; « Pétition du rameau d'olivier », 8 juill. ; Proclamation du roi au Parlement, 23 août ; occupation de Montréal par Montgomery, 13 nov. ; déroute américaine à Québec, 30 déc.

1776 Publication du pamphlet de Thomas Paine, *Common Sense,* 10 janv. ; les Britanniques évacuent Boston, 17 mars ; Déclaration d'Indépendance, 4 juill. ; la ville de New York occupée par Howe, 15 sept. ; prise de Fort Washington et Fort Lee par les Britanniques, 16 et 18 nov. ; bataille de Trenton, N.J., 26 déc.

1777 Bataille de Princeton, N.J., 3 janv. ; les Américains repoussés à Monmouth, N.J., 28 juin ; Fort Ticonderoga repris par les Britanniques, 6 juill. ; victoire américaine à Bennington (Vt.), 16 août ; Washington battu à Brandywine (Pa.), 11 sept. ; les Britanniques entrent dans Philadelphie, 27 sept. ; bataille de Germantown (Pa.), 4 oct. ; reddition de Burgoyne à Saratoga (N.Y.), 17 oct. ; les Articles de Confédération adoptés par le Congrès, 15 nov.

1778 Traité d'alliance avec la France signé à Paris, 6 févr. ; l'armée anglaise évacue Philadelphie, 18 juin ; Louis XVI nomme Conrad Gérard premier représentant officiel de la France aux États-Unis ; bataille de Monmouth (N.J.), 28 juin ; troupes américaines chassées du Rhode Island, 30 août ; Savannah (Ga.) occupée par les troupes anglaises, 29 déc.

1779 L'Espagne entre dans la guerre, 8 mai ; les Américains s'emparent de Stony Point (N.Y.), 15 juill. ; loyalistes et Indiens battus à Newtown (N.Y.), 29 août ; combat naval entre le « Bonhomme Richard », commandé par John Paul Jones, et le « Serapis », 23 sept. ; échec franco-américain à Savannah (Ga.), 9 oct.

1780 La Pennsylvanie abolit l'esclavage, 1er mars ; les Espagnols s'emparent de Mobile (Jamaïque), 14 mars ; les Britanniques occupent Charleston (S.C.), 12 mai ; Rochambeau et ses troupes arrivent devant Newport (R.I.), 11 juill. ; Gates battu par Cornwallis à Camden, S.C., 16 août ; les Britanniques défaits à King's Mountain (S.C.), 7 oct.

1781 Victoire américaine à Cowpens (N.C.), 17 janv. ; Greene battu par Cornwallis à Guilford Court House (N.C.), 15 mars ; la flotte anglaise chassée de la Baie du Chesapeake, 5 sept. ; bataille de Eutaw Springs (S.C.), 9 sept. ; siège de Yorktown (Va.), 9 oct. ; capitulation de Cornwallis, 19 oct. ; création de la *Bank of North America*, 31 déc.

1782 La Chambre des Communes se prononce contre la poursuite de la guerre, 27 févr. ; démission du Premier Ministre britannique, lord North, 20 mars ; les Espagnols s'emparent de Pensacola (Jamaïque), 9 mai ; bataille de Sandusky (Ohio), 5 juin ; Savannah évacuée par les Britanniques, 11 juill. ; traité de paix préliminaire signé à Paris, 30 nov. ; les Britanniques évacuent Charleston (S.C.), 14 déc.

1783 Washington proclame la cessation des hostilités, 19 avr. ; traité de paix *(Paris Peace)* signé à Paris, 3 sept. ; esclavage déclaré illégal dans le Massachusetts ; la ville de New York évacuée par les Britanniques, 25 nov. ; Washington démissionne de ses fonctions de commandant en chef, 23 déc.

1786 Conférence d'Annapolis, 11-14 sept.

1786-1787 Révolte de Shays, sept.-févr.

1787 Convention constitutionnelle à Philadelphie, 25 mai-17 sept.

1788 La Constitution, ratifiée par neuf États, est validée.

1789 Élection du premier Congrès fédéral, févr.-mars ; George Washington élu président, 6 avr. ; investi le 30.

1790 Premiers rapports au Congrès du secrétaire au Trésor, Alexander Hamilton. Premier recensement décennal.

1791 Création de la Banque des États-Unis, 25 févr. Le *Bill of Rights* (dix premiers amendements à la Constitution) est ratifié, 15 déc.

1793 Affaire du « citoyen Genêt », avr.-août ; proclamation de neutralité par le président Washington, 22 avr.

1794 Fallen Timbers : défaite de la confédération indienne du nord-ouest, 20 août. Traité de Jay avec l'Angleterre, 19 nov.

1795 Traité de Greenville avec les tribus indiennes du nord-ouest, 3 août. Traité de Pinckney avec l'Espagne, 27 oct.

1796 John Adams élu président, 7 déc.

1797 Eclatement de l'affaire XYZ, 18 oct.

1798-1800 Guerre larvée contre la France.

1798 Vote des lois sur les étrangers et la sédition, juin-juill. Résolutions du Kentucky et de la Virginie, nov.-déc.

1799 Mort de George Washington, 14 déc.

1800 La révolte d'esclaves projetée par Gabriel Prosser est découverte, 30 août.

1801 Thomas Jefferson élu président, 11 févr.

1801-1805 Guerre des États-Unis contre les États barbaresques.

1803 *Marbury v. Madison*, 24 févr. Traité de cession de la Louisiane aux États-Unis, 2 mai. Expédition de Lewis et Clarke vers l'Oregon ; retour en 1805.

1807-1809 Embargo américain sur les marchandises anglaises et françaises.

1808 James Madison élu président. Le Congrès interdit la traite des esclaves, 1er janv.

1811 Expiration de la charte de la Banque des États-Unis. Prophetstown, capitale de la confédération de Tecumseh sur la rivière Tippecanoe, est détruite par le général Harrison, 7 nov.

1812 Déclaration de guerre contre l'Angleterre, 4 juin.

1813 Bataille de la Thames. Tecumseh, allié des Anglais, est tué, 5 oct.

1814 Horseshoe Bend : Andrew Jackson écrase les Indiens creek et cherokee, 27 mars. Les Anglais incendient Washington, 24-25 août. Traité de Gand avec l'Angleterre, 24 déc. Francis Cabot Lowell crée la première usine intégrée de filature et de tissage.

1815 Victoire d'Andrew Jackson sur les Anglais à la Nouvelle-Orléans, 8 janv.

1816 Création de la deuxième Banque des États-Unis, 14 mars. Vote du premier tarif douanier protectionniste, 27 avr. James Monroe élu président. Fondation de l'*American Colonization Society,* 28 déc.

1818 Le général Andrew Jackson envahit la Floride, 7 avr. Convention anglo-américaine sur l'occupation conjointe du territoire de l'Orégon, 20 oct.

1819 Traité Adams-Onis : l'Espagne cède la Floride aux États-Unis, 22 févr. *Dartmouth College vs. Woodward,* 2 févr. *McCulloch vs. Maryland,* 6 mars. Sermon de William Ellery Channing : naissance de la religion unitarienne, 15 mai.

1820 Compromis du Missouri.

1822 Découverte du complot d'esclaves dirigé par Denmark Vesey à Charleston, 30 mai. Le président Monroe reconnaît les républiques indépendantes d'Amérique latine.

1823 Doctrine de Monroe, message présidentiel au Congrès, 2 déc.

1824 *Gibbons vs. Ogden,* 2 mars. Création du Département des Affaires indiennes, 17 juin. John Quincy Adams élu président.

1825 Robert Owen fonde la communauté de *New Harmony.*

1828 Vote du tarif dit « des abominations ». Apparition de *Workingmen's Parties* dans les villes de l'Est. Andrew Jackson, démocrate, élu président, contre John Quincy Adams, le sortant. John C. Calhoun, vice-président élu, rédige la *South Carolina Exposition and Protest,* 19 déc.

1829 Jackson lance une politique de « réforme » de l'administration fédérale. Affaire Peggy Eaton.

1830 Débat Webster-Hayne sur la nature de l'Union, janv., Jackson oppose son veto au projet de loi sur la *Maysville Road*. Le Parti antimaçonnique tient sa première convention nationale. Joseph Smith, Jr., publie *The Book of Mormon*. La société « Baltimore & Ohio » ouvre la première voie ferrée aux États-Unis.

1831 William Lloyd Garrison publie *The Liberator*. Insurrection servile dirigée par Nat Turner en Virginie. Rupture entre Jackson et Calhoun. Arrêt de John Marshall, *Cherokee Nation vs. Georgia*. McCormick invente la moissonneuse.

1832 Jackson met son veto à la reconduction de la charte de la seconde *Bank of the United States*, 10 juill. Début de la *Bank War*. Tarif douanier. Nullification du tarif par la Caroline du Sud, 24 nov. Proclamation de Jackson au peuple de Caroline du Sud, 10 déc. Jackson réélu Président contre le *National Republican* Henry Clay, l'anti-maçon Wirt et le nullificateur Floyd. Joseph Henry découvre l'auto-induction .

1833 Règlement de la crise de la nullification : vote du *Force Bill* et abaissement progressif du tarif douanier. Tension avec la France. Les adversaires de Jackson s'organisent au sein du parti whig. Jackson ordonne le retrait des dépôts publics de la *Bank of the United States*, 18 sept. Formation de l'American *Anti-Slavery Society*, 14 déc. Publication du *New York Sun*, premier journal bon marché.

1834 Crise financière imputée à Nicholas Biddle, président de la *Bank of the United States*. George Bancroft publie le premier volume de son *History of the United States*.

1835 Guerre contre les Indiens Séminoles en Floride. Roger B. Taney succède à John Marshall comme président de la Cour Suprême. Fondation du *New York Herald*. Colt invente le revolver.

1836 Le Congrès adopte la règle du bâillon *(Gag Rule)* pour mettre un terme aux pétitions abolitionnistes. La *Specie Circular*, 11 juill., casse la spéculation sur les terres publiques. Le Texas proclame son indépendance à l'égard du Mexique, 2 mars. Le démocrate Martin Van Buren est élu président contre ses trois adversaires *whig* Harrison, White et Webster, avec 50,9 % des suffrages. Emerson publie *Nature*. Admission de l'Arkansas comme État, 15 juin.

1837 Grave crise financière. Tension avec le Royaume-Uni à propos de l'insurrection au Québec, affaire du *Caroline*. Arrêt de Taney à propos de l'affaire *Charles River Bridge vs. Warren Bridge*. Création, au Massachusetts, du *State Board of Education* — avec, à sa tête, Horace Mann. Emerson publie *The American Scholar*. Admission du Michigan comme État, 26 janv.

1838 Reprise économique. Emerson, *Divinity School Address*. Echec de l'annexion du Texas par une *joint resolution* des deux chambres du Congrès.

1839 Début d'une longue dépression économique, qui ébranle le système bancaire et le crédit de plusieurs États. Formation de l'*American Art Union*.

1840 Vote de l'*Independent Treasury Act*. Victoire whig au Congrès et à l'élection pour la présidence, où William Harrison (53,1 %) bat Van Buren.

1841 Harrison meurt un mois après son investiture, 4 avr. ; il est remplacé par le vice-président John Tyler. Vote du *Preemption Act* en faveur des squatters de l'Ouest, 4 sept. Fondation du *New York Tribune*.

1842 Traité Webster-Ashburton concernant la frontière avec le Canada au Nord-est, 9 août. Tarif plus protectionniste. Rébellion (conduite par Thomas W. Dorr) en faveur d'un suffrage plus large au Rhode Island. Arrêt *Commonwealth vs. Hunt* légalisant les syndicats ouvriers. Défaite whig aux élections au Congrès, nov.

1843 Fin de la longue dépression et début de la reprise économique. Des caravanes traversent l'Ouest pour gagner l'Oregon. *Mémorial* de Dorothea Dix sur les asiles d'aliénés.

1844 John C. Calhoun, Secrétaire d'État, propose au Sénat un traité d'annexion du Texas ; celui-ci, à majorité whig, le rejette. A cause de l'esclavage, l'Église méthodiste se scinde en deux, au Nord et au Sud. Morse fait fonctionner la première ligne télégraphique. Horace Wells invente l'anesthésie chirurgicale. Le démocrate James K. Polk élu président (49,6 %) face au whig Henry Clay (48,1 %) et à l'anti-esclavagiste James G. Birney (2,3 %). Les démocrates gagnent la majorité au Congrès ; ils la garderont au Sénat jusqu'en 1860.

1845 Annexion du Texas par *joint resolution* du Congrès, 1ᵉʳ mars. Tension avec l'Angleterre à propos de l'Oregon. Admission de la Floride et de l'Iowa comme États, 3 mars. Echec de la mission Slidell à Mexico pour acheter le Nouveau-Mexique et la Californie, nov. Polk réaffirme la doctrine de Monroe, 2 déc. L'Église baptiste se scinde à propos de l'esclavage. Début de l'émigration massive des Irlandais.

1846 Début de la guerre contre le Mexique, 13 mai. Traité de l'Oregon, 15 juin. Amendement Wilmot contre l'extension de l'esclavage, 8 août. Tarif douanier plus modéré. Vote de l'*Independent Treasury Act* qui avait été aboli en 1841, 8 avr. Première loi de prohibition de l'alcool dans le Maine. Fondation de la *Smithsonian Institution*. Melville, *Typee*.

1847 Victoires militaires contre le Mexique ; prise de Mexico par le général Winfield Scott, 14 sept. Les Mormons s'installent dans l'Utah. McCormick établit son usine de matériel agricole à Chicago.

1848 Traité de Guadalupe Hidalgo avec le Mexique, 2 févr. Admission du Wisconsin comme État, 29 mai. Gisements d'or découverts en Californie. Convention féministe de Seneca Falls, *Déclaration des droits et des sentiments,* juill. Le général Zachary Taylor, whig, élu président (47,4 %) contre le démocrate Lewis Cass (42,5 %) et le candidat Free Soil, Van Buren (10,1 %).

1849 Ruée vers l'or en Californie.

1850 Grave crise politique à propos des territoires conquis sur le Mexique (fév.-sept.) résolue par le compromis de 1850. Convention sudiste réunie à Nashville, 10 juin. Traité Clayton-Bulwer entre les États-Unis et l'Angleterre à propos de l'isthme de Panama, 19 avr. Décès du président Taylor, 9 juill., remplacé par Millard Fillmore. La Californie admise comme État, 9 sept. Hawthorne publie *The Scarlet Letter.*

1851 L'*Erie Railroad* relie les Grands Lacs à la côte atlantique. Fondation du *New York Times.* Melville, *Moby Dick.* Hawthorne, *The House of the Seven Gables.*

1852 Le Massachusetts adopte la première loi concernant l'enseignement obligatoire. Harriet Beecher Stowe, *Uncle Tom's Cabin.* Le démocrate Franklin Pierce (50,9 %) élu président contre le whig Winfield Scott (44,1 %) et le candidat du *Free Soil* John P. Hale.

1853 L'entrée des émigrants irlandais et allemands, massive depuis 1847, déclenche un mouvement xénophobe qui s'incarne dans le parti des Know-Nothings. Ouverture du Japon aux échanges avec l'Occident grâce à l'envoyé de Fillmore, le commodore Perry. Achat par Gadsden d'une bande de terre au Mexique.

1854 Loi Kansas-Nebraska, 30 mai, votée après un long débat. Les antagonismes sectionnels à propos de l'esclavage se renforcent. En conséquence, profond ébranlement du second système de partis, émergence du parti républicain, effondrement des whigs, essor des Know-Nothing ; défaite démocrate aux élections à la Chambre des représentants. Manifeste d'Ostende sur Cuba, 18 oct. Thoreau, *Walden.*

1855 Début du « Kansas sanglant » où s'affrontent esclavagistes et antiesclavagistes. *Personal Liberty Act* voté dans le Massachusetts. Walt Whitman, *Leaves of Grass.*

1856 Au Kansas, John Brown commet des assassinats à Pottawatomie. Au Sénat, Preston Brooks blesse grièvement le républicain Charles Sumner. Le démocrate James Buchanan élu président (45,4 %) contre le républicain John C. Frémont (33 %) et Millard Fillmore, de l'American Party (21,6 %). Les démocrates contrôlent le Congrès.

1857 Crise financière et dépression. *Dred Scott vs. Sandford,* 6 mars. Tarif douanier très modéré. Incidents au Kansas après la ratification de la constitution esclavagiste de Lecompton par un faible nombre d'électeurs.

1858 Rejet de la constitution de Lecompton. Le leader démocrate Stephen Douglas rompt avec Buchanan. Débats Lincoln-Douglas dans l'Illinois, août-oct. Le Minnesota admis comme État, 14 août. La compagnie *Pennsylvania Railroad* ouvre sa ligne de Philadelphie à Pittsburg.

1859 Les électeurs du territoire du Kansas y interdisent l'esclavage. Raid de John Brown sur l'arsenal de Harper's Ferry. Admission de l'Oregon comme État, 14 févr. Les républicains ont une majorité relative à la Chambre des représentants.

1860 La question de l'esclavage fait éclater le système des partis ; le parti démocrate se divise en deux. Abraham Lincoln, républicain, élu président en nov. Échec des efforts de compromis du sénateur John J. Crittenden, 18 déc. Sécession de la Caroline du Sud, 20 déc.

1861 Six États du Sud suivent la Caroline du Sud, 9 janv.-1ᵉʳ févr., rejoints plus tard par quatre autres (Arkansas, Tennessee, Caroline du Nord et Virginie). Formation des États confédérés d'Amérique, 9 févr., à Montgomery, avec Jefferson Davis comme président. Investiture de Lincoln, 4 mars. Admission du Kansas comme État, 29 janv. Tarif Morrill protectionniste, mars. Attaque sudiste contre le Fort Sumter à Charleston, 12 avr., début de la guerre de Sécession. Défaite nordiste à Manassas, 21 juill. George B. McClelland nommé commandant des armées nordistes, nov. Incident du *Trent,* nov.

1862 Guerre navale, le *Monitor* contre le *Merrimack,* 9 mars ; blocus du Sud. Victoire du nordiste Ulysses S. Grant à Shiloh, 6-7 avr. Match nul dans la campagne de la péninsule de Virginie entre McClelland et le sudiste Robert E. Lee, mars-juin. Lee battu à Antietam, 17 sept. McClellan remplacé par Burnside qui est défait par Lee à Fredericksburg, 14 déc., et remplacé par Hooker. Vote du *Homestead Act,* 20 mai, du *Pacific Railway Act,* 1ᵉʳ juill., du *Morrill Act,* 2 juill. Admission de la Virginie occidentale comme État, 31 déc. Proclamation d'émancipation, 22 sept.

1863 Victoire de Lee à Chancellorsville, 2-5 mai ; offensive sudiste en Pennsylvanie. Meade bat Lee à Gettysburg, 1-3 juill. Grant prend Vicksburg après un long siège, 22 mai-4 juill. Défaite nordiste à Chickamauga, 19-20 sept., mais victoire de Grant à Chattanooga, 25 nov. *National Bank Act,* 25 févr. Lincoln présente un plan de reconstruction du Sud, 8 déc.

1864 Grant nommé commandant suprême des armées nordistes, mars. Échec des offensives de Grant vers Richmond à Wilderness, 5-6 mai, Spotsylvania, 8-19 mai, Cold Harbor, 3 juin, siège de Petersburg, juin 1864-avr. 1865. Sherman prend Atlanta, 2 sept., puis marche vers la mer et s'empare de Savannah, 22 déc. Victoire du nordiste Thomas sur Hood à Nashville, 15-16 déc. Admission du Nevada comme État,

21 mars. *Contract Labor Act,* 4 juill. Projet de loi Wade-Davis qui incorpore le plan de reconstruction du Congrès, 8 juill. ; il n'est pas ratifié par Lincoln. Manifeste Wade-Davis, publié par Horace Greeley, 5 août. Le dollar qui flotte par rapport à l'or depuis le 1er janv. 1862 atteint son maximum de dépréciation en août. Lincoln réélu Président (55 %) contre le démocrate McClelland.

1865 Vote du XIIIe amendement à la Constitution. Création du *Freedmen's Bureau,* 3 mars. Grant prend Richmond, la capitale du Sud, 3 avr. Lee capitule à Appomattox, 9 avr. Lincoln assassiné par le sudiste John Wilkes Booth, 15 avr. Reddition du général sudiste Johnston, fin de la guerre de Sécession, 18 avr.

1866 Vote définitif de la loi confirmant le Bureau des Affranchis. Proposition du XIVe amendement. Ultimatum de Seward exigeant le retrait des troupes françaises du Mexique, 12 févr. Élection du 40e Congrès, majorité républicaine. Fondation du *National labor union,* 20 août. Invasion du Canada par des Fenians venus des États-Unis, 31 mai. Invention de la machine à écrire par Ch. Sholes ; brevet vendu en 1873 à Remington.

1867 Première loi de Reconstruction, 2 mars, suivie de diverses mesures organisant le contrôle du Sud. *Tenure of Office Act et Command of the Army Act,* 2 mars. Fondation du Ku Klux Klan, mai. Apparition du mouvement des « Grangers », 4 déc. Achat de l'Alaska, devenant territoire de l'Union. Admission de l'État du Nebraska.

1868 Procédure d'*Impeachment* contre le président Andrew Johnson, vote positif de la Chambre, 24 févr., négatif du Sénat, 16 mai. Réadmis dans l'Union, Arkansas, Alabama, Floride, Géorgie, Louisiane, Caroline du Nord et du Sud. Adoption du XIVe amendement, 28 juill. Élection à la présidence du républicain Ulysses Grant (52,6 %) contre le démocrate H. Seymour (47,3 %).

1869 Inauguration de la première ligne de chemin de fer transcontinentale à Promontory Point, 10 mai. Décision de reprendre les paiements en or. Fondation par Uriah Stephens des Chevaliers du travail. Suppression du Bureau des Affranchis.

1870 Adoption du XVe amendement, 30 mars. *Force Act* pour faire respecter la Reconstruction dans le Sud. Réadmission du Mississippi, du Texas et de la Virginie. Échec devant le Sénat du projet de Grant d'annexion de Saint-Domingue, janv.

1871 *Ku Klux Klan Act,* 20 avr. Traité de Washington entre les États-unis et la Grande-Bretagne réglant le contentieux issu de la guerre. Incendie de Chicago qui détruit les trois quarts de la ville, 8-9 oct.

1872 Loi d'amnistie de la plupart des ex-Confédérés, 22 mai. Deuxième élection de Ulysses Grant (55,7 %) contre le républicain libéral Horace Greeley (44 %).

1874 Élection de la première Chambre démocrate depuis la guerre civile.

1875 *Civil Rights Act,* 1er mars.

1876 Victoire des Sioux sur Custer et ses hommes à Little Big Horn, 25 juin. Admission de l'État du Colorado. Exposition universelle de Philadelphie. Invention du téléphone par A. G. Bell. Fondation de l'université Johns-Hopkins. Mark Twain, *Tom Sawyer.* Élection indécise entre Rutherford Hayes (47,9 %) et Samuel Tilden, démocrate (50,8 %).

1877 Confirmation par le Congrès de l'élection de R. Hayes, 2 mars, 185 grands électeurs contre 184. Évacuation des dernières troupes du Sud. Grève violente des chemins de fer de Pennsylvanie, 35 morts, intervention des troupes fédérales, juill.

1878 Terence Powderly devient Grand maître des Chevaliers du travail, organisés sur une base nationale. Invention du phonographe par Thomas Edison.

1879 Henry George, *Progress and poverty.*

1880 Élection de James Garfield, rép. (48,3 %) contre W. Hancock, dém. (47,9 %). Mise au point et fabrication du premier appareil photo portatif par George Eastman, le « Kodak ».

1881 Attentat contre le président Garfield, 2 juill., suivi de son décès, 19 sept. ; accession à la présidence du vice-président Chester A Arthur. Premier appel de J.G. Blaine pour une conférence panaméricaine, 29 nov.

1882 Fondation du premier trust, la *Standard Oil Company.* Première loi d'exclusion des Chinois, 6 mai.

1883 *Civil Rights Cases,* la Cour suprême déclare inconstitutionnel le *Civil Rights Act* de 1875. Adoption du *Pendleton Act,* 16 janv., instaurant une ébauche de fonction publique.

1884 Remise, à Paris, de la statue de la Liberté aux États-Unis, 4 juill. ; Élection de Grover Cleveland, premier président démocrate depuis Buchanan (48,5 %) contre J.G. Blaine, rép. (48,2 %).

1886 « Massacre » de Haymarket, 4 mai, à l'occasion d'une manifestation pour la journée de 8 heures ; attentat à la bombe, 7 policiers tués ; procès de 8 anarchistes, 19 juin-20 août. Naissance de l'*American Federation of Labor* sous l'impulsion de Samuel Gompers, 8 déc. Inauguration de la statue de la Liberté, 28 oct.

1887 *Dawes Severalty Act,* févr., inaugurant une nouvelle politique indienne. *Interstate Commerce Act,* févr., inaugurant une réglementation fédérale de l'économie. Malgré de nombreuses manifestations et protestations, exécution des quatre accusés de l'attentat de Haymarket, 11 nov. Accord germano-américain sur le contrôle de Samoa.

1888 Élection du rép. Benjamin Harrison (47,85 %) aux dépens de G. Cleveland (48,65 %). Edward Bellamy, *Looking Backward.*

1889 Admission comme États du Montana, des Dakota du Nord et du Sud et du Washington. Ouverture de la première conférence panaméricaine à Washington sous la présidence de J.G. Blaine, 2 oct.

1890 Adoption du tarif McKinley ; du *Sherman Anti-trust Act* et du *Sherman Silver Purchase Act,* juill. Admission dans l'Union de l'Idaho et du Wyoming. Victoire massive des démocrates aux élections intermédiaires. Le *Census Bureau* proclame la fin de la « Frontière ». La dernière insurrection indienne est défaite à Wounded Knee, 29 déc.

1891 Frictions avec l'Italie à la suite du lynchage de 3 Italiens à la Nouvelle-Orléans ; incident avec le Chili. Mort de l'historien George Bancroft.

1892 Élection pour la deuxième fois, de G. Cleveland (46,3 %) contre B. Harrison (43,2 %) ; émergence d'un *Populist Party* au programme vigoureux (8,6 %). Grève violente à Homestead, aciérie de Carnegie ; les ouvriers affrontent les « policiers maison » de Pinkerton, juill., 7 morts.

1893 Exposition universelle de Chicago, mai-oct. Tentative d'annexion d'Hawaï, repoussée par Cleveland, déc. Crise financière et économique qui ne prend fin qu'en 1897 ; retrait du *Sherman Silver Purchase Act,* 1ᵉʳ nov. Mort de Francis Parkman. F.J. Turner, *The Significance of the Frontier in American History.*

1894 Grève à l'usine Pullman, s'étend aux chemins de fer, intervention des troupes fédérales, juin-juill. ; émergence d'un leader syndical Eugene V. Debs. Marche du populiste Jacob Coxey et de son « armée » de chômeurs sur Washington ; échec, 25 mars-1ᵉʳ mai.

1895 Affrontement avec la Grande- Bretagne au sujet des frontières du Venezuela, rappel par Cleveland de la doctrine de Monroe, 17 déc. ; le règlement aura lieu en 1896-97. Stephen Crane, *The Red Badge of Courage.*

1896 Admission de l'Utah au sein de l'Union. Le Congrès reconnaît les Cubains comme belligérants et propose ses bons offices à l'Espagne pour parvenir à l'indépendance de l'île, févr.-avr. Nomination de W. Jennings Bryan à la convention démocrate de Chicago, victoire des « silverites », juill. ; campagne électorale survoltée. Victoire de William McKinley (51 %) sur Bryan (46,7 %). Arrêt de la Cour suprême, *Plessy vs. Perguson.*

1898 21 avr., début de la guerre hispano-américaine ; 7 juill., annexion de Hawaï ; 10 déc., traité de paix de Paris (l'Espagne cède Porto Rico, Guam et les Philippines ; Cuba devient indépendant).

1899 Doctrine de la « Porte Ouverte », proclamée à l'égard de la Chine

1900 Adoption du monométallisme or *(Gold Standard Act)*.

1901 Amendement Platt, 2 mars, instaurant le protectorat des États-Unis sur Cuba ; assassinat du président McKinley à Buffalo, 6 sept. Theodore Roosevelt le remplace, et restera à la Maison-Blanche jusqu'en 1909 ; fondation de l'*U.S. Steel*.

1904 « Corollaire Roosevelt » à la doctrine de Monroe, 6 déc.

1905 Fondation à Chicago du syndicat des *Industrial Workers of the World (IWW)*.

1906 Un tremblement de terre détruit San Francisco, avr. Lois sur les tarifs ferroviaires et sur le contrôle des industries alimentaires, juin. Upton Sinclair, *The Jungle*.

1907 Rapport de la Commission Dillingham sur la « nouvelle immigration ».

1907-1908 *Gentlemen's Agreement* entre les États-Unis et le Japon sur l'émigration japonaise vers les États-Unis. William James, *Pragmatism*.

1909-1913 Présidence de William H. Taft.

1913 Rapport de la Commission Pujo sur les trusts. Création du « Federal Reserve System ». Mise en place du travail à la chaîne aux usines Ford. Première grande exposition de peinture américaine à l'*Armory Show* de New York.

1914 Loi Clayton antitrust. Incidents avec le Mexique, occupation de Veracruz par les Américains, avr. Inauguration du canal de Panama. Premiers prêts aux belligérants européens.

1915 Le *Lusitania* coulé par les Allemands, 9 mai. D. W. Griffiths, *Birth of a Nation*.

1916 John Dewey, *Democracy and Education*.

1917 Entrée en guerre des États-Unis, 6 avr. ; 26 juin, débarquement des premières troupes américaines à Saint-Nazaire ; oct., les premières troupes américaines sur le front.

1918 8 janv., programme de paix en 14 points du président Wilson. Juin-juill., les troupes américaines sont engagées en Champagne. 26 sept.-11 nov., un million d'Américains dans la bataille de la Meuse et de l'Argonne. Oct., progression du corps expéditionnaire sur le front de l'Argonne.

1919 Grèves dans différents secteurs. Adoption du XVIIIe amendement sur la prohibition des boissons alcoolisées. 19 nov., premier rejet du traité de Versailles par le Sénat.

1919-1920 Peur des « Rouges » *(Red Scare)*.

1920 Adoption du XIXe amendement donnant le droit de vote aux femmes. Second rejet par le Sénat du traité de Versailles, 19 mars. Arrestation de Sacco et Vanzetti.

1921-1923 Présidence de Warren G. Harding.

1921 Première loi des quotas. 12 nov., début de la conférence de Washington sur le désarmement naval (fin des travaux 6 févr. 1922).

1922 Upton Sinclair, *Babbitt*.

1923 2 août, mort du président Harding.

1923-1929 Présidence de Calvin Coolidge.

1924 Deuxième loi des quotas. Interdiction de l'immigration japonaise. Scandale du *Teapot Dome*.

1926 Hemingway, *The Sun Also Rises*.

1927 Traversée sans escale de l'Atlantique en avion par Lindbergh, 20-21 mai. Exécution de Sacco et Vanzetti, 23 août.

1928 12 juin, convention du parti républicain à Kansas City ; Herbert Hoover désigné comme candidat du parti à la présidence ; 26 juin convention du parti démocrate à Houston, Alfred E. Smith désigné comme candidat du parti à la présidence ; 6 nov., Hoover élu.

1929 4 mars, Hoover président ; juin, Plan Young pour le paiement des Réparations allemandes ; 24 oct., krach à la bourse de New York, début de la crise ; 29 oct., le Krach s'accentue (16 millions de titres jetés sur le marché).

1930 4 nov., *mid-term elections*, les Démocrates majoritaires à la Chambre des Représentants ; déc., premières mesures de secours *(relief)*.

1931 Janv., rapport Wickersham sur la prohibition ; 27 févr., le Congrès vote la loi sur le *bonus* aux vétérans malgré Hoover ; 20 juin, moratoire Hoover sur les dettes ; 18 sept., agression japonaise en Mandchourie.

1932 2 févr. : création de la *Reconstruction Finance Corporation* ; 28-29 juill., marche des vétérans sur Washington (« bonus army ») ; 14 juin, convention républicaine à Chicago, Hoover désigné ; 27 juin, convention démocrate à Chicago, Franklin D. Roosevelt désigné ; 8 nov., Roosevelt élu.

1933 30 janv., Hitler chancelier ; 6 févr., adoption du XXe amendement ; 4 mars, F. D. Roosevelt président ; 9 mars-16 juin, les « Cent jours » ; 9 mars, loi d'urgence sur les banques ; 31 mars, loi sur la création du Corps de Conservation civile ; 19 avr., détachement du dollar de l'étalon-or ; 12 mai, *Agricultural Adjustment Act (AAA)* ; 18 mai, loi sur la mise en valeur de la vallée du Tennessee *(TVA)* ; 16 juin, loi Glass-Steagall sur le contrôle des banques, *National Industrial Recovery Act (NIRA)* ; 12 juin-27 juill., conférence économique de Londres ; 8 nov., création de la *Civil Works Administration (CWA)* ; 16 nov., reconnaissance de la Russie soviétique ; 5 déc., adoption du XXIe amendement mettant fin à la prohibition.

1934 30 janv., dévaluation du dollar ; 2 févr., création de l'*Export-Import Bank* ; mai, début des travaux de la commission Nye sur les armements et prêts de la première guerre mondiale ; 6 juin, création de la *Securities and Exchange Commission* ; 6 nov., *mid-term elections*, gains des Démocrates dans les deux Chambres.

1935 4 janv., message de Roosevelt annonçant une relance du New Deal, 8 avr., création de la *Works Progress Administration (WPA)* ; 26 juin, création de la *National Youth Administration (NYA)* ; 5 juill., loi Wagner sur les relations du travail ; 14 août, loi sur la sécurité sociale ; 31 août, première loi de neutralité.

1936 6 janv., la Cour Suprême invalide l'*AAA* ; 29 févr., deuxième loi de neutralité, 11 juin, la convention républicaine à Cleveland désigne Alfred M. Landon comme candidat ; 23 juin, la convention démocrate à Philadelphie désigne Roosevelt ; 3 nov., réélection triomphale de Roosevelt.

1937 20 janv., seconde investiture de F. D. Roosevelt ; 5 févr.-22 juill., lutte entre Roosevelt et la Cour Suprême ; 1er mai, 3e loi de neutralité ; août, début de l'offensive japonaise en Chine ; 5 oct., discours de la Quarantaine ; 12 déc., la canonnière américaine *Panay* bombardée par des avions japonais.

1938 16 févr., *2nd Agricultural Adjustment Act* ; la « récession de 1937 » continue à faire sentir ses effets ; mars, annexion de l'Autriche par l'Allemagne ; 14 avr., programme de lutte contre la récession ; 26 mai, réunion de la commission Dies sur les activités anti-américaines ; 16 juin, réunion du *Temporary National Economic Committee (TNEC)* pour étudier les effets de la concentration économique ; 25 juin, *Fair Labor Standards Act* sur le salaire minimum et les heures de travail ; 30 sept., accords de Munich ; 8 nov., *midterm elections*, les Démocrates perdent des sièges au Congrès, mais gardent la majorité ; déc., conférence pan-américaine de Lima réaffirmant l'indépendance absolue de tous les États sud-américains.

1939 3 avr., loi de réorganisation administrative de l'exécutif ; 3 sept., déclaration de guerre de la Grande-Bretagne et de la France à l'Allemagne ; 5 sept., proclamation de la neutralité des États-Unis ; 11 oct., Einstein informe Roosevelt des possibilités de la bombe atomique ; 4 nov., loi *cash and carry*.

1940 févr.-mars, mission de Sumner Welles en Europe ; 15 juin, création du *National Defense Research Committee* ; 20 juin, nomination de Henry L. Stimson comme secrétaire à la guerre et de Frank Knox à la marine ; 25 juin, armistice entre la France et l'Allemagne ; 3 sept., accord entre la Grande-Bretagne et les États-Unis pour l'échange destroyers/ bases ; 16 sept., loi Burke-Wadsworth sur le service militaire sélectif ; 28 juin, la convention républicaine à Philadelphie désigne

Wendell Willkie comme candidat à la présidence ; 18 juill., la convention démocrate à Chicago désigne Roosevelt pour un 3e mandat ; 5 nov., réélection de Roosevelt.

1941 6 janv., message de Roosevelt sur les « 4 libertés » ; 11 mars, signature du prêt-bail ; 24 juin, application du prêt-bail à l'URSS ; 7 juill., accord avec l'Islande sur la location de bases aux États-Unis ; 14 août, charte de l'Atlantique ; 17 nov., autorisation d'armer les navires marchands américains ; 7 déc., attaque de Pearl-Harbor ; 8 déc., déclaration de guerre au Japon ; 11 déc., état de guerre avec l'Allemagne et l'Italie ; 19 déc., extension de la conscription à tous les hommes de 20 à 40 ans ; déc., occupation des Philippines, de Guam, de Wake par les Japonais.

1942 janv.-mai, bataille des Philippines ; 6 mai, reddition de Corregidor. Douglas MacArthur organise la lutte à partir de l'Australie ; 7-8 mai, bataille de la mer de Corail ; 3-6 juin, bataille de Midway. Coup d'arrêt à l'expansion japonaise ; juin, occupation par les Japonais d'Attu et Kiska dans les Aléoutiennes ; 7 août, débarquement américain à Guadalcanal ; 8 nov., opération *Torch* en Afrique du Nord ; 12-15 nov., victoire navale américaine à Guadalcanal.

1943 14-24 janv., conférence de Casablanca. Accord entre Roosevelt et Churchill sur une « reddition inconditionnelle » de l'Allemagne et du Japon ; 23 mars, bataille navale de la mer de Bismarck. Mort de l'amiral Yamamoto ; mars-août, réoccupation d'Attu et Kidka par les Américains et les Canadiens ; 13 mai, fin de la campagne d'Afrique du Nord ; 12-25 mai, conférence Trident à Washington ; 10 juill., débarquement en Sicile ; juin-déc., offensive américaine dans le Pacifique Sud. Contrôle américain sur les îles Salomon ; 11-24 août, première conférence de Québec (Quadrant) sur l'ouverture d'un second front ; 9 sept., opération *avalanche* en Italie. Début de la campagne d'Italie ; 21 nov., offensive américaine dans le Pacifique central. Débarquement dans les îles Gilbert ; 28 nov.-1er déc., conférence de Téhéran entre Roosevelt, Churchill et Staline. Discussions sur le débarquement en France et la création d'une organisation internationale pour le maintien de la paix.

1944 févr., débarquement américain dans les îles Marshall. Occupation de Kwajalein et Eniwetok ; janv.-juin, campagne d'Italie ; 4 juin, entrée des troupes américaines à Rome, 6 juin, opération *Overlord* en Normandie ; 19 juin, début de la campagne des Philippines ; juill., conférence financière et monétaire de Bretton Woods ; 15 août, opération *Dragoon* (ex-*Anvil*) sur les côtes de Provence ; 21 août-7 oct., conférence de Dumbarton Oaks sur les Nations-Unies ; 11-16 sept., deuxième conférence de Québec (plan Morgenthau pour la ruralisation de l'Allemagne) ; 23-25 oct., bataille du golfe de Leyte ; 16-26 déc., offensive allemande dans les Ardennes ; 7 nov., Roosevelt réélu contre Dewey, candidat républicain.

1945 janv.-févr., fin de la campagne des Philippines ; 4-11 févr., conférence de Yalta ; févr.-avr., campagne d'Allemagne ; févr.-mars, conquête d'Iwo Jima ; 1er avr., débarquement américain à Okinawa ; 12 avr., mort de F.D. Roosevelt. Harry S. Truman président ; 25 avr., ouverture de la conférence de San Francisco (charte des Nations- Unies) ; 7 mai, capitulation de l'Allemagne ; 8 mai, signature de la reddition inconditionnelle de l'Allemagne à Reims ; mai-août, offensive aérienne américaine contre le Japon ; 17 juill.-2 août, conférence de Potsdam ; 6 août, première bombe atomique (sur Hiroshima) ; 8 août, l'URSS déclare la guerre au Japon ; 9 août, deuxième bombe atomique (sur Nagasaki) ; 14 août, l'empereur Hiro Hito annonce la capitulation du Japon ; 2 sept., capitulation sans conditions du Japon. Fin de la Seconde Guerre mondiale.

1946 20 févr., loi sur l'emploi ; 5 mars, discours de Churchill à Fulton (Missouri), le passage sur le « rideau de fer » en est un des temps forts et des plus mémorables ; mai, la guerre civile recommence en Grèce ; nov., élections législatives (majorité républicaine dans les deux Chambres).

1947 janv., George Marshall devient secrétaire d'État ; 12 mars, « Doctrine Truman » ; 22 mars, décret présidentiel n° 9835 (commission administrative de contrôle de loyauté des fonctionnaires) et rétablissement de la liste sur les organisations subversives du Garde des sceaux ; 22 mai, loi d'aide à la Grèce et à la Turquie ; 5 juin, annonce du plan Marshall à l'université Harvard ; 23 juin, loi Taft-Hartley ; juill., l'URSS refuse le plan d'aide à l'Europe et quitte la conférence de Paris ; 26 juill., *National Security Act* ; 2 août, *Legislative Reorganization Act* ; oct.-nov., auditions du HUAC *(House Un-American Activities Committee)* sur la pénétration communiste à Hollywood ; déc., Truman présente le plan Marshall au Congrès.

1948 25 févr., coup de Prague ; mars-avr., le Congrès adopte le *Foreign Assistance Act* (Plan Marshall) ; 24 juin Début du blocus de Berlin ; juin-juill., rupture entre la Yougoslavie et l'URSS ; juill., inculpation des principaux dirigeants du PC ; 5 août, Alger Hiss est entendu par l'HUAC ; été, l'administration des postes commence à contrôler le courrier de et vers l'étranger ; nov., Harry Truman réélu à la présidence contre le Républicain Thomas Dewey ; 2 déc., Whittaker Chambers révèle l'existence des « documents du potiron » *(Pumpkin Papers)* qui impliquent Alger Hiss ; 15 déc., Alger Hiss est inculpé pour faux témoignage.

1949 20 janv., dans son discours d'entrée en fonction, Harry Truman définit sa politique étrangère à l'égard des alliés ; 21 janv., Dean Acheson devient secrétaire d'État en remplacement de George Marshall qui a des ennuis de santé ; janv.-oct., procès des principaux dirigeants du PC que le jury déclare coupables ; 4 avr., création de l'OTAN, le traité d'alliance est signé à Washington ; 12 mai, fin du blocus de Berlin ; mai-juill., premier procès Hiss (le jury ne réussit pas à se mettre d'accord sur le verdict) ; 23 sept., Truman annonce que l'Union soviétique a fait exploser sa première bombe atomique ; 1er oct., Mao Tsé-Toung proclame à Pékin la création de la République populaire de Chine ; nov., le congrès de Cleveland du CIO autorise l'expulsion des syndicats qui ne respecteraient pas la ligne politique défendue par la centrale ; nov. 1949-janv. 1950, deuxième procès de Alger Hiss que le jury déclare coupable.

1950 janv., Dean Acheson, le secrétaire d'État, omet de citer la Corée comme faisant partie du périmètre de défense des États-Unis ; fin janv., Truman déclare que les États-Unis entreprennent la construction de la bombe H ; 3 févr., arrestation de Klaus Fuchs en Grande-Bretagne ; 9 févr., discours de McCarthy à Wheeling (Virginie de l'Ouest) dénonçant la présence de communistes dans l'administration ; 15 juin, arrestation de David Greenglass (affaire Rosenberg) ; 25 juin, la Corée du Nord franchit la ligne de démarcation et envahit la Corée du Sud ; 17 juill., arrestation de Julius Rosenberg ; 13 sept., adoption du *Internal Security Act*, plus connu sous le nom de *McCarran Act* ; 15 sept., débarquement américain à Inchon, en Corée du Sud, brillamment réalisé par le général MacArthur.

1951 janv., création du *Senate Internal Security Subcom-mittee* ; déroute américaine en Corée ; mars : Alger Hiss entre en prison ; procès Rosenberg, le jury les déclare coupables ; mars-juill., lente reconquête de la Corée du Sud par les troupes américaines sous la direction du général Ridgway ; 11 avr., limogeage de MacArthur ; 28 avr., décret présidentiel n° 10241 qui rend plus rigoureuses les dispositions sur la loyauté des fonctionnaires ; 14 juin , attaques de McCarthy contre le général Marshall accusé de procommunisme pour son rôle pendant la Deuxième Guerre mondiale et pour ses discours sur la politique asiatique des États-Unis ; juill., début des négociations de Panmunjon sur la Corée ; 8 sept., signature du traité de paix avec le Japon.

1952 mars : Truman renonce à se représenter à la présidence ; 9 avr., il « nationalise » les usines sidérurgiques en grève ; 2 juin, la Cour suprême condamne Truman dans l'arrêt du *Steel Seisure Case* ; 2 août, fin de l'occupation militaire de la RFA (les troupes alliées qui restent y demeurent au titre de l'OTAN) ; 1er nov., explosion de la première bombe atomique à hydrogène américaine ; nov. : le général Eisenhower gagne l'élection présidentielle contre le candidat démocrate, Adlai Stevenson.

1953 5 mars, mort de Staline ; 27 avr., décret présidentiel n° 10450 (il revient aux fonctionnaires eux-mêmes de démontrer qu'ils sont loyaux) ; 19 juin, exécution des Rosenberg.

1954 11 mars, l'armée met en cause McCarthy pour avoir tenté d'obtenir un traitement préférentiel pour l'un de ses adjoints appelés à faire son service militaire ; mars-mai, Dien Bien Phu ; mars-juin, auditions « Armée contre McCarthy » devant le Sénat ; mai-juin, intervention au Guatemala des forces opposées à Arbenz et soutenues par la CIA ; 17 mai, dans sa décision *Brown vs. Board of Education of Topeka*, la Cour suprême déclare inconstitutionnelle la ségrégation scolaire ; juin-juill., conférence de Genève sur l'Indochine (l'accord n'est pas signé par les Américains) ; 30 août, l'Assemblée nationale française refuse la Communauté Européenne de Défense (CED) ; 1er nov., début de la guerre d'Algérie ; 2 déc., le Sénat censure McCarthy par un vote de 69 contre 23.

1955 janv., lancement d'un programme d'aide à l'Indochine ; 15 mai, signature du traité de paix avec l'Autriche ; ouverture de Disneyland à Anaheim (Californie) ; 5 déc., fusion de l'AFL et de la CIO en une seule organisation, l'AFL-CIO (président George Meany).

1956 mars, XXe congrès du PC soviétique qui préconise la déstalinisation et la coexistence pacifique ; 6 mai, l'Allemagne fédérale fait dorénavant partie de l'OTAN ; juill.-oct., crise de Suez ; oct-nov., événements de Hongrie ; nov., réélection d'Eisenhower contre Stevenson, par 57 % des suffrages contre 42 % ; 13 nov., la Cour suprême déclare inconstitutionnelle la ségrégation dans les autobus en Alabama.

1957 17 juin, « Lundi Rouge » (quatre décisions de la Cour suprême marquent le début de la fin de la chasse aux sorcières) ; août , première loi sur les droits civiques depuis la Reconstruction ; 24 sept., intervention fédérale à Little Rock ; 4 oct., lancement réussi, par les Soviétiques, du premier satellite artificiel, *Spoutnik*.

1958 31 janv., premier satellite américain dans l'espace ; 31 mars, l'URSS, puis les États-Unis suspendent les essais nucléaires ; mai-oct., intervention américaine au Liban à la demande du président Chamoun ; nov., les élections législatives sont un désastre pour les républicains en raison de la montée du chômage.

1959 janv., l'Alaska devient le 49e État de l'Union ; juill., visite de Nixon à Moscou (débat télévisé Nixon-Khrouchtchev sur les vertus des deux systèmes dans la cuisine-modèle de l'exposition américaine) ; août, Hawaï devient le 50e État de l'Union ; 15-23 sept, Khrouchtchev rend visite à Eisenhower à Camp David.

1960 1er févr., des Noirs occupent la cafétéria d'un magasin Woolworth à Greensboro (Caroline du Nord) ; 1er mai, un avion-espion U2 américain est abattu par l'URSS au-dessus de son territoire ; 9 mai, la *FDA* autorise la vente de la pilule contraceptive ; 16 mai, échec du sommet de Paris, Khroucht-chev ayant décidé de répartir parce que les États-Unis n'ont pas présenté d'excuses publiques ; 30 juin, guerre civile dans l'ex-Congo belge ; sept.-oct., débats télévisés Nixon-Kennedy ; 8 nov., John Kennedy est élu contre Richard Nixon, avec 49,7 % des suffrages contre 49,5 %.

1961 3 janv., les USA rompent leurs relations diplomatiques avec Cuba. 1er mars, JFK crée le *Peace Corps.* 21 mars, les USA envoient aide et conseillers militaires au Laos. 17 avr., échec du débarquement dans la Baie des cochons (Cuba). 4 mai, les premiers *Freedom Riders* quittent Washington pour le Sud. 5 mai, premier vol spatial d'un Américain, Alan Shepard. 11 déc., JFK envoie les premières troupes de combat US au Viêt-nam.

1962 20 févr., John Glenn, premier Américain mis sur orbite. 26 mars, la Cour suprême ordonne un redécoupage électoral après chaque recensement. 25 avr., reprise des expériences nucléaires US dans l'atmosphère. 15 juin, le *SDS* publie le *Port Huron Statement.* 25 juin, la Cour suprême déclare anti-constitutionnelle la prière dans les écoles. 10 juill., Telstar, satellite de communication internationale (TV) débute. 1er oct., le Noir James Meredith s'inscrit à l'Université du Mississippi sous la protection d'agents fédéraux. 22 oct., JFK annonce la présence de fusées soviétiques à Cuba.

1963 2 avr., Martin Luther King et 2 500 manifestants arrêtés à Birmingham, Alabama. 11 juin, à Saigon, un bonze s'immole par le feu pour protester contre la persécution. 20 juin, « téléphone rouge » installé entre Washington et Moscou. 5 août, JFK signe le traité sur l'arrêt des expériences nucléaires dans l'atmosphère. 28 août, menées par M.L. King, 200 000 personnes défilent à Washington. 9 oct., JFK autorise la vente à l'URSS de 4 millions de tonnes de blé. 1er nov., à Saigon, l'armée prend le pouvoir et tue Ngô Dinh Diem. 22 nov., à Dallas, JFK est assassiné ; le vice-président Lyndon B. Johnson (LBJ) lui succède.

1964 8 janv., LBJ déclare la guerre contre la pauvreté. 23 janv., le XXIVe amendement (plus d'obstacle fiscal au droit de voter). 7 févr., les Beatles débarquent à New York : scènes d'hysté-rie. 26 févr., LBJ signe une loi réduisant les impôts. 1er mai, avec la Los Angeles Free Press naît l'*underground press.* 5 mai, début du *Kennedy Round*, négociations douanières entre USA et CEE. 21 juin, le général Westmoreland est nommé Commandant en chef au Viêt-nam. 22 juin, 3 militants pour les droits civiques tués au Mississippi. 2 juill., LBJ signe le *Civil Rights Act.* 18 juill., émeute à Harlem (et plus tard à Rochester, NY, et à Philadelphie). 2 août, des navires de l'US Navy prétendument attaqués dans le Golfe du Tonkin. 27 sept., rapport Warren sur l'assassinat de JFK, Oswald seul coupable. 1er oct., début du *Free Speech Movement* à Berkeley. 14 oct., M. L. King reçoit le prix Nobel. 3 nov., LBJ élu président à une énorme majorité.

1965 7 févr., LBJ ordonne le bombardement du Nord Viêt-nam. 21 févr., Malcolm X assassiné à New York. La production massive de LSD commence à Los Angeles. 17 mars, première manifestation nationale contre la guerre à Washington. 21-25 mars, M. L. King mène le défilé de Selma à Montgomery. 24 mars, premier *teach-in* contre la guerre, à l'Université du Michigan. 9 avr., première aide fédérale massive aux écoles. 28 avr., LBJ envoie des *marines* en République dominicaine. 20 juill., LBJ signe la loi instituant le *Medicare.* 27 juill., renforts de 100 000 soldats envoyés au Viêt-nam. 6 août, LBJ signe le *Voting Rights Act.* 11-17 août, émeutes à Watts (Los Angeles). 10 sept., début de la grève des ouvriers agricoles (chicanos) à Delano. 3 oct., l'*Immigration Act* met fin aux quotas. 4 oct., le pape Paul VI aux USA, visite à LBJ. 9-10 nov., énorme panne d'électricité dans tout le Nord-Est.

1966 1er janv., les paquets de cigarettes doivent porter une mise en garde. 17 janv., accident en Espagne : un bombardier US lâche 4 bombes H. 21 janv., reprise des bombardements sur le Nord Viêt-nam. Mars, grandes manifestations bouddhistes au Sud Viêt-nam. 22 mars, excuses du président de la General Motors à Ralph Nader. 24 avr., début à New York de la plus longue grève des journaux (11 sept.). 13 juin ; affaire Miranda devant la Cour suprême : tout individu arrêté doit être informé de ses droits. 17 juin, le slogan *Black Power* lancé lors d'un défilé au Mississippi. Juill., émeutes noires à Chicago, Cleveland, Brooklyn. Août, Chavez crée le *United Farm Workers Organizing Committee.* 1er août, à l'Université du Texas, un tireur fou tue 14 personnes, en blesse 30. 6 oct., grand *love-in* hippie au Golden Gate Park de San Francisco. 15 oct., Seale et Newton fondent le *Black Panther Party.* Plus de troupes américaines (320 000) que sud-vietnamiennes au Viêt-nam. 8 nov., premier Noir élu au Sénat depuis 85 ans. 9 nov., Reagan élu gouverneur de Californie. 21 nov., fondation de la *National Organization for Women (NOW).*

1967 10 janv., LBJ demande une augmentation des impôts. 13 févr., révélation : la *National Student Association* financée par la CIA. 15 avr., manifestations contre la guerre, à New York (100 000), San Francisco (65 000), etc. 13 juin, premier Noir juge à la Cour suprême (Thurgood Marshall). 16 juin, premier *Pop Festival,* à Monterey, Calif. 23 juin, rencontre de LBJ et du russe Kossyguine à Glassboro, NJ. Juin-août, « Summer of Love », apogée du mouvement hippie. Juill., émeutes à Newark, puis à Detroit. 23 juill., plébiscite à Porto-Rico, 60,5 % pour le statu quo. 21 oct., 75 000 jeunes défilent autour du Pentagone. Premiers maires noirs à Cleveland et Gary.

1968 30 janv., début de l'offensive du Têt. 1er mars, rapport Kerner sur les émeutes noires. 16 mars, Robert Kennedy se déclare candidat à la Présidence. 18 mars, massacre de Mylai. 27 mars, début des « événements » de Columbia University. 31 mars, LBJ annonce qu'il ne se représentera pas. 4 avr., assassinat de M. L. King, vague d'émeutes. 10 mai, début des négociations entre USA et Nord-Viêt-nam à Paris. 5 juin, Robert Kennedy tué après avoir gagné la primaire de Californie. 1er juill., signature du traité de non-prolifération nucléaire. 26 août, convention démocrate à Chicago, affrontements entre police et manifestants. 18 oct., aux JO de Mexico, deux Noirs font le salut du *Black Power.* 5 nov., Nixon et Agnew élus à la Maison-Blanche par une faible majorité.

1969 1er janv., 542 000 soldats US au Viêt-nam, le maximum. 18 janv., les 4 protagonistes de la guerre au Viêt-nam négocient à Paris. 8 févr., le *Saturday Evening Post* cesse de paraître. 9 avr., rébellion des étudiants à Harvard University. 15 mai, à Berkeley, défilé vers le *People's Park,* la police tire. 8 juin, première diminution des troupes US au Viêt-nam. 23 juin, Earl Warren, président de la Cour suprême, prend sa retraite. 18 juill., accident d'Edward Kennedy à Chappaquiddick, une morte. 20 juill., trois Américains posent leur engin sur la lune. 9 août, Sharon Tate *& al.* massacrés par la « famille » Manson. 15-17 août, *Woodstock Festival,* plus de 300 000 participants. 24 sept., début du procès des *Chicago Seven.* 8 oct., exclus du SDS, les *Weathermen* se déchaînent. 15 oct., vastes manifestations du *Viêt-nam Moratorium.* 29 oct., la Cour suprême ordonne la déségrégation scolaire *immédiate.* 17 nov., USA et URSS commencent les discussions SALT à Helsinki. 20 nov., des Indiens occupent l'île d'Alcatraz. 21 nov., le Sénat rejette un candidat de Nixon à la Cour suprême (puis un autre le 8 avr. 1970). 6 déc., concert des *Rolling Stones* à Altamont, un mort. 22 déc., vote du *National Environmental Policy Act.*

1970 6 mars, des *Weathermen* fabriquaient des bombes à Greenwich Village, explosion. 15 avr., *The Mobe* (manifestations antiguerre à New York et San Francisco). 22 avr., *Earth Day,* apogée du mouvement écologiste. 30 avr., des troupes US pénètrent au Cambodge. 4 mai, la Garde nationale à Kent State University, 4 morts. 15 mai, la police tue 2 étudiants à Jackson State (Mississipi). 20 mai, à New York, les *hard hats* défilent en faveur de la guerre. 24 juin, le Sénat abroge la *Tonkin Gulf Resolution.* 4 juill., *Honor America Day,* la « majorité silencieuse » manifeste. 29 juill., Chavez signe une convention avec les viticulteurs californiens. 26 août, manifestations nationales des féministes. 18 sept., Jimi Hendrix meurt de surdose, et Janis Joplin le 4 oct. 10 Sept., mise en place de l'*Environmental Protection Agency.* 14 nov., nouvelle promenade sur la lune.

1971 8 févr., annonce de l'entrée au Laos de troupes US et de l'ARVN. 20 avr., la Cour suprême unanime autorise le *busing.* 3 mai, manifestations anti-guerre à Washington,

12 000 arrestations. 13 juin, le *New York Times* commence à publier les « Dossiers du Pentagone ». 30 juin, XXVI⁰ amendement ratifié, droit de vote pour tous les citoyens de 18 ans ou plus. 15 août, Nixon bloque les prix et les salaires pour 90 jours. 9 sept., insurrection à la prison d'Utica (NY). 5 nov., annonce de ventes de blé massives à l'URSS. 26 déc., bombardements du Nord Viêt-nam, les plus violents depuis 1968.

1972 21 févr., visite de Nixon en Chine. 22 mars, le Congrès vote l'amendement sur l'égalité des femmes *(ERA)*. 30 mars, bombardements de Hanoï, après 4 ans d'arrêt. 5 mai, minage du port de Haïphong. 15 mai, Georges Wallace paralysé à la suite d'un attentat. 17 juin, cambriolage du QG démocrate dans l'immeuble du Watergate. 29 juin, la Cour suprême déclare la peine de mort non constitutionnelle. 12 août, les derniers combattants US quittent le Viêt-nam. 1ᵉʳ sept., Bobby Fischer, premier Américain champion du monde d'échecs. 26 mai, signature de l'*ABM Treaty* (SALT I) par Nixon à Moscou. 7 nov., écrasante victoire de Nixon aux élections. 15 déc., négociations bloquées, reprise des bombardements du Nord Viêt-nam.

1973 22 janv., la Cour suprême autorise l'avortement. 27 janv., fin de la conscription militaire / accord de cessez-le-feu signé à Paris. 7 févr., le Sénat crée une commission d'enquête sur la campagne de 1972. 12 févr., le dollar dévalué de 10 %. 29 mars, fin de l'intervention US au Viêt-nam / les derniers prisonniers US relâchés. 30 avr., 4 collaborateurs de Nixon démissionnent. 16 juill., révélation, les conversations de Nixon étaient enregistrées. 15 août, les bombardements du Cambodge cessent. 6 oct., début de la guerre du Kippour et de la crise pétrolière. 10 oct., le vice-président Spiro Agnew, accusé de corruption, démissionne. 17 nov., discours de Nixon « Je ne suis pas un escroc... ». 21 nov., révélation : 18 minutes manquent sur une bande cruciale. 6 déc., Gerald Ford, premier vice-président « nommé » entre en fonctions.

1974 1ᵉʳ mars, 7 conseillers de Nixon inculpés. 9 mai, début du processus de mise en accusation de Nixon. 22 mai, Nixon refuse de remettre les bandes à la Chambre. 24 juill., la Cour suprême ordonne à Nixon de remettre les bandes. 27 juill., le premier article d'*impeachment* est adopté par la Commission des affaires judiciaires de la Chambre. 9 août, Nixon démissionne ; Ford lui succède. 8 sept., Ford gracie Nixon ; 16 sept., amnistie des déserteurs du Viêt-nam ; 5 nov., partielles et raz-de-marée « libéral » ; 23-24 nov., « sommet » de Vladivostok ; 20 déc., vote définitif de l'amendement Jackson-Vanik.

1975 Inflation à 9,1 % et récession (chômage 9,2 % en mai,) ; 29 mars, Ford signe la loi de réduction fiscale ; 29 avr., chute de Saigon ; 12 mai, Ford ordonne une opération pour la libération du cargo *Mayaguez* ; juin, rapport de la Commission Rockefeller sur la CIA ; 1er août, accords d'Helsinki ; 16 sept., premières auditions publiques de la Commission Church sur la CIA ; 15-17 nov., sommet « trilatéral » de Rambouillet.

1976 Centre de gravité démographique pour la première fois à l'ouest du Mississippi ; année du Bicentenaire de l'Indépendance ; Reagan attaque vivement la détente ; début d'une reprise, mais inflation à 5,8 %. 8 janv., accords de la Jamaïque (démonétisation de l'or et étalon dollar) ; 30 janv., *Buckley vs. Valeo* ; 2 nov., Carter président et majorité démocrate dans les deux chambres.

1977 Inflation à 6,5 % ; janv., pardon pour les déserteurs du Viêt-nam ; 18 avr., lancement du « plan Carter » pour l'énergie ; 22 mai, discours de Notre-Dame ; 4 août, création d'un Département de l'Énergie ; 20 déc., vote d'une augmentation des cotisations de Sécurité sociale.

1978 Inflation à 7,6 % et chute du dollar ; 16 mars et 18 avr., ratification des deux traités sur Panama signés en 1977 ; 6 juin, vote de la « Proposition 13 » en Californie ; 28 juin, arrêt *Bakke* ; 617 sept., rencontre de Camp David ; automne, premières mesures pour redresser le dollar. 15 oct., dérégulation des transports aériens ; nov., le Congrès vote une loi sur l'Énergie très en-deçà des espoirs de Carter.

1979 Inflation à 11,1 % ; création de la *Moral Majority* ; 1er janv., normalisation des relations avec la Chine populaire ; janv., chute du Chah d'Iran, suivie de la révolution islamique, puis du second « choc » pétrolier ; 16-18 juin, sommet Carter-Brejnev à Vienne (SALT II). 28-29 juin, sommet « trilatéral » de Tokyo ; 15 juill., discours de Carter sur le « malaise » ; 27 sept., création d'un Département de l'Éducation ; 6 oct., arrivée de Volcker à la « Fed » et net relèvement des taux d'intérêt ; 4 nov., une soixantaine de diplomates américains pris en otages à Téhéran ; 12 déc., l'OTAN approuve la « double décision » et Carter annonce un plan de réarmement ; 26-27 déc., invasion soviétique de l'Afghanistan et début d'une « nouvelle guerre froide ».

1980 226,5 millions d'Américains ; inflation à 13,5 %, dollar à nouveau en chute, taux d'intérêt élevés (autour de 20 % en déc.) et chômage en hausse (7 % au lieu de 5,8 % en 1979) ; net accroissement du budget militaire ; 25 % des véhicules vendus au % États-Unis sont fabriqués à l'étranger, surtout au Japon ; 4 janv., annonce de sanctions économiques, dont l'embargo sur les ventes de blé à l'URSS ; 20 janv., les États-Unis refusent de se rendre aux Jeux Olympiques de Moscou ; 23 janv., « doctrine Carter » sur le golfe Persique ; avr., dérégulation progressive des prix du pétrole ; 24 avr., fiasco de *Desert One* ; mai-juin, arrivée de 100 000 *Marielitos* cubains ; 27 juin, loi de « recensement » de tous les jeunes hommes ; 4 nov., élection de Reagan (Sénat républicain).

1981 Dollar et taux d'intérêt élevés ; rhétorique dure contre l'URSS ; 20 janv., libération des otages américains détenus en Iran, janv., libération anticipée des prix pétroliers ; mars, débat sur l'envoi de conseillers militaires supplémentaires au Salvador ; 30 mars, attentat contre le président ; 13 août, Reagan signe les lois de recettes et de dépenses (forte réduction fiscale, diminution de certains programmes sociaux, et accélération des dépenses militaires) ; 21 sept., Sandra O'Connor, première femme nommée à la Cour suprême ; automne début d'une forte récession (chômage supérieur à 7 %) ; 18 nov., « option zéro », nov., décision d'appuyer les contras ; 29 déc., sanctions contre l'URSS (« loi martiale » en Pologne).

1982 Inflation à 6,2 % mais chômage à plus de 10 % en oct. (taux le plus haut depuis 1940) et taux de pauvreté à 15 % ; 26 janv., Reagan lance l'idée du « néo-fédéralisme » ; 9 mai, Reagan offre des négociations START à l'URSS ; 12 juin, 500 000 personnes à New York pour soutenir le *Freeze* ; 18 juin, début de la querelle avec les Européens sur le gazoduc sibérien (achevée en déc.) ; 23 juin, renforcement du *Voting Rights Act* de 1965 ; 13 août, quasi-banqueroute du Mexique suivie d'un assouplissement de la politique monétaire ; 29 sept., les *Marines* s'installent au Liban ; 15 oct., loi de dérégulation des caisses d'épargne ; 2 nov., partielles plutôt favorables aux démocrates (Sénat républicain) ; déc., *Dow Jones* au-dessus de la barre des 1 000.

1983 Inflation à 3,2 %, reprise de l'activité ; déficit budgétaire en hausse vertigineuse (207,8 milliards de dollars contre 78,9 en 1981) ; 23 mars, discours annonçant le projet d'IDS (« guerre des étoiles ») ; 20 avr., réforme de la Sécurité sociale ; 26 avr., *A Nation at Risk* ; 9 oct., démission du secrétaire à l'Intérieur James Watt ; 23 oct., 241 *Marines* tués lors d'un attentat à Beyrouth ; 25 oct., intervention à Grenade ; nov., déploiement des premiers euro-missiles en RFA ; 2 nov., un jour férié est institué pour Martin Luther King ; 28 déc., retrait de l'UNESCO.

1984 Inflation modérée (4,3 %) ; reprise confirmée (chômage à 7,4 %) accréditant, en dépit d'un déficit commercial en hausse vertigineuse (112,5 milliards de dollars contre 28 en 1981), l'idée d'une « Renaissance américaine » ; 16 janv., adoucissement de la rhétorique face à l'Union soviétique ; 7 févr., les troupes américaines quittent le Liban ; 11 oct., les deux Chambres interdisent toute aide aux *contras* ; 6 nov., réélection triomphale de Reagan (la Chambre reste démocrate).

1985 Inflation à 3,6 %, mais aggravation des déficits budgétaire (212,3 milliards de dollars) et commercial (122,1 milliards) ; les États-Unis débiteurs nets face à l'étranger ; 1ᵉʳ avr., *Time* parle d'une « doctrine Reagan » contre les régimes communistes dans le Tiers-Monde ; 6 août, Reagan approuve des ventes d'armes secrètes, via Israël, à l'Iran ; 22 sept., déclaration du Plaza (atterrissage en douceur du dollar) ; 8 oct., plan Baker (endettement du Tiers-Monde), 10 oct., riposte américaine contre les terroristes de l'*Achille Lauro* ; 19-21 nov., sommet Reagan-Gorbatchev à Genève ; 11 déc., loi Gramm-Rudman (élimination progressive du déficit budgétaire).

1986 Inflation à 1,9 % mais baisse du dollar ; 6 janv., Reagan autorise des ventes d'armes clandestines directes à l'Iran ; 25 févr., victoire de la démocratie aux Philippines ; 14 avr., raid sur la Libye ; 26 sept., Rehnquist président de la Cour suprême ; 2 oct., le Congrès vote des sanctions économiques contre l'Afrique du Sud ; 11-12 oct., sommet Reagan-Gorbatchev à Reykjavik ; 22 oct., vote définitif d'une réforme fiscale radicale ; 3 nov., premières révélations sur les ventes d'armes secrètes à l'Iran ; 4 nov., les démocrates regagnent le Sénat ; 6 nov., Reagan signe la loi Simpson-Rodino ; 25 nov., révélation sur le lien entre les ventes d'armes à l'Iran et l'aide secrete aux *contras*.

1987 Inflation à 3,6 % et chômage à 6,1 % ; 8 janv., *Dow Jones* au-dessus de la barre des 2 000 ; 22 févr., accord du Louvre (stabilisation des grandes devises) ; 5 mai, début des auditions des deux Commissions du Congrès sur *l'Iran-Contragate* ; 17 mai, frégate *USS Stark* frappée « par erreur » par un missile irakien dans le golfe persique ; 25 août, *Dow Jones* à 2 722 ; 19 oct., krach boursier (le *Dow Jones* perd 508 points) ; 23 oct., rejet du juge Bork pour la Cour suprême ; 11 nov., retrait du nouveau candidat de Reagan ; 18 nov., rapport final des Commissions sur *l'Iran-Contragate* ; 8-10 déc., sommet de Washington et signature de l'« option double-zéro ».

1988 Sixième année d'expansion continue (chômage à 5,7 %) ; 8 janv., rapport Brady sur le Krach ; 29 mai-2 juin, sommet de Moscou ; 3 juill., un croiseur américain abat par erreur un avion civil iranien ; 23 août, nouvelle loi, plus dure, sur la politique douanière ; 8 nov., Bush élu président, mais les démocrates gardent la majorité dans les deux Chambres.

1989 Rachat de *Columbia Pictures* et du *Rockefeller Center* par les Japonais ; 1er janv., l'accord de libre-échange avec le Canada prend effet ; févr., plan pour la grave crise des caisses d'épargne ; 24 mars, pollution par l'*Exxon Valdez* ; mai, l'Administration évolue vers un soutien à la *perestroïka* ; 31 mai, appel de Bush pour la fin de la division de l'Europe ; 12 juin, plan Bush contre *la* pollution atmosphérique ; 13 juill., *Webster vs. Reproductive Health Services* ; nov., premier gouverneur noir de l'histoire des États-Unis élu en Virginie ; 9 nov., début du démantèlement du Mur de Berlin ; 20 déc., intervention des États-Unis à Panama, 23 déc., sommet Bush-Gorbatchev à Malte.

1990 25 févr., victoire de Violetta Chamorro au Nicaragua ; 30 mai-3 juin, sommet Bush-Gorbatchev à Washington ; 27 juin, la Cour suprême valide l'« action positive » du gouvernement fédéral ; août, déploiement de très importantes troupes américaines après l'invasion du Koweit par l'Irak (2 août) et développement d'une « logique de guerre » dans le cadre d'une politique de sanctions approuvée par les Nations-Unies ; 9 sept., sommet Bush-Gorbatchev à Helsinki (collaboration dans le Golfe) ; 8 oct., David Souter, nouveau Juge à la Cour suprême, prête serment, 22 oct., veto de Bush à une nouvelle loi sur les Droits civiques ; 27 oct.,, nouveau *Clean Air Act* ; oct., impasse sur le budget qui contraint Bush à revenir sur son engagement de ne pas lever de nouveaux impôts ; vote d'une loi augmentant le nombre des, immigrants ; 6 nov., partielles plutôt favorables aux Démocrates et reconnaissance officielle du début d'une récession ; difficultés dans les ultimes négociations au titre de l'*Uruguay Round* ; 18-20 nov., le sommet des participants à la CSCE proclame la fin de la guerre froide à Paris.

1991 15-16 janv., déclenchement de *Desert Storm* qui prend fin le 3 mars après l'acceptation par l'Irak de la résolution 686 des Nations-Unies ; 19-21 août, putsch manqué en Union soviétique ; automne, difficultés budgétaires croissantes des villes et États du fait de la récession et de l'augmentation du chômage ; oct., confirmation difficile de Clarence Thomas à la Cour suprême ; nov., accord sur l'extension de la durée des allocations-chômage ; Bush accepte de signer une nouvelle loi sur les Droits civiques ; début à Madrid, sous égide essentiellement américaine, de conversations sur le Proche-Orient ; déc., disparition de l'URSS remplacée par une nouvelle Communauté des États Indépendants (CEI) ; la Maison-Blanche concède la persistance de la récession.

1992 1er févr., Bush et Eltsine proclament une « nouvelle ère » dans les relations entre leurs deux pays ; 1er avr., Bush et ses alliés occidentaux annoncent le déblocage de 24 milliards de dollars pour aider la Russie et encourager l'expérience Eltsine ; 29 avr.-1er mai, émeutes violentes à Los Angeles ; juin, une candidature « indépendante » du milliardaire texan Ross Perot à la présidence paraît de plus en plus probable ; 3-14 juin, « sommet de la Terre » à Rio ; 16-17 juin, nouvel accord sur une réduction radicale des armes nucléaires à l'occasion d'une rencontre Bush-Eltsine à Washington ; 29 juin, *Planned Parenthood of Southeastern Pennsylvania vs. Casey* (position centriste de la Cour suprême sur l'IVG) ; 10 juill., le général Manuel Noriega condamné en Floride à 40 ans de prison ; 15 juill., Bill Clinton désigné comme candidat démocrate à la convention de New York (colistier Al Gore) ; le lendemain Ross Perot retire sa candidature ; 11 août, les USA, le Canada et le Mexique créent une zone de libre-échange *(NAFTA, North American Free Trade Agreement)* (traité signé à San-Diego, Calif., le 7 oct. ; sera ratifié par le Congrès en nov. 1993) ; 19 août, George Bush désigné comme candidat républicain à la convention de Houston (colistier James Baker) ; 1er sept., le dollar atteint un étiage (1,4 mark et moins de 4,75 francs) ; 29 sept., IBM annonce la suppression de 40 000 emplois ; 1er oct., Ross Perot annonce son retour en lice ; 3 nov., Bill Clinton élu avec 43 % des voix (Bush 38 %, Perot 19 %).

1993 3 janv., signature par George Bush et Boris Eltsine à Moscou du traité de désarmement START 2, prévoyant la destruction en dix ans des deux-tiers des ogives nucléaires de l'ex-URSS et des USA ; 20 janv., investiture de Bill Clinton, 42e président des États-Unis ; 1er févr., la Maison-Blanche menace de fermer les marchés publics américains aux entreprises européennes dans les télécommunications, l'énergie et les transports (Bill Clinton acceptera de surseoir à cette mesure après une visite de Jacques Delors, le 18 mars) ; 8 avril, présentation du budget fédéral ; 19 avril, raid du FBI contre les Branch Davidians à Waco, Texas ; 18 juin, le Président lance un plan d'action contre l'immigration clandestine ; 6 août, budget fédéral (d'austérité) voté par le Congrès (241 milliards d'impôts nouveaux et 255 de réductions de dépenses) ; 10 août, Ruth Bader Ginsburg, Juge à la Cour suprême ; 14 sept., Bill Clinton signe les annexes du traité de l'ALENA — environnement, droit du travail — (accord entré en application le 1er janv. 1994) ; 22 sept., puis 27 oct., le Président présente une refonte audacieuse du système de santé (préparée par Hillary Clinton) ; nov. : le chômage est à 6,1 %, son taux le plus bas depuis 1991 ; l'inflation est à 2,7 % ; 14 déc., annonce à Genève d'un compromis sur le GATT entre les Douze et les USA ; 15 décembre, acte final du GATT adopté par 117 pays.

1994 10-11 janv. : Sommet atlantique à Bruxelles ; 20 janv. : nomination d'un procureur spécial dans l'affaire Whitewater ; 26 mai : les États-Unis renoncent à lier l'octroi à la Chine de la clause de « la nation la plus favorisée » au respect des droits de l'homme par la RPC ; 3 août : Stephen Breyer nommé à la Cour suprême ; 5 août : nomination d'un nouveau procureur indépendant sur l'affaire Whitewater ; 13 sept. : Clinton signe une loi sévère de répression de la criminalité ; 26 sept. : échec du projet des Clinton de réforme de création d'un système universel d'assurance-maladie ; 15 oct. : les États-Unis restaurent Jean-Bertrand Aristides à la présidence de Haïti ; 21 oct. : accord avec la Corée du Nord visant à assurer l'orientation pacifique de son programme atomique ; nov. : l'inflation progresse à un rythme annuel de 2,7 % et le taux de chômage continue de tomber, atteignant 5,6 % ; 8 nov. : les Républicains obtiennent la majorité dans les deux Chambres du Congrès pour la première fois depuis 1952 ; 1er décembre : le Congrès approuve l'Uruguay Round et la création de l'OMC ; 5 déc. : l'Ukraine adhère au NPT : 20 déc. : le Mexique dévalue le peso et entre dans une crise financière qui va requérir l'intervention américaine.

1995 Année record par le nombre des fusions et acquisitions ; 31 janv. : Clinton autorise un prêt de 20 milliards de dollars au Mexique ; mars : les Républicains sont impuissants à faire approuver un amendement constitutionnel rendant obligatoire l'équilibre du budget (rejeté le 2 mars au Sénat) et une loi réduisant le nombre de mandats qu'un élu peut exercer (rejetée le 29 mars à la Chambre) ; 19 avril : attentat meurtrier d'extrémistes américains qui fait 168 morts à Oklahoma City ; 11 août : Clinton acculé à mettre son veto à une loi levant l'embargo sur les armes à destination du gouvernement de Sarajevo ; 28 sept. : Arafat et Peres signent un nouvel accord à Washington ; 3 oct. : acquittement d'O. J. Simpson ; 16 oct. : « Million Man March » organisée à Washington par Louis Farrakhan ; 1er nov. : ouverture des pourparlers de Dayton entre la Serbie, le gouvernement musulman de Bosnie et la Croatie ; 14-18 nov. : fermeture partielle des administrations fédérales ; 13 nov. : attentat anti-américain en Arabie séoudite ; 30 nov. - 1er déc. : voyage de Clinton en Irlande ; 14 déc. : signature des accords sur la Bosnie à Paris (l'OTAN va déployer 60 000 hommes) ; 16 décembre : fermeture partielle des administrations pour quelque trois semaines ; 17 déc. : victoire des communistes qui s'assurent plus d'un tiers des sièges dans la Chambre basse du parlement russe.

1996 4 avril : Clinton signe la loi instaurant un veto par article à partir du 1er janvier 1997 ; 15 avril : accord militaire entre les États-Unis et le Japon ; 24 avril : Clinton signe une loi antiterroriste ; 25 avril : un vote du Congrès met fin à la querelle budgétaire ; 25 juin : attentat contre les forces américaines en Arabie séoudite : 19 morts ; 29 juin : élection de Benjamin Netanyahou en Israël ; 3 juillet : réélection de Boris Eltsine à la présidence en Russie ; 20 août : Clinton signe une loi relevant le salaire minimum horaire de 90 cents ; 22 août : Clinton signe la loi réformant en profondeur le welfare ; 30 sept. : Clinton signe une loi renforçant la lutte contre l'immigration clandestine ; il signe également un *Omnibus bill* budgétaire pour l'année fiscale 1997 : c'est la quatrième fois seulement depuis 1974 que toutes les affectations de crédits d'État sont prêtes avant le 1er octobre ; 5 nov. : Clinton réélu, avec deux Chambres républicaines au Congrès.

1997 20-21 mars : rencontre Clinton-Eltsine à Helsinki ; 2 juill. : dévaluation du bath thaïlandais et début de la crise asiatique ; 8-9 juill. : sommet annonçant l'expansion de l'OTAN à Madrid ; 5 août : Clinton signe la loi votée fin juillet par le Congrès sur le rééquilibrage du budget ; 26 oct.-3 nov. : voyage de Jiang Zemin aux États-Unis ; 10 nov. : Clinton demande le retrait du fast track du débat parlementaire.

1998 17 janv. : premières allégations sur une liaison de Clinton avec Monica Lewinsky après sa déposition dans l'affaire Jones ; 26 janv. : Clinton nie formellement cette liaison ; 22 fév. : accord Kofi Annan-Saddam Hussein ; 23 mars-2 avr. : voyage de Clinton en Afrique ; 30 avr. : le Sénat ratifie l'expansion de l'OTAN ; 18 mai : deux poursuites intentées par le département de la Justice et 20 États contre Microsoft ; mai : essais nucléaires de l'Inde et du Pakistan ; 25 juin-3 juill. : voyage de Clinton en Chine ; 7 août : attentats terroristes contre deux ambassades américaines en Afrique ; 17 août : Clinton s'adresse à la nation après sa comparution devant un jury de mise en accusation ; dévaluation du rouble ; 20 août : raids de représailles en Afghanistan et en Somalie ; 11 sept. : publication du rapport Starr ; 21 sept. : diffusion du témoignage de Clinton devant le « grand jury » ; 30 sept. : Clinton annonce un excédent budgétaire de 70 milliards de dollars pour l'AF 1998 ; 15 oct. : accord (favorable à Clinton) sur le budget ; 15-23 oct. : négociation de l'accord de Wye River (Moyen-Orient) ; 3 nov. : élections partielles (maintien de la majorité républicaine au Sénat – 55 contre 45 – mais recul à la Chambre – 223 contre 211) ; 6 nov. : démission de Gingrich ; 16-19 déc. : opération Desert Fox (frappes sur l'Irak) ; 19 déc. : la Chambre vote l'*impeachment* de Clinton ; le déficit commercial s'envole à 230 milliards de dollars.

1999 7 janv.-12 fév. : Clinton jugé et acquitté par le Sénat ; 6-23 fév. et 15-18 mars : conférence de Rambouillet sur le Kosovo ; 24 mars-10 juin : campagne militaire de l'OTAN contre la Serbie ; 23-25 avr. : sommet de Washington pour le 50ᵉ anniversaire de l'OTAN ; oct. : abrogation de la loi Glass-Steagall de 1933 ; 13 oct. : refus du Sénat de ratifier le CTBT ; 15 nov. : accord avec la Chine sur son entrée dans l'OMC ; 17 nov. 1999 : compromis sur le budget entre Clinton et le Congrès ; 31 déc. : démission de Boris Eltsine remplacé par Vladimir Poutine.

2000 19-25 mars : voyage de Clinton en Asie du Sud ; 7 juin : un Juge ordonne la division de Microsoft en deux sociétés distinctes ; 11-25 juillet : Camp David II (Clinton, Barak, Arafat) ; 19 sept. : le Sénat vote l'octroi de la PNTR à la Chine ; ralentissement de la croissance dans le second semestre avec recul du Dow Jones et forte chute du NASDAQ ; 7 nov. : élection extraordinairement serrée : les républicains gardent la Chambre avec une faible majorité (9 sièges), se retrouvent à égalité au Sénat avec les démocrates (50-50) ; après un long feuilleton et un arrêt décisif de la Cour suprême fédérale (12 décembre) leur candidat, George W. Bush remporte finalement la Maison-Blanche (49,82 millions de voix contre 50,16 pour le candidat démocrate, le vice-président Al Gore, mais 271 Grands Électeurs contre 267).

BIBLIOGRAPHIE

OUVRAGES GÉNÉRAUX
(en français)

Boorstin, Daniel. *Histoire des Américains*, 3 vols. Paris, Armand Colin, 1981.

L'État des États-Unis. Éd. Annie Lennkh et Marie-France Toinet. Paris, La Découverte, 1990.

Fohlen, Claude. *L'Amérique anglo-saxonne depuis 1815*. Paris, PUF, 1969.
Les États-Unis au XXᵉ siècle. Paris, Aubier, 1988.
De Washington à Roosevelt : l'ascension d'une grande puissance (1763-1945), Paris, Nathan, 1992.

Fohlen, Claude, Jean Heffer et François Weil. *Canada et États-Unis depuis 1776*. Paris, PUF, 1997.

Jacquin, Philippe, Daniel Royot, Stephen Whitfield. *Le Peuple américain : origines, immigration, ethnicité et identité*. Paris, Le Seuil, 2000.

Kaspi, André. *Les Américains*, 2 vols. Paris, Le Seuil, « Points Histoire », 1986.

Kaspi, André, Claude-Jean Bertrand, Jean Heffer. *La civilisation américaine*. Paris, PUF, 1991.

Lacorne, Denis. *La Crise de l'identité américaine. Du melting-pot au multiculturalisme*. Paris, Fayard, 1997.

Lacroix, Jean-Michel. *Histoire des États-Unis*. Paris, PUF, 1996.

Melandri, Pierre. *Histoire des États-Unis depuis 1865*. Paris, Nathan, 7ᵉ éd., 2000.

Melandri, Pierre et Jacques Portes. *Histoire intérieure des États-Unis au XXᵉ siècle*. Paris, Masson, 1991.

Nouailhat, Yves-Henri. *Les États-Unis et le monde au XXᵉ siècle*. Paris, Armand Colin, 1997.

Portes, Jacques. *Les États-Unis de l'indépendance à la première guerre mondiale*. Paris, Armand Colin, 1991.

Les États-Unis au XXᵉ siècle. Paris, Armand Colin, 1997.

Royot, Daniel, Jean-Loup Bourget, Jean-Pierre Martin. *Histoire de la culture américaine*. Paris, PUF, 1993.

Sicard, Pierre. *Histoire économique des États-Unis depuis 1945.* Paris, Nathan, 1995.

Toinet, Marie-France. *Le Système politique des États-Unis.* Paris, PUF, 1987.

Histoire documentaire des États-Unis, 10 vols., dirigée par Jean-Marie Bonnet et Bernard Vincent. Presses Universitaires de Nancy, 1985-1994 : *L'Amérique coloniale, 1607-1774* (Jean Béranger) ; *La Révolution américaine, 1775-1783* (Bernard Vincent) ; *Naissance de l'État fédéral, 1783-1828* (Élise Marienstras) ; *L'Union en péril, 1829-1865* (Jean Heffer) ; *L'Age doré, 1865-1896* (Jacques Portes) ; *L'Amérique, puissance mondiale, 1897-1929* (Yves-Henri Nouailhat) ; *De la Crise à la Victoire, 1929-1945* (Claude Fohlen) ; *L'Amérique triomphante, 1945-1960* (Marie-France Toinet) ; *Les Années soixante, 1961-1974* (Claude-Jean Bertrand) ; *Une crise d'identité ? 1974-1993* (Pierre Mélandri).

Histoire thématique des États-Unis, dirigée par Jean-Marie Bonnet et Bernard Vincent. Presses Universitaires de Nancy : *Les Femmes dans l'histoire américaine* (Ginette Castro, 1988) ; *Le Système économique américain : emprise et entreprise* (Jean Rivière, 1988) ; *La Classe ouvrière dans l'histoire américaine* (Marianne Debouzy, 1989) ; *George Bush président : histoire d'une élection* (Patrick Gérard, 1989) ; *La Religion aux États-Unis* (Jean-Pierre Martin, 1989) ; *La Cour suprême : les grands arrêts* (Marie-France Toinet, 1989) ; *Les Indiens dans l'histoire américaine* (Nelcya Delanoë et Joëlle Rostkowski, 1991) ; *L'Égalité aux États-Unis : mythes et réalités* (Liliane Kerjan, 1991). A paraître : *L'Éducation aux États-Unis* (Élise Marienstras et Marie-Jeanne Rossignol) ; *Les États-Unis et l'Amérique latine* (Marcienne Rocard et Isabelle Vagnoux).

L'AMÉRIQUE COLONIALE (1607-1774)

Andrews, Charles M. *The Colonial Period of American History,* 4 vols. New Haven, 1934-1938.

Axtell, James. *The European and the Indian.* New York, 1981.

Bailyn, Bernard. *The New England Merchants in the Seventeenth Century.* Cambridge, Mass., 1955.
The Peopling of North America. New York, 1986.

Baseler, Mailyn C. *Asylum for Mankind : America, 1607-1800.* Ithaca, N.Y., 1998.

Berkin, Carol. *First Generations : Women in Colonial America.* New York, 1997.

Billington, Ray Allen, ed. *The Reinterpretation of Early American History.* San Marino. Ca., 1966.

Boorstin, Daniel. *The Americans 1, The Colonial Experience.* New York, 1958.

Brodin, Pierre. *Les Quakers en Amérique du Nord au XVIIe siècle et au début du XVIIIe*. Paris, 1985.

Burke-Robinson, Mary Alice, éd. *The French and Indian War : Prelude to American Independence*. Carlisle, Md., 1997.

Cremin, Lawrence A. *American Education, the Colonial Experience, 1607-1783*. New York, 1970.

Curti, Philip. *The Atlantic Slave Trade*. Madison, 1959.

Davis, Richard Beale. *Intellectual Life in the Colonial South, 1585-1763*. Knoxville, Tenn., 1972.

Dorfman, Joseph. *The Economic Mind in American Civilisation, 1606-1865*. New York, 1946.

Ernst, Joseph Albert. *Money and Politics in America, 1755-1775*. Chapel Hill, 1973.

Franklin, John Hope. *From Slavery to Freedom*. New York, 1967.

Gipson, Lawrence H. *The British Empire before the American Revolution*. New York, 1936.

Green, Jack P. et J. R. Pole, eds. *Colonial British America*. Baltimore, 1984.
The Quest for Power. Chapel Hill, 1973.

Heimert, Alan. *Religion and the American Mind*. Cambridge, Mass., 1966.

Jones, Rufus. *The Quakers in the American Colonies*. New York, 1966.

Kupperman, Karen O. *Settling with the Indians*. Totawa, N. J., 1980.

Lemay, J. A. Leo. *The American Dream of Captain John Smith*. Charlottesville, 1991.

Louis, Jeanne-Henriette et Jean-Olivier Héron. *William Penn et les quakers*. Paris, 1990.

Lovejoy, David S. *The Glorious Revolution in America*. New York, 1972.
Religious Enthusiasm in the New World. Cambridge, Mass., 1985.

Martin, Jean-Pierre. *Le Puritanisme américain en Nouvelle-Angleterre, 1620-1693*. Bordeaux, 1989.

McCusker, John J. *Money and Exchange in Europe and America, 1600-1775*. Chapel Hill, 1978.

McCusker John J. et Russell R. Menard. *The Economy of British America, 1607-1789*. Chapel Hill, 1985.

Middleton, Richard. *Colonial America : A History, 1607-1760*. Cambridge, Mass., 1992.

Miller, Perry. *The New England Mind.* Boston, Mass., 1953.
   Orthodoxy in Massachusetts, 1630-1660. Cambridge, Mass., 1953.
   Errand into the Wilderness. Cambridge, Mass., 1956.

Morison, Samuel Eliot. *Builders of the Bay Colony.* Boston, Mass., 1930.

Morris, Richard B. *Government and Labor in Early America.* New York, 1946.

Pomfret, John E. *Founding the American Colonies, 1583-1660.* New York, 1970.

Robinson, W. Stitt. *The Southern Colonial Frontier 1607-1763.* Albuquerque, N. M., 1979.

Soderlund, Jean R. *Quakers and Slavery.* Princeton, 1985.

Thompson, Kathleen, Hilary Mac Austin, Darlene Clark Hine, éds. *The Face of Our Past : Images of Black Women from Colonial America to the Present.* Bloomington, Ind., 2000.

Webb, Stephen S. *The Covernors-General, the English Army and the Definition of the Empire (1569-1681).* Chapel Hill, 1979.
   1676 : The End of American Independence, Syracuse, N.Y., 1995.

Wells, Robert V. *The Population of the British Colonies in America before 1776.* Princeton, 1975.

Wright, Louis B. *The Cultural Life of the American Colonies.* New York, 1957.

LA RÉVOLUTION (1775-1783)

Bailyn, Bernard. *The Ideological Origins of the American Revolution.* Cambridge, Mass., 1967.

Berlin, Ira et Ronald Hoffman, eds. *Slavery and Freedom in the Age of the American Revolution.* Charlottesville, 1982.

Billias, George A. *The American Revolution, How Revolutionary Was It ?* Magnolia, Mass., 1965.

Bonwick, Colin. *The American Revolution.* Charlottesville, 1991.

Butler, John. *Becoming America : The Revolution Before 1776.* Cambridge, Mass., 2000.

Commager, Henry S. et Richard B. Morris, eds. *The Spirit of 'Seventy-Six,* 2 vols. New York, 1958.

Dull, Jonathan R. *A Diplomatic History of the American Revolution.* New Haven, Conn., 1985.

Fleming,Thomas. *Liberty ; The American Revolution.* New York, 1997.

Frey, Sylvia R. *Water from the Rock : Black Resistance in a Revolutionary Age.* Princeton, 1992.

Godechot, Jacques. *Les Révolutions, 1774-1789.* Paris, 1970, 2 éd.

Greene, Jack P., ed. *Colonies to Nation, 1763-1789.* New York, 1967.

Grinde, Donald A. *The Iroquois and the Founding of the American Nation.* San Francisco, 1977.

Hoffman, Ronald, John J. McCusker, Russell R. Menard & Peter Albert, eds. *The Economy of Early America : The Revolutionary Period, 1763-1790.* Charlottesville, 1987.

Hoffman, Ronald & Peter Albert, eds. *Women in the Age of the American Revolution*. Charlottesville, 1989.

Jameson, Franklin J. *The American Revolution Considered as a Social Movement*. Princeton, 1926.

Kaspi, André. *L'Indépendance américaine, 1763-1789*. Paris, 1976.

Kerber, Linda. *Women of the Republic : Intellect and Ideology in Revolutionary America*. Chapel Hill, 1980.

Lacorne, Denis. *L'Invention de la république : le modèle américain*. Paris, 1991.

Lanctot, Gustave. *Le Canada et la Révolution américaine, 1774-1783*. Montréal, 1965.

Maier, Pauline. *American Scripture : Making the Declaration of Independence*. New York, 1997.

Marienstras, Élise. *Les Mythes fondateurs de la nation américaine*. Paris, 1976.

Miller, John C. *Origins of the American Revolution*. Boston, 1943. *Triumph of Freedom, 1775-1783*. Boston, 1948.

Morgan, Edmund S. *The Birth of the Republic, 1763-89*. Chicago, 1956, 1977. *The Challenge of the American Revolution*. New York, 1976.

Morris, Richard B. *The American Revolution Reconsidered*. New York, 1967.

Nevins, Allan. *The American States During and After the Revolution*. New York, 1924.

Palmer, Robert R. *The Age of the Democratic Revolution : A Political History of Europe and America, 1760-1800*, 2 vols. Princeton, 1959-1964.

Tyler, Moses Coit. *The Literary History of the American Revolution*, 2 vols. New York, 1897.

Vincent, Bernard. *Thomas Paine ou la religion de la liberté*. Paris, 1987.

Vincent, Bernard et Élise Marienstras, éds. *Les Oubliés de la Révolution américaine*. Nancy, 1990.

Wood, Gordon S. *The Creation of the American Republic, 1776-1787*. The University of North Carolina Press, 1969 (*La Création de la République américaine*. Paris, 1992). *The Radicalism of the American Revolution*. New York, 1991.

Wright, Esmond. *The Impact of the American Revolution Abroad*. Washington, DC, 1976. (ed.) *Causes and Consequences of the American Revolution*. Chicago, 1966.

Young, Alfred F., ed. *The American Revolution, Explorations in the History of American Radicalism*. Northern Illinois University Press, 1975.

Zilversmit, Arthur. *The First Emancipation : The Abolition of Slavery in the North*. Chicago & London, 1967.

NAISSANCE DE LA RÉPUBLIQUE FÉDÉRALE
(1783-1828)

Adams, Henry. *A History of the United States of America During the Administrations of Thomas Jefferson and James Madison*, 9 vols. New York, 1891-1893.

Appleby, Joyce. *Capitalism and a New Social Order : The Republican Vision of the 1790s*. New York, 1984.

Beard, Charles. *An Economic Interpretation of the Constitution of the United States*. New York, 1913 [1935].

Brown, Ralph Adams. *The Presidency of John Adams*. Lawrence, Kansas, 1975.

Brown, Roger H. *The Republic in Peril : 1812*. New York, 1964.

Brown, Stuart G. *Revolution, Confederation, and Constitution*. New York, 1971.

Cunningham, Noble E., ed. *The Early Republic, 1789-1828*. Columbia, S.C., 1968.

Dangerfield, George. *The Era of Good Feelings*. New York, 1952.

Ferguson, Elmer J. *Confederation, Constitution, and the Early National Period*. Northbrook, Ill., 1975.

Gruver, Rebecca. *American Nationalism, 1783-1830*. New York, 1970.

Henretta, James. *The Evolution of American Society, 1700-1815*. Lexington, Mass., 1975.

Hoadley, John F. *Origins of American Political Parties, 1789-1803*. Lexington, Ky., 1986.

Hofstadter, Richard. *The Idea of a Party System*. Berkeley, 1969.

Howe, John R. *From the Revolution Through the Age of Jackson*. Trenton, N. J., 1973.

Koch, Adrienne. *Jefferson and Madison, The Great Collaboration*. New York, 1950.

Krout, John A. *The Completion of Independence, 1790-1830*. New York, 1944.

Lee, Susan P. et Peter Possel. *A New Economic View of American History*. New York, 1979.

Mayfield, John. *The New Nation, 1800-1845*, New York 1981.

McCoy, Drew R. *The Elusive Republic : Political Economy in Jeffersonian America*. Chapel Hill, 1980.

Miller, John C. *The Federalist Era, 1789-1801*. New York, 1960.
(ed.) *The Young Republic, 1800-1815*. New York, 1970.

Onuf, Peter. *The Origins of the Federal Republic*. Philadelphia, 1983.
(ed.) *Jeffersonian Legacies*. Charlottesville, 1993.

Portes, Jacques. *Les États-Unis de l'Indépendance à la première guerre mondiale*. Paris, 1991.

Smelser, Marshall. *The Democratic Republic, 1801-1815*. New York, 1968.

Stagg, J. C. A. *Mr. Madison's War : Politics, Diplomacy, and Warfare in the Early American Republic, 1783-1830*. Princeton, 1983.

Stourzh, Gerald. *Alexander Hamilton and the Idea of Republican Government*. Stanford, 1970.

Wiebe, Robert H. *The Opening of the American Society*. New York, 1984.

Wood, Gordon S., ed. *The Rising Glory of America, 1760-1820*. New York, 1971.

L'UNION EN PÉRIL : LA DÉMOCRATIE ET L'ESCLAVAGE (1829-1865)

Benson, Lee. *The Concept of Jacksonian Democracy as a Test Case*. Princeton, 1961.

Billington, Ray A. *Westward Expansion. A History of the American Frontier*. New York, 1967.

Boorstin, Daniel. *Histoire des Américains, vol. 2 : Naissance d'une nation*. Paris, 1981.

Davis, David Brion, ed. *Antebellum American Culture. An Interpretive Anthology*. Lexington, 1979.

Evans, Sarah. *Les Américaines : histoire des femmes aux États-Unis*. Paris, 1991.

Fogel, Robert W. *Without Consent or Contract : The Rise and Fall of American Slavery*. New York, 1989.

Fohlen, Claude. *Histoire de l'esclavage aux États-Unis*. Paris, 1998.

Franklin, John Hope. *De l'esclavage à la liberté. Histoire des Afro-Américains*. Paris, 1984.

Fraysse, Olivier. *Abraham Lincoln. La terre et le travail*. Paris, 1988.

Frazier, Donald S., éd. *The United States and Mexico at War : Nineteenth-Century Expansion and Conflict*. New York, 1998.

Genovese, Eugene D. *Roll, Jordan, Roll : The World the Slaves Made*. New York, 1972.

Heffer, Jean et François Weil, éds. *Chantiers d'histoire américaine*. Paris, 1994.

Horwitz, Morton J. *The Transformation of American Law, 1780-1860*. Cambridge, Mass., 1977.

Howe, David Walker. *The Political Culture of the American Whigs.* Chicago, 1979.

Kolchin, Peter. *Une institution très particulière : l'esclavage aux États-Unis, 1619-1877.* Paris, 1998.

Lee, Susan P. et Peter Passell. *A New Economic View of American History.* New York, 1979.

McPherson, James M. *La Guerre de Sécession (1861-1865).* Paris, 1991.

Nevins, Allan. *The Ordeal of the Union* 2 vols., *The Emergence of Lincoln* 2 vols., *The War for the Union* 2 vols. New York, 1947-1959.

North, Douglass, C. *The Economic Growth of the United States, 1790-1860.* New York, 1966.

Oates, Stephen B. *Lincoln.* Paris, 1984.

Pessen, Edward. *Jacksonian America, Society, Personality, and Politics.* 2e éd., Chicago, 1985.

Ransom, Roger L. *Conflict and Compromise : The Political Economy of Slavery, Emancipation and the American Civil War.* Cambridge, Mass., 1989.

Remini, Robert. *Andrew Jackson and the Course of American Freedom, 1822-1832.* New York, 1981.
Andrew Jackson and the Course of American Democracy, 1833-1845. New York, 1984.

Sellers, Charles. *The Market Revolution : Jacksonian America, 1815-1846.* New York, 1992.

Schlesinger, Arthur M., Jr. *The Age of Jackson.* Boston, 1945.

Taylor, George Rogers. *The Transportation Revolution, 1815-1860.* New York, 1951.

Temin, Peter. *The Jacksonian Economy.* New York, 1969.

Thomas, Emory M. *The Confederate Nation, 1861-1866.* New York, 1979.

Tocqueville, Alexis de. *De la démocratie en Amérique,* 2 vols. Paris, 1961.

Van Deusen, Glyndon G. *The Jacksonian Era, 1828-1848.* New York, 1959.

Vincent, Bernard. *Amistad : les mutins de la liberté.* Paris, 1998.
La destinée manifeste : Aspects idéologiques et politiques de l'expansionnisme américain au dix-neuvième siècle. Paris, 1999.
La destinée manifeste des États-Unis au dix-neuvième siècle : textes et documents. Paris, 1999.

Watson, Harry. *Liberty and Power : The Politics of Jacksonian America.* New York, 1990.

Weil, François. *Histoire de New York.* Paris, 2000.

L'AGE DORÉ, 1865-1896

Allswang, J. M. *Bosses Machines and Urban Voters.* Port Washington, 1977.

Barth, Gunther. *City People.* New York, 1980.

Beth, Loren P. *The Development of the American Constitution, 1877-1917.* New York, 1971.

Boorstin, Daniel (avec la participation de Jean Heffer). *Histoire des Américains 3 : l'expérience démocratique.* Paris, 1981.

Brody, David, ed. *The American Labor Movement.* New York, 1971.

Bryce, James. *The American Commonwealth.* Londres, 1890.

Campbell, Charles S. *The Transformation of American Foreign Relations, 1865-1900.* New York, 1976.

Canovan, Margaret. *Populism.* New York, 1981.

Debouzy, Marianne. *Le Capitalisme sauvage aux États-Unis, 1860-1900.* Paris, 1972.

Dobson, John M. *Politics in the Gilded Age.* New York, 1972.

Foner, Eric. *Reconstruction : The Unfinished Revolution.* New York, 1988.

Garraty, John. *The New Commonwealth, 1877-1890.* New York, 1968.

Goodwyn, Lawrence. *Democratic Promise. The Populist Movement in America.* New York, 1976.

Heffer, Jean. *Le Port de New York, 1860-1900.* Paris, 1986.

Higgs, Robert. *The Transformation of the American Economy, 1865-1914.* New York, 1971.

Keller, Morton. *Affairs of State.* Cambridge, Mass., 1977.

Kirkland, Edward C. *Industry Comes of Age : Business, Labor and Public Policy, 1860-1897.* Chicago, 1967.

Logan, Rayford W. *The Negro in American Life and Thoughts. The Nadir, 1877-1901.* New York, 1954.

Morgan, Wayne H., ed. *The Gilded Age.* Syracuse, N. Y., 1970.

Nouailhat, Yves-Henri. *Évolution économique des États-Unis du milieu du XIXᵉ siècle à 1914.* Paris, 1982.

Perkins, Dexter. *A History of the Monroe Doctrine.* Boston, 1951.

Pollack, Norman. *The Populist Response to Industrial America.* New York, 1962.

Porter, Glenn. *The Rise of Big Business, 1860-1910.* New York, 1973.

Schiesl, Martin J. *The Politics of Efficiency : Municipal Administration and Reform in America, 1880-1920.* Berkeley, 1977.

Shannon, Fred. *The Farmer's Last Frontier : Agriculture, 1860-1897.* New York, 1968.

Stampp, Kenneth M. *The Era of Reconstruction, 1867-1877.* New York, 1964.

Stover, J. F. *American Railroads.* Chicago, 1961.

Trachtenberg, Allan. *The Incorporation of America : Culture and Society in the Gilded Age.* New York, 1982.

Turner, J. F. *The Frontier in American History.* New York, 1921 (trad. française, Paris, 1963).

Vann Woodward, C. *The Strange Career of Jim Crow.* New York, 1966.

Vatter, Harold G. *The Drive to Industrial Maturity : The U.S. Economy.* Westport. Conn., 1975.

Ware, Norman. *The Labor Movement in the United States, 1860-1895.* New York, 1964.

Weil, François. *Naissance de l'Amérique urbaine.* Paris, 1992.

Zunz, Olivier. *Naissance de l'Amérique industrielle : Détroit, 1880-1920.* Paris, 1983.

L'AMÉRIQUE, PUISSANCE MONDIALE
(1897-1929)

Adler, Selig. *The Uncertain Giant, 1921-1941 : American Foreign Policy between the Wars.* New York, 1969.

Bertier de Sauvigny, Guillaume (de). *Les Titans du capitalisme américain.* Paris, 1992.

Carlier, Claude et Guy Pedroncini, éds. *Les États-Unis dans la Première Guerre mondiale.* Paris, 1992.

Carosso, Vincent P. *The Morgans : Private International Bankers, 1854-1913.* Cambridge, Mass., 1987.

Cazemajou, Jean. *L'Immigration européenne aux Etats-Unis (1880-1910).* Bordeaux, 1986.
American Expansionism and Foreign Policy (1885-1908). Paris, 1988.

Chafe, William H. *The American Woman : Her Changing Social. Economic and Political Roles, 1920-1970.* New York, 1972.

Chandler, Jr., Alfred. *The Visible Hand : The Managerial Revolution in American Business.* Cambridge, Mass., 1977.

Cochran, Thomas. *The American Business System, 1900-1955 : A Historical Perspective.* Harvard University Press, 1957.

Coffman, Edward M. *The War to End All Wars : The American Military Experience in World War I.* New York, 1968.

Cooper, John Milton, Jr. *The Warrier and the Priest : Woodrow Wilson and Theodore Roosevelt.* Cambridge, Mass., 1983.

Creagh, Ronald. *Sacco et Vanzetti.* Paris, 1984.

Duroselle, Jean-Baptiste. *De Wilson à Roosevelt. La politique extérieure des États-Unis, 1913-1945.* Paris, 1960.

Faulkner, Harold U. *The Decline of Laissez-Faire, 1897-1917*. New York, 1968.
The Quest of Social Justice, 1898-1914. Chicago, 1971.

Fohlen, Claude. *La Société américaine, 1865-1970*. Paris, 1973.

Handlin, Oscar. *The Uprooted : The Epic Story of the Great Migrations that Made the American People*. Boston, 1951.

Hofstadter, Richard. *The Progressive Movement, 1900-1915*. Englewood Cliffs, N. J., 1963.
Bâtisseurs d'une tradition. Paris, 1966.
The Age of Reform. From Bryan to F.D.R. New York, 1955.

Jones, Maldwyn Allen. *American Immigration*. Chicago, 1960.

Kaspi, André. *Le Temps des Américains. Le concours américain à la France, 1917-1918*. Paris, 1976.
La Vie quotidienne aux États-Unis au temps de la prospérité. Paris, 1982.

La Feber, Walter. *The American Search for Opportunity, 1865-1913*. Cambridge, Mass., 1993.

Leuchtenburg, William F. *The Perils of Prosperity, 1914-1932*. Chicago,   .

Link, Arthur S. *Wilson*. Princeton, 1956-1965 (5 vols. parus).

Link, Arthur S. et William B. Calton. *American Epoch : A History of the United States since the 1890's*, 3 vols. New York, 1974.
Woodrow Wilson and the Progressive Era, 1910-1917. New York, 1963.

Lipmann, Éric. *L'Amérique de George Gershwin*. Paris, 1983.

May, Henry F. *The End of American Innocence : A study of the First Years of Our Time, 1912-1917*. New York, 1964.

Mayer, Arno. *Politics and Diplomacy of Peacemaking. Containment and Counterrevolution at Versailles, 1918-1910*. New York, 1969.

Mowry, George et Blaine A. Brownell. *The Urban Nation, 1920-1980*. New York, 1980.

Mowry, George. *The Era of Theodore Roosevelt and the Birth of Modern America, 1900-1912*. New York, 1962.

Nevins, Allan et F. E. Hill. *Ford : The Times, the Man, and the Company*. New York, 1954.

Nordholt, Jan Willem Schulte. *Woodrow Wilson : A Life for World Peace*. Berkeley, 1991.

Nouailhat, Yves-Henri. *Les Etats-Unis de 1898 à 1933. L'avènement d'une puissance mondiale*. Paris, 1973.
France et États-Unis, août 1914-avril 1917. Paris, 1979.
Évolution économique des États-Unis du milieu du XIXe siècle à 1914. Paris, 1982.

Parish, Michael E. *Anxious Decades : America in Prosperity and Depression, 1920-1941*. New York, 1992.

Portes, Jacques. *Une fascination réticente. Les États-Unis dans l'opinion française, 1870-1914.* Nancy, 1990.
De la scène à l'écran : naissance de la culture de masse aux États-Unis. Paris, 1997.

Potter, Jim. *The American Economy Between the World Wars.* New York, 1974.

Ricard, Serge. *The Twenties* (Actes du GRENA). Aix-en-Provence, 1982.

Theodore Roosevelt : principes et pratique d'une politique étrangère. Aix-en-Provence, 1991.

Rouge, Robert, éd. *Les Immigrations européennes aux États-Unis (1880-1910).* Paris, 1987.
Les Années vingt aux États-Unis. Continuités et ruptures. Paris, 1994.

Royot, Daniel. *Les États-Unis à l'époque de la modernité. Mirages, crises et mutations, de 1918 à 1928.* Paris, 1993.

Soule, George. *Prosperity Decade : From War to Depression, 1917-1929.* New York, 1968.

Weil, François. *Naissance de l'Amérique urbaine, 1820-1920.* Paris, 1992.

DE LA CRISE A LA VICTOIRE (1929-1945)

Allswang John M. *The New Deal and American Politics : A Study in Political Change.* New York, 1978.

Alperovitz, Gar. *Atomic Diplomacy : Hiroshima and Potsdam.* New York, 1965.

Artaud, Denise. *Le New Deal.* Paris, 1971.

Beard, Charles A. *American Foreign Policy in the Making, 1932-1940.* Hamden, Conn., 1968.
President Roosevelt and the Coming of the War, 1941. Hamden, Conn., 1968.

Bernstein, Irving. *Turbulent Years : A History of the American Worker, 1933-1941.* Boston, 1970.

Biles, Roger. *The South and the New Deal.* Lexington, Ky., 1994.

Brinkley, Alan. *The End of Reform : New Deal Liberalism in Recession and War.* New York, 1995.

Blum, John M. *V was for Victory : Politics and American Culture during World War II.* New York, 1976.
From the Morgenthau Diaries, 3 vols. Boston, 1959-1965.

Boris, Georges. *La Révolution Roosevelt.* Paris, 1934.

Buchanan, A. Russell. *The United States and World War II,* 2 vols. New York, 1964.

Burns, James MacGregor. *Roosevelt. The Lion and the Fox.* New York, 1956.
Roosevelt : The Soldier of Freedom. New York, 1970.

Chandler, Lester P. *America's Greatest Depression, 1929-1941.* New York, 1970.

Clemens, Diane Shaver. *Yalta.* New York, 1970.

Cole, Wayne S. *Roosevelt and the Isolationists, 1932-1945.* Lincoln, Neb., 1983.

Conkin, Paul K. *The New Deal.* New York, 1967.

Dalfiume, Richard M. *Desegregation of the U.S. Armed Forces : Fighting on Two Fronts, 1939-1945.* Columbia, Mo., 1969.

Dallek, Robert. *Franklin D. Roosevelt and American Foreign Policy, 1932-1945.* New York, 1979.

Daniels, Roger. *The Decision to relocate the Japanese Americans.* Philadelphia, 1975.

Divine, Robert A. *The Illusion of Neutrality.* Chicago, 1968.

Duroselle, Jean-Baptiste. *De Wilson à Roosevelt. Politique extérieure des États-Unis.* Paris, 1960.

Fohlen, Claude. *L'Amérique de Roosevelt.* Paris, 1982.

Franck Louis R. *L'Expérience Roosevelt et le milieu social américain.* Paris, 1937.
Histoire économique et sociale des États-Unis de 1919 à 1949. Paris, 1951.

Freidel Frank B. *Franklin D. Roosevelt,* 4 vols. Boston, 1952-1973.
Franklin D. Roosevelt. A Rendez-Vous with Destiny. Boston, 1990.

Friedman, Milton et A. J. Schwartz. *The Great Contraction, 1929-1933.* Princeton, 1966.

Galbraith, J. Kenneth. *The Great Crash, 1929.* Boston, 1955.

Garraty, John A. *Unemployment in History.* New York, 1978.

Gordon, Colin. *New Deals : Business, Labor and Politics in America, 1920-1935.* New York, 1994.

Guillain, Robert. *Le Japon en guerre : de Pearl Harbor à Hiroshima.* Paris, 1979.

Hart, Basil H. Liddel. *History of the Second World War.* Londres, 1970.

Historical Statistics of the United States. Colonial Times to 1970, 2 vols. Washington, 1975.

Kaspi, André. *Franklin D. Roosevelt.* Paris, 1988.

Kimball, Warren F. *The Most Unsordid Act. Lend Lease, 1939-1941.* Baltimore, 1969.
The Juggler. Franklin Roosevelt as Wartime Statesman. Princeton, 1991.

Kindleberger, Charles P. *The World in Depression, 1929-1939.* Berkeley and Los Angeles, 1973.

Langer William L. and S. Everett Gleason. *The Challenge to Isolation, 1937-1940.* New York, 1952.
The Undeclared War, 1940-1941. New York, 1953.

Latreille, André. *La Seconde Guerre mondiale, 1939-1945, essai d'analyse.* Paris, 1965.

Leuchtenburg, William E. *Franklin D. Roosevelt and the New Deal, 1932-1940.* New York, 1963.
FDR Years. On Roosevelt and his Legacy. New York, 1995.

The Perils of Prosperity, 1914-1932. Chicago, 1993 (nouvelle édition).

Lubove, Roy. *The Struggle for Social Security.* Cambridge, Mass., 1968.

Maney, Patrick, Jr. *The Roosevelt Presence. A Biography of Franklin Delano Roosevelt.* New York, 1992.

Marjolin, Robert. *L'Évolution du syndicalisme américain aux États-Unis de Washington a Roosevelt.* Paris, 1935.

Nelson, Donald. *Arsenal of Democracy. The Story of American War Production.* New York, 1946.

Néré, Jacques. *La Crise de 1929.* Paris, 1968.

Parish, Michael E. *Anxious Decades : America in Prosperity and Depression, 1920-1941.* New York, 1992.

Perrett, Geoffrey. *Days of Sadness, Years of Triumph ; The American People, 1939-1945.* New York, 1973.

Polenberg, Richard. *Reorganizing Roosevelt's Government : The Controversy over Executive Reorganization, 1936-1939.* Cambridge, Mass., 1966.
War and Society : The United States, 1941-1945. Philadelphie, 1972.
America at War. The Home Front, 1941-1945. Englewood Cliffs, N. J., 1968.

Rauch, Basil. *Roosevelt. From Munich to Pearl Harbor : A Study in the Creation of a Foreign Policy.* New York, 1950.
The History of the New Deal, 1933-1938. New York, 1944.

Robbins, Lionel. *The Great Depression.* London, 1934.

Rothbard, Morton N. *America's Great Depression.* Los Angeles, 1972.

Schlesinger, Arthur M. Jr. *The Age of Roosevelt*, 3 vols. Boston, 1957-1960.

Shannon, David A., *The Great Depression.* Englewood Cliffs, N. J., 1960.

Sherwin, Martin J. *A World Destroyed : The Atomic Bomb and the Great Alliance.* New York, 1975.

Sitkoff, Harvard. *Fifty Years Later. The New Deal Evaluated.* New York, 1985.

Spector, Ronald H. *La Guerre du Pacifique, 1941-1945.* Paris, 1987.

Sullivan, Patricia. *Days of Hope : Race and Democracy in the New Deal Era.* Chapel Hill, 1996.

Tansill, Charles C. *Back Door to War : The Roosevelt Foreign Policy, 1933-1941.* Chicago, 1952.

Temin, Peter. *Did Monetary Forces Cause the Great Depression ?* New York, 1976.

Van Der Wee, Herman, ed. *The Great Depression Revisited*. The Hague, 1972.

Van Minnen, Cornelis et John F. Sears, eds. *FDR and his Contemporaries. Foreign Perceptions of an American President*. New York, 1992.

Winkler, Allan M. *The Politics of Propaganda : The Office of War Information, 1942-1945*. New Haven, Conn., 1978.

Wright, Gordon. *The Ordeal of Total War, 1939-1945*. New York, 1968.

DE TRUMAN A EISENHOWER (1945-1960)

Alexander, Charles C. *Holding the Line : The Eisenhower Era, 1952-1961*. Bloomington, Indiana, 1975.

Allner, Michel, et Larry Portis. *La politique étrangère des États-Unis depuis 1945*, Paris, 2000.

Ambrose, Stephen A. *Eisenhower*. Paris, 1986.
Rise to Globalism. 1938-1970. New York, 1971.

Aron, Raymond. *République impériale : les Etats-Unis dans le monde. 1945-1972*. Paris, 1973.

Burk, Robert Fredrick. *The Eisenhower Administration and Black Civil Rights*. Knoxville, Tennessee, 1984.

Caute, David. *The Great Fear : The Anti-Communist Purge under Truman and Eisenhower*. New York, 1978.

Ertel, Rachel et al. *En marge : les minorités aux États-Unis*. Paris, 1976.

Ferrell, Robert H. *Harry Truman and the Crisis Presidency*. New York, 1973.
éd. *Harry Truman and the Bomb : A Documentary History*. Wyoming, 1996.

Fontaine, André. *Histoire de la guerre froide*, 2 vols. Paris, 1965-1967.

Fried, Albert, éd. *McCarthyism : The Great American Red Scare : A Documentary History*. New York, 1996.

Gaddis, John L. *The United States and the Origins of the Cold War*. New York, 1972.
Strategies of Containment : A critical Appraisal of Postwar American National Security Policy. New York, 1982.

Galbraith, John K. *L'Ère de l'opulence*. Paris, 1962 (éd. orig. 1958).

Goldman, Eric F. *The Crucial Decade and After, 1945-1960*. New York, 1960.

Greenstein, Fred I. *The Hidden-Hand Presidency : Eisenhower as Leader*. New York, 1982.

Guérin, Daniel. *Le Mouvement ouvrier aux États-Unis de 1866 à nos jours*. Paris, 1976.

Halberstam, David. *The Fifties*. New York, 1993.

Hamby, Alonso L. *Beyond the New Deal : Harry S. Truman and American Liberalism*. New York, 1973.

Hansen, Alvin H. *The Postwar American Economy : Performances and Problems*. New York, 1964.

Harrington, Michael E. *L'Autre Amérique : la pauvreté aux États-Unis*. Paris, 1967 (éd. orig. 1962).

Hastings, Max. *The Korean War*. New York, 1987.

Heffer, Jean. *Les États-Unis de Truman à Bush*. Paris, 1990.

Hoffmann, Stanley. *Gulliver empêtré : essai sur la politique étrangère des États-Unis*. Paris, 1971.

Immerman, Richard H. *The CIA in Guatemala : The Foreign Policy of Intervention*. Austin, Texas, 1982.

Kennan, George F. *Memoirs*. New York, 1969.

Kluger, Richard. *Simple Justice : The History of Brown vs. Board of Education*. New York, 1975.

Kolko, Gabriel. *Wealth and Power in America : An Analysis of Social Class and Income Distribution*. New York, 1962.

Kolko, Gabriel et Joyce. *The Limits of Power : The World and U.S. Foreign Policy. 1945-1954*. New York, 1972.

Lawson, Steven F. *Black Ballots : Voting Rights in the South. 1944-1969*. New York, 1976.

Lens, Sidney. *The Military-Industrial Complex*. Philadelphie, 1970.

Leuchtenburg, William E. *A Troubled Feast : American Society since 1945*. Boston, 1973.

Lundberg, Ferdinand. *The Rich and the Super-Rich : A Study in the Power of Money Today*. New York, 1968.

Manchester, William. *La Puissance et le rêve : le dialogue avec l'univers*, 2 vols. Paris, 1976.

Matusow, Allen J. *Farm Politics and Policies in the Truman Years*. Harvard University Press, 1967.

McCoy, Donald R. *The Presidency of Harry S. Truman*. Lawrence, Kansas, 1984.

McCullough, David. *Truman*. New York, 1992.

Melandri, Pierre. *La Politique extérieure des États-Unis de 1945 à nos jours*. Paris, 1982.

Melandri, Pierre et Jacques Portes. *Histoire intérieure des États-Unis au XXᵉ siècle*. Paris, 1991.

Mills, C. Wright. *Les Cols blancs : essai sur les classes moyennes américaines*. Paris, 1966 (éd. orig. 1951).
L'Élite du pouvoir. Paris, 1969 (éd. orig. 1956).

Morgan, Iwan W. *Eisenhower versus « the Spenders »* : *The Eisenhower Administration. the Democrats and the Budget. 1953-1960*. New York, 1990.

Pach, Chester J., Jr. et Elmo Richardson. *The Presidency of Dwight D. Eisenhower*. Lawrence, Kansas, 1991.

Polenberg, Richard. *One Nation Divisible : Class, Race and Ethnicity in the United States since 1938*. New York, 1980.

Powalski, Ronald E. *The Cold War : The United States and the Soviet Union, 1917-1991*. New York, 1997.

Prados, John. *Presidents' Secret Wars : CIA and Pentagon Covert Operations since World War II*. New York, 1986.

Reichard, Gary W. *Politics as Usual : The Age of Truman and Eisenhower*. Arlington Heights (Ill.), 1988.

Schrecker, Ellen. *The Age of McCarthyism*. Boston, 1994.

Schwartz, Bernard et Stephen Lesker. *Inside the Warren Court, 1953-1969*. Garden City, N. J., 1983.

Sobel, Robert. *The Age of Giant Corporations : A Microeconomic History of American Business. 1914-1970*. Westport, Conn., 1972.

Stein, Herbert. *Presidential Economics : The Making of Economic Policy from Roosevelt to Reagan*. New York, 1984.

Terkel, Studs. *Working*. New York, 1972.

Toinet, Marie-France. *Le MacCarthysme : la chasse aux sorcières*, Bruxelles, 1990.

Wala, Michael, éd. *The Marshall Plan*. Oxford, 1993.

Whyte, William H. *The Organization Man*. New York, 1956.

Williams, William A. *The Tragedy of American Diplomacy*. New York, 1962.

Yergin, Daniel. *Shattered Peace : The Origins of the Cold War and the National Security State*. Boston, 1972.

Zeiger, Robert. *American Workers. American Unions. 1920-1985*. Baltimore, 1986.

LES ANNÉES SOIXANTE

Albert, Judith C. et Stewart E. *The Sixties Papers*. New York, 1984.

Calas, Nicolas & Elena. *Icons and Images of the Sixties*. New York, 1971.

Cantril, Albert H. et Charles W. Roll, Jr. *The Hopes and Fears of the American People*. New York, 1971 (d'après sondages).

Chase, Stuart. *American Credos*. New York, 1962 (d'après sondages).

Cook, Alistair. *Talk About America* et *America*. New York, 1968 et 1973.

Ephron, Nora. *Wallflower at the Orgy.* New York, 1971.

Freeman, Jo, ed. *Social Movements of the Sixties and Seventies.* New York, 1983.

Hargreaves, Robert. *Superpower : A Portrait of America in the 1970s.* New York, 1973.,

Hayes, Harold, ed. *Smiling Through the Apocalypse : Esquire's History of the Sixties.* New York, 1970.

Hodgson, Godfrey. *America in Our Time : From World War II to Nixon.* New York, 1976.

Horowitz, Irving L. *Ideology and Utopia in the United States, 1956-1976.* New York, 1977.

Howard, Gerald, ed. *The Sixties.* New York, 1982.

Javna, John et Gordon. *60s !* New York, 1983.

Joseph, Peter. *Good Times : An Oral History of America in the Nineteen Sixties.* New York, 1973.

Kahn, Ely J. *The American People.* New York, 1974.

Kempf, Robert. *Les États-Unis en mouvement.* Paris, 1972.

Keylin, Arleen et Laurie Barnett. *The Sixties as Reported in the New York Times.* New York, 1980.

Kopkind, Andrew et James Ridgeway, eds. *Decade of Crisis : America in the Sixties.* New York, 1972.

Lora, Ronald, ed. *America in the '60s : Cultural Authorities in Transition.* New York, 1974.

Lusseyran, Jacques. *Douce, trop douce Amérique.* Paris, 1968.

Maillard, Jacques et Yves Lequin. *Le Monde nord-américain.* Paris, 1970.

Manchester, William R. *The Glory and the Dream : A Narrative History of America, 1932-1972.* Boston, 1974.

Maynard, Joyce. *Looking Back : A Chronicle of Growing Up Old in the Sixties.* Garden City, N. Y., 1973.

Morgenthau, Hans J. *Truth and Power, Essays of a Decade, 1960-1970.* New York, 1970.

Morin, Edgar. *Journal de Californie.* Paris, 1970.

Morris, Charles. *A Time of Passion : America 1960-1980.* New York, 1984.

O'Neill, William L. *Coming Apart : An Informal History of America in the 60s.* New York, 1971.

Obst, Lynda, ed. *The Sixties : The Decade Remembered by the People Who Liked it Then.* San Francisco, 1977.

Parker, Thomas et Douglas Nelson. *Day by Day. The Sixties,* 2 vols. New York, 1983.

Portes, Jacques. *Les Américains et la guerre du Vietnam.* Bruxelles, 1993.

Poujol, Jacques et Michel Oriano. *Initiation à la civilisation américaine.* Paris, 1969.

RANAM. *USA, 1960-1977.* Université de Strasbourg. **RANAM** n° 10, 1977.

Rigal-Cellard, Bernadette. *La Guerre du Vietnam et la société américaine.* Bordeaux, 1991.

Rougé, Jean-Robert, éd. *L'Opinion américaine devant la guerre du Vietnam.* Paris, 1991.

Sann, Paul. *The Angry Decade : The Sixties.* New York, 1979.

Sayres, Sohnya et al, eds. *The Sixties : Without Apology.* Minneapolis, 1984.

Segal, Ronald. *America's Receding Future : The Collision of Creed and Reality.* Londres, 1968.

Sundquist, James L. *Politics and Policy : The Eisenhower, Kennedy and Johnson Years.* Washington. DC., 1968.

Watts, William et Lloyd Free, eds. *State of the Nation.* New York, 1972 (d'après sondages).

Weber, Ronald, ed. *America in Change : Reflections on the 60s and 70s.* Notre Dame, Ind., 1973.

Weiner, Rex et Deanne Stillman. *Woodstock Census : The Nationwide Survey of the Sixties Generation.* New York, 1979.

White, Theodore H. *America in Search of Itself : The Making of the President, 1956-1980.* New York, 1982.

Wofford, Harris. *Of Kennedys and Kings : Making Sense of the Sixties.* New York, 1980.

Yankelovich, Daniel. *New Rules : Searching for Self-Fulfillment in a World Turned Upside Down.* New York, 1981.

UNE CRISE D'IDENTITÉ ? (1974-1993)

Beschloss, Michael et Strobe Talbott. *At the Highest Levels : The Inside Story of the End of the Cold War.* Boston, 1994.

Body-Gendrot Sophie, Laura Maslot-Armand et Danièle Stewart. *Les Noirs américains aujourd'hui.* Paris, 1984.

Bush, George (avec Brent Scowtoft). *À la Maison-Blanche : 4 ans pour changer le monde.* Paris, 1999.

Cannon, Lou. *President Reagan : The Role of a Lifetime.* New York, 1991.

Carter, Jimmy. *Mémoires d'un président.* Paris, 1982.

Cohen, Warren I. *America in the Age of Soviet Power, 1945-1991.* New York, 1993.

Davies, Gareth. *From Opportunity to Entitlement : The Transformation and Decline of Great Society Liberalism.* Kansas University Press, 1996.

Edsall, Thomas Byrne (avec Mary D. Edsall). *Chain Reaction : The Impact of Race, Rights and Taxes on American Politics.* New York, 1991.

Fawcett, Edmund et Tony Thomas. *America and the Americans.* New York, 1982.

Friedman, Milton et Rose Friedman. *La Tyrannie du statu quo.* Paris, 1984.

Garthoff, Raymond. *Détente and Confrontation : American-Soviet Relations from Nixon to Reagan.* Washington, DC, 1985.

Glad, Betty. *Jimmy Carter : In Search of the Great White House.* New York, 1980.

Greene, John Robert. *The Presidency of Gerald R. Ford.* Lawrence, Kansas, 1995.

Hargrove, Erwin C. *Jimmy Carter as President : Leadership and the Politics of the Public Good.* Baton Rouge, Louisiana, 1988.

Harris, Louis. *Inside America.* New York, 1987.

Hoffmann, Stanley. *Le Dilemme américain.* Paris, 1982.

Issel, William. *Social Change in the United States, 1945-1983.* New York, 1985.

Jaynes, Gerald Davis et Robin M. Williams, Jr. *A Common Destiny : Blacks and American Society.* National Research Council, 1989.

Kaspi, André, Claude-Jean Bertrand et Jean Heffer. *La Civilisation américaine.* Paris, PUF, dernière édition (1re éd. 1979).

Kaufman, Burton I. *The Presidency of James Earl Carter, Jr.* Lawrence, Kansas, 1995.

Kissinger, Henry. *Years of Renewal.* New York, 1999.

Lassale, Jean-Pierre. *La Démocratie américaine. Anatomie d'un marché politique.* Paris, 1991.

Melandri, Pierre. *Reagan. Une biographie totale.* Paris, 1988.

Morris, Edmund. *Dutch. A Memoir of Ronald Reagan.* New York, 1999.

Palmer, John L., ed. *Perspectives on the Reagan Years.* Washington, DC, 1986.

Parmet, Herbert S. *George Bush. The Life of a Lone Star Yankee.* New York, 1997.

Peters, Thomas J. et Robert N. Waterman. *In Search of Excellence : Lessons from America's Best Run Companies.* New York, 1982.

Phillips, Kevin. *The Politics of Rich and Poor : Wealth and the American Electorate in the Reagan Aftermath.* New York, 1990.

Reagan, Ronald. *Une vie américaine. Mémoires.* Paris, 1990.

Rivière, Jean. *Les États-Unis à l'horizon de la troisième révolution industrielle.* Presses Universitaires de Nancy, 1986.

Schlesinger, Arthur M., Jr. *The Disuniting of America. Reflections on a Multicultural Society.* New York, 1991.

Schwarz, Herman, ed. *The Burger Years : Right and Wrong in the Supreme Court, 1969-1986.* New York, 1987.

Schwarz, John E. *America's Hidden Success : A Reassessment of Public Policy from Kennedy to Reagan.* New York, 1983.

Smith, Gaddis. *Morality, Reason and Power : American Diplomacy in the Carter Years.* New York, 1986.

Smith, Hedrick. *The Power Game : How Washington Works.* New York, 1988.

Stein, Herbert. *Presidential Economics : The Making of Economic Policy from Roosevelt to Reagan.* New York, 1984.

Toinet, Marie-France. *Le Système politique des États-Unis.* Paris, 1987.
La Présidence américaine. Paris, 1991.

Toinet, Marie-France, Hubert Kempf, Denis Lacorne. *Le Libéralisme à l'américaine. L'État et le marché.* Paris, 1989.

Wattenberg, Ben. *The First Universal Nation : Leading Indicators and Ideas about the Surge of America in the 1990's.* New York, 1991.

« Religion et politique aux États-Unis », numéro spécial de *Vingtième Siècle. Revue d'histoire.* n° 19. juillet-septembre 1990.

« Économie et pouvoir aux États-Unis », numéro spécial de la *Revue française d'études américaines.* n° 21-22. novembre 1984.

« La classe moyenne écartelée », numéro spécial de la *Revue française d'Études américaines.* n° 47, février 1991.

« Le reaganisme à l'œuvre », numéro spécial de la *Revue française de Science politique.* Vol. 39, n° 4. août 1989.

UNE « RENAISSANCE » AMÉRICAINE ? (1993-2000)

Andréani, Jacques. *L'Amérique et nous.* Paris, 2000.

Brzezinski, Zbigniew. *Le grand échiquier : l'Amérique et le reste du monde.* Paris, 1997.

Burns, James MacGregor et Georgia J. Sorenson. *Dead Center : Clinton-Gore Leadership and the Perils of Moderation.* New-York, 1999.

Campbell, Colin et Bert A. Rockman. *The Clinton Presidency : First Appraisals*, Chatham House Publishers, 1996

Drew, Elizabeth. *On the Edge : The Clinton Presidency.* New York, 1995.
Showdown : The Struggle Between the Gingrich Congress and the Clinton White House. New York, 1996.

Hyland, William G. *Clinton's World : Remaking American Foreign Policy*, Westport, 1999.

Huntington, Samuel. *Le choc des civilisations,* Paris, 1997.

Kaspi, André. *Mal connus, mal aimés, mal compris : les États-Unis d'aujourd'hui*, Paris, 1999.

Melandri, Pierre et Justin Vaïsse, *L'empire du milieu : les États-Unis et le monde après la guerre froide*, Paris, 2001.

Putnam, Robert D. *Bowling Alone : The Collapse and Revival of the American Community*. New York, 2000.

Reimers, David M. *Unwelcome Strangers : American Identity and the Turn Against Immigration*. New York, 1998.

Walker, Martin. *Clinton : The President They Deserve*. New York, 1996.

Zupnick, Elliot. *Visions and Revisions : The United States in the Global Economy*. Boulder, Colorado, 1999.
Pax Americana : de l'hégémonie au leadership économique, textes réunis et présentés par Martine Azuélos, Paris, Presses de la Sorbonne nouvelle, 1999.

SENA (Société d'études nord-américaines), *Le Welfare State en Amérique du Nord*, textes réunis et présentés par Pierre Melandri, Paris, L'Harmattan, 2001.

INDEX

TABLE DES MATIÈRES

SCIENCES

Le Temps, le Désir et l'Horreur.
Le Territoire du vide. L'Occident et
le désir du rivage, 1750-1840.
Le Village des cannibales.

DAUMARD
Les Bourgeois et la bourgeoisie en
France depuis 1815.

DAVID
La Romanisation de l'Italie.

DIEHL
La République de Venise.

DUBY
L'Économie rurale et la vie des
campagnes dans l'Occident médiéval.
L'Europe au Moyen Âge.
Mâle Moyen Âge. De l'amour et autres
essais.
Saint Bernard. L'art cistercien.
La Société chevaleresque. Hommes et
structures du Moyen Âge I.
Seigneurs et paysans. Hommes et
structures du Moyen Âge II.

ELIAS
La Société de cour.

FAIRBANK
La Grande Révolution chinoise.

FERRO
La Révolution russe de 1917.

FINLEY
L'Invention de la politique.
Les Premiers Temps de la Grèce.

FOISIL
Le Sire de Gouberville.

FURET
L'Atelier de l'histoire.

FURET, OZOUF
Dictionnaire critique de la Révolution
française (4 vol.).

FUSTEL DE COULANGES
La Cité antique.

GEARY
Naissance de la France. Le monde
mérovingien.

GEREMEK
Les Fils de Caïn.
Les Marginaux parisiens aux XIVᵉ et
XVᵉ siècles.

GERNET
Anthropologie de la Grèce antique.
Droit et institutions en Grèce antique.

GINZBURG
Les Batailles nocturnes.

GOMEZ
L'Invention de l'Amérique.

GOUBERT
100 000 provinciaux au XVIIᵉ siècle.

GRIMAL
La Civilisation romaine.
Virgile ou la seconde naissance de
Rome.

GROSSER
Affaires extérieures. La politique de la
France, 1944-1989.
Le Crime et la mémoire.

HELLER
Histoire de la Russie.

HILDESHEIMER
Du Siècle d'or au Grand Siècle. L'État en
France et en Espagne, XVIᵉ-XVIIᵉ siècle.
(Champs-Université)

HUGONIOT
Rome en Afrique. De la chute de Carthage
aux débuts de la conquête arabe.
(Champs-Université)

ILIFFE
Les Africains. Histoire d'un continent.

JOURDAN
L'Empire de Napoléon. (Champs-Université)

KRAMER
L'Histoire commence à Sumer.

LACOSTE
La Légende de la terre.

LALOUETTE
Au royaume d'Égypte. Histoire de
l'Égypte pharaonique I.
Thèbes. Histoire de l'Égypte
pharaonique II.
L'Empire des Ramsès. Histoire de
l'Égypte pharaonique III.
L'Art figuratif dans l'Égypte
pharaonique.
Contes et Récits de l'Égypte ancienne.

LANE
Venise, une république maritime.

LAROUI
Islam et histoire.

LE GOFF
La Civilisation de l'Occident médiéval.

LEROY
L'Aventure séfarade. De la péninsule
ibérique à la Diaspora.

LE ROY LADURIE
Histoire du climat depuis l'an mil.
Les Paysans de Languedoc.

LEWIS
Les Arabes dans l'histoire.
Juifs en terre d'Islam.

LOMBARD
L'Islam dans sa première grandeur.

LUPO
Histoire de la Mafia.

MAHN-LOT
La Découverte de l'Amérique.

MARRUS
L'Holocauste dans l'histoire.

MAYER
La Persistance de l'Ancien Régime.

BIOGRAPHIES

BOUJUT
Wim Wenders.

DEBRÉ
Pasteur.

EISNER
Fritz Lang.

ÉRIBON
Michel Foucault.

FRANCK
Einstein, sa vie, son temps.

HURWIC
Pierre Curie.

LEPAPE
Diderot.

LESCOURRET
Emmanuel Levinas.

LOCHAK
Louis de Broglie. Un prince de la science.

MERLEAU-PONTY
Einstein.

PENROSE
Picasso.

SAUVERZAC
Françoise Dolto.

SCHIFANO
Luchino Visconti.

STEINER
Martin Heidegger.

URVOY
Averroès. Les ambitions d'un intellectuel musulman.
Les penseurs libres dans l'islam classique

ART

ARASSE
Le Détail. Pour une histoire rapprochée de la peinture.

BALTRUSAITIS
Aberrations. Les perspectives dépravées I.
Anamorphoses. Les perspectives dépravées II.
Le Moyen Âge fantastique.
La Quête d'Isis.

BAZAINE
Le Temps de la peinture.

BONNEFOY
Rome 1630.

BRAUDEL
Le Modèle italien.

BRUSATIN
Histoire des couleurs.
Histoire de la ligne.

CHAR
La Nuit talismanique.

CHASTEL
Fables, Formes, Figures (vol. I et II).

Introduction à l'histoire de l'art français.

CHRISTIN
L'Image écrite ou la déraison graphique.

DAMISCH
Le Jugement de Pâris.
L'Origine de la perspective.

DIDI-HUBERMAN
Fra Angelico. Dissemblance et figuration.

DUCHAMP
Duchamp du signe.
Notes.

FUMAROLI
L'École du silence.

GRABAR
L'Iconoclasme byzantin.
Les Voies de la création en iconographie chrétienne.

HASKELL
La Norme et le caprice.

HECK
L'Échelle céleste.

LE CORBUSIER
Urbanisme.
L'Art décoratif d'aujourd'hui.
Vers une architecture.

LICHTENSTEIN
La Couleur éloquente.

MÂLE
Notre-Dame de Chartres.

MARIN
Détruire la peinture.

MOREL
Les Grotesques. Les figures de l'imaginaire dans la peinture italienne de la fin de la Renaissance.

MOULIN
L'Artiste, l'institution et le marché.

OBALK
Andy Warhol n'est pas un grand artiste.

PANOFSKY
La Renaissance et ses avant-courriers dans l'art d'Occident.

PENROSE
Picasso.

PHILIPPOT
La Peinture dans les anciens Pays-Bas.

SEGALEN
Chine, la grande statuaire.

SEZNEC
La Survivance des dieux antiques.

SHATTUCK
Les Primitifs de l'avant-garde.

STEIN
Le Monde en petit. Jardins en miniature et habitations dans la pensée religieuse d'Extrême-Orient.

WÖLFFLIN
Réflexions sur l'histoire de l'art.

Achevé d'imprimer en octobre 2003
sur les presses de l'imprimerie Maury Eurolivres
45300 Manchecourt

N° d'Éditeur : FH137605.
Dépôt légal : avril 1997.
N° d'Imprimeur : 03/10/21217.

Imprimé en France